UTB 2051

Eine Arbeitsgemeinschaft der Verlage

Beltz Verlag Weinheim · Basel
Böhlau Verlag Köln · Weimar · Wien
Wilhelm Fink Verlag München
A. Francke Verlag Tübingen und Basel
Haupt Verlag Bern · Stuttgart · Wien
Lucius & Lucius Verlagsgesellschaft Stuttgart
Mohr Siebeck Tübingen
C. F. Müller Verlag Heidelberg
Ernst Reinhardt Verlag München und Basel
Ferdinand Schöningh Verlag Paderborn · München · Wien · Zürich
Eugen Ulmer Verlag Stuttgart
UVK Verlagsgesellschaft Konstanz
Vandenhoeck & Ruprecht Göttingen
Verlag Barbara Budrich Opladen · Farmington Hills
Verlag Recht und Wirtschaft Frankfurt am Main
WUV Facultas Wien

Thomas Hülshoff

Emotionen

Eine Einführung für beratende, therapeutische, pädagogische und soziale Berufe

3., aktualisierte Auflage

33 Abbildungen und zwei Tabellen

Ernst Reinhardt Verlag München Basel

Prof. Dr. med. Thomas Hülshoff, Arzt und Familientherapeut (Institut für Familientherapie, Weinheim). Seit 1986 Prof. für Sozialmedizin und Psychopathologie an der Kath. Fachhochschule NW, Abteilung Münster, Fachbereich Sozialwesen. Autor eines Lehrbuches über Gehirnfunktionen und -dysfunktionen sowie Herausgeber eines Fachbuches über sensorische Förderung behinderter Menschen. Arbeitsschwerpunkte: Neurophysiologische Grundlagen der Heilpädagogik, Grundlagenwissen der Psychopathologie für Sozialarbeiter/Sozialpädagogen, emotionale Verarbeitung von Krankheit und kritischen Lebensereignissen. Familiensystemische Selbsterfahrungsgruppen für Studierende.

Von Thomas Hülshoff außerdem im Ernst Reinhardt Verlag erschienen: Medizinische Grundlagen der Heilpädagogik (UTB-M 3-8252-2698-0)

Bibliografische Information der Deutschen Bibliothek

Die Deutsche Bibliothek verzeichnet diese Publikation in der Deutschen Nationalbibliografie; detaillierte bibliografische Daten sind im Internet über <http://dnb.ddb.de> abrufbar.
UTB-ISBN 3-8252-2051-6
ISBN 10: 3-497-01744-2
ISBN 13: 978-3-497-01744-7

© 2006 by Ernst Reinhardt, GmbH & Co KG, Verlag, München

Dieses Werk einschließlich seiner Teile ist urheberrechtlich geschützt. Jede Verwertung außerhalb der engen Grenzen des Urheberrechtsgesetzes ist ohne schriftliche Zustimmung der Ernst Reinhardt, GmbH & Co KG, München, unzulässig und strafbar. Das gilt insbesondere für Vervielfältigungen, Übersetzungen in andere Sprachen, Mikroverfilmungen und die Einspeicherung und Verarbeitung in elektronischen Systemen.

Einbandgestaltung: Atelier Reichert, Stuttgart
Satz: Rist Satz & Druck GmbH, Ilmmünster
Druck: Ebner & Spiegel, Ulm
Printed in Germany
ISBN 3-8252-2051-6 (UTB-Bestellnummer)

Ernst Reinhardt Verlag, Kemnatenstr. 46, D-80639 München
Net: www.reinhardt-verlag.de Mail: info@reinhardt-verlag.de

Inhalt

Vorwort zur 3. Auflage 7
Vorwort zur 1. Auflage 8
Hinweise zur Benutzung dieses Lehrbuches 10

1. Eine systemisch-integrative Bestandsaufnahme .. 13
2. Neurobiologische Grundlagen
   von Emotionen 31
3. Biochemische Grundlagen emotionalen Erlebens
   und Verhaltens 44
4. Angst, Furcht, Panik 58
5. Verlust und Trauer, Kummer
   und Depression 87
6. Freude, Wohlbefinden, Lust und Sucht 105
7. Sexualität und Liebe 125
8. Ärger, Wut und Aggression 150
9. Schamgefühle 169
10. Schuldgefühl und Gewissen 191
11. Emotionen in der Pubertät 216
12. Emotionen und Familiensystem 238
13. Zur emotionalen Dimension von Gesundheit
    und Krankheit 263
14. Selbstwertgefühl, Selbstbewusstsein
    und Identität 278

Glossar 289

Literatur 307

Lösungen zu den Multiple-Choice-Fragen 324

Sachregister 325

Vorwort zur 3. Auflage

Angeregt durch Rezensionen und zahlreiche Rückmeldungen von Lesern, möchte ich die Neuauflage des vorliegenden Buches dazu nutzen, einige Veränderungen vorzunehmen.
  Bereits in der 2. Auflage wurde ein Kapitel über emotionale Dimensionen von Gesundheit und Krankheit aufgenommen, da die neuere psychoneuroimmunologische Forschung interessante Zusammenhänge zwischen emotionaler Befindlichkeit, körpereigener Abwehr und Krankheitsentstehung aufzeigt und die emotionale Befindlichkeit für Therapie und Gesundung von großer Bedeutung ist.
  In der 3. Auflage wurde das 2. Kapitel völlig neu bearbeitet, da die Erkenntnisse von neurobiologischen Grundlagen bei der Entstehung von Emotionen und Gefühlen im letzten Jahrzehnt, nicht zuletzt durch die Arbeiten von A. R. Damasio, beträchtlich erweitert wurden. Der Text des 3. Kapitels wurde etwas gestrafft. Das Literaturverzeichnis wurde aktualisiert und, ebenso wie das Glossar, ergänzt. Im Übrigen wurden Inhalte und didaktischer Aufbau des Buches wegen der guten Resonanz bei der Leserschaft unverändert beibehalten.
  Wiederum möchte ich Frau Astrid Heitmann für ihre gewissenhaften Schreibarbeiten ganz herzlich danken. Frau Anja Middendorf danke ich für das Erstellen zweier neuer Abbildungen. Frau Ulrike Landersdorfer, Lektorin beim Ernst Reinhardt Verlag, möchte ich für ihre wohlwollende Unterstützung auch bei der Neuauflage dieses Buches sowie wichtige Ratschläge danken. Ganz herzlich möchte ich schließlich meiner Frau und meinem Sohn danken, deren familiärer Rückhalt mir Kraft und Anregung gibt.

Münster, im Oktober 2005   Thomas Hülshoff

Vorwort zur 1. Auflage

Emotionen begleiten unser Denken und Handeln, Stimmungen „legen die Welt aus" und helfen uns, uns in ihr zurechtzufinden. Das vorliegende Buch will eine integrativ-systemische Übersicht über menschliche Emotionen geben. Basale Gefühlsqualitäten wie Angst, Wut, Trauer usw. sollen zunächst auf unterschiedlichen biologischen, psychischen und sozialen Ebenen erörtert werden. Darüber hinaus werden die Facetten eines Gefühls auf unterschiedlichen Ebenen miteinander in Verbindung gebracht: Das Phänomen der Trauer kann ebenso als Ausdruck basaler hirnchemischer und neurophysiologischer Vorgänge wie auch als psychisches Erleben von herabgesetzter Stimmung und seelischem Schmerz oder als Bindungsemotion im sozialen Miteinander verstanden werden. Diese drei (und weitere) Ebenen interagieren miteinander: eine medikamentöse Behandlung bleibt nicht ohne Folgen auf seelisches Erleben und Sozialverhalten, umgekehrt werden aber auch körperliche Prozesse von psychosozialen Faktoren beeinflusst.

Im Rahmen einer solchen systemisch-integrativen Betrachtungsweise soll nicht nur nach dem Zustandekommen einer Emotion, sondern auch nach deren jeweiliger Bedeutung (auf verschiedenen Ebenen) gefragt werden. Auf diese Weise kann man m. E. zu einem tieferen und adäquateren Verständnis von Emotionen gelangen.

Zunächst werden anatomische, neurophysiologische sowie biochemische Grundlagen emotionalen Erlebens erläutert. In den folgenden Kapiteln werden die Emotionen der Angst, Trauer, Freude, Liebe sowie Wut/Aggression vorgestellt.

Zwei weitere Kapitel befassen sich mit den emotional-kognitiven Komplexen von Scham und Schuldgefühl.

Abschließend wird auf Emotionen in der Pubertät, Zusammenhänge von Familiensystemen und Emotionen sowie auf die Verbindung von Selbstwertgefühl, Selbstbewusstsein und die Integration von Gefühlen eingegangen.

Das Buch entstand im Rahmen meiner Lehrtätigkeit in einer Fachhochschule für Heilpädagogik, Sozialpädagogik und Sozialarbeit. Es richtet sich zum einen an Studierende der Human- und

Sozialwissenschaften (Pädagogik, Anthropologie, Psychologie, Sozialarbeit etc.), zum anderen an Angehörige beratender, therapeutischer, pädagogischer und sozialer Berufe, insbesondere SozialarbeiterInnen, Sozial- und HeilpädagogInnen, Familien- und LebensberaterInnen, SozialtherapeutInnen, LehrerInnen usw.

Ich habe versucht, auch komplexe Sachverhalte und neuere Forschungsergebnisse so anschaulich wie möglich darzustellen. Dabei habe ich, wo immer dies möglich war, Fallbeispiele, Übungen oder Abbildungen herangezogen. Das Buch stützt sich nicht auf eigene Forschungsergebnisse, sondern rezipiert die aktuelle Literatur, die m. E. einen ersten Überblick über den Stand des heutigen Wissens gibt. Bücher, auf die ich mich in besonderer Weise beziehe oder die zur Vertiefung hilfreich sind, werden am Ende des Buches im Literaturverzeichnis kommentiert. Am Ende eines jeden Kapitels finden sich einige Multiple-Choice-Fragen sowie Vertiefungsfragen, mit deren Hilfe Sie Ihr Wissen überprüfen können.

An dieser Stelle möchte ich ganz herzlich Frau Astrid Heitmann für ihre gewissenhaften und umfangreichen Schreibarbeiten danken. Mein besonderer Dank gilt auch Herrn Hartwig Bruns, von dem viele computergestützte Abbildungen stammen. Herrn Oliver Faust und Herrn Thomas Bartels danke ich für ihre technische Hilfe. Frau Hildegard Wehler, Geschäftsführerin und Lektorin des Ernst Reinhardt Verlags, danke ich für ihren Rat und ihre Unterstützung.

Ganz herzlich möchte ich schließlich meiner Frau für die Geduld und das Verständnis danken, das sie mir für meine Arbeit an diesem Buch entgegengebracht hat.

Münster, im August 1998   Thomas Hülshoff

Hinweise zur Benutzung dieses Lehrbuches

Dieses Lehrbuch kann sowohl zum Eigenstudium als auch begleitend zu Vorlesungen und Seminaren über Emotionspsychologie benutzt werden.

Buchstaben und Piktogramme

Beispiel

Stammhirn und vegetative Funktionen
Dieses Piktogramm finden Sie, wo es um folgende Themen geht: Körperbasis, Endokrinum, Humuralimmunologie, biochemische Prozesse, Neurotransmitter, Stammhirn, spezifische Belastungen, Vulnerabilität

Zwischenhirn und Limbisches System
Dieses Piktogramm verweist auf die Themen: Gefühlsqualität, vorbewusstes Erleben, motorische Prozesse, Handlungs- oder Motivationsmotorik, Haltung, Proxemik, Gestik, Mimik, paralinguistische Phänomene

Großhirn, Affekt und Bewusstsein
Themen: Bewusstseinsebene, Kontrolle, emotionale Intelligenz, Sozialkompetenz, Affekt-Logik

Ausdruck und Motorik
Themen: Mimik, Gestik, Körperhaltung, Motorik, Sprache, Verhalten

Entwicklung und Biografie
Themen: Kindheit, Pubertät, Adoleszenz, Erwachsenenalter, Lernprozesse, Entwicklungsphasen, Familiengeschichte, Life-events

Selbstwert und Erleben
Themen: Wahrnehmung, affektiv-kognitive Interaktionen, Selbstbild und Selbstwertgefühl

Kommunikation und Beziehungsmuster
Themen: Ausdrucksformen, Verständnis und Missverständnis, Gestik, Sprache und Begleitphänomene, Beziehungen und Reaktionen, Nähe und Distanz, Empathie

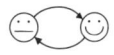

Familie und Gruppe
Themen: Familienstil, Delegationen, Vermächtnisse, Koalitionen, Bindungen

Kultur
Musik, Theater, Riten und Bräuche u. Ä.

Vom rechten Maß, Extremen und Störungen
Gestörtes emotionales Gleichgewicht, Krise, Kränkungen, Krankheit, vom Sinn emotionaler Krisen, Begleitung und Therapie

Eine *teilkommentierte Bibliografie* finden Sie am Schluss des Bandes (S. 307–323). Bücher, die zum Vertiefen und Weiterlesen besonders interessant für Sie sein könnten, sind dort mit einem kurzen Kommentar vorgestellt.

Multiple-Choice-Aufgaben und Vertiefungsfragen

Am Ende eines jeden Kapitels folgen mehrere Multiple-Choice-Fragen, anhand derer Sie Ihr Wissen überprüfen können, sowie einige Vertiefungsfragen. Bei den Multiple-Choice-Fragen ist jeweils nur eine der fünf möglichen Antworten (a–e) richtig.

Sie finden fünf verschiedene Fragetypen:

Fragetyp A Eine Antwort richtig
Von fünf Aussagen (a–e) ist nur eine richtig und somit anzukreuzen.

Fragetyp B Eine Antwort falsch
Von fünf Aussagen (a–e) ist nur eine falsch und somit anzukreuzen.

Fragetyp C Antwortkombinationsaufgabe
Es werden Ihnen einige Aussagen (z. B. 1–5) angeboten. Anschließend finden Sie fünf Antwortkombinationen (a–e) etwa nach dem Muster:
a) Nur die Aussagen 1, 3 und 5 sind richtig.
b) Nur die Aussagen 1, 4 und 5 sind richtig.
Sie müssen die Kombination mit den zutreffenden, richtigen Aussagen herausfinden.

Fragetyp D Zuordnungsaufgabe
Mehrere Phänomene oder Symptome (1–5) und fünf Erklärungen/Erläuterungen (v–z) werden angeboten. Außerdem finden Sie fünf Zuordnungskombinationen (a–e) etwa nach dem Muster:
a) 1v, 2x, 3w, 4y, 5z
b) 1z, 2y, 3x, 4w, 5v
Sie sollen die richtige Zuordnung herausfinden.

Fragetyp E Kausalverknüpfung
Bei diesem Fragetyp werden Ihnen zwei Aussagen angeboten, die mit einer Kausalverknüpfung (wenn, denn, weil, sodass usw.) verbunden sind. Sie sollen überprüfen, ob keine, eine oder beide Aussagen richtig sind und ob der kausale Zusammenhang stimmt. Dafür stehen Ihnen fünf Antwortalternativen (a–e) zur Verfügung.

Die *Lösungen* zu den Multiple-Choice-Aufgaben finden Sie am Ende dieses Buches, S. 324.

1. Eine systemisch-integrative Bestandsaufnahme

B

Die 16-jährige Anja kommt samstags abends gegen 22.00 Uhr in die Notaufnahme einer Klinik. Sie leidet unter Schwindelgefühl, kurz zuvor sei sie „ohnmächtig" geworden, subjektiv hat sie das Gefühl, „ersticken zu müssen". Sie atmet schnell, ihre Pupillen sind schreckensweit, der Puls jagt. Neben dem Gefühl, keine Luft mehr zu bekommen, hat sie den Eindruck, alles drehe sich, sie verliere den Boden unter den Füßen. In dem kleinen Ambulanzraum drückt sie sich eng an ihre Mutter, weicht nicht von ihrer Seite. Diese gibt an, dass Anja unter solchen Angstanfällen seit etwa fünf Jahren leide. Damals sei eine Epilepsie aufgetreten, die zwar relativ rasch medikamentös erfolgreich behandelt werden konnte, sodass es seither nicht mehr zu Krampfanfällen gekommen sei. Andererseits stünden sowohl sie als auch Anja unter dem „Damokles-Schwert", es könne jederzeit „wieder losgehen".

Die alleinerziehende Mutter, die einerseits sehr um ihre Tochter besorgt ist, andererseits stets das Gefühl hat, „nicht genug für sie zu tun", berichtet, dass sie eigentlich niemanden habe, mit dem sie über ihre Sorgen sprechen könne. Sie selbst leide auch unter großen Ängsten, das „liege wohl in der Familie".

Das vorherrschende Gefühl dieses einführenden Fallbeispiels ist die Angst. Tritt sie massiv auf – als zielgerichtete Furcht, als generalisierte frei flottierende Angst oder als extreme Panikattacke – so haben wir nicht Angst, sondern „sind Angst": Vegetative Phänomene wie jagender Puls, Schweißausbruch oder rege Darmtätigkeit werden existenziell und körperlich erlebt. Aber auch das emotionale Erleben (Vernichtungsgefühl, Kontrollverlust, Einengung oder Hoffnungslosigkeit) sowie die Einengung des Bewusstseins (man kreist nur noch um die Angst) ist wohl jedem (mehr oder weniger) vertraut.

Beispiel: Angst

Bereits an diesem Beispiel ist zu sehen, dass eine Emotion (hier: die Angst) ein mehrdimensionales Geschehen ist. Wir reagieren körperlich und emotional, eine Emotion kann als körperlicher Zustand, als seelische Empfindung oder als ein unser Denken und Handeln bestimmendes Phänomen wahrgenommen werden. Darüber hinaus haben Emotionen soziale Wirkungen: Die Reaktion der Mutter im o.g. Beispiel, aber auch die soziale Selbst- und Fremdeinschätzung der Klientin sind einerseits Folgen ihrer Angst, zum anderen wirken sie auf die Angst zurück.

Emotion als mehrdimensionales Geschehen

14   1. Eine systemisch-integrative Bestandsaufnahme

Untersucht man mögliche Gründe für eine emotionale Reaktion, so ist man schnell versucht, stimmige, aber mitunter allzu vereinfachende Zusammenhänge herzustellen. Sind überbordende Ängste Resultat eines besonders sensitiven Nervensystems? Hängen sie letztlich mit einer körperlich zu begründenden Übererregung zusammen? Sind sie Folge erlernter und tradierter Erfahrungen, wenn bspw. Eltern und frühe Bezugspersonen besonders ängstlich waren? Können sie durch einschneidende ängstigende Erlebnisse (wie die o. g. Epilepsie) erklärt werden, noch dazu, wenn über solche „life-events" nicht gesprochen werden darf? Oder handelt es sich letztlich um ein von außen definiertes Phänomen, eine Etikettierung?

Je nach Konzept, mit dem man an diese Fragestellung herangeht, werden die Untersuchungen eines emotionalen Phänomens, die Fragestellungen und wohl auch die Antworten etwas unterschiedlich ausfallen. Allein die Tatsache, dass es gute Gründe für diese (und andere) Erklärungsmuster gibt, weist darauf hin, dass es sich bei der Angst und jedem anderen emotionalen Phänomen um ein vielschichtiges Phänomen handelt, das nicht monokausal erklärt werden kann.

Definition: Emotion

Emotionen sind körperlich-seelische Reaktionen, durch die ein Umweltereignis aufgenommen, verarbeitet, klassifiziert und interpretiert wird, wobei eine Bewertung stattfindet. Dabei hat eine Emotion zunächst einen körperlich-vegetativen Aspekt: Die Verarbeitung eines Reizes wirkt sich auf unser vegetatives Nervensystem und unterschiedliche Organsysteme aus. Im Falle der Angst kommt es zu den o. g. Phänomenen des Herz-Kreislauf-Systems, der Atmung, der Hautveränderungen usw. Gleichzeitig wirkt sich eine Emotion auf unsere willkürliche und unwillkürliche Motorik aus: Am Gesichtsausdruck und der Körperhaltung ist oft zu erkennen, ob sich jemand traurig, wütend oder ängstlich fühlt. Schließlich ist eine Emotion ein erlebter Zustand, eine Stimmung, die in der Regel von dem, der sie empfindet, benannt und beschrieben werden kann. Und schließlich kann man sich (zumindest teilweise) der Gründe für eine Emotion soweit bewusst werden, dass man sie zum Teil kontrollieren und steuern kann – dem sind allerdings Grenzen gesetzt, wie in diesem Buch noch verdeutlicht wird.

Emotionen sind nicht neutral: Was wir wahrnehmen (sehen, hören oder fühlen), lässt uns „nicht kalt", sondern wird emotional bewertet. Ein mich ankläffender Hund kann zu Angst, Ärger oder Belustigung führen. Stimmungen legen die Welt aus: Wir betrachten die Welt im Licht unserer Emotionen und bewerten die Geschehnisse, die uns widerfahren. Das einfachste Bewertungsschema ist das der „Lust und Unlust".

1. Eine systemisch-integrative Bestandsaufnahme 15

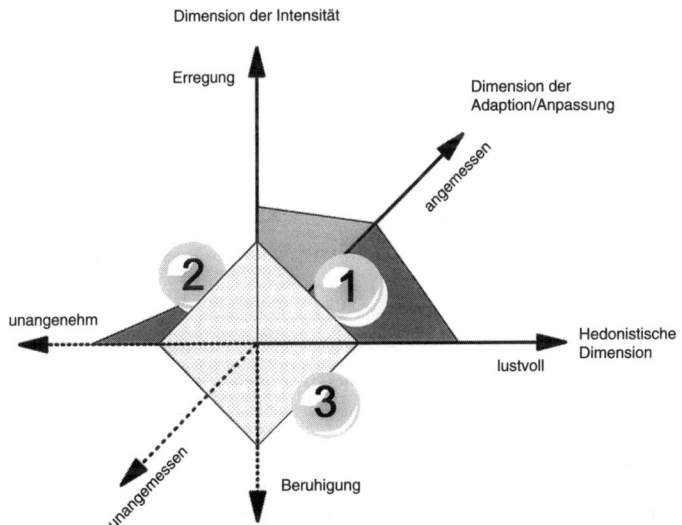

Abb. 1.1: Dimensionen der Intensität. Ein dreidimensionales Darstellungsschema erlebter Gefühle: 1. die Freude über den Sieg beim sportlichen Wettkampf, 2. Prüfungsangst und 3. das entspannte Gefühl nach Beruhigungsmittelmissbrauch lassen sich mehrdimensional einordnen.

In Abb. 1.1 wird deutlich, dass man Emotionen in eine Bewertungsskala einordnen kann. Evolutionsbiologisch sind wir mit Strukturen ausgestattet, die uns lustvolle Ereignisse suchen, Unlust produzierende Geschehnisse meiden lassen. So wird auch verständlich, dass wir basale Gefühle in „gute" und „schlechte" Gefühle einzuteilen versucht sind. Angst, Wut und Trauer sind demnach schlechte, freudige, erotische und Interesse weckende Emotionen gute Gefühle. Allerdings wird dabei übersehen, dass das gesamte Spektrum unseres Gefühlserlebens notwendig ist und Sinn hat – anderenfalls hätte es sich in der evolutionären Entwicklung des Menschen nicht herausbilden können.

Was geschähe, gäbe es die Trauer nicht? Menschliche Bindung und Solidarität, Liebe und Zuneigung haben als Kehrseite der Medaille Trauer vor Verlust zur Folge. Angst (und Schmerz) können Warnfunktion haben und vor Gefahren schützen. Aggressionen haben, wie noch zu zeigen sein wird, eine wichtige Aufgabe bei der Selbsterhaltung des Individuums und dem Schutz menschlicher Bindungen, z. B. der Familie. Und das Bestreben, permanent in Freude und Glück zu leben, wird oft genug zur Sucht. Dies soll als erster Hinweis für die Berechtigung des gesamten Gefühlsspektrums genügen.

Ein wichtiges Anliegen dieses Buches ist es aufzuzeigen, dass es keine „guten" oder „schlechten" Gefühle, sondern angemessene oder unangemessene Gefühle gibt. Die Frage der Angemessenheit aber ist immer vom Kontext abhängig. Die Schlüsselfrage ist

Welchen Sinn haben Gefühle?

also: Wozu ist ein Gefühl gut? Welchen Sinn haben Aggression oder Trauer, Sehnsucht oder Angst? Diese vielleicht zunächst provokativ wirkende Frage ermöglicht es uns, etwas über die Bedeutung unterschiedlicher Emotionen herauszufinden. Dabei kann diese Frage zunächst allgemein auf evolutionsbiologischer Ebene gestellt werden. Sie lautet dann etwa: Warum gibt es die Möglichkeit menschlicher Aggressivität, existenzieller Angst oder libidinöser Gefühle? Auf dieser Ebene muss man zwischen proximaten und ultimaten Erklärungsansätzen unterscheiden.

Proximate Fragestellung: Wie?

Proximate Fragestellungen untersuchen das „Wie" beim Zustandekommen eines Gefühls: Welche biochemischen, neurologischen, erbbiologischen, zentralnervösen und sozialen Faktoren interagieren wie miteinander, damit wir schließlich Angst empfinden? So kann eine (Teil)-Antwort der proximaten Fragestellung „Wie kommt es zur Angst?" darin bestehen, dass typische Wahrnehmungskonstellationen (z. B. drohende Augen und fletschende Zähne) von Strukturen unseres Zwischenhirns bearbeitet und mit wohlbekannten Stressreaktionen beantwortet werden. Die Erforschung solcher proximaten Zusammenhänge wird en detail herauszufinden versuchen, welche Regelkreise auf vegetativer, psychischer und sozialer Ebene arbeiten.

Ultimate Fragestellung: Warum?

Daneben gibt es eine „ultimate Fragestellung" – die des „Warum". Gemeint ist der Sinn eines emotionalen Verhaltens und Erlebens im Kontext des Individuums, das sich in seiner Lebenswelt behaupten muss und kann. Anders ausgedrückt: Warum können sich emotionale Grundmuster behaupten, warum haben sie sich entwickelt, warum sind (oder waren) sie dem individuellen und sozialen Leben und Überleben dienlich? Eine solch ultimate (auf das Ziel des Überlebens hingerichtete) Fragestellung fragt also nicht en detail nach den unterschiedlichen Mechanismen, die zur Ausprägung eines Gefühlserlebnisses führen, sondern nach der Bedeutung eines emotionalen Phänomens in einem übergeordneten, hier biologischen Kontext. So könnte eine Antwort auf die Frage „Welchen evolutionären Sinn hat Angst?" etwa lauten: Angst hat Warn- und Schutzfunktion und ermöglicht dem Individuum, rechtzeitig Gefahren auszuweichen. Daher ist sie von überlebenswichtiger Funktion, konnte sich also evolutionär behaupten. In ähnlicher Weise könnte Trauer als Bindungsemotion verstanden werden, die dem Zusammenhalt von Gruppen sozial lebender Primaten (also auch Menschen) und somit dem individuellen wie artspezifischen Überleben förderlich ist.

Solch eine „ultimate" Betrachtungsweise fragt also nicht nach den Wirkprinzipien eines Phänomens (hier: eines emotionalen Phänomens), sondern betrachtet die Funktion einer Emotion, also deren Anpassungswert.

1. Eine systemisch-integrative Bestandsaufnahme

Zunächst wurden solche proximaten und ultimaten Fragestellungen für biologische Phänomene entwickelt. Sie spielen gerade im Rahmen der Soziobiologie, die danach fragt, warum sich biologische Phänomene über Generationen hin durchsetzen können, mithin dem Überleben förderlich sind, eine große Rolle. Ich möchte versuchen, mit etwas veränderten Vorzeichen die Fragestellung des „Wie" und „Warum" auch auf höhere Betrachtungsebenen zu transferieren. So könnte man etwa fragen, wie in einem familiären Kontext Ärger oder Aggression zustande kommt. Analog zu den proximaten Untersuchungen auf biologischer Ebene könnte man auf familiärer Ebene die Bedingungsgefüge untersuchen, die bei einem Familienmitglied (oder im gesamten Familiensystem) Ärger auslösen.

Andererseits könnte man nicht nur nach dem „Wie", sondern auch nach dem „Wozu" forschen: Welchen Sinn hat es für den „Indexpatienten" oder sein Familiensystem, wenn der 9-jährige Sohn immer wieder mit Wutanfällen reagiert? Stabilisiert er unter anderem damit das Paar- und Elternsystem, indem er gemeinsame Aktionen herausfordert? Lenkt er von (vermeintlich) schwerwiegenderen Problemen ab?

Wie im Rahmen dieses Buches noch zu zeigen sein wird, hat gerade auch die systemische Familientherapie ein großes Interesse daran, die Bedeutung von emotionalen Phänomenen (oder Symptomen) herauszufinden – es wird geradezu postuliert, dass Symptome und Emotionen, so unverständlich oder dysfunktional sie zunächst erscheinen mögen, eine oder mehrere wichtige Funktionen haben – sonst würden sie gar nicht auftreten.

Die Frage nach dem „Wie" und dem „Wozu" lässt sich, so konnten wir sehen, auf unterschiedlichen Ebenen stellen. Beispielhaft wurde eine basale, biologische Ebene sowie eine Ebene des sozialen Kontextes (die familiäre Ebene) herausgegriffen.

Emotionen lassen sich jedoch auf ganz unterschiedlichen Ebenen betrachten. Ein systemisch-integrativer Ansatz zum Verständnis von Emotionen muss zunächst einmal berücksichtigen, dass sich Emotionen in sehr unterschiedlicher Weise auf verschiedenen z.B. biologischen, psychischen und sozialen Ebenen manifestieren.

Aber auch innerhalb einer biologischen Betrachtungsweise lassen sich verschiedene Ebenen abgrenzen. So ist auf der Ebene der Stammhirnfunktion und der vegetativen Reaktionen verankert, mit welchem Erregungsniveau eine Emotion auftreten kann. (Bereits Abb. 1.1, s. S. 15, weist darauf hin, dass Angst, Freude, Trauer, Ärger etc. mit unterschiedlich starken Erregungszuständen einhergehen kann.) Auf der basalen, vegetativen Ebene, also der Körperbasis, lässt sich untersuchen, welche hormonellen und biochemischen Prozesse mit Emotionen verbunden sind. Aber

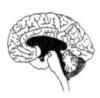

auch spezifische Belastungen (z. B. Stressreaktionen) und „Anfälligkeit" gegenüber bestimmten Reizen (Vulnerabilität), die mit mehr oder weniger großer Wahrscheinlichkeit zu Ärger oder Depression führen, können auf dieser Ebene untersucht werden.

Immer noch zu den biologischen Voraussetzungen, aber sozusagen „eine Systemebene höher" gehören die emotionalen Reaktionen im Zusammenhang mit dem Limbischen System, einer neuronalen Struktur an den Grenzen unseres Zwischenhirns zum Großhirn. Wie in Kapitel 2 näher ausgeführt wird, sind es diese Hirnstrukturen, die uns Gefühle vorbewusst erleben lassen und Primäraffekte (ursprüngliche Gefühle) wie z. B. Angst oder Wut hervorrufen. Eng verbunden mit den Strukturen dieses Limbischen Systems sind motorische Prozesse: Körperhaltung, Gestik, Gesichtsausdruck, Mimik, paralinguistische Phänomene wie der Klang und die Frequenz unserer Stimme sind eng mit dieser biologischen Systemebene gekoppelt.

Schließlich gehört auch unser Großhirn, das die neuronale Basis für Bewusstseinsprozesse liefert, zu unserer „biologischen Ausstattung". Vor allem das Stirnhirn, also der Frontallappen, ist in der Lage, uns emotionale Prozesse bewusst werden zu lassen und in gewisser Weise steuernd und kontrollierend einzugreifen: Emotionale Intelligenz und Sozialkompetenz sowie die Verknüpfung von Denken und Fühlen finden hier ihr biologisches Substrat. Auf jeder einzelnen dieser drei „biologischen Ebenen" lassen sich die Fragen nach dem „Wie" und dem „Wozu" unseres emotionalen Erlebens mit jeweils unterschiedlichen Facetten stellen und – zumindest ansatzweise – beantworten. In den folgenden Kapiteln dieses Buches möchte ich u. a. so wichtige Emotionen wie Angst oder Trauer auch auf diesen „biologischen Ebenen" näher vorstellen.

Die körperlichen Reaktionen und Prozesse, die wir in Angstsituationen zeigen bzw. durchmachen, sind eng gekoppelt mit einem subjektiven, intrapsychischen Erleben, das wir schildern und, wenn es um andere Menschen geht, ansatzweise einfühlen können, letztlich aber nicht zu objektivieren vermögen. Diese zweite, psychische Ebene des Erlebens von Gefühlen lässt sich ebenfalls in unterschiedliche Ebenen aufteilen: Zum einen können Ausdruck, Motorik, Sprache und Verhalten Hinweise auf das dahinterstehende psychische Erleben bieten.

Zum anderen lässt sich bei „motorischen Programmen", z. B. der Gestik, insbesondere aber der Mimik, die enge Kopplung unterschiedlicher Systemebenen bei der Betrachtung emotionalen Geschehens verdeutlichen: Zumindest die Primäraffekte (basale Gefühlsqualitäten, mehr dazu weiter unten) gehen mit typischen, genetisch vordeterminierten mimischen Ausdrucksweisen einher, die zwar kulturell überformt werden, doch bereits bei der Geburt in ihren Grundzügen vorhanden sind. So werden die diffizilen Muskeln unseres Gesichtes in komplexer und charakteristischer Weise gesteuert, wenn wir Angst, Freude oder Wut empfinden. Offensichtlich war es von evolutionärem Vorteil, wenn die Stimmung eines Artgenossen von weiteren Gruppenmitgliedern erkannt werden konnte – es diente unter anderem der Nähe- und Distanzregulierung.

a) auf Freude

Die in Abb. 1.2 dargestellten mimischen Reaktionsformen von Trauer und Freude lassen sich zum einen auf der biologischen Ebene betrachten: Sie sind eng mit den Funktionen unseres Limbischen Systems verknüpft. Zum anderen geben sie aber durchaus auch Hinweise auf die emotionale Befindlichkeit, gehören also auch zur Ebene des „psychischen Erlebens" von Emotionen. Schließlich haben sie sozialen Signalcharakter: Ob ich mich von einem wütenden Mitmenschen zurückziehe, hängt nicht zuletzt davon ab, ob ich Ärger und Aggression in seiner Mimik erkenne.

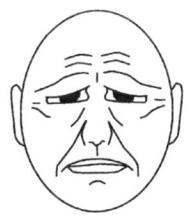

In der Abb. 1.3 sind in synoptischer Form biologische, psychische und soziale Ebenen emotionalen Erlebens dargestellt. Neben Ausdruck und Motorik gehört, wie die Abb. 1.3 zeigt, auch die individuelle Entwicklung und die Biografie zur psychischen Dimension unseres Gefühlslebens. Das emotionale Umfeld in der Kindheit, frühe und späte Lernprozesse, phasentypische Reifegrade emotionalen Erlebens und nicht zuletzt die Integration von Gefühlen ganz neuer Intensität in der Pubertät prägen unser emotionales Repertoire und die Vielfalt unseres Gefühlslebens. Unsere Familiengeschichte, als uns prägendes emotionales Millieu in unserer Kindheit und Jugend, aber auch eingreifende und zum Teil krisenhafte emotionale Lebensereignisse (Life-events) hinterlassen Spuren und können mit dazu beitragen, dass wir auf bestimmte Stimmungen in besonderer Weise ansprechen. Auch auf dieser Ebene lassen sich Emotionen untersuchen. Auch in Selbstwert und Erleben unserer Identität spielen Emotionen eine wichtige Rolle: Achtung und Selbstachtung, Selbstwertgefühl, die Art, auf andere Menschen zuzugehen, sind keineswegs nur von Willen und Denken gesteuerte Prozesse, sondern immer emotional gefärbt. Insofern haben wir es auf einer höheren Bewusstseinsebene, in unserer Interaktion mit der Umwelt, in unserem Planen und Handeln und nicht zuletzt in unserer Kommunikation immer mit affektiv-kognitiven Prozessen zu tun. Auf dieser Ebene können wir uns unserer Gefühle zumindest teilweise bewusst werden und sie modifizieren.

b) auf Trauer

Abb.: 1.2 a und b: Mimische Reaktionen auf Freude und Trauer (in Anlehnung an Hjortsjö in Eibl-Eibesfeldt 1994, 629)

Die dritte Spalte in Abb. 1.3 geht auf soziale Ebenen emotionaler Prozesse ein. Wie schon bei den vorherigen Ebenen spielen auch auf der sozialen Ebene kommunikative Prozesse, Gestik, Mimik und paralinguistische Ausdrucksformen eine große Rolle.

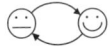

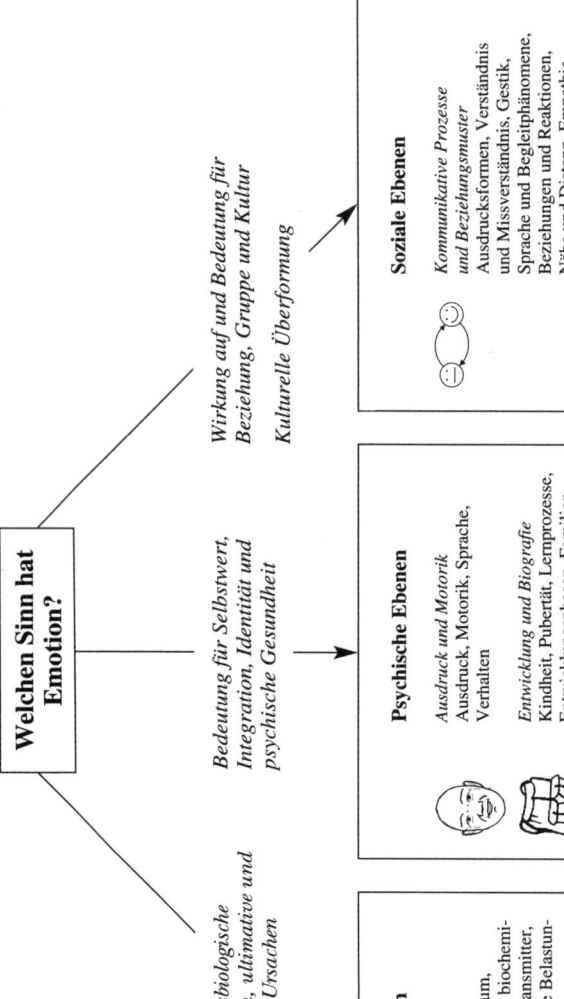

Abb. 1.3: Biologische, psychische und soziale Ebenen des emotionalen Erlebens (vgl. auch Abb. 13.2, S. 282)

1. Eine systemisch-integrative Bestandsaufnahme 21

In einer Seminarübung wurden sechs Teilnehmer per Karteikarte aufgefordert, einen Satz in tschechischer Sprache („Das Bett ist schon gemacht") den übrigen, nicht informierten Teilnehmern vorzutragen. Dabei wurden die Vortragenden aufgefordert, diesen Satz entweder ängstlich, wütend/ärgerlich, traurig, freudig erotisch oder angeekelt vorzutragen. Den Zuhörern, die die semantische Botschaft nicht kannten, gelang es auf Anhieb, den emotionalen Gehalt zu dekodieren.

Auf der sozialen Ebene kommt hinzu, dass wir auf solche Botschaften auch reagieren – also ärgerlich werden, zu flirten beginnen oder uns angewidert abwenden. Beziehungen und soziale Reaktionen, Nähe und Distanz werden zu einem großen Teil gefühlsbestimmt.

In einer weiteren Übung simulierten drei Kursteilnehmer ein „Partygespräch". Als ein vierter „Gast" (mit einem Sektglas bewaffnet) dazutreten wollte, gaben sie mit Körperhaltung und Gestik (sie drehten ihm den Rücken zu) zu verstehen, dass er unerwünscht sei. Intuitiv wurde diese Botschaft verstanden und der „Gast" reagierte entsprechend.

Schließlich ist Empathie, also Mitgefühl, eine wichtige Voraussetzung für dauerhafte und tragfähige soziale Beziehungen. Nur wer eigene Gefühle bewusst erleben kann (und zwar auf den unterschiedlichen hier vorgestellten Ebenen), kann sich wenigstens ansatzweise in die Stimmung eines Partners hineinversetzen.

Empathie

Die Interaktion emotionaler Teilphänomene auf unterschiedlicher, z. B. biologischer und sozio-kultureller Ebene verdeutlicht ein Beispiel von Maturana (1987): Es fällt uns schwer, emotional unberührt an einem Bettler vorbeizugehen. Gestik und Habitus sprechen uns an, lösen also Mitgefühl aus. Zwar können wir zur Seite blicken oder uns ärgerlich abwenden (anstatt Hilfsbereitschaft zu zeigen). Doch in all diesen Fällen lässt uns die Begegnung nicht kalt – sie löst Gefühle aus. Je nach sozialem und kulturellem Kontext führen diese bereits biologisch verankerten Beziehungsmuster zu zum Teil sehr unterschiedlichen Verhaltensweisen.

In besonderer Weise wirkt sich unsere Stimmung und unser emotionales Erleben und die damit verbundenen Kommunikationsstrukturen auf unser Verhalten in Kleingruppen, insbesondere in Familien aus. Umgekehrt ist gerade auch die Familie prägend für immer wiederkehrende emotionale und kommunikative Grundmuster.

So mag sich über ein oder zwei Generationen in einer Familie die Regel „wer am bedürftigsten ist, erhält die meiste Zuwendung" etabliert haben. Diese an und für sich aus Empathie herrührende und zeitweilig adäquate Regel kann aber, wird sie verabsolutiert, zu dem Phänomen führen, dass Mitleid und Bedürftigkeit zu den führenden Beziehungsmustern führen.

Dann wird mit großer Wahrscheinlichkeit Trauer als führende Bindungsemotion das Verhalten, Empfinden und die Kommunikation der Familienmitglieder untereinander über weite Strecken beeinflussen. Mitunter können konträre Emotionen, z. B. Ärger und Wut, aber auch Eros und Freude nicht mehr ausgelebt oder sogar empfunden werden. Solch familiäre Bindungen, Koalitionen und Kommunikationsstile beeinflussen in hohem Maße den Emotionshaushalt der Familienmitglieder.

Aber auch Delegationen, Aufträge und Vermächtnisse („Die Müllers sind eine harmonische Familie, das Glück ihrer Familienmitglieder geht über alles!") beeinflussen „erlaubte" und „unerlaubte" Gefühle: die Erkenntnis, dass das gesamte Spektrum menschlicher Gefühle sinnvoll und notwendig, somit erlaubt ist, kann u. U. nicht mehr zugelassen werden.

Die systemische Familientherapie, insbesondere die von Virginia Satir begründete wachstumsorientierte Schule, berücksichtigt in besonderem Maße die Zusammenhänge zwischen emotionalen Befindlichkeiten, Kommunikationsstil und Selbstwertgefühl der einzelnen Mitglieder. In den entsprechenden Kapiteln dieses Buches möchte ich auf diese soziale Ebene emotionalen Erlebens in besonderer Weise eingehen.

Schließlich gibt es vielfältige Zusammenhänge zwischen emotionalem Erleben und Verhalten einerseits und sozialen und kulturellen Prozessen andererseits: Musik, Theater, kulturelle Strömungen, Riten, aber auch politische Entwicklungen und soziale Differenzierungen innerhalb einer Sozietät sind immer auch emotional gefärbt.

So werden in unserem Kulturkreis die ungarischen Tänze von Brahms oder „Feelin groovy" von Simon und Garfunkel von den meisten Rezipienten der Gefühlsdimension der Freude (sog. Prestotyp), Musikstücke wie „Ares Tod" von Grieg oder „Allein" von Reinhard Mey eher dem Trauer- oder Adagiotyp zugeordnet. Komödien oder Tragödien haben emotional-karthatische (befreiende) Wirkung, und dies gilt ebenso für die einschlägigen Fernsehproduktionen.

Riten und Gebräuche kanalisieren individuelle emotionale Ausdrucksformen und stellen sie in einen kulturellen Kontext: Im Trauerfall bei Verlust eines Angehörigen wird oft in einer kulturell festgelegten Weise Beileid bezeugt und dem Trauernden soziale Unterstützung zuteil. Nach ebenfalls kulturell festgelegten Zeitpunkten (Sechs-Wochen-Amt, Trauerjahr) erwartet die soziale Gruppe vom Trauernden, dass er sich allmählich wieder anderen sozialen Erfahrungen und damit verbundenen Gefühlen zuwendet. Schließlich sind zahlreiche zunächst biologisch determinierte und emotional unterlegte Ausdrucksformen kulturell überformt:

Die Verbeugung weist auf ein sich klein machendes demütiges Verhalten hin, das abwehrende Kopfschütteln beim Neinsagen ist die kulturelle Überformung der archaischen Ekelreaktion, mit der wir uns von etwas abwenden.

Schließlich geht die Abb. 1.3 (s. S. 20) in ihrer vierten Kolumne auf Störungen im emotionalen Erleben ein.  Hierbei kann zunächst das emotionale Gleichgewicht gestört sein: Eine Emotion kann zu stark oder zu schwach auftreten, sie kann einseitig und inadäquat oder unflexibel oder verharrend erscheinen – in jedem Fall ist sie nicht adaptiv, führt also dann nicht zur Lösung eines Problems, sondern zu persönlichem Stillstand oder sozial inadäquaten oder schädlichen Verhaltensweisen.

Schließlich kann es im Rahmen einer seelischen oder psychosozialen Krise, mitunter auch im Rahmen einer eher körperlich bedingten Krankheit zu schweren emotionalen Störungen kommen: Angstneurosen, Depressionen, Suchtkrankheiten, Zwangsstörungen und Psychosen gehen in der Regel mit erheblichen emotionalen Schwierigkeiten einher. Auch auf solche Störungen soll im Rahmen dieses Buches, jeweils am Ende eines Kapitels, kurz eingegangen werden.

Emotionen können also auf verschiedenen Ebenen und in jeweils sehr unterschiedlichem Kontext beschrieben werden: Je nachdem, auf welcher Ebene und mit welchen Fragestellungen wir an eine Emotion herangehen, können die Schlussfolgerungen sehr unterschiedlich ausfallen. Dabei kommt es darauf an, die Bedeutung von Emotionen im jeweiligen Kontext zu sehen – dort und nur dort haben sie eine gewisse Gültigkeit, sind also „stimmig".

So fällt die Frage nach dem „Sinn" einer Depression je nach der Ebene, die untersucht wird, und vor allem je nach dem Kontext, in dem das Symptom auftritt, sehr unterschiedlich aus. Vielfach ist es zunächst keineswegs einsichtig, dass Depression überhaupt irgendeinen Sinn hat. Erst wenn man sich auf unterschiedlichen Ebenen dieser Fragestellung nähert und sich die individuelle Lebensgeschichte sowie das soziale Bedingungsfeld der betroffenen Person vergegenwärtigt, kann Depression als Solidarität mit anderen Leidenden, als Ablenkung vor ausweglos erscheinenden Schicksalsschlägen, als Aggressionsabwehr oder ein anderes Bedeutungsmuster erklärt werden.

Es kommt mir im vorliegenden Buch nicht darauf an, auf allen Ebenen alle nur denkbaren ultimaten wie proximaten Erklärungsmuster auszudifferenzieren. Vielmehr möchte ich dazu ermuntern, immer wieder die Ebenen zu wechseln und die unterschiedlichen Bedingungsgefüge und Kontexte, in denen Emotionen auftreten, anzuschauen. Systemisches Denken beinhaltet, wie mit einem Fernglas oder anderen optischen Instrumenten

mal diese, mal jene Ebene zu fokussieren (in den Brennpunkt zu nehmen), dabei aber die Flexibilität zu behalten, nach einiger Zeit die Ebene und damit den Gesichtspunkt zu wechseln. Damit wird rasch deutlich, dass Emotionen nicht „ein oder zwei Ursachen haben", sondern multifaktorieller Natur sind – eine Vielzahl von Bedingungen führen schließlich dazu, dass wir jetzt und hier ängstlich, wütend oder traurig sind.

Was so selbstverständlich zu sein scheint, ist es in der therapeutischen Praxis keineswegs immer: Nicht selten kam es in der Vergangenheit zu erbitterten Grabenkämpfen zwischen Psychoanalytikern, Verhaltenstherapeuten oder pharmakologisch orientierten Ärzten, die – jeder auf seine Weise – eine Depression erklärten: Je nach Erklärungsmuster konnte eine Behandlung dann mit Hilfe von Antidepressiva, stützenden oder aufdeckenden psychotherapeutischen Verfahren oder sozialen und verhaltenstrainierenden Maßnahmen behandelt werden.

Die in den letzten 20 Jahren entwickelten „Vulnerabilitätskonzepte", die hinsichtlich vieler psychischer Störungen und Erkrankungen entwickelt wurden, gehen demgegenüber davon aus, dass auf den unterschiedlichen Ebenen Störungen, Schädigungen oder Fehlentwicklungen stattgefunden haben. Eine kombinierte, alle diese Faktoren berücksichtigende Therapie wird der Wirklichkeit des Patienten wesentlich gerechter.

Auch die Alkoholabhängigkeit (und damit der Versuch, Emotionen zu betäuben) kann auf unterschiedlichen Ebenen betrachtet werden. Ich kann das biologische Phänomen einer größeren Alkoholtoleranz sowie einer Enzyminduktion (Stoffwechselveränderung) mit daraus resultierender Steigerung der Alkoholdosis konstatieren, ich kann aber auch auf die psychische Bedeutung des „Problemlösers Alkohol" oder Beziehungsaspekte eingehen.

In dem sehenswerten Film „When a man loves a woman" spielt Andy Garcia den charmanten, fitten und liebevollen Ehemann einer Alkoholikerin. Nach Entzug und Entwöhnung wird diese (dargestellt von Meg Ryan) sensibel dafür, wie ärgerlich sie dieses überfürsorgliche und fehlerlose Verhalten ihres Mannes macht. Tief gekränkt trennt er sich daraufhin, doch kommt es nach intensiven emotionalen Begegnungen am Schluss (schließlich ist es eine Hollywood-Produktion) zum Happy-end.

Erst die Betrachtung der Interaktion von biologischen Phänomenen (Alkoholismus geht unter anderem mit Veränderungen der Toleranzschwelle einher) und psychischen, sozialen und kulturellen Phänomenen (Prohibition bleibt nicht ohne Auswirkung auf den Alkoholkonsum) ermöglicht eine flexible Begleitung und Hilfe, die den individuell Betroffenen wirklich gerecht wird.

In einem dem Religionsstifter Buddha zugeschriebenen Gleichnis versuchen mehrere Menschen mit verbundenen Augen das ihnen bis dahin unbekannte Tier „Elefant" tastend zu „erfassen": Je nachdem, ob der Rüssel, ein Bein, der Rücken oder der Schwanz ertastet wird, ergeben sich ganz unterschiedliche „Bilder von der Wirklichkeit". Jede Schilderung ist stimmig und trifft die Wirklichkeit – allerdings nur einen Teil. Die Synthese aller unterschiedlichen Gesichtspunkte kommt der Wirklichkeit am nächsten.

Eine so verstandene systemische Vorgehensweise ist allerdings noch nicht integrativ. Sie beschreibt zunächst ein Phänomen nur auf unterschiedlichen Ebenen. Integration will mehr: Sie fragt nach den Verbindungen der Phänomene unterschiedlicher Ordnung, nach Aktion und Reaktion von einer Ebene zur anderen. Mir ist es wichtig, wo immer dies möglich ist, aufzuzeigen, wie biologische Prozesse unser psychisches Erleben, unser soziales Handeln und die soziale Wirklichkeit Psyche und Körper beeinflussen. Solche „Querverbindungen" auf allen Ebenen, die nicht eingleisig, sondern reziprok, im Sinne von Impuls und Antwort verlaufen und oft einen kreisförmigen Charakter haben, sind das eigentlich Spannende und Interessante an diesem komplexen Thema. Dies ist auch von Bedeutung für Therapie und soziale Begleitung:

Erst wenn die Interaktion der körperlich-depressiven Reaktion, psychischer Erlebnisse und sozialer Kommunikationsstile berücksichtigt wird, wird deutlich, warum eine schwere, mit Antriebslosigkeit verbundene Depression vorübergehend anders (nämlich pharmakologisch und stützend) behandelt werden muss als eine ausklingende Depression oder Trauerreaktion, bei der gestaltende und bewusstmachende sowie kommunikativ-interaktive Strategien eine größere Rolle spielen. Es wird aber auch deutlich, dass die Behandlung einer Depression mit einem Medikament Einfluss auf die Beziehungsstruktur hat: Ein solcher Patient ist „krankgeschrieben", wird folglich von seinen Familienangehörigen und dem weiteren Umfeld anders behandelt als vorher. Umgekehrt können soziale und kulturelle Normen die Compliance (d. h. die Bereitschaft, ein Medikament zu nehmen oder von einer Medikamentenabhängigkeit loszukommen) wesentlich beeinflussen.

So spannend das „Jonglieren" von Ebene zu Ebene und das Aufspüren von Querverbindungen ist – es kann leicht unübersichtlich werden. Im Bemühen, einen lesbaren und wenn möglich interessanten Text zu schreiben, möchte ich die mir wichtigen Phänomene zunächst beschreiben. So werde ich z. B. im 4. Kapitel auf körperliche, seelische und soziale Phänomene der Angst eingehen und anhand von Fallbeispielen, Beispielen aus der Literatur, kleinen Übungen, Bildern und Blockdiagrammen das mir wesentlich Erscheinende zur Emotion „Angst" herausarbeiten. Logos am Rande des Textes sollen immer wieder symbolisieren, auf welcher Ebene ich mich mit der Beschreibung gerade befinde. Das Schema der Abb. 1.3 (s. S. 20) dient der schnellen Übersicht und Orientierung: Hier finden Sie noch einmal die eben skizzierten Ebenen, auf denen Emotionen betrachtet werden. Ein Vergleich mit den entsprechenden Logos soll Ihnen helfen, sich besser auf den unterschiedlichen Ebenen zurechtzufinden.

Bei dem Versuch, Emotionen mehrdimensional, systemisch und integrativ zu erfassen, sind die Fragen „Wie kommt es zu der Emotion?", vor allem aber die Frage „Welchen Sinn hat sie?" von besonderer Bedeutung. Vor allem die Frage nach dem Sinn und der Bedeutung einer Emotion im jeweiligen Kontext führt zu einer integrativen Sichtweise und berücksichtigt, dass in jeder Einzelsituation die Bedeutung einer Emotion eine jeweils andere ist: Erst jetzt wird empathisches Mitfühlen und wirklich adäquates, hilfreiches Handeln möglich.

Die hier skizzierte Vorgehensweise ist nichts genuin Neues. Mit großer Dankbarkeit bediene ich mich Denkrichtungen und Paradigmen, die in den letzten 20 Jahren verstärkt Einfluss genommen haben und mich in meiner Ausbildung zum Familientherapeuten, bei der Vorbereitung von Seminaren sowie der Begleitung von Selbsterfahrungsgruppen tief beeindruckt haben (die mir am wichtigsten erscheinende Literatur wird kommentiert am Ende dieses Buches, nach Kapiteln geordnet, angegeben).

Systemtheorie und systemische Familientherapie

Da ist zunächst die Systemtheorie mit ihrer „Tochter", der systemischen Familientherapie. Ihr verdanke ich die Erkenntnis, dass man Phänomene nicht nur linear, sondern zirkulär betrachten kann (s. Abb. 1.4): So kann die Sequenz „die Frau nörgelt, weil der Mann trinkt" so wie die Sequenz „der Mann trinkt, weil die Frau nörgelt" in die (der Realität näher kommende) zirkuläre Sichtweise transferiert werden: „Die Frau nörgelt weil der Mann trinkt weil die Frau nörgelt weil der Mann trinkt weil die Frau nörgelt ... "

Auf das Fließgleichgewicht (Homöostase) emotionaler Prozesse, verharrende (morphostatische) und verändernde (morphogenetische) Kräfte im emotionalen Geschehen, unterschiedliche Kommunikationsstile und ihr Zusammenhang zu unserem Gefühlsleben werde ich an den entsprechenden Stellen gezielt eingehen.

Abb. 1.4:
Lineare und zirkuläre Erklärungsmuster von Verhaltensweisen

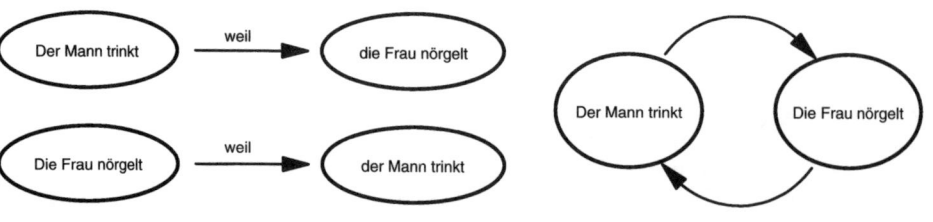

Auch die Kognitionspsychologie und der Konstruktivismus sind nicht spurlos an mir vorübergegangen: In gewisser Hinsicht schaffen wir uns unsere Wirklichkeiten selbst, zumindest nehmen wir die Welt nicht so wahr, wie sie „wirklich ist", sondern so, wie unsere Denkstrukturen und unsere Vorerfahrungen sie zu sehen erlauben.

Kognitionspsychologie und Konstruktivismus

Abb. 1.5: Versuchsbild zur Wahrnehmung des blinden Flecks (aus: Hülshoff 2000, 141)

Dies gilt bereits auf einer rein biologischen (hier: Wahrnehmungs-) Ebene. Wenn Sie das X in Abb. 1.5 mit dem rechten Auge fixieren und das linke Auge zuhalten und nun das Papierblatt langsam zu Ihrem Gesicht hinbewegen, wird irgendwann ein Winkel erreicht werden, bei dem Sie das Haus nicht mehr sehen können. Es fällt auf Ihren „blinden Fleck", den Teil der Netzhaut, an dem der Sehnerv einmündet, weswegen dort keine Sehzellen sind.

Charakteristisch ist, dass wir die horizontale Linie aber weiterhin als ununterbrochene Linie wahrnehmen: Sie wird im Sinne der Formkonstanz von unserem Gehirn kurzerhand „nachgerechnet" und vervollständigt. Mit anderen Worten: dass wir nicht permanent mit einem „Sehfeldloch" durch die Welt laufen, sondern unser Gehirn ein in sich stimmiges und vollständiges Weltbild produziert, ist eine aktive Leistung unseres Denkorgans, stimmt aber nicht mit den objektiven Gegebenheiten überein (Näheres dazu in Hülshoff 2000, 140 ff.).

Die Gestalttherapie verknüpft wie meiner Ansicht nach kein anderes psychotherapeutisches Verfahren Emotionalität mit Körperarbeit und der Umstrukturierung von kognitiven Bewertungsmustern. Eine Reihe von Übungen und persönlichen Erfahrungen sind mir in meiner eigenen Ausbildung und meiner Seminartätigkeit wichtig geworden, einige von ihnen werde ich in diesem Buch vorstellen.

Gestalttherapie

Die differentielle Emotionstheorie, die vor allem von Tomkins und Izard entwickelt wurde, bildet eine weitere Grundlage dieses Buches. Diese Theorie beschreibt elementare Emotionen, die evolutionär entstanden sind und als biologisch vorgeformt angesehen werden. An der differentiellen Emotionstheorie orientiert sich die Gliederung des vorliegenden Buches: Nach dem Be-

Differentielle Emotionstheorie

schreiben einiger Grundlagen werde ich in besonderer Weise auf Primäraffekte eingehen – insbesondere werden Schreck, Angst und Furcht, Freude und Lust, Kummer und Trauer, Zorn und Ärger sowie Scham und Schüchternheit zur Sprache kommen. Inwieweit sexuelle Lust und Liebe sowie Schmerz schon den Emotionen zuzuordnen sind und Schuldgefühl sowie Selbstwertgefühl und Selbstbewusstsein noch den Emotionen (oder vielmehr bereits emotional-kognitiven Phänomenen) zuzuordnen sind, ist letztlich Definitionssache.

Neurophysiologie und Biochemie

Weil neurophysiologische Strukturen und biochemische Prozesse die Basis allen emotionalen Erlebens sind (ohne dass, wie bereits gezeigt, diese dadurch vollständig erklärt werden könnten), andererseits gerade diese biologischen Aspekte nicht immer ganz einfach zu verstehen sind, widme ich ihnen zwei grundlegende Kapitel am Anfang des Buches. Im Übrigen haben die bahnbrechenden neurophysiologischen Erkenntnisse der letzten 15 Jahre viel zum Verstehen von Emotionen und emotionalen Störungen beigetragen.

Evolutionstheorie und evolutionäre Erkenntnistheorie

Schließlich beziehe ich mich bei meinen Untersuchungen auch auf die Evolutionstheorie sowie evolutionäre Erkenntnistheorie. Verhalten, Wahrnehmung, aber auch emotionales Empfinden sind von Strukturen abhängig, die im Laufe der Evolutionsgeschichte einer Spezies entstanden und modifiziert wurden. Es handelt sich hierbei um Passungen und Anpassungen: So, wie unser Sensorium so ausgerichtet ist, dass wir mittlere Geschwindigkeiten, nicht aber die Brownsche Molekularbewegung oder astronomische Entfernungen wirklich begreifen können, so ist auch unser „Gefühlsapparat" nicht objektiv. Hedonistische (lustbezogene) Bewertung von Ereignissen (und damit eine emotionale Bewertung) dient letztlich der Anpassung an die physikalische und soziale Umwelt und damit dem Überleben.

Humanethologie

Schließlich liefert die Humanethologie, also die Lehre vom menschlichen Verhalten, wichtige Hinweise über grundsätzliches anthropologisches Erbe und kulturelle Überformungen. Auch hierauf wird an gegebener Stelle einzugehen sein.

Bei Emotionen handelt es sich also um vielschichtige Phänomene, die auf sehr unterschiedlichen biologischen, psychischen und sozialen Ebenen stattfinden und beschrieben werden können. Die Frage nach dem Sinn einer Emotion führt zur Erkenntnis, dass sie auf unterschiedlichen Ebenen und in unterschiedlichem Kontext eine jeweils neu zu untersuchende Ursache und Bedeutung hat. Aktionen und Interaktionen emotionaler Prozesse auf unterschiedlichen Ebenen führen dazu, der Komplexität unseres emotionalen Erlebens etwas näher zu kommen. Dies ist mit dem „systemisch-integrativen Ansatz" gemeint.

Überprüfen Sie Ihr Wissen!

Welche Aussagen treffen zu?

1. Emotionen sind körperlich-seelische Reaktionen, durch die Umweltereignisse verarbeitet und bewertet werden.
2. Emotionen sind oft an Gesichtsausdruck und Körperhaltung zu erkennen.
3. Ultimate Fragestellungen untersuchen, wie ein Phänomen zustande kommt, proximate Fragestellungen untersuchen die Funktion des Phänomens.
4. Angst hat Warn- und Schutzfunktion und ermöglicht es einem Individuum, Gefahren auszuweichen.
5. Unter „Vulnerabilität" versteht man eine Verletzlichkeit bzw. Anfälligkeit, z. B. gegenüber bestimmten Belastungen.

a) Nur die Aussagen 1, 2 und 4 treffen zu. ☐
b) Nur die Aussagen 2, 3, 4 und 5 treffen zu. ☐
c) Nur die Aussagen 1, 2, 4 und 5 treffen zu. ☐
d) Nur die Aussagen 1, 4, und 5 treffen zu. ☐
e) Alle Aussagen treffen zu. ☐

1.1 Fragetyp C
Antwortkombination

☒

Eine der folgenden Hirnstrukturen ist in besonderer Weise in der Lage, uns emotionale Prozesse bewusst werden zu lassen und kontrollierend einzugreifen, sodass hier emotionale Intelligenz, Sozialkompetenz und das Verknüpfen von Denken und Fühlen ihr biologisches Fundament haben. Welche?

a) Das Stammhirn ☐
b) Der Mandelkern des Limbischen Systems ☐
c) Die Hypophyse ☐
d) Der Frontallappen der Großhirnrinde ☐
e) Die somatosensorische Großhirnrindenregion ☐

1.2 Fragetyp A
Eine Antwort richtig

Welche Aussagen treffen zu?

1. Riten und Gebräuche kanalisieren individuelle emotionale Ausdrucksformen und stellen sie in einen kulturellen Kontext.
2. Unter Empathie versteht man Mitgefühl. Dies ist eine wichtige Voraussetzung für dauerhafte und tragfähige Beziehungen.
3. Primäraffekte gehen mit typischen, genetisch determinierten mimischen Ausdrucksweisen einher.

1.3 Fragetyp C
Antwortkombination

4. Morphostatische Kräfte haben erhaltend-beharrende Funktion, während morphogenetische Kräfte verändern und zu neuen Gestalten führen.
5. Welchen „Sinn" ich in einer Emotion sehe bzw. welche Funktion ich ihr zuschreibe, ist nach Ansicht des Konstruktivismus abhängig vom Kontext und der untersuchten Ebene des emotionalen Geschehens.

☒ a) Nur die Aussagen 1, 2 und 5 sind richtig. ☐
b) Nur die Aussagen 2, 3 und 5 sind richtig. ☐
c) Nur die Aussagen 1, 2, 3 und 4 sind richtig. ☐
d) Nur die Aussagen 2, 3 und 4 sind richtig. ☐
e) Alle Aussagen sind richtig. ☐

1.4 Fragetyp E
Kausalverknüpfung

1. Lebensereignisse (sog. Live-events) und die frühkindliche Sozialisation haben auf das Erleben und die Verarbeitung von Gefühlen im späteren Leben keinen wesentlichen Einfluss,

denn

2. viele motorische, mimische, vegetative und hormonelle Komponenten menschlichen Gefühlserlebens sind genetisch angelegt.

☒ a) Nur die Aussage 1 ist richtig. ☐
b) Nur die Aussage 2 ist richtig. ☐
c) Nur die Aussagen 1 und 2 sind richtig. ☐
d) Die Aussagen 1, 2 und die Kausalverknüpfung sind richtig. ☐
e) Alle Aussagen sind falsch. ☐

1.5 Fragetyp E
Kausalverknüpfung

1. In Schule und Ausbildung ist es besonders wichtig, ein dem Lernen förderliches emotionales Klima zu schaffen,

denn

2. Lernvorgänge sind immer auch ganz wesentlich emotionale Prozesse.

☒ a) Nur die Aussage 1 ist richtig. ☐
b) Nur die Aussage 2 ist richtig. ☐
c) Nur die Aussagen 1 und 2 sind richtig. ☐
d) Die Aussagen 1, 2 und die Kausalverknüpfung sind richtig. ☐
e) Alle Aussagen sind falsch. ☐

Vertiefungsfragen

1.6 Was verstehen Sie unter proximaten, was unter ultimaten Ursachen?

1.7 Erläutern Sie, inwiefern unsere Stimmungen die Welt interpretieren.

2. Neurobiologische Grundlagen von Emotionen

Übung

Stellen Sie sich ein Ereignis vor, das Sie emotional stark bewegt hat – bspw. ein Streit mit einem Freund. Erinnern Sie sich an seinen Gesichtsausdruck? Seine Körperhaltung? Den Klang seiner Stimme? Wie traten Sie auf? Worum ging es eigentlich und wie haben Sie sich gefühlt? Schlug Ihnen das „Herz bis zum Hals"? Sahen Sie „rot"? Standen Ihnen „die Haare zu Berge"? Wie reagierten Ihr Herzschlag, Ihre Atmung, Ihre Muskeln? Kam es zu Tätlichkeiten? Welche Energien haben Sie verspürt, wie sind Sie aus dem Konflikt hervorgegangen?

Emotionen sind nicht so ohne weiteres konkret fassbar, sondern Zustände, die sehr unterschiedliche Aspekte beinhalten. In einer ersten Annäherung kann man eine Emotion vielleicht als einen qualitativ beschreibbaren Zustand definieren, der mit Veränderungen auf vier Ebenen einhergeht: Dem bei einer Emotion erlebten Gefühl, einem sich in Mimik, Gestik, Körperhaltung oder Bewegung äußernden Verhalten, einer vegetativ-körperlichen Veränderung (z. B. Schweißausbruch oder Herzrasen) und einer kognitiven Verarbeitung, beispielsweise dem bewussten Erleben eines „heiligen Zorns" oder einer „drückenden Trauer".

Abgegrenzt werden Emotionen von Motivationen, worunter man handlungsleitende Antriebe (das Wollen) versteht, den Affekten, die heftigste emotionale Erlebnisse beinhalten, und Stimmungen, die im Vergleich zu Emotionen lang anhaltend und weniger intensiv sind und im Gegensatz zu Emotionen keine Reaktion auf ein aktuelles Ereignis darstellen.

Gefühle sind also die Grundlage vieler Verhaltensweisen, sozialer Signale, innerer (vegetativer) Zustände und affektiv-kognitiver Bewusstseinsphänomene. Der „Beratungsdienst der Gefühle" hilft uns, Situationen zu bewerten, Entscheidungen zu fällen und angemessen zu reagieren. Wenn auf unterer evolutionsbiologischer Ebene, z. B. bei Reptilien, das Repertoire möglicher Reaktionen noch relativ gering und starr ist, wird es bei zunehmender Entwicklung in der Evolution immer flexibler und facettenreicher. Uns Menschen sind vielfältige und differenzierte emotionale Reaktionen möglich.

Neuere Untersuchungen und Betrachtungen insbesondere des renommierten Emotionsforschers Antonio Damasio (2005) legen es nahe, aus erkenntnistheoretischen und methodischen Gründen zwischen Emotionen (engl.: emotions) und Gefühlen (engl.: feelings) zu differenzieren. Unter Emotionen versteht Damasio weitgehend angeborene, im Limbischen System generierte Programme, die als „Primäremotionen" wie beispielsweise Furcht, Freude oder Trauer in Erscheinung treten und eine emotionale Antwort des Individuums auf äußere (z. B. Gefahrensituationen) oder innere (beispielsweise gedächtnisinduzierte Ängste) Reize entstehen.

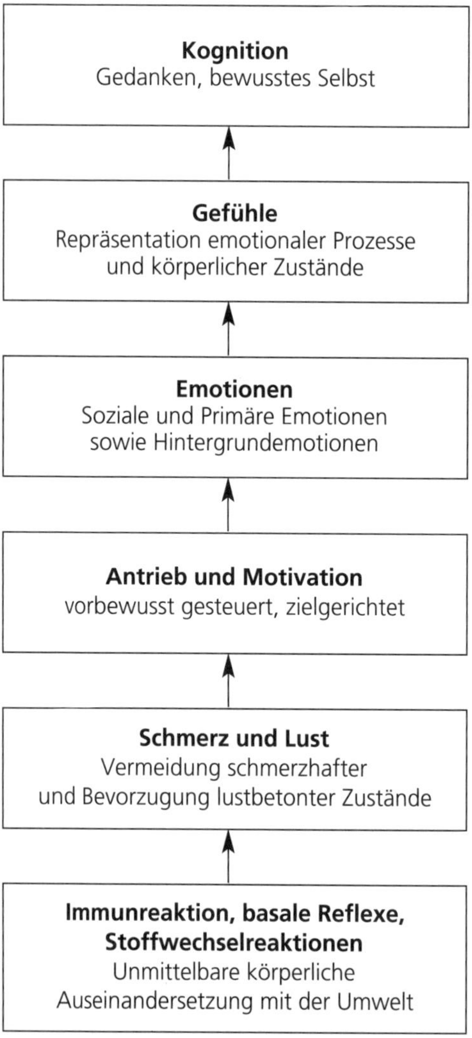

Gefühle sind demgegenüber Empfindungen, die durch eine Repräsentation der mit Emotionen verbundenen Körperzustände in bestimmten Großhirnarealen einhergehen. Emotionen bezeichnen in diesem Sinne also die eher körperlichen Erscheinungen (inklusive veränderter Drüsentätigkeit, Motorik und Mimik), Gefühle das (subjektiv erlebte) Empfinden eines emotionalen Geschehens. Im weiteren Verlauf des hier vorliegenden Buches wird nicht mehr zwischen Emotionen und Gefühlen unterschieden, sondern in den jeweiligen Kapiteln auf biologische, psychische und soziale Aspekte von Emotionen hingewiesen (auch Damasio empfiehlt nach seinen grundlegenden Betrachtungen schlussendlich, Gefühle und Emotionen „wieder zusammenzuführen"). Dennoch soll an dieser Stelle zum besseren Verständnis neurophysiologischer Vorgänge die Differenzierung noch etwas genauer untersucht werden.

Grundsätzlich dienen sowohl Emotionen als auch Gefühle der Aufrechterhaltung eines inneren Gleichgewichts (Homöostase), das dem Überleben des Individuums dienlich ist, indem sie auf äußere Gegebenheiten (z. B. Sinnesreize) oder innere Zu-

Abb. 2.1:
Komplexer werdende Verarbeitungen äußerer und innerer Reize

Kognition
Gedanken, bewusstes Selbst

↑

Gefühle
Repräsentation emotionaler Prozesse und körperlicher Zustände

↑

Emotionen
Soziale und Primäre Emotionen sowie Hintergrundemotionen

↑

Antrieb und Motivation
vorbewusst gesteuert, zielgerichtet

↑

Schmerz und Lust
Vermeidung schmerzhafter und Bevorzugung lustbetonter Zustände

↑

Immunreaktion, basale Reflexe, Stoffwechselreaktionen
Unmittelbare körperliche Auseinandersetzung mit der Umwelt

stände (z. B. Hunger, aber auch Gedächtnisinhalte) reagieren und ein bestmöglich angepasstes Verhalten ermöglichen.

Dieses grundsätzliche Prinzip finden wir bereits auf einer sehr basalen Ebene: Eine Immunreaktion, wie sie nicht nur beim Menschen, sondern auch bei sehr einfachen Lebewesen festzustellen ist, ermöglicht unter anderem eine spezifische Reaktion auf Keime, mit denen der Körper in Kontakt kommt. Basale Reflexe, wie beispielsweise Schreckreflexe, ermöglichen weit unterhalb eines emotionalen Geschehens ein reflexhaftes Abwenden von gefährdenden Situationen (z. B. von einer heißen Herdplatte). Ähnliches gilt auch für Stoffwechselregulationen, die beispielsweise nicht nur den Zuckerhaushalt regulieren, sondern uns Hunger verspüren lassen.

Auf einer nächsten, vorbewussten Ebene werden Schmerzreize bearbeitet und mit komplexeren Schmerzvermeidungsstrategien beantwortet („Mienenspiel, Schreck, Rückzug von der Schmerzquelle"). Schmerzfreiheit und problemloses Arbeiten aller Körperfunktionen werden als lustvoll erlebt und daher angestrebt.

Auf der nächst höheren Ebene sind Antrieb und Motivation angesiedelt: Damasio nennt beispielsweise Spiel und Sexualität, Neugier, Erkundungsdrang sowie Reaktionen auf Hunger und Durst. Alle bisher genannten Ebenen dienen bereits der Aufrechterhaltung einer funktionalen Homöostase sowie Reaktionen, die dem Wohlbefinden und dem Überleben des Individuums förderlich sind.

Auf der nächsten Ebene sind die „eigentlichen Emotionen" angesiedelt: Zunächst die Hintergrundemotionen, die sich beispielsweise in energischem Auftreten, Begeisterungsfähigkeit, Unbehagen, Gereiztheit oder Ruhe zeigen und sich, wie andere Emotionen auch, körperlich, mimisch, im Stimmklang und vegetativ äußern. Danach sind die Primäremotionen, insbesondere Ekel, Freude, Trauer, Angst und Wut zu nennen, die in den folgenden Kapiteln des vorliegenden Buches noch intensiv beschrieben werden. Diese Primäremotionen werden im Wesentlichen vom Limbischen System, das sich am Übergang vom Zwischen- zum Großhirn befindet, generiert. Es besteht vor allem aus dem Mandelkern (Amygdala) und dem Seepferdchen (Hippocampus). Das Limbische System ist das anatomische Substrat unserer Primäraffekte. Hier werden Emotionen noch vorbewusst erlebt und können nicht so recht in Worte gefasst werden. Dennoch handelt es sich um eindrucksvolle Erlebnisse, die unser Verhalten beeinflussen:

Vom Limbischen System gehen mächtige Faserverbindungen zu den untergeordneten Strukturen des Reptiliengehirns, insbesondere dem Hypothalamus, der wiederum in enger Verbindung zur Hypophyse, unserer obersten Hormondrüse, steht. So können im Fall der emotional erlebten Wut vegetative Systeme blitzartig „auf Angriff geschaltet" werden: Stresshormone wie etwa das Adrenalin werden ausgeschüttet, der Haarbalg (beim Menschen Gänsehaut) richtet sich auf (Drohgebärde), Blutdruck und Puls steigen, lebenswichtige Organe werden vermehrt mit Blut versorgt, die Pupillen ändern sich – und was dergleichen Reaktionen mehr sind. Das Limbische System hat also die Aufgabe, untergeordnete, vegetative Strukturen so zu beeinflussen, dass unser Stoffwechsel der Umweltsituation, die von unserem emotionalen System widergespiegelt wird, in angemessener Weise angepasst wird.

Über andere Bahnen sorgt das Limbische System dafür, dass zunächst unwillentlich das Ausdrucksverhalten in vielfältiger Weise unserem emotionalen Erleben angepasst wird: Beim freudigerotisch gefärbten Erlebnis verraten Lächeln, erweiterte Pupille, Glanz der Augen, ein „aufgeplustertes Sich-ins-Zeug-Werfen" und anderes mehr unserem Partner die Stimmung, in der wir uns befinden. Solche Signale verlaufen zu einem großen Teil unbewusst. So können wir zwar willentlich den Mund zum Lächeln verziehen, aber wenn dies nicht echt ist, hat es etwas Grimassenhaftes. Es fehlt die Pupillenerweiterung sowie charakteristische Veränderungen an der die Augen umgebenden Muskulatur (Krähenfüßchen) und der Glanz der Augen – Phänomene, die wir willentlich nicht beeinflussen können. In ähnlicher Weise werden auch Angst, Wut, Trauer usw. vor allem mimisch, aber auch in Habitus und Stimmklang ausgedrückt – Folge einer Beeinflussung durch das Limbische System.

Der evolutionäre Sinn dieser Kopplung besteht darin, dass bei sozial lebenden Primaten offensichtlich ein Überlebensvorteil darin bestand, dass die Mitglieder einer Gruppe wussten, „womit zu rechnen ist". So wird z. B. die Distanz zweier Individuen bei Trauer eher geringer, bei Wut eher größer sein. Aber nicht nur bei tierischen Primaten, sondern auch beim Menschen gibt es kulturübergreifende, universal anzutreffende soziale Signale, die in der Regel gut verstanden werden, auch wenn sie gelegentlich kulturell überformt und modifiziert werden.

Zu den sozialen Emotionen gehören neben Verlegenheit, Eifersucht, Dankbarkeit oder Bewunderung unter anderem auch Scham- und Schuldgefühle, auf die insbesondere in Kapitel 9 und 10 noch genauer eingegangen wird. Sie überformen zum Teil bestimmte Primäraffekte (Ekel kann als Teilaspekt von Verachtung gesehen werden) und tragen zur Regulation des Sozialverhaltens bei: Nicht nur beim Menschen, sondern auch bei Primaten, ja sogar bei anderen Wirbeltieren.

In einer ersten Zusammenfassung können wir also festhalten, dass Emotionen, ähnlich wie darunter liegende Ebenen, eine Vielzahl von körperlichen Veränderungen und Verhaltensweisen steuern, die dem Überleben förderlich sind. Emotionen sind also das Ergebnis einer Situationseinschätzung durch den Organismus, noch auf vorbewusster Ebene. Sie sind wichtige Entscheidungshilfen, auch wenn mit Gedanken und Bewusstsein befasste Hirnareale auf dieser Ebene noch nicht involviert sind. Es wird „vorab" entschieden, ob beispielsweise eine Situation furchtauslösend und daher zu vermeiden oder lustversprechend und damit (bei Freude oder Liebe) anzustreben ist.

Auf einer nächsten Ebene werden nun die emotionalen Parameter als „Gefühl" erlebt, bevor sie schlussendlich gedanklich und ich-synton bewusst wahrgenommen werden. Bevor wir uns diesen Ebenen zuwenden, soll noch kurz auf die anatomisch neurophysiologischen Grundlagen emotionaler Verarbeitung eingegangen werden.

Die Abbildung 2.2 zeigt, dass Sinnesorgane und sensorische Assoziationszentren unserer Großhirnrinde, insbesondere im Frontalbereich, Reize als emotional relevant wahrnehmen und definieren: Zum einen externe Reize, die wir via Sinnesorgan aufnehmen, zum anderen Reize aus dem inneren Körpermilieu (z. B. Hunger) und Inhalte, die sich aus dem Gedächtnis speisen (beispielsweise die Erinnerung an ein Trauer auslösendes Verlusterlebnis). Als emotional relevant erkannte Reize werden nun von der Amygdala („Mischpult der Gefühle") dergestalt verarbeitet, dass es zum Auslösen einer Emotion kommt. Unter Mitwirkung von basalem Vorderhirn, Hypothalamus („oberste Hormondrüse") und Hirnstammarealen kommt es zur „Ausführung emotionaler Programme", wie sie bereits oben erläutert wurden. Hieraus resultiert ein „emotionaler Zustand", der sich unter anderem in Muskelspannung, Motorik, Stimmklang, Mimik, Veränderung des inneren Milieus, Beeinflussung innerer Organe usw. manifestiert. Von der Amygdala gehen aber auch Impulse aus, die den Thalamus dazu veranlassen, unsere selektive Aufmerksamkeit zu steuern: Wie weiter unten noch gezeigt wird, entscheidet der Thalamus unbewusst und emotionsgesteuert, was für uns von Interesse (weil überlebenswichtig) ist. Auch der Hippocampus („Seepferdchen") tritt auf dieser Ebene in Aktion: Der als „Pforte des Gedächtnisses" bezeichnete Hippocampus ist notwendig, wenn emotional relevante Reize im Gedächtnis gespeichert werden sollen (Näheres s. u.).

Damit wurden zunächst das emotionale Geschehen und die vorwiegend körperlichen Aspekte beschrieben. Emotionen ermöglichen es dem Organismus effektiv, wenn auch nicht kreativ auf eine Reihe von Bedingungen zu reagieren, die dem Überleben förderlich oder gefährlich sind.

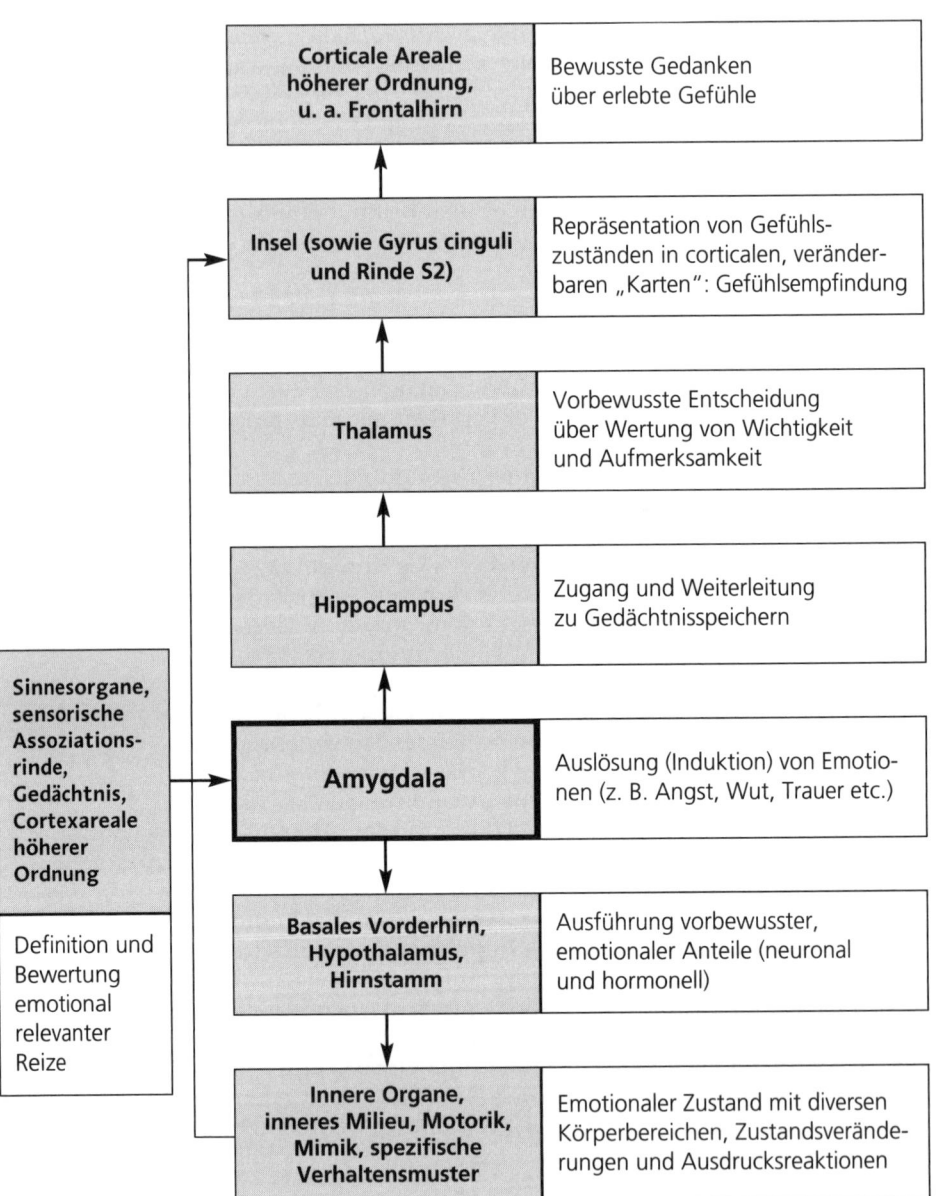

Abb. 2.2:
Neurobiologische
Grundlagen von
Emotionen und
Gefühlen

Die körperlichen Veränderungen, die mit Emotionen einhergehen, werden aber ans Großhirn weitergeleitet und führen zunächst zu charakteristischen Veränderungen in somatosensorischen Hirnrindenregionen (S1, S2, Gyrus cinguli und insbesondere der Insel). Bildgebende Verfahren wie die Positronen-Emissions-Tomografie (PET) und das funktionelle Kernspintomogramm zeigen, dass diese Regionen besonders involviert sind, wenn wir emotionale Zustände als Gefühl wahrnehmen (Damasio 2005, 101ff.). Während die somatosensorische Hirnrinde S1 vorwiegend damit befasst ist, an welcher Stelle wir welche Körperreize (z. B. Vibrationen und andere taktile Reize) wahrnehmen, findet in einem anderen somatosensorischen Bezirk (S2) eine lust- und unlustbetonte Bewertung von Körperzuständen (z. B. als Schmerz) statt. Eine Schlüsselrolle scheint, was Gefühle angeht, aber die Insel (Insula) einzunehmen: Hier findet eine Kartierung des Körpers im Gehirn statt, mit deren Hilfe die bei Emotionen auftretenden körperlichen Veränderungen repräsentiert und somit wahrgenommen werden können. Damasio, auf dessen Forschungen und Hypothesen diese Gedanken maßgeblich zurückgehen, vergleicht die Bedeutung dieser Region für das Gefühl mit der der primären Sehrinde für das Sehen: So wie die visuelle Außenwelt nach Bearbeitung durch die Netzhaut in der Sehrinde repräsentiert wird (und anschließend zum Erkennungsprozess durch höher angeordnete Regionen führt), so werden Emotionen, dargestellt durch die von ihnen verursachten körperlichen Veränderungen, in den somatosensorischen Hirnarealen und insbesondere in der Insel repräsentiert und abgebildet und können in einem weiteren Verarbeitungsprozess auch gedanklich erfasst werden. Dies geschieht allerdings in sekundären und tertiären Hirnrindenfeldern, unter anderem im Frontalhirn, wo unter Zuhilfenahme von Gedächtnisinformationen die Gefühle gedanklich gefasst und vom bewussten Ich wahrgenommen sowie modifiziert werden: Wut kann nun als Eifersucht, heiliger Zorn oder kalte Wut differenziert werden, weitere Vergleiche mit dem Gedächtnis sowie das „sich hingeben" an Gefühle und ihnen zugrunde liegende emotionale Zustände können zu einem reziproken Aufschaukelungsprozess führen. Umgekehrt kann mittels des Frontalhirns – zumindest innerhalb bestimmter Grenzen – auch eine Deeskalation stattfinden.

Bleiben wir jedoch noch bei der Repräsentation von Gefühlszuständen und der Veränderung somato-corticaler „Karten", aufgrund derer wir Gefühle wahrnehmen. Nach Damasio ist ein Gefühl „die Wahrnehmung eines bestimmten Körperzustandes in Verbindung mit der Wahrnehmung einer bestimmten Art zu denken und solcher Gedanken, die sich mit bestimmten Themen beschäftigen" (Damasio 2005, 104). Mit anderen Worten: Nicht nur körperliche Veränderungen, sondern auch die „Art des Denkens" wird als charakteristisch wahrgenommen („gefühlt"), beispielsweise, wenn im Rahmen einer Depression das Denken fruchtlos um wenige, unergiebige Themen kreist oder erotische Leidenschaft das Denken in bestimmter Weise fokussiert. Noch einmal sei darauf hingewiesen, dass an dieser Stelle (der gefühlsmäßigen Verarbeitung insbesondere durch die Insel) kein „Nachdenken über das Gefühl" stattfindet, sondern das Gefühl als eigene, eigentümliche und von Gedanken zu unterscheidende Erlebnisdimension auftritt. Der letzte Schritt, das Nachdenken über das Gefühl und die bewusste Wahrnehmung desselben, findet an anderer Stelle (vor allem im Frontalhirn) statt und ist ein kognitiver Prozess. Gleichwohl wird deutlich, dass Gefühle die Grundlagen für Gedanken sind, ja, dass all unser Denken emotional gefärbt ist: „Soweit ich es beurteilen kann, gibt es kaum eine Wahrnehmung oder ein Objekt – konkret oder in der Vorstellung –, das emotional wirklich neutral wäre, egal, wie schwach und kraftlos die nachfolgenden Gefühle auch sein mögen" (Damasio 2005, 112).

Ein Weiteres: Forschungsergebnisse von Damasio und anderen legen nahe, dass Emotionen den Gefühlen vorausgehen. Zuerst findet sich die emotionale (und weitgehend körperliche) Reaktion auf einen inneren oder äußeren Stimulus, danach das gefühlsmäßige Erleben desselben.

Dem entspricht im Übrigen auch die Reihenfolge emotionaler Entwicklungsschritte beim Säugling: Nach Eliot (2001, 423f.) besitzt der Säugling bei der Geburt vor allem die neuronalen Strukturen, die ihn zu emotionalen Reaktionen (wie sie Damasio versteht) befähigen. So kann er auf Reize mit Beschleunigung von Atmung und Pulsfrequenz, Blutdrucksteigerung, Pupillenerweiterung usw. reagieren und zeigt, soweit wir das von außen beurteilen können, die Anzeichen von Primäremotionen (Detailliertes hierzu in den entsprechenden Folgekapiteln). Das heißt aber nicht, dass Neugeborene so *fühlen* wie Jugendliche oder Erwachsene. Gefühle und das Bewusstsein von Gefühlen setzt die Reifung der höheren corticalen Strukturen, die soeben beschrieben wurden, voraus. Diese Reifung findet aber erst im Laufe der Kindheit statt. Auch das Gedächtnis ist erst gegen Ende des 4. Lebensjahres so weit entwickelt, dass Emotionen und die hierauf folgenden Gefühle im episodischen Gedächtnis gespeichert werden können und dem heranwachsenden Menschen als Erinnerung zur Verfügung stehen. Ähnliches gilt auch für die Reifung des Frontalhirns, das mit zunehmender Entwicklung des Kindes eine Verarbeitung und Kontrolle emotionaler Impulse ermöglicht (Näheres hierzu in Hülshoff 2005, 28ff.).

Mit der Reifung der Großhirnstrukturen stehen uns komplexe emotional-gefühlsbezogene Kategorien wie beispielsweise Neid, Liebe, Hoffnung usw. zur Verfügung. Auch unsere Reaktionen werden vielfältiger.
Diese Ebene ermöglicht eine gewisse Mäßigung der emotionalen Reaktionen. Auf eine Beleidigung werden wir mehr oder weniger zwangsläufig mit Ärger und Wut reagieren – an dieser Reaktion unseres Limbischen Systems können wir nichts ändern, und es kann sehr heilsam sein, sich zuzugestehen, dass es höchst menschlich ist, in bestimmten Situationen Wut und Ärger zu verspüren. Wie wir allerdings mit dieser Wut umgehen, können wir in gewissen Grenzen auch mitbestimmen – unter Zuhilfenahme unserer corticalen Strukturen. Diese ermöglichen also eine gewisse Mäßigung in unseren emotionalen Reaktionen, etwa wenn wir eine Kosten-Nutzen-Analyse aufstellen und abwägen, wie wir mit unserer Wut umgehen: Auf dieser Ebene geht es also „auch darum, wann wir beschwichtigen, überreden, um Sympathie werben, Obstruktion betreiben, Schuldgefühle provozieren, Jammern, Tapferkeit vortäuschen oder Verachtung zeigen sollen, kurz, um das ganze Repertoire der emotionalen Schliche" (Goleman 1996, 45).

Zum Schluss dieses Kapitels soll noch auf einige wichtige Strukturen unseres emotionsverarbeitenden Systems etwas detaillierter eingegangen werden. Nach neueren Forschungen, insbesondere von LeDoux (vgl. Coleman 1996, 34ff., sowie Schmidt-Azert 1996, 172ff.), steht, was das Limbische System angeht, der Mandelkern, die Amygdala im Mittelpunkt des Geschehens (Abb. 2.3).

Wenn Sie im Examen nur um Haaresbreite bestanden haben, weil Sie viel zu aufgeregt waren und darüber hinaus der Prüfer sehr unangenehm auftrat, dann wird der Hippocampus („Pforte des Gedächtnisses") sich hinterher möglicherweise an die gestellten Fragen und verpatzten Antworten erinnern. Die Amygdala („Mischpult der Gefühle") erinnert sich hingegen an Ihren Angstschweiß, die Gefühle, die in Ihnen aufkamen, die Atmosphäre des Raumes – kurz: an die emotionalen Komponenten des Geschehens. Der Unterschied zwischen der Gedächtnisfunktion von Hippocampus und Amygdala wird von LeDoux sehr plastisch beschrieben: „Der Hippocampus ist entscheidend dafür, dass Sie ein Gesicht als das Ihrer Cousine erkennen. Es ist der Mandelkern, der dann hinzufügt, dass Sie sie eigentlich nicht mögen" (In Goleman 1996, 35). In späteren Situationen genügen unter Umständen nur geringe Ähnlichkeiten und Teilaspekte, die an diese Prüfungssituation erinnern – z.B. ein Mensch, der dem Prüfer ähnlich sah, ein bohrendes Fragen in ganz anderem Kontext – um die emotionale Qualität dieser Prüfungssituation wieder aufs Neue erleben zu lassen. So erklären sich maßgeblich Übertragungserlebnisse, wie sie in der Psychoanalyse bekannt sind.

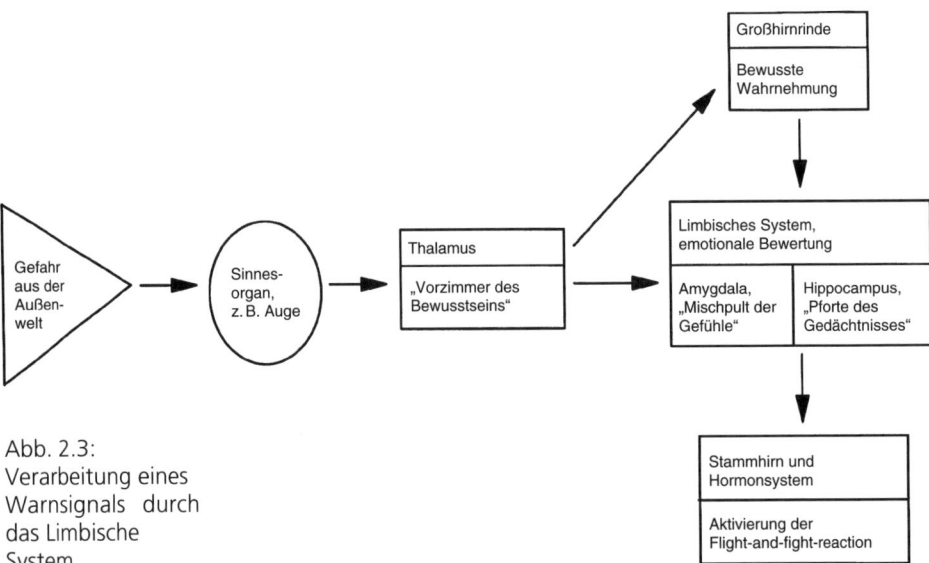

Abb. 2.3:
Verarbeitung eines Warnsignals durch das Limbische System

Die Amygdala arbeitet also, was emotionales Erleben und Erinnern angeht, höchst effektiv, aber ungenau. Ob eine Situation erfreulich oder unerfreulich, erregend oder langweilig, gefährlich oder lustvoll ist, wird auf dieser Ebene archaisch, aber wirksam bewertet. Das Limbische System, und in seinem Zentrum der Mandelkern, erhält seine Informationen über zwei Bahnen: Wie die Abb. 2.3 zeigt, kommen z. B. die visuellen Informationen über den Anblick einer Schlange (oder die akustischen Informationen eines wütend bellenden Hundes) zunächst zum Thalamus, einer Struktur unterhalb unserer Großhirnrinde (Vorzimmer des Bewusstseins). Auf dieser Ebene wird zweifach umgeschaltet.

Die mächtigsten Bahnen ziehen zum visuellen Hirnrindengebiet (im Falle der erblickten Schlange), wo das Gesehene auf bewusster Ebene ausgewertet wird. Von dort aus gelangt die visuelle Information zum Limbischen System, das das schon differenziert erkannte Ereignis emotional bewertet und entsprechende Schritte (z. B. Flucht, Panik oder Neugier) veranlasst. Dieses Vorgehen hat den Vorteil, dass eine Blindschleiche von einer Kreuzotter unterschieden werden kann – man kann angemessen mit Panik, Flucht, Kampf oder Interesse reagieren. Der Nachteil ist, dass dies seine Zeit dauert – doppelt so lange wie ein anderer Weg, der ebenfalls beschrieben wird:

Vom Thalamus gelangt die Information, dass etwas Schlangenähnliches gesichtet wurde, auch auf direktem Weg zur Amygdala. Mit dieser ungenauen, aber wesentlich schneller verarbeiteten Information wird nun, ohne dass dies willentlich von uns beeinflusst werden kann, sozusagen vorsorglich eine Flucht- oder Panikreaktion initiiert. Das Zwischenhirn handelt, bevor die uns das Denken ermöglichenden Strukturen des Großhirns die Lage analysiert haben. Dies kann lebensrettend sein und ist es im Laufe der menschlichen Entwicklungsgeschichte über viele hunderttausend Jahre offensichtlich gewesen, sonst hätten wir diese zweite, sehr wirkungsvolle Verbindung nicht in unserem Erbe.

Wenn Sie schräg hinter einem Übungspartner sitzen und am Rande seines Gesichtsfeldes eine Bewegung vollführen, wird er automatisch, also unbewusst, sich einer möglichen Gefahrenquelle zuwenden, um genau zu sehen, was da los ist. Dieses Sicherungsverhalten spiegelt die oben erläuterten Sachverhalte ebenfalls wider.   Übung

Die zweifache Verarbeitung von Reizen aus unserer Umwelt, einmal über den direkten Weg „Thalamus – Limbisches System", zum anderen über den Weg „Thalamus – Großhirn – Limbisches System" ermöglicht im ersten Falle ein blitzschnelles, mitunter lebensrettendes Reagieren, allerdings mit dem Nachteil, dass wir relativ stereotyp mit Angst, Wut, Schrecken oder Lust reagieren und mitunter die Situation verkennen. Was in den archaischen Lebenswelten unserer biologischen Vorfahren sinnvoll war, kann sich in hochkomplexen sozialen Situationen als fehlerhaft erweisen. So überwiegt in der Regel die zweite emotionale Reaktionsform, in der sehr schnell Strukturen unseres Großhirns die Oberhand gewinnen, adäquat die Situation analysieren und die Emotionen der Strukturen unseres Limbischen Systems modulieren.

Die hier aufgezeigten Zusammenhänge zwischen Situationserkennen und emotionaler Reaktion sowie zwischen Frontalhirn und Amygdala sind besonders im Hinblick auf das emotionale Geschehen bei Gefahr/Angriff/Flucht mit den emotionalen Komponenten von Ärger/Wut bzw. Angst untersucht worden. Möglicherweise kommen bei anderen Emotionen andere Strukturen mit ins Spiel, doch deutet sich an, dass das Prinzip der Parallelverarbeitung auch hier beibehalten wird. Es sind aber nicht einzelne Gehirnstrukturen ausschließlich oder überwiegend im Dienste von Emotionen, sondern diese resultieren aus einer jeweils vorübergehenden netzartigen Verbindung sehr vieler subcortikaler und cortikaler Teilstrukturen. Darüber hinaus werden solche emotionalen Erlebnisse nicht nur von den neuroanatomischen Strukturen, die hier beschrieben wurden, sondern auch von chemischen Stoffen, die an diesen Stellen wirken, beeinflusst.

Zusammenfassend können wir festhalten, das es sich beim Erleben von Emotionen um ein biologisch-psychisch-soziales Geschehen handelt, dass einen inneren oder äußeren Reiz bzw. ein Ereignis widerspiegelt und eine Reihe von Prozessen in Gang setzt – insbesondere vegetativ-hormonelle Vorgänge, expressiv-motorische Aktionen mit sozialer Signalfunktion, motorische Handlungen sowie affektiv-kognitive Prozesse. An diesem emotionalen Geschehen sind sehr unterschiedliche und vielfältige Strukturen unseres Gehirns beteiligt.

Überprüfen Sie Ihr Wissen!

Eine der folgenden Zuschreibungen zählt nicht zu den Primäraffekten (Grundemotionen). Welche?

a) Furcht/Schrecken ☐
b) Trauer/Kummer ☐
c) Ekel ☐
d) Ärger/Wut ☐
e) Enttäuschung ☐

2.1 Fragetyp B
Eine Antwort falsch
☒

Wo würden Sie am ehesten eine Bearbeitung von Reizen vermuten, so dass diese im Gedächtnis abgespeichert werden können?

a) in der Großhirnrinde ☐
b) im Hypothalamus ☐
c) in der Amygdala ☐
d) im Hippocampus ☐
e) im Thalamus ☐

2.2 Fragetyp A
Eine Antwort richtig
☒

1. Emotionen werden meist auch von psychovegetativen Reaktionen begleitet.
2. Mimische Ausdrucksformen, die mit emotionalen Vorgängen korrelieren, können zu einem Teil kulturell überformt werden.
3. Das Phänomen der Angst äußert sich auf somatischer Ebene u. a. durch weite Pupillen, Pulsanstieg, Schweißausbruch, Gänsehaut und vermehrte Erregung.
4. Wahrnehmung, Handeln und Denkvorgänge sind stets auch emotional gefärbt.

a) Nur die Antworten 1, 2 und 4 sind richtig. ☐
b) Nur die Antworten 2 und 3 sind richtig. ☐
c) Nur die Antworten 1 und 4 sind richtig. ☐
d) Nur die Antworten 2, 3 und 4 sind richtig. ☐
e) Alle Antworten sind richtig. ☐

2.3 Fragetyp C
Antwortkombinationsaufgabe
☒

2.4 Wie arbeiten Stammhirn, Zwischenhirn und Großhirn bei emotionalen Prozessen zusammen?

2.5 Welche Rolle spielt das Limbische System bei der Entstehung von Primäraffekten?

Vertiefungsfragen

3. Biochemische Grundlagen emotionalen Erlebens und Verhaltens

Nervenzellen und Informationsübertragung

Das menschliche Gehirn besteht aus 100 Milliarden Nervenzellen mit jeweils bis zu 10 000 möglichen Verbindungsstellen. Jede dieser Nervenzellen ist mit einem Mikroprozessor vergleichbar, der bioelektrische Impulse aufnehmen, verrechnen und weiterleiten kann.

Prinzipiell sind hierbei zwei verschiedene Formen der Informationsübertragung möglich: Zum einen besteht die Nervenzelle aus vielen aufnehmenden Strukturen, den Dendriten, und einer Struktur, über die die Information weitergeleitet wird, dem Axon. Hierbei entsteht für Bruchteile von Sekunden ein Aktionspotential, das entlang dem Axon bis an dessen Ende, der Synapse, wandert (Genaueres hierzu in: Hülshoff 2000, 13ff.). Zum zweiten finden wir die Möglichkeit chemischer Informationsübertragung an den Nervenendigungen.

Abb. 3.1:
Vorgänge am synaptischen Spalt
(aus: Hülshoff 2000, 18)

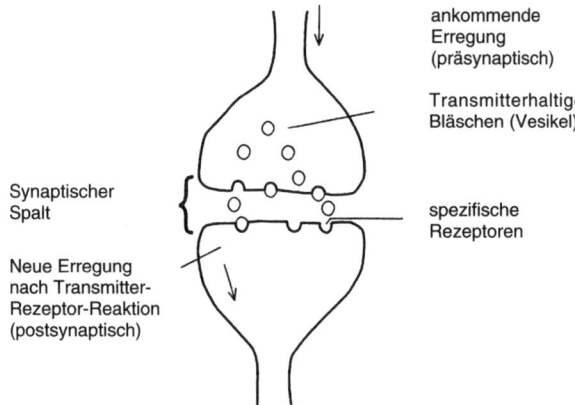

Die Arbeit der Neurotransmitter

In Abb. 3.1 ist eine Synapse, eine Verbindungs- bzw. Schaltstelle zweier Nervenenden, schematisch dargestellt. Die bioelektrische Erregung (das Aktionspotential) führt am präsynaptischen Teil der ersten (sendenden) Nervenzelle zu chemischen Veränderungen an der Nervenzellwand. Dies hat zur Folge, dass sich kleine Transportbläschen, die Vesikel, in Bewegung setzen und mit der Membran (Zellwand) verschmelzen, so dass sie Inhaltsstoffe in den synaptischen Spalt freigeben können.

Diese Inhaltsstoffe, Botenstoffe oder Neurotransmitter, auf die gleich differenziert eingegangen wird, überwinden den synaptischen Spalt und gelangen zur postsynaptischen Membran der reizaufnehmenden zweiten Nervenzelle. Hier docken die chemischen Moleküle der Neurotransmitter an. Jede Nervenzelle hat einen ganz spezifischen, auf sie ausgerichteten Transmitter, der zu den Empfängerstrukturen an ihrer Membran, den Rezeptoren, ganz genau passt: So wie ein passgenauer Schlüssel nur in das dazugehörige Schloss passt und damit die Öffnung einer Tür ermöglicht, so passen spezifische Neurotransmitter lediglich in die für sie vorgesehenen Rezeptorstrukturen.

Neurotransmitter als chemische Botenstoffe

Kommt es zu einer solchen Reaktion, so werden in der postsynaptischen Membran der Empfängerzelle deren Strukturen so verändert, dass sich Ionenkanäle öffnen, kleine Lücken, durch die elektrisch geladene Teilchen (Ionen) ein- oder auswandern können. Dies führt zu einer elektrischen Ladung in der Empfängerzelle. Auf diese Weise kann ein bioelektrischer Strom entstehen. Damit ist die zweite Nervenzelle gereizt worden, und die Information kann weitergeleitet werden.

Diese chemische Form der Signalübertragung an den Synapsen hat mehrere Charakteristika und Vorteile, die sie in der evolutionären Entwicklung des Lebens unverzichtbar machen.

Zum einen hat diese Form der Signalübertragung Gleichrichterfunktion – die Erregung kann nur vom ersten zum zweiten Neuron (Nervenzelle) gelangen, nicht umgekehrt. Weiter kann die Erregung des ersten, sendenden Neurons verstärkt oder abgeschwächt werden: Je nach Beschaffenheit und Konzentration der Transmitter (also der chemischen Botenstoffe) oder der Dichte bzw. Beschaffenheit der empfangenden Rezeptoren sowie der Anordnung und Verschaltung der einzelnen Nervenzellen kann ein kleines Signal eine mehr oder weniger große Wirkung auslösen. Verstärkungen auch kleinster Reize sind somit möglich.

Aber auch das Gegenteil, nämlich eine Hemmung neuraler Erregung, ist denkbar: Im bisher beschriebenen Setting entsteht an der postsynaptischen Membran ein exzitatorisches postsynaptisches Potential (EPSP), also ein kurzfristiger positiv geladener bioelektrischer Strom, der eine Erregung der Zelle bedeutet. Reagiert nämlich das Neurotransmittermolekül mit dem Rezeptor, so öffnen sich in diesem Szenario Ionenkanäle, durch die positiv geladene Ionen (z. B. Na+) ins Zellinnere gelangen, was letztlich zu einer positiven Ladung führt.

Anders sieht die Sache aus, wenn es sich um eine Kombination hemmender Neurotransmitter und dazu korrespondierender Rezeptoren handelt: Hierbei werden Ionenkanäle geöffnet, durch die negativ geladene Teilchen (z. B. Cl-) ins Zellinnere gelangen. Das bereits vorher negativ geladene Zellinnere verschiebt sich noch mehr in Richtung Negativität, eine Erregung wird unwahrscheinlicher. Solche hemmenden Neurotransmitter sind bei der Informationsübertragung des Gehirns und insbesondere des Limbischen Systems von außerordentlich großer Bedeutung. Gammaaminobuttersäure (GABA) ist der wichtigste und bekannteste hemmende Neurotransmitter, ein wahres „Arbeitspferd", das etwa 40 % aller hirnwirksamen Neurotransmitteraktivitäten bestreitet. Neurotransmitter sind chemische Botenstoffe, die eine spezifische Reaktion an für sie bestimmten Empfängern auslösen und damit Information weiterleiten. Haben sie ihre Wirkung entfaltet, können sie zerstört und ausgeschieden oder aber in die sendende Nervenzelle zurücktransportiert und recycled werden.

Alle hirnwirksamen (neurotropen) Substanzen, gleichgültig ob es sich um Pharmaka, Drogen oder Gifte handelt, wirken letztlich über eine Beeinflussung der Neurotransmitter und ihrer Rezeptoren.

So wirken Insektenvertilgungsmittel und Kampfgase dadurch, dass sie die Vernichtung des Neurotransmitters Acetylcholin nach getaner Arbeit verhindern – es kommt zu einer krampfhaften Dauererregung der Muskulatur mit daraus resultierender Lähmung. Opiate sind Stoffe, die große Ähnlichkeit mit körpereigenen Botenstoffen (den Endorphinen) haben: Sie passen ebenfalls auf den entsprechenden Rezeptor wie der Schlüssel in das Schloss und können so in den entsprechenden Hirnregionen Lustgefühle oder Schmerzlosigkeit auslösen. Kaffee wirkt nicht direkt am Rezeptor, sondern verstärkt lediglich einmal in Gang gekommene Prozesse nach Transmitter-Rezeptor-Reaktion (Funktion des „zweiten Boten").

Neurotransmitter sind also Stoffe, die in den Nervenzellen selbst gebildet und gespeichert werden, spezifisch auf Nervenzellen, Drüsen oder Muskelzellen wirken und deren Abbau bzw. Wiederverwendung ebenfalls nahe der Synapse erfolgt. Solche Neurotransmitter sind aber nicht die einzigen Substanzen, die prinzipiell Nerven beeinflussen und Informationen weiterleiten können.

Auch Hormone können stimulierend auf Nervenzellen einwirken. Zwar ist es so, dass Informationsübertragung im Gehirn und im peripheren Nervensystem hauptsächlich durch Neurotransmitter und Neuropeptide (kurze Ketten von Aminosäuren) bewerkstelligt wird. Es bestehen aber enge Wechselwirkungen zum endokrinen (oder Hormon-)System. Manche Neuropeptide kann man auch als Hormone bezeichnen, ja sogar manche Neurotransmitter wie das Noradrenalin können in der Peripherie hormonelle Wirkungen entfalten. Weiterhin gibt es zahlreiche, wenn-

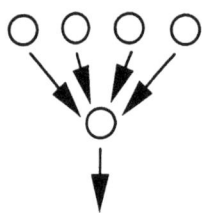
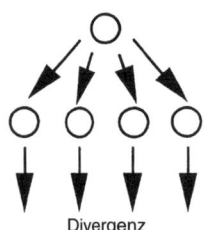

Abb. 3.2: Konvergente und divergente Informationsweiterleitung (aus: Hülshoff 2000, 20)

gleich heute noch viel zu wenig geklärte Querverbindungen zwischen der neuronalen Informationsübertragung, dem endokrinen System und dem Immunsystem, das für die Infektabwehr verantwortlich ist. Zu Recht spricht Schiefenhövel (1993 b, 24–46) von den engen Verbindungen der „Psycho-neuro-endokrino-Immunologie".

Abbildung 3.2 verdeutlicht, dass zahlreiche Nervenzellen zu einer einzigen empfangenden Nervenzelle zusammengeschaltet werden können. Hierbei spricht man von Konvergenz. Bei divergenter Informationsübertragung ist das Gegenteil der Fall: Eine (oder wenige) Nervenzellen können eine Vielzahl empfangender Strukturen beeinflussen. Prinzipiell können Neurotransmitter sowohl im Dienste konvergenter als auch divergenter Informationsübertragung stehen. Das hormonelle System hingegen arbeitet vor allem divergent: Eine zentrale Hormondrüse schüttet einen Überträgerstoff (hier ein Hormon) aus, das über den Blutkreislauf zu den Rezeptoren der Zielorgane geflutet wird und an sehr unterschiedlichen Stellen des Körpers seine Information entfalten kann.

Ein Beispiel möge dies verdeutlichen: Angst auslösende Reize, so genannte Stressoren, die eine Gefährdung oder Belastung anzeigen, führen dazu, dass sehr unterschiedliche Körperreaktionen blitzschnell eingeleitet werden: Die Pupillen werden weit (damit die Gefahr richtig gesehen werden kann), die Haare richten sich auf (ehemalige Drohgebärde behaarter Primaten, heute Gänsehaut), Puls und Blutdruck werden gesteigert, um die Sauerstoffversorgung zu optimieren, Ähnliches gilt für die Herzfrequenz. Die Blutgerinnung ist (wegen der drohenden Verletzungsgefahr) erhöht, die Darmmotilität ändert sich und eine Vielzahl anderer Faktoren im Sinne erhöhter Flucht- oder Kampfbereitschaft sind zu beobachten: Man spricht von einer Flight-and-fight-reaction. Diese blitzschnelle synergistische (gleichgerichtete) Aktivierung ganz unterschiedlicher Organsysteme ist vor allem durch ein Hormon (Adrenalin) zu erreichen, das im o. g. Sinne der Divergenz wirkt.

Etwas vereinfacht kann man also die neuronale Informationsübertragung mit einem Telefonnetzsystem vergleichen, bei dem entlang vorstrukturierter Netze (Kabel- bzw. neuronaler Netze) die Information weitergeleitet wird. Demgegenüber hat das hormonelle System eher „Rundfunkcharakter". Echte Neurotransmitter sind vor allem das Acetylcholin und die als Katecholamine bezeichneten biogenen Amine Dopamin und Noradrenalin sowie das Serotonin. Bereits bei dem biogenen Amin Histamin wird aber deutlich, dass sich die Informationssysteme überschneiden: Histamin beeinflusst Nervenzellstrukturen (kann u. a. zu Müdigkeit führen), spielt aber gleichzeitig eine wichtige Rolle in unserem Immunsystem. Die heftig juckenden rötlichen

Schwellungen nach Brennesselkontakt oder im Rahmen einer schweren Allergie (Urticaria) sind letztlich auf Histamin zurückzuführen.

Zu Neurotransmittern, die aus einfachen Aminosäuren bestehen, gehören neben der Gammaaminobuttersäure, die vorwiegend hemmende Aktivität entfaltet, u. a. das Glutamat. Auch hier finden wir vielfältige Funktionen dieses Stoffes: Glutamat ist Nahrungsbestandteil und zugleich Geschmacksverstärker. Im Übermaß genossen kann es zu Kopfschmerzen führen.

Hormone können sehr unterschiedliche chemische Strukturen aufweisen. In unserem Zusammenhang sind vor allem Peptide (kurze Ketten von Aminosäuren) und Steroidhormone (insbesondere Hormone der Nebenniere und Sexualhormone) von Bedeutung. So haben Östradiol und Oxitozin zahlreiche Wirkungen auf die Sexualorgane und Sexualfunktionen. Gleichzeitig können sie unser psychisches Erleben beeinflussen.

Das Hormon Oxitozin

Oxitozin wird im Hypophysenhinterlappen („oberste Hormondrüse", vgl. Kapitel 1) ausgeschüttet. Bei der Frau geschieht das u. a. nach vaginaler Reizung oder sensorischer Reizung der Brustwarzen. Sowohl während der Geburt als auch beim Vorgang des Stillens wird vermehrt Oxitozin ausgeschüttet und führt u. a. zu einer Kontraktion des Uterus (mit daraus folgender Blutstillung) und dem Einschießen der Milch in die Brustdrüse. Gleichzeitig beeinflusst dieses Hormon möglicherweise das Bindungsverhalten: Im Tierversuch konnte durch Hormongabe mütterliches Verhalten (Zuwendung, Annahme eines Neugeborenen) ausgelöst werden, obwohl das entsprechende Tier nicht geboren hatte. Neuere Forschungen beim Menschen lassen vermuten, dass dieses Hormon in den ersten Stunden und Tagen der Begegnung von Mutter und Kind ebenfalls eine große Rolle spielt. Wohlgefühle und euphorische Stimmung beim Vorspiel des Sexualaktes werden ebenfalls mit Oxitozin in Verbindung gebracht. Während die kurzfristige euphorische Stimmung während des ersten Verliebtseins eher dem Hirnamin Phenyläthylamin, das dem Aufputschmittel Amphitamin sehr ähnlich ist, zugeschrieben wird, scheint für die Anbahnung einer vertrauten Langzeitbindung Oxitozin von Wichtigkeit zu sein. Selbstverständlich sind diese Phänomene, auf die in Kapitel 7 detailliert eingegangen wird, keinesfalls durch chemische Prozesse ausreichend geklärt. Man kann sich auch ohne Sexualität leidenschaftlich verlieben. Entscheidend für das mitmenschliche und soziale Phänomen Liebe sind Einstellung, Phantasie, Kommunikation und andere „eher nicht chemische Prozesse". Andererseits kann es, wie Eibl-Eibesfeldt es ausdrückt (1995, 347), „über sexuellen Kontakt aber ebenfalls zur Liebe kommen".

Die Endorphine

Eine besondere Rolle der Beeinflussung neuronaler Strukturen unseres emotionsverarbeitenden Systems spielen die Endorphine, die zu den Neuropeptiden gezählt werden. Hierbei handelt es sich um körpereigene, opiatähnliche Substanzen, die vor allem an den schmerzverarbeitenden Strukturen des Zentralnervensystems sowie den „Belohnungssystemen" unseres Zwischenhirns ansetzen. Heftiger Schmerz, oft mit Unmut und Dysphorie verbunden, hat Warnfunktion und ist daher überlebenswichtig. Andererseits musste der Beutetiere hetzende Vormensch schmerzhafte und strapaziöse, oft stundenlang dauernde Jagden durchhalten. Zu bestimmten Ereignissen musste also das archaische Schmerzsystem außer Gefecht gesetzt werden – dies geschah (und geschieht) durch körpereigene Endorphine, die folglich zwei wesentliche Wirkungen zeigen: Zum einen vermindern sie den Schmerz (insbesondere wird der Schmerz nicht mehr als so dramatisch erlebt), zum anderen können sie die Stimmung aufhellen und euphorisierend wirken.

So wird dem Jogging des geübten Läufers eine euphorisierende Wirkung nachgesagt, die mit Endorphin in Verbindung gebracht wird. Einmal von der Evolution in die Welt gesetzt, wurde insbesondere das Prinzip der Euphorisierung weiter entwickelt und differenziert: Es wurde in den Dienst von belohnenden Strukturen unseres Limbischen Systems gestellt.

Der Sieg eines gefährlichen oder strapaziösen Kampfes, die belastende Aufzucht des Nachwuchses oder auch die Bemühungen um einen Sexualpartner werden durch Glücksgefühle belohnt. An diesem Geschehen sind Endorphine vermutlich beteiligt.

Rezeptoren, die auf körpereigene Endorphine, aber auch auf Opiate (Heroin, Morphium und andere) in besonderer Weise ansprechen, finden sich folglich in den Strukturen unserer Schmerzbahn, aber auch in der Amygdala (dem Mandelkern), dem Hippocampus, dem Riechkolben und dem Schläfenlappen – also in all den Strukturen, die zu unserem Limbischen System gehören oder zu ihm in enger Beziehung stehen und die unser emotionales Empfinden ermöglichen.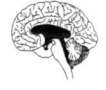

Im Folgenden soll auf einzelne, besonders wichtige Neurotransmitter und ihre Funktion eingegangen werden. Um einem möglichen Missverständnis vorzubeugen: Bereits in Kapitel 1 wurde gezeigt, dass nicht bestimmte Hirnstrukturen für bestimmte Emotionen allein verantwortlich sind, sondern dass das Zusammenschalten sehr unterschiedlicher und verschiedenartiger Strukturen emotionales Erleben auf unterschiedlichen Ebenen ermöglicht. Ebenso wäre die Ansicht falsch, bestimmte Neurotransmitter seien für bestimmte Emotionen zuständig.

Wichtige Neurotransmitter

So ist *Serotonin,* auf das weiter unten eingegangen wird, nicht nur für lokomotorische Aktivität (bis hin zur Hyperkinesie, also der Übermotorik) mit verantwortlich, sondern spielt eine mehr oder weniger große Rolle u. a. beim Explorationsverhalten, bei Belohnungs- und Bestrafungsreaktionen sowie bei Hunger, Nah-

Serotonin

rungsverhalten, Sexualverhalten und der Aggression. Sinngemäß gilt das für die anderen Neurotransmitter ebenso.

Viele Neurotransmitter wirken an unterschiedlichen Stellen unseres Gehirns oder sogar anderer Organe. Je nach dem, welche Systeme von ihnen beeinflusst werden, kann die Wirkung ebenfalls sehr unterschiedlich sein – beim Glutamat wurde bereits darauf hingewiesen. Folglich ist das Zusammenspiel von Neurotransmitter und den neuronalen Systemen, die mit diesem Neurotransmitter arbeiten, für den emotionalen Effekt von Bedeutung. Im Folgenden sollen einige neuronale Systeme, die durch die chemische Wirkung eines Neurotransmitters funktionell arbeiten, kurz vorgestellt werden.

Acetylcholin

Acetylcholin (ACh) ist die zuerst als Neurotransmitter erkannte Substanz. Sie wirkt u. a. an der Verbindungsstelle zwischen peripheren Nerven- und Muskelfasern: Nach dem Nervenimpuls sorgt das Ausschütten von Acetylcholin für die Muskelkontraktion.

Im Gehirn hat es eine relativ hohe Konzentration in den Basalganglien und in der motorischen Hirnrinde. Eine Reihe von Psychopharmaka interagieren mit ACh, insbesondere dadurch, dass sie es hemmen. Auf Acetylcholin ansprechende Nervenbahnen ziehen wahrscheinlich vom Basalkern zu verschiedenen Regionen der Großhirnrinde sowie zum Hippocampus, der Struktur des Limbischen Systems, die wesentlich für die Verankerung von Eindrücken im Gedächtnis verantwortlich ist.

Bei der Alzheimerschen Erkrankung, einem manchmal im Alter auftretenden hirnorganischen Abbauprozess mit schweren Verwirrtheitszuständen und vor allem erheblichem Gedächtnisverlust, kann man einen massiven Zellverlust im Basalkern feststellen (Snyder 1989, 36); auch der Acetylcholinstoffwechsel ist gestört.

Katecholamine sind sowohl im Gehirn als auch im peripheren Nervensystem zu finden. Die wichtigsten sind das *Dopamin (DA)* sowie das *Noradrenalin (NA)*. Beide Substanzen sind eng verwandt: Aus dem in eiweißhaltiger Nahrung vorhandenen Tyrosin wird zunächst L-Dopamin, dann Dopamin hergestellt. Dieses kann wiederum in Noradrenalin und schließlich (dann allerdings in der Peripherie) in Adrenalin umgewandelt werden (Sie erinnern sich: das Stresshormon).

Dopamin

Die dopaminergen Systeme, also die Nervenbahnen, die mit dem Neurotransmitter Dopamin arbeiten, bestehen aus drei Regionen: der Substantia nigra, dem Mittelhirn und dem Hypothalamus. Im ersten dieser drei dopaminergen Systeme senden Nervenzellkörper ihre Verbindungen vom Hypothalamus zur Hypophyse (der obersten Hormondrüse). Über diese Bahnen können also Hormonausschüttungen beeinflusst werden. Das zweite Dopaminsystem führt von der Substantia nigra zu den Basalganglien, einem an der Basis der Hirnrinde gelegenen motorischen Kontrollsystem. Hier, in den Basalganglien, werden motorische Aktivitäten zeitlich und örtlich miteinander koordiniert. Die Willkürbewegung, die an einer anderen Stelle in der motorischen Hirnrinde ihr anatomisches Substrat hat, wird ergänzt durch unwillkürliche motorische Kontrollaktivitäten, für die die Basalganglien wichtig sind.

Beim Parkinson-Syndrom sind aus unterschiedlichen Gründen Zellen der Substantia nigra zerstört, so dass deren Neurotransmitter Dopamin nicht ausreichend vorhanden ist. Das zieht die Basalganglien in Mitleidenschaft. Beim typischen Parkinson-Syndrom kommt es zu einem erhöhten Muskeltonus, der Bewegungen nur gegen fast wächsernen Widerstand möglich macht. Dieser erhöhte Muskeltonus wird als Rigor bezeichnet. Unter Akinese versteht man eine Störung oder den Ausfall langsamer Bewegungen. Typisch ist schließlich ein Zittern in Ruhe (z. B. das „Pillen-Dreh-Phänomen" der Finger), das als Ruhetremor bezeichnet wird. Diese Störung, die auch mit Auffälligkeiten der Mimik („Salbengesicht") verbunden sein kann, tritt hauptsächlich als eigenständiges Krankheitsbild im Alter, mitunter aber auch als Nebenwirkung bei Neuroleptika auf.

Das dritte Dopaminsystem schließlich scheint eine wichtige Rolle bei der Schizophrenie, einer schweren psychischen Erkrankung mit mangelndem Realitätsbezug, zerfließenden Ich-Grenzen, Depersonalisationserscheinungen und einer Reihe anderer möglicher Symptome (u. U. Wahn, Halluzinationen und Affektstörungen) zu spielen. Die dopaminhaltigen Nervenzellen verlaufen vom Mittelhirn (nahe der Substantia nigra) hin zu höheren Hirnregionen, insbesondere der Großhirnrinde und dem Limbischen System. Insbesondere der Stirnlappen (Frontallappen) der Großhirnrinde und zum Riechhirn gehörende Limbische Strukturen gehören zu diesem System.

Im Rahmen einer Schizophrenie scheint dieses dritte Dopaminsystem hyperaktiv zu sein. Die meisten Neuroleptika (Medikamente, die einige Symptome der Schizophrenie lindern können, etwa indem sie die Erregung dämpfen oder vom Wahnerleben distanzieren), greifen in den Dopaminhaushalt ein und verringern die Wirkung des Dopamins. Es sei aber betont, dass eine solche „Dopaminhypothese" die Schizophrenie und ihre Entstehung nicht allein erklären kann. Genetische und biochemische Faktoren, frühe familiäre Beziehungsmuster, kognitive und emotionale Störungen der Entwicklung in Kindheit und Jugend, belastende Lebensereignisse (Life events), Krankheiten und destabilisierende Umwelten interagieren in komplexer Weise, bevor es zu dem individuell unterschiedlichen Erscheinungsbild einer Schizophrenie kommt (vgl. Hülshoff in Trost/Schwarzer 2005, 37ff).

Nach dem bisher Gesagten ist es verständlich, dass die erwünschten Effekte von Neuroleptika (Dopaminverminderung im dritten dopaminergen System und damit Symptomlinderung bei der Schizophrenie) von Nebenwirkungen im zweiten dopaminergen System begleitet sein können: Parkinson-ähnlichen Erscheinungen, die aus einem Dopaminmangel herrühren (und ihrerseits durch anders wirkende Medikamente behandelt werden).

Dopamin ist also ein äußerst wichtiger, erregender Neurotransmitter, der vor allem im Zentralnervensystem vorkommt und bei der Integration kognitiver, emotionaler und motorischer Prozesse eine Rolle zu spielen scheint. Die spezifischen Wirkungen, die bisher noch nicht genau geklärt sind, hängen von den jeweiligen dopaminergen Systemstrukturen ab.

Noradrenalin

Mit Noradrenalin arbeitende neuronale Zellverbände entspringen einer kleinen Ansammlung von Zellkörpern im Stammhirn, dem so genannten „blauen Ort" (Locus coeruleus), nicht viel mehr als 3000 Zellen, die dennoch eine enorme Wirkung haben: Das Noradrenalinsystem entfaltet eine sehr allgemeine und unspezifische Wirkung, es beeinflusst fast alle Strukturen des Mittel- und Großhirns. Letztlich dient es der Regulierung von Erregung und Wachsamkeit und spielt somit auch für die emotionalen Qualitäten unseres Lebens eine Rolle – zwar wird die Gefühlsqualität „Angst" oder „Liebe" wesentlich vom Limbischen System bestimmt, der Grad der Erregung in unserer Angst, Wut oder Liebe hängt aber mit den darunterliegenden Stammhirnstrukturen und den von ihnen ausgehenden Bahnen zusammen, deren wesentlicher Transmitter das Noradrenalin ist. Ein Defizit an Noradrenalin kann im Zusammenhang mit einer Depression auftreten, ohne dass dies allerdings eine bereits vollständige Erklärung dieser Erkrankung wäre. Immerhin gibt es Depressionsformen, die mit einer deutlichen Erregungsverflachung einhergehen.

Außerdem scheint nicht nur ein Mangel an Noradrenalin, sondern auch eine Störung im Serotoninhaushalt (s. u.) bei der Depression eine gewisse Rolle zu spielen.

Im Limbischen System gibt es mehr noradrenalinhaltige Nervenzellen als an allen anderen Teilen des Gehirns. Vermutlich hat Noradrenalin eine große Bedeutung bei der Entstehung von Gefühlszuständen wie Freude, Aggression oder Trauer. Aber auch die Integration emotional bedeutsamer neuronaler Vorgänge auf unterschiedlichen Ebenen zu einem sinnvollen, ganzheitlich erfahrbaren kognitiv-emotionalen Erleben wird von Noradrenalin (bzw. den von ihm versorgten Systemen) mit beeinflusst. Ein Zuviel an Noradrenalin bzw. an Substanzen, die ihm sehr ähnlich sind, kann zu einer Störung des kognitiv-affektiven Gleichgewichts führen.

Amphetamine, Aufputschmittel (wie Captagon®), aber auch Kokain können die subjektiv empfundene Leistungsfähigkeit, das subjektive emotionale Wohlbefinden und vor allem den objektiven Grad der Wachheit beeinflussen – Künstlern unter Einfluss dieser Droge kann es tage- und nächtelang gelingen, kreativ zu sein, bis sie u. U. erschöpft zusammenbrechen. Die aufputschende Wirkung der Amphetamine machte man sich auch bei höchst strapaziösen und langandauernden Einsätzen von Bomberpiloten im Zweiten Weltkrieg zunutze.

Amphetamine

Ritalin®, das ebenfalls zu den Amphetaminen gezählt wird, wird häufig zur symptomatischen Behandlung eines hyperkinetischen Syndroms (schwere motorische Unruhe) im Kindesalter verwandt: Normalerweise stimulieren diese den Erwachsenen süchtig machenden Amphetamine, sie sind Aufputschmittel. Bei manchen hyperkinetischen Kindern haben sie aber den paradoxen Effekt, dass sie die Kinder beruhigen. Möglicherweise werden die kontrollierenden und damit hemmenden motorischen Substanzen unseres Gehirns von ihnen in besonderer Weise beeinflusst. Allerdings ist dieser Mechanismus nicht erwiesen. Bei manchen dieser Kinder können Amphetamine beruhigen, die Impulskontrolle unterstützen und die Konzentrationsfähigkeit vorübergehend steigern. Solche Medikamente heilen aber nicht: Nach Absetzen kommt es häufig zu einem Rebound-Phänomen. Auch die Intelligenz wird nicht erhöht. Die Kinder werden lediglich anpassungsfähiger und ruhiger – können also manchmal die ihnen innewohnende Leistungsfähigkeit besser nutzen. Ein solcher Eingriff in die Hirnchemie insbesondere im Kindesalter muss jedoch wohl bedacht werden.

Das Noradrenalin-System ist also ein divergentes System, das vom Hirnstamm ausgehend weite Teile des Zwischen- und Großhirns miteinander verbindet und integrierend steuert. Sein Neurotransmitter Noradrenalin scheint maßgeblich am Erregungs- und Wachheitszustand sowie emotionalen und emotional-kognitiven Prozessen beteiligt zu sein.

Die Bahnen des Serotonin-Systems entspringen dem so genannten Raphe-Kern im Stammhirn und ziehen sowohl zum Kleinhirn und Strukturen des Zwischenhirns als auch zu weiten Teilen der Großhirnrinde. Der Transmitter Serotonin scheint am Schlaf-Wach-Rhythmus beteiligt zu sein und an der Regulation der Kör-

Serotonin

pertemperatur mitzuwirken. Ähnlich wie Noradrenalin scheint auch Serotonin bei manchen Formen der Depression eine Rolle zu spielen. Bei manchen Depressionen werden Veränderungen der Tag-Nacht-Rhythmik oder des Schlafrhythmus beobachtet, sodass hier vielleicht Zusammenhänge bestehen. Schließlich soll noch erwähnt werden, dass serotoninempfindliches Gewebe von LSD gehemmt werden kann – die Strukturen von Serotonin und LSD ähneln sich. Möglicherweise ist dies die Basis für die schweren psychedelischen und Halluzinationen hervorrufenden Effekte dieser Droge.

Gammaaminobuttersäure

Gammaaminobuttersäure (GABA), deren Grundbausteine in der normalen eiweißhaltigen Nahrung vorkommen, wird im Gehirn synthetisiert und hat, wie bereits erwähnt, an den meisten cerebralen Strukturen hemmende Wirkung. In hohen Konzentrationen kommt Gammaaminobuttersäure in der grauen Substanz der Großhirnrinde und des Kleinhirns vor. Aber auch in den Strukturen unseres Limbischen Systems, der Amygdala, dem Hypothalamus, dem Thalamus und dem Hippocampus finden sich auf Gammaaminobuttersäure reagierende Rezeptoren. Strukturell verwandt und in der Regel in nächster Nachbarschaft an der Zellmembran zu GABA-Rezeptoren finden sich Rezeptoren, an denen beruhigende Medikamente (Sedativa) insbesondere aus der Gruppe der Benzodiazepine/Valium® andocken können. Die Rezeptoren an der Zellmembran für Benzodiazepine sind nicht identisch mit den GABA-Rezeptoren, stehen aber in einem engen biochemischen Zusammenhang. Beruhigungsmittel wie Valium® oder Librium® wirken auf diese Rezeptoren und können die Wirkung der Gammaaminobuttersäure verstärken. Daraus resultiert vermutlich der erregungshemmende, beruhigende, entspannende und angstlösende Effekt.

Natürlich werden hier nicht mögliche Ursachen, sondern nur die Symptome von Angst reduziert. Die angenehme Wirkung einer solchen Entspannung zum einen, das Fehlen einer Lösung der den Ängsten zugrundeliegenden Probleme andererseits können leicht zu einer Abhängigkeit von Beruhigungsmitteln führen.

Nachdem die wichtigsten Transmitter des Gehirns und die zugehörigen neuronalen Systeme kurz vorgestellt wurden, soll noch einmal darauf hingewiesen werden, dass nicht nur Neurotransmitter, sondern auch Hormone sowie andere neuro- oder psychotrope Substanzen Nervenzellen beeinflussen können. Auf die Wirkung von Hormonen, ihre Gemeinsamkeiten und ihre Unterschiede zu Neurotransmittern wurde bereits eingegangen. Hinsichtlich einer möglichen Beeinflussung neuronaler und psychischer Systeme sei insbesondere auf das ACTH, das Oxitozin, Cortison und seine Abkömmlinge, Adrenalin und Noradrenalin als Stresshormone sowie die Sexualhormone (insbesondere Östrogene und Testosteron) hingewiesen.

Auch psychotrope und neurotrope Pharmaka beeinflussen das Nervensystem. Dabei ist zu beachten, dass die Grenzen zwischen Heilmitteln, Drogen und Giften fließend sind – Anwendung und Beachtung von Wirkungen und Nebenwirkungen sowie Dosierung des angewandten Stoffes können bspw. Opiate in bestimmten Situationen zu einem Heilmittel, in anderen zu einem Rauschgift machen.

Psychopharmaka im engen Sinne sind die Neuroleptika, Antidepressiva und Tranquilizer. Im weiteren Sinne gehören auch Schlafmittel und Psychostimulanzien zu den Psychopharmaka. Schließlich wirken auch Schmerzmittel (Analgetika), Hirnstoffwechselregulatoren, Antikonvulsiva (Antikrampfmittel), Prophylaktika oder Rauschdrogen auf das Gehirn. *Psychopharmaka*

Neuroleptika kann man als klassische Antipsychosemittel charakterisieren, die vor allem bei Schizophrenien und Manien angezeigt sein können, um vom Wahnerleben und intraseelischen Druck zu distanzieren und Erregung zu dämpfen. Sie sollten nicht als „intensive Beruhigungsmittel" missbraucht werden. Erwünscht sind ihre ordnenden (nicht sedierenden) Wirkungen auf Affekt und Antrieb, eventuell auch auf das Denken, sowie ihre antipsychotische Wirkung auf Erregung und die produktiven Symptome einer Schizophrenie, vor allem Wahn und Sinnestäuschung. Zahlreiche Nebenwirkungen können ihre Gabe im Einzelfall problematisch machen. *Neuroleptika*

Antidepressiva wirken stimmungsaufhellend und können je nach Substanz stimulierende oder sedierende Begleitwirkungen haben. Indiziert sind sie im Wesentlichen bei schweren Depressionen. *Antidepressiva*

Tranquilizer (Beruhigungsmittel) haben eine sedierende, schlafanstoßende, entspannende und angst- sowie spannungslösende Wirkung. Ihre Indikation sollte sehr eng gestellt werden: Zur OP-Vorbereitung, bei der Lebensangst im akuten Herzinfarkt sowie bei Krampfanfällen sind sie von großer Bedeutung. Neurotische und andere Angstsyndrome sollten, wenn überhaupt, nur kurzfristig mit Tranquilizern behandelt werden – eine mögliche Suchtgefährdung ist immer im Auge zu behalten. *Tranquilizer*

Eine solche Suchtgefährdung besteht prinzipiell auch bei Hypnotika (Schlafmittel) und Analgetika (Schmerzmittel). Da psychotrope Stoffe, die das Belohnungssystem unseres Zwischenhirns beeinflussen, u. U. euphorische Zustände im Sinne eines „chemischen Kurzschlusses" auslösen können, ohne dass zuvor vom *Hypnotika, Analgetika*

Individuum größere Anstrengungen notwendig waren, besteht umso größere Suchtgefahr, je größer die Wirkung einer Substanz auf diese Zentren ist.

Geruchssystem Dieses Kapitel soll nicht ohne einige Anmerkungen zum Geruchssystem beendet werden. Das Riechhirn und seine Ausstülpung, der Riechkolben (Bulbus olfactorius) steht in enger neuronaler und chemischer Verbindung zum Limbischen System. Während wir Geruchsempfindungen nicht so besonders gut bewusst beschreiben können (Versuchen Sie zunächst das Aussehen einer Rose zu beschreiben, anschließend deren Geruch: für Letzteres fehlen uns oft die Worte), sind unsere emotionalen Empfindungen bei der Wahrnehmung von Gerüchen umso stärker.

Erinnern Sie sich an den Geruch einer geliebten Person – an das Bohnerwachs in Ihrer Schule? An den Geruch von Sporthallen? – Auf der archaischen Ebene unseres Limbischen Systems beeinflussen Gerüche unsere Stimmungen, Gefühle und vorbewussten Verhaltensweisen, auch im sozialen Bereich. Redewendungen wie „das stinkt mir", „den kann ich nicht riechen" oder „zwischen uns stimmt die Chemie" zeugen davon. Nicht nur im Tierreich, sondern auch beim Menschen gibt es Sexualduftstoffe (Pheromone), die direkt das neuronale System beeinflussen können. Auch zwischen Sexualhormonen und Pheromonen bestehen enge Zusammenhänge. So weiß man aus Versuchen, dass Männer auch im Schlaf durch weibliche Sexualstoffe beeinflusst werden können, und Frauen nehmen, jedenfalls um die Zeit der Ovulation, das männliche Androstenon zumindest nicht als unangenehm, eventuell auch als angenehmen Geruch wahr. Auch bei der Partnersuche spielen (unbewusste) Bewertungen des Geruchs eine große Rolle (Hülshoff 2000, 71ff.).

Zusammenfassend bleibt festzuhalten, dass zahlreiche teils sehr unterschiedliche, teils miteinander verwandte chemische Stoffe unsere Nervenzellen beeinflussen können – zum Teil als spezifische Neurotransmitter in einem umschriebenen Hirnareal, zum Teil divergierend über weite Distanzen, wie neurotrop wirkende Hormone. Dabei gibt es keine chemischen Stoffe, die spezifisch für einen einzigen Gefühlszustand verantwortlich wären. Vielmehr ist das gefühlsmäßige Erleben und Verhalten von vielen neuronalen Systemen auf unterschiedlichen Ebenen abhängig. Diese neuronalen Systeme sind miteinander vernetzt und leiten ihre Aktivität durch chemische Stoffe weiter. Die wichtigsten dieser Substanzen wurden hier vorgestellt.

Überprüfen Sie Ihr Wissen!

Eine der folgenden Aussagen ist falsch. Welche?

a) Die Verbindungs- bzw. Schaltstelle zwischen zwei Nervenzellen wird als Synapse bezeichnet. ☐
b) Neurotransmitter sind chemische Botenstoffe, die eine Folge-Nervenzelle beeinflussen. ☐
c) Neurotransmitter docken an spezifischen Rezeptoren der Empfängerzelle an. ☐
d) Der Unterschied zwischen Neurotransmittern und Hormonen ist der, dass Hormone hemmen und Neurotransmitter erregen. ☒
e) Neurotransmitter werden in der Nervenzelle gebildet. ☐

3.1 Fragetyp B
Eine Aussage falsch

Eine der folgenden Substanzen ist eher nicht den Neurotransmittern zuzurechnen. Welche?

a) Acetylcholin ☐
b) Noradrenalin ☐
c) Dopamin ☐
d) Serotonin ☐
e) Oxitozin ☒

3.2 Fragetyp B
Eine Antwort falsch

Das wichtigste „Stresshormon" des sympathischen Nervensystems ist das...

a) Adrenalin ☒
b) Glucagon ☐
c) Dopamin ☐
d) Serotonin ☐
e) Keines der unter a–d Genannten trifft zu. ☐

3.3 Fragetyp A
Eine Antwort richtig

3.4 Charakterisieren Sie den prinzipiellen Unterschied bei der Informationsübertragung durch Neurotransmitter bzw. Hormone.

3.5 Warum kann die Behandlung einer Schizophrenie durch Neuroleptika den (unerwünschten) Nebeneffekt eines Parkinson-Syndroms haben?

Vertiefungsfragen

4. Angst, Furcht, Panik

Angst gehört zum Leben

Angst ist ein zum Leben zugehöriges Phänomen, eine Grundemotion, die evolutionär ganz offensichtlich von so großem Vorteil war, dass wir sie praktisch bei allen Wirbeltieren (in unterschiedlichen Ausprägungen) finden. „Fear motivates to escape from harm and danger" (Furcht veranlasst uns, Leid und Gefahr zu entkommen, Izard 1994, 101). Angst warnt uns vor Gefahr und mobilisiert Kräfte zur Verteidigung oder Flucht. Insofern ist Angst an sich keine Krankheit, sondern ein überlebensnotwendiges Warnsystem an der Schnittstelle körperlicher Überlebensprogramme und bewussten Erlebens. Solche Realängste beziehen sich also auf zu erwartende Notsituationen: im Tierreich Fressfeinde oder Naturgefahren, beim Menschen auch Ängste vor Verletzung und Krankheit, Hunger und Krieg, Vereinsamung, Trennung usw.

Realangst und Existenzangst

Neben dieser jedem wohl bekannten Realangst gibt es beim Menschen – im Gegensatz zum Tier – auch eine Existenzangst: Angst vor dem vor uns liegenden Lebensweg, vor dem Tod oder auch davor, unseren Wert vor uns oder anderen zu verlieren. Eine solche Existenzangst resultiert aus dem „Schwindel der Freiheit" (Kierkegaard) und hängt damit zusammen, dass der Mensch im Laufe seiner Entwicklung sich zum Teil aus der Natur hat lösen können, was ihm Freiheit, aber auch Verlust an Geborgenheit eingebracht hat („Vertreibung aus dem Paradies"). Abbildung 4.1 verdeutlicht, dass Existenzangst wesentlich mit der menschlichen Fähigkeit, Zukunft vorwegzunehmen (zu antizipieren), zusammenhängt.

Schimpansen sind im Tierreich die einzigen Lebewesen, die nicht nur gezielt Werkzeug herstellen können, sondern es für zukünftige Situationen planend einsetzen: Machen sie sich auf den Weg in eine Gegend, von der sie wissen, dass es dort Nüsse, aber keine zum Knacken tauglichen Steine gibt, so nehmen sie in Erwartung zukünftiger Ereignisse das „Werkzeug" mit. Über längere Strecken und kürzere Zeiten werden hier Ereignisse vorweggenommen und vorausschauend geplant. Offensichtlich war dies von erheblichem evolutionärem Vorteil, sodass wir Menschen in der Lage sind, nicht nur aus dem aktuellen Trieb unserer Gegenwart, sondern auch im Lichte unserer Erfahrungen (Vergangenheit) Zukünftiges zu antizipieren und uns darauf planend vorzubereiten. Letztlich führt diese Antizipation von Zukunft aber auch zur Erkenntnis der eigenen Vergänglichkeit und der Antizipation des eigenen Todes. Und damit kam die Existenzangst in die Welt.

Es ist wichtig, sich klarzumachen, dass die Existenzangst, die uns in der späten Pubertät mit voller Wucht deutlich wird, zum Menschen dazugehört und keineswegs „wegtherapiert" werden kann. Wir müssen mit ihr leben lernen. Angst ist immer ein körperliches und seelisches, zumeist auch ein soziales Phänomen.

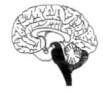

Körperlich äußert sich das Gefühl der Angst durch die Aktivierung der „*Flight-and-fight-reaction*", also zunächst der Aktivierung des sympathisch-vegetativen Nervensystems und entsprechender Hormonausschüttung (insbesondere Adrenalin und Noradrenalin): Die Herzfrequenz steigt (wir verspüren Herzjagen), der Blutdruck steigt (das Gesicht wird rot), Angstschweiß tritt aus (und das vermehrte Schwitzen ermöglicht Wärmeabfuhr beim Weglaufen), die Haare stehen uns zu Berge (Gänsehaut), was als rudimentäres Überbleibsel der Drohgebärden sich „aufplusternder" Primaten zu sehen ist, die Pupillen werden schreckensweit, um auch alles sehen zu können, eine vermehrte Atmung führt zur besseren Sauerstoffversorgung, manchmal entledigt man sich überflüssigen Ballasts (es kommt zum spontanen Stuhlabgang), Bauchschmerzen, Zittern und eine allgemeine Erregung sind weitere körperliche Symptome. Damit einher geht eine gesteigerte Aufmerksamkeit und ein erhöhter Erregungszustand, wie er alleine nicht nur für die Angst, sondern auch für Freude oder Interesse typisch ist. Aber psychisch wird Angst anders erlebt: Schmerzen oder Engegefühle in der Brust sind häufige Empfindungen.

Die vegetative Basis der Angst

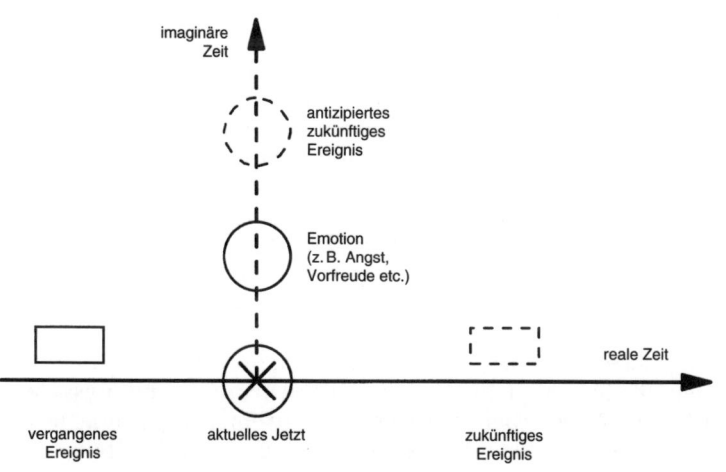

Abb. 4.1: Die Antizipation eines zukünftigen Ereignisses kann zu aktuellen Emotionen (z. B. Angst) führen (in Anlehnung an Bischof 1991, 541).

4. Angst, Furcht, Panik

angina (lat.):
Angst, Enge

Subjektive Schwierigkeiten, Luft zu holen – selbst im Ruhezustand – können mit (ebenfalls subjektiven) Erstickungsgefühlen einhergehen. Wir empfinden vielleicht Schwindel, Müdigkeit, die Sicht der Welt kann sich ändern, man meint den Boden unter den Füßen zu verlieren, und das subjektive Empfinden wird besonders dann bedrohlich, wenn wir meinen, die Kontrolle über uns und die Situation zu verlieren. Insofern geht das psychische Gefühl der Angst eng mit dem der Ohnmacht einher. Die Ausweglosigkeit und die Einengung der Bewältigungsmöglichkeiten können dazu führen, dass eigene Kräfte oder Lösungsmöglichkeiten nicht mehr gesehen werden können – ein Scheuklappeneffekt, den man als „Skotomisierung" bezeichnet.

Und hier zeigt sich auf psychischer Ebene, was auch auf vegetativer Ebene vorliegen kann: Das Paradox, dass sowohl aktivierende als auch lähmende Kräfte frei werden und einander behindern. Bei länger andauernden ängstigenden Situationen und scheinbarer bzw. tatsächlicher Ausweglosigkeit wird nicht nur das sympathische, sondern auch das parasympathische Nervensystem aktiviert. Die „Fight-and-flight-reaction" (ergotrope Reaktion) kann teilweise aufgehoben werden durch eine trophotrope, parasympathische und damit entgegengesetzte körperliche Reaktion, in der nun Puls- und Blutdruck sinken, es zu Ohnmachtsanfällen kommt, die Stimmung gedrückt ist, weiterhin aber die Muskulatur angespannt und die Pupillen starr und erweitert bleiben. Ein solches antagonistisches Erregungsmuster führt zur lähmenden Angst, in der auch psychisch die subjektive Ausweglosigkeit in besonderer Weise erlebt wird. Neuronal sind solche Zustände durch einen Anstieg der Nervenimpulse pro Zeiteinheit charakterisiert – es kommt zu einer Übererregung im Nervensystem, die graduell zu steigern ist, je nachdem, ob es sich um Überraschung, Schreck, Furcht oder Entsetzen handelt.

Die wesentlichen Hormone, die an diesem Geschehen beteiligt sind, sind Adrenalin, Noradrenalin und bei zunehmend lähmender Angst auch ein Ausschütten der Corticosteroide.

Angst und Tranquilizer

Wie so oft in der Medizin verdanken wir wichtige Erkenntnisse auch über die „Biochemie der Angst" den Wirkungen von Drogen und Medikamenten. Zunächst war bekannt, dass Alkohol beruhigend und angstlösend wirkt, dann wurde dieser Effekt auch bei Tranquilizern (Beruhigungsmitteln) festgestellt, etwa Valium®, Frisium® und anderen verwandten Substanzen, die wegen ihrer angstlösenden Wirkungen auch als Anxiolytika bezeichnet werden. Sie führen nicht nur zu einer Entspannung auf muskulärer und vegetativer Ebene, sondern auch zu einer Abflachung des Erregungszustandes und einer Nivellierung im Gefühlsleben, sodass

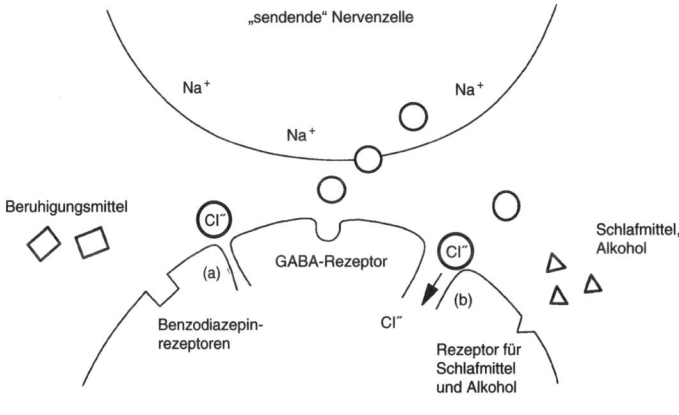

Abb. 4.2: Synergistische Wirkung von GABA, Alkohol und Tranquilizern: Wird die Empfängerzelle vom hemmenden Neurotransmitter GABA beeinflusst, öffnen sich Ionenkanäle (b) für Cl, das Zellinnere wird negativ geladen, eine Erregung wird schwieriger. Dieser Effekt kann durch Alkohol und Tranquilizer verstärkt werden. Rezeptoren für alle Wirkgruppen finden sich auf demselben Eiweißmolekül.

wir die Probleme „mit einer rosaroten Brille sehen". Da sie innerhalb von wenigen Wochen zur Abhängigkeit führen können, ist ihr längerfristiger Einsatz nicht unproblematisch.

Abbildung 4.2 zeigt einen Rezeptorkomplex an der Zellmembran, eine typische „Empfangsstation" für den Neurotransmitter Gammaaminobuttersäure (GABA). Wie in Kapitel 3 beschrieben, ist GABA ein in der Regel hemmender (und damit zur Beruhigung beitragender) Neurotransmitter. Seine Wirkung kann durch die Aktivierung benachbarter Rezeptoren gesteigert werden – insbesondere durch Benzodiazepinrezeptoren (Valium etc.), aber auch durch Alkohol oder Sedativa (Schlafmittel). All diese Stoffe interagieren in der Nähe des GABA-Rezeptors und wirken synergistisch, in die gleiche Richtung: Ionenkanäle für das negativ geladene Chlor öffnen sich, dadurch wird das bioelektrische Potential der Nervenzelle negativer, sie kann folglich nicht so leicht erregt werden.

Das Zusammenwirken von Alkohol, Schlaf- und Beruhigungsmitteln ist im Einzelfall nicht vorherzusehen, sodass es auch bei scheinbar tolerierbaren Dosierungen wegen der Wechselwirkung zu schweren Gefährdungen bis zum Tod durch Atemstillstand kommen kann.

Solche Rezeptorkomplexe, die nicht nur auf GABA, sondern auch auf unterschiedliche Sedativa besonders anspringen und letztlich zur Beruhigung und Erregungsminderung und damit zur Angstreduktion beitragen können, finden sich vor allem in den Strukturen des Limbischen Systems sowie den Großhirnstrukturen, die mit der Bearbeitung von Gefühlen befasst sind.

Angst warnt vor bedrohlichen Ereignissen. Bedrohlich können zum einen Ereignisse oder Prozesse in der Umwelt sein, zum anderen die eigenen erlebten Emotionen und Triebe, zum dritten Erinnerungen, Vorstellungen und Denkinhalte, also kognitive Prozesse ängstigenden Charakters und viertens soziale Faktoren – z. B. Drohgebärden oder angedrohtes Verlassen.

Am basalsten treten durch Umweltreize bedingte Ängste in Erscheinung. Intensität, Neuheit und das „Noch-nicht-einordnen-Können" führt zur extremen Wachheit, Aufmerksamkeit und Intensität des Erlebens. Unbekanntes wird, solange es noch nicht eindeutig eingeordnet werden kann, als potentiell gefährlich gewertet und macht neugierig oder ängstlich. Je sicherer die Situation, desto neugieriger, je unsicherer die Situation, desto ängstlicher werden wir. Evolutionär bedingt neigen wir vor allem dazu, in Dunkelheit, in Höhesituationen, aber auch bei einer zu großen Folge akustischer oder optischer Reize mit Angst zu reagieren.

Im Laufe von mehreren Millionen Jahren haben wir aber auch gelernt, auf die Konstellation „gefletschte Zähne und ein uns fixierendes Augenpaar" intuitiv mit Angst zu reagieren. Sütterlin (1993) belegt eindrucksvoll, wie diese uns evolutionär in die Wiege gelegten Dispositionen, auf bestimmte Schlüsselreize mit erhöhter Angstbereitschaft zu reagieren, kulturell genutzt und überformt wurden, z. B. durch abschreckende Skulpturen und Fresken.

Solche angeborenen Dispositionen sind lediglich Verhaltensbereitschaften, sie können durch einen soziokulturellen Erziehungsprozess zumindest modifiziert werden, vielleicht sogar verschwinden. Immerhin: Auf solche Dispositionen stößt man etwa, wenn man einem vierjährigen Kind die Gefahren des Straßenverkehrs verdeutlichen will. Dies ist in der Regel sehr viel schwieriger, als ihm die Gefahren eines die Zähne fletschenden Hundes, eines Krokodils im Zoo oder einer Schlange zu verdeutlichen.

Abb. 4.3:
Der mimische Ausdruck von Angst (nach Hjortsjö 1970)

Typisch sozial ausgelöste Ängste sind vor allem Ängste vor dem Alleinsein und dem Verlassenwerden, die bereits in der frühen Kindheit auftreten. Aber auch mimische und gestische Drohgebärden werden schnell verstanden und können Angst auslösen, und die Fremdheit sozialer Situationen (angefangen von fremden Gesichtern, deren wir uns am Ende des ersten Lebensjahres erstmals bewusst werden bis hin zu emotionalen Überforderungen in sozial befremdlichen Situationen in unserem Erwachsenenalter) werden als beängstigend erlebt. Letztlich sind solche sozial ausgelösten Ängste natürlich nicht mehr nur auf dem Hintergrund unserer biologischen Wurzeln, sondern im sozio-kulturellen Kontext, im Lichte unserer bisherigen Lebenserfahrung und unserer persönlichen Reifung zu sehen: Ein selbstsicherer, souveräner Mensch, der viele liebevolle und vertrauensvolle Begegnungen erlebt hat, wird mit fremden Situationen eher neugierig umgehen können als ein aufgrund seiner Lebensgeschichte eher misstrauisch gewordener Mensch.

Der mimische Ausdruck von „Furcht und Angst" ist kaum zu verkennen (vgl. Abb. 4.3): Die Augenbrauen sind fast gerade und etwas hochgezogen, der innere Stirnbereich kann Falten zeigen, die Augen sind weit geöffnet, das Unterlid leicht gespannt, der Mund ist geöffnet, die Lippen sind gespannt und gestrafft zurückgezogen.

Angst äußert sich nicht nur auf vegetativer und emotionaler Ebene, sondern kann auch bewusst erlebt werden: Insbesondere der Eindruck, die Kontrolle zu verlieren, kann zu Veränderungen im Bewusstsein und Selbstbewusstsein führen. Wie später noch zu zeigen ist, ist das Selbstwertgefühl erniedrigt und das Wissen um eigene Ressourcen und Kräfte eingeschränkt. Darüber hinaus setzt das bewusste Erleben von Angst aber auch eine Reife neuronaler Großhirnstrukturen sowie eine durch den bisherigen Lebensweg und prägende Erfahrungen gekennzeichnete psychische Reife voraus.

Bestimmte Ängste treten erst ab einem bestimmten Reifungsgrad auf. So sind erst acht Monate alte Säuglinge in der Lage, zwischen vertrauten und nichtvertrauten Gesichtern zu unterscheiden. Lächelten sie zuvor noch jedes lächelnde Gesicht (sogar ein auf ein Pappkarton aufgemaltes Gesicht) an, so differenzieren sie ab dem 8. Monat zwischen „fremd" und „vertraut" und reagieren im ersten Fall mit Unruhe und Schrecken – deutlichen Zeichen der Angst. Erst im vertrauten und Sicherheit gebenden, schützenden „Hafen" des mütterlichen Arms kann diese Erregung von der Angst in Neugierde und Interesse umschlagen – der Säugling wendet sich nun interessiert dem Fremdling zu.

Eine Ambivalenz, die uns das ganze Leben erhalten bleibt: Neues und Unbekanntes reizt uns und macht uns neugierig, kann aber schnell beängstigend sein. Von den Sicherheit gebenden Strukturen unseres Umfeldes, unserer Selbstsicherheit und den bisherigen Erfahrungen hängt es weitgehend ab, ob wir eher ängstlich oder neugierig reagieren.

Auch die Tiefenfurcht kann sich im Säuglingsalter erst manifestieren, wenn Höhe und Tiefe erkannt werden, was einen Reifungsprozess voraussetzt. Wird ein acht Monate alter Säugling aufgefordert, über eine Glasplatte zu krabbeln, die über einen „Abgrund" führt, so sind seine Wahrnehmungsstrukturen so weit ausgereift, dass er anhält und sich weigert, über diese die Tiefe überspannende Glasplatte zu krabbeln. Erst mit der Fähigkeit, Tiefe zu erkennen, kommt in dieser Situation auch Angst auf – hier ein überlebenswichtiges Warnsignal.

Mit zunehmender neurologischer und psychischer Reife verbinden sich kognitive Konstruktionen und Erinnerungen an beängstigende Situationen oder Personen mit den Gefühlen von Angst. Dabei können einzelne Teilaspekte der Erinnerung an ängstigende Ereignisse bereits die komplette Palette ängstlicher Emotionen auslösen: Der Geruch der Zahnarztpraxis, die Erinnerung an eine Prüfungsfrage oder ein Gesicht, das uns an einen Menschen erinnert, der uns einmal ängstigte, können Ängste auslösen, die wir erst in den Griff bekommen, wenn wir uns dieser Übertragungen bewusst werden.

Die kognitive Konstruktion möglicher Gefahrenkonstellationen ist evolutionär offensichtlich von hohem Wert gewesen: der geniale Verhaltensforscher Konrad Lorenz bemerkte hierzu sinngemäß, dass nun erstmals die Hypothese im Kopf ihres Besitzers anstelle des Individuums selbst sterben konnte. Das Durchspielen gefährlicher Konstellationen in Gedanken und die Vorwegnahme zukünftiger bedrohlicher Ereignisse können also bereits Angst auslösen und ihre Warnfunktion erfüllen. Angst als Warnsignal kann Denken und Handeln in eine neue Richtung lenken, was für die Flexibilität des menschlichen Handelns von Bedeutung ist. Angst kann beflügeln, starre Krusten aufbrechen und Kräfte freisetzen.

Angst kann aber auch gegenteilig wirken: Das kognitive „Ausmalen" möglicher Gefahren, vor allen Dingen in ungewohnten und neuen Situationen, in Übergangskrisen von Pubertät, Berufs- oder Ortswechsel u. Ä. kann dazu führen, dass Besorgnis und Angst so anwachsen, dass die entscheidenden Schritte gar nicht erst gewagt werden. Ein „ungelebtes Leben" oder „Leben unter dem individuell möglichen Niveau" kann also daher rühren, dass in Vorwegnahme denkbarer Gefahren Angst lähmend wirkt. Wer ängstigenden Situationen permanent ausweicht, hat den „scheinbaren Erfolg", tatsächlich sicher durchs Leben zu gehen. Er wird allerdings nie erfahren, ob die Ängste berechtigt waren, und er wird darüber hinaus einen Teil seiner Kräfte und problemlösenden Ressourcen gar nicht erst entwickeln und kennenlernen.

> Paul Watzlawick beschreibt dieses Phänomen anhand eines Witzes (1984): Ein Mann klatscht permanent in die Hände, um gefährliche Elefanten zu vertreiben. Ein Beobachter meint, es gebe doch in dieser Gegend gar keine Elefanten. Darauf der erste: „Eben!"

Während manche Realängste durch biologisch angelegte Dispositionen begünstigt werden, müssen andere beängstigende Situationen (z. B. der Straßenverkehr) erst als solche erkannt und erlernt werden. Dies setzt, es wurde bereits gesagt, eine gewisse neuronale und psychische Reife voraus. Angst kann nur machen, was als beängstigend erkannt werden kann.

Abbildung 4.4 zeigt, dass es in bestimmten Entwicklungsphasen typischerweise zu Übergängen und neuen Erkenntnismöglichkeiten kommt, die in der Regel auch zum psychischen Erleben von Angst führen, was als ein temporäres, entwicklungsbedingtes Phänomen anzusehen ist. Solche unterhalb der Skala angeordneten Ängste werden von Nissen (1989, 158) als „physiologische Angstentwicklung" bezeichnet, denen er „pathologische Angstsyndrome" gegenüberstellt – ausufernde Ängste also, die über ein im Kontext sinnvolles und adaptives Maß hinausgehen und weiter unten im Rahmen anderer Störungsbilder noch beschrieben werden.

Auf das Fremdeln etwa ab dem 8. Lebensmonat, das mit der Fähigkeit, fremde und vertraute Gesichter voneinander zu unterscheiden, einhergeht, wurde bereits eingegangen. Etwa um das 2. Lebensjahr herum kommt es zur Separationsangst (Verlustangst): Die Fähigkeit des Kleinkindes, eigenständig „die Welt zu erobern", geht mit Misserfolgserlebnissen und der Furcht, Sicherheit gebende Strukturen und Personen zu verlieren, einher. Auf Spielplätzen kann man oft beobachten, dass Kinder „mal eben gucken, ob Mama noch da ist" – bevor sie wieder ihrer eigenen Wege gehen. Zu symbiotischen Syndromen kann dies eskalieren, wenn es den Eltern nicht gelingt, die Eigenständigkeit ihrer Kinder zu fördern und gleichzeitig als Sicherheit gebende Instanz im Hintergrund zu sein.

Ängste vor vermeintlichen und tatsächlichen Gefahren in der Umgebung des Kindes (Umweltängste) treten vor allem im Kindergarten- und Vorschulalter auf. Dieses Alter ist durch die Ten-

Altersabhängige Ängste

Abb. 4.4: Altersabhängige Angstentwicklung und auffällige Angstsyndrome im Kindes- und Jugendalter (nach Nissen 1989)

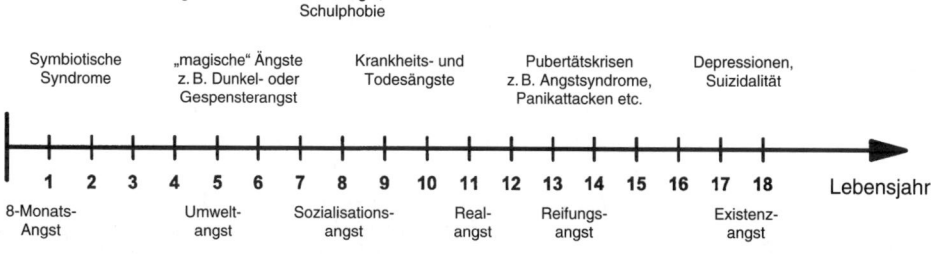

denz der Kinder geprägt, die Umwelt kritisch zu sichten und zu analysieren. Andererseits weist diese Altersstufe immer wieder „magische Inseln" im Erleben des Kindes auf: Wird die Realität zu unangenehm oder fühlt man sich zu klein und unterlegen, so flieht man in eine magische Welt, in der man sich als Räuberhauptmann oder Prinzessin anderen überlegen weiß. Solche magischen Inseln werden in diesem Alter durchaus auch als fast real erlebt. Märchengestalten, Hexen, der Nikolaus – sie alle gehören zur Welt dieser Kinder und werden zeitweilig als real erlebt. Ängste können u. a. durch ein Nichterklären und Missverständnisse, aber auch durch Missbrauch kindlicher Phantasien entstehen, etwa dann, wenn imaginäre Gestalten wie der Weihnachtsmann zur Strafandrohung herangezogen werden.

In Verkennung der tatsächlichen Gebenheiten können Kinder dieser Entwicklungsstufe auch imaginieren, sie selbst könnten eine zerrüttete Ehe ihrer Eltern positiv beeinflussen oder kitten – man spricht von einer „magischen Hybris", in der sich diese Kinder (völlig unrealistisch) solches zutrauen. Die Kehrseite der Medaille ist, dass sie sich verantwortlich fühlen, wenn dies natürlich nicht gelingt, sodass hier neben heftigen Angstgefühlen auch Schuldgefühle auftreten.

Sozialisationsängste

Die Grundschulzeit ist eine Phase, die vorwiegend im Zeichen der Sozialisation steht, so dass hier am ehesten Sozialisationsängste zu erwarten sind. Das Kind hat in dieser Lebensphase mehrere Aufgaben zu bewältigen: Zum einen gilt es, durch Kreativität und Leistung etwas zu erreichen (was Minderwertigkeitsgefühlen und Selbstwertkrisen entgegenwirkt), zum anderen gilt es, in der Sozietät (dem Klassenverband, bei den Freunden etc.) Fuß zu fassen.

a) Leistungsangst/ Schulangst

Ängste dieser Lebensphase sind folglich zum einen Leistungsängste, wenn im Sport, in der Mathematik, beim Lesen oder Schreiben vermeintlich oder tatsächlich nicht ausreichende Leistungen erbracht werden oder werden können. Hauptaufgabe der Pädagogen und der Eltern ist es, in dieser hochsensiblen Phase den Kindern die meist am Anfang vorhandene Freude an der Leistung und Leistungsbereitschaft nicht zu vergällen.

Häufige Demütigungen und Misserfolgserlebnisse können nachhaltig und auf Dauer den Spaß am Sport verderben, letztlich aber auch den Aufbau eines gesunden Körpergefühls verhindern. Analoges gilt für kognitive Fächer: Manchem, der in der späteren Schul- und Berufslaufbahn mit Mathematik oder mit Sprachen nicht zurecht kommt, fehlt es weniger an kognitiven Fähigkeiten als vielmehr an Selbstvertrauen – Resultat einer möglicherweise belastenden schulischen Sozialisation. Von großer Wichtigkeit ist es schließlich, dass Eltern auch im Hinblick auf die Leistungen ihre Kinder so annehmen, wie sie sind.

Stehen dem überzogene Erwartungen entgegen, weil die Eltern nach dem Motto „Du sollst es einmal besser haben als ich" von dem Kind erwarten, dass es ihre eigenen, oft uneingestandenen Sehnsüchte erfüllt, so können diese Kinder damit überfordert werden. Gerade Schwierigkeiten, die Eltern in ihrer eigenen Kinderzeit selbst hatten, können von ihnen, bezogen auf die nachfolgende Generation, nur schwer akzeptiert werden. Ein Kind so anzunehmen, wie es ist, und es auch bei Leistungsdefiziten vorbehaltlos zu akzeptieren und zu lieben, setzt letztlich eine Auseinandersetzung mit der eigenen Kindheit voraus.

Die zweite Gruppe der Sozialisationsängste (neben den Leistungsängsten in der Schule) ist im Wesentlichen durch Anpassungsstörungen im sozialen Verband der Klasse und der Freunde zu charakterisieren – Außenseiterpositionen, Hänseleien, allgemeine Schwierigkeiten im sozialen Kontakt sind hierunter zu zählen.

b) Angst unter Gleichaltrigen

So berichtete ein 9-jähriger Junge im Rahmen einer familientherapeutischen Sitzung immer wieder von subjektiv wie objektiv schwerwiegenden sozialen Problemen, die ihm Angst machten. Beschimpfungen, Drohungen, kleinere Diebstähle gehörten zu seinem Schulalltag, und insbesondere eine Gruppe von drei größeren Jungen setzte ihm massiv zu. Eine ganze Reihe von Lösungsstrategien wurde mit ihm erarbeitet, zum Teil zeigten sie auch Erfolg, was die konkrete Schulsituation anging. Dennoch berichtete der Junge immer wieder von seiner großen Angst. Als der Therapeut schließlich ratlos sagte, jetzt wisse er auch nicht mehr weiter, fühlte er sich endlich verstanden und konnte einen Teil der Angstsymptomatik aufgeben.

Tabelle 4.1 erläutert die Unterschiede zwischen einer Schulphobie und einer Schulangst. Beiden gemeinsam ist, dass die Kinder nicht zur Schule gehen wollen und Angst äußern.

Bei der Schulangst handelt es sich im Wesentlichen um Sozialisationsängste, wie sie oben beschrieben wurden: Die Kinder ängstigen sich vor realen Leistungsschwierigkeiten mit damit möglicherweise verbundenen Überforderungen und Demütigungen oder sozialen Konfliktsituationen. Bei der Schulphobie wird zwar Angst vor Schule angegeben (der keine objektiv ängstigende Konstellation gegenübersteht), doch speisen sich diese Ängste aus unbewussten Separationsängsten, etwa weil ein überbehütend-symbiotisch-bindendes Eltern-Kind-Verhältnis angststabilisierend wirkt, weil vermeintlich oder tatsächlich familiäre Trennung droht oder eine Geschwisterrivalität zur Befürchtung führt, man werde an Bedeutung verlieren oder allein gelassen. Die subjektiv erlebte Angst vor der Schule ist nur Ausdruck tieferer, zugrundeliegender Verlassensängste.

4. Angst, Furcht, Panik

	Schulangst	Schulphobie
grundlegende Ursachen	Angst vor Leistungssituationen oder sozialen Konflikten	Angst vor dem Verlassenwerden
Charakterisierung der Angst	Sozialisationsangst	Verlust- und Trennungsangst
Psychodynamik	Ausweichen (hier: vor der Schulsituation)	Verschiebung auf das „Objekt Schule"
verstärkende Faktoren	Insuffizienzerfahrungen im kognitiven (Lern-) oder sozialen Bereich, unrealistische Selbst- oder Elternerwartungen, Außenseiterposition u. a.	Familiäre Konflikte, symbiotische Strukturen, emotionale Vernachlässigung u. a.
mögliche Folgen	Bei vorübergehender emotionaler Erleichterung durch Fernbleiben von der Schule, Verstärkung der sozialen und kognitiven Schwierigkeiten. Fehlende Erfahrung von Kompetenz	Regression, Verstärkung der Symbiose, weiter schwelende Konflikte

Tab. 4.1: Schulangst und Schulphobie (nach Nissen 1989)

Ängste in der Pubertät

In der Pubertät tritt, wie in jeder Übergangsphase, Angst auf. In Kapitel 11 werden ausführlich die Aufgaben und Schwierigkeiten der Pubertät geschildert. Angst in einem solchen Stadium der Neuorientierung, so wird gezeigt werden, ist ein natürliches Phänomen, wenn die Sicherheit bisheriger familiärer Strukturen, die Sicherheit der Kindheit aufgegeben werden muss und die persönliche und soziale Zukunft noch nicht abgesehen werden kann. Auch die körperlichen Veränderungen, die beginnende Sexualität, stürmische hormonelle Veränderungen, die Aufgabe bisheriger Bindungen und die Suche neuer Verbindungen in der Gruppe Gleichaltriger oder in einer Liebesbeziehung sind natürlicherweise auch angstbesetzt. Eine krisenhafte Eigendynamik können solche Ängste in Pubertätskrisen wie z. B. der Anorexia nervosa, Angst- oder Zwangsneurosen und Ähnlichem erfahren.

Am Ende der Pubertät ist die Persönlichkeit des nunmehr erwachsenen Menschen so ausgereift, dass er Existenzängste zu empfinden und auszuhalten in der Lage ist. Sich des existentiellen „Geworfenseins in die Welt" bewusst zu werden, ist nur zeitweilig auszuhalten – normalerweise verdrängen wir Existenz- und Todesängste und lassen sie nur vorübergehend zu. Zu große Unsicherheit, mangelnde Fähigkeit im Aushalten von und dem Umgang mit Existenzängsten kann zu Depression oder Suizidalität, wie sie an anderer Stelle beschrieben werden, sowie zu Angstkrankheit führen (siehe weiter unten).

Kindheit und Jugend sind also zum einen Entwicklungsphasen, in denen je nach Reifegrad von Zentralnervensystem und Persönlichkeit unterschiedliche Ängste auftreten und erlebt werden. Zum anderen werden hier affektiv-kognitiv wirksame Erlebnisse besonders prägend zur Kenntis genommen, verarbeitet und in das Selbst- und Weltbild integriert. Nicht nur die frühe Kindheit, sondern gerade auch die Pubertät beeindrucken das Erleben ganz besonders. Beziehungsmuster können einen großen Einfluss darauf haben, wie mit Angst umgegangen wird. Wird einem Jungen vorgehalten, er dürfe keine Angst zeigen, vielleicht sogar nicht einmal empfinden, so wird er möglicherweise nicht nur mit solch einem Erziehungsverhalten gedemütigt, sondern empfindet auch im späteren Leben Angst immer wieder als demütigend.

Elterlicher Machtmissbrauch bis hin zu körperlicher Züchtigung und Kindesmisshandlung oder Grenzüberschreitungen bis hin zu sexuellem Missbrauch können auf Seiten des Kindes mit grundlegenden, das weitere Leben bestimmenden ängstlichen Stimmungen einhergehen. So versteht man unter „frozen watchfullness" das versteinert wirkende, erschreckte Gesicht eines Kindes, das permanent nach weiteren Gefahren aus seinem Umfeld achten muss. Schwer deprivierte oder sogar misshandelte Kinder sind so sehr in ihrer Angst gefangen, dass ihnen die notwendige Freiheit zu Kreativität und spielendem Lernen fehlt. Entwicklungshemmungen und Rückschritte, sowohl im emotionalen, als auch im kognitiven, sprachlichen und sozialen Bereich können die Folge sein.

Auch die Angst vor Liebesentzug kann in der Erziehung der Kinder missbraucht werden und zu erheblichen Beziehungsstörungen beitragen: Wer gelernt hat, dass ein Gefühl von Aggression, Forderungen an andere oder sexuelle Wünsche potentiell mit Liebesentzug bedroht werden, tut sich auch als Erwachsener möglicherweise schwer damit, sich so zu zeigen, wie er momentan ist und sich fühlt. Vielleicht wird dann jeglichem Konflikt aus dem Weg gegangen, was wiederum zu erneuten Beziehungsstörungen und damit erneuten Ängsten führt.

Prägend für den Umgang mit Angst ist auch die Beobachtung elterlichen Verhaltens. Bereits Anna Freud zeigte auf, dass Kleinkinder in den Londoner Bombennächten 1941 völlig ruhig und angstfrei waren, solange ihre Mütter keine Angst zeigten. Nicht die Bombenangriffe, sondern die Angst der Mütter löste Entsetzen bei den Kindern aus. Die Fähigkeit der Eltern, eigene Ängste einzugestehen, aber mutig dagegen anzugehen und die ängstigende Situation doch in den Griff zu bekommen, trägt sehr viel zum Vertrauen des Kindes in die Welt und in die eigenen zu erlernenden Fähigkeiten bei. Der Umgang mit Autoritäten (z. B. Zahnärzten oder Vorgesetzten) kann von den Eltern beispielhaft demonstriert und vom Kind zunächst imitiert, später integriert werden – oder auch nicht.

Eine Mischung aus Kummer und Furcht im familiären Milieu der ersten Jahre kann später dazu führen, dass Trauer und Leid naher Mitmenschen nicht Mitleid und eigene Trauer, sondern Angst und letztlich Ausweichverhalten hervorruft. Dann fällt es schwer, jemandem empathisch zur Seite zu stehen, der in Not ist.

Letztlich ist eine emotional tragende und verlässliche Beziehung in der Kindheit und Jugend von entscheidender Bedeutung. Es ist eine Mitgift, die Urvertrauen in die Welt, aber auch in die eigenen Kräfte anbahnt und dazu ermutigt, eigene Ängste wahrzunehmen und trotz dieser angstmachende Probleme mutig anzugehen.

Kinder und Jugendliche brauchen hierbei keine vollkommenen Eltern, schon gar nicht angstfreie Eltern, sie brauchen Begleitung in ängstigenden Situationen und die Erfahrung, dass man trotz Angst Dinge in eine gewünschte Richtung lenken kann. Familie hat hierbei eine doppelte Funktion: Zum einen ist sie die Instanz, die wie keine andere Sicherheit gebende Strukturen aufbauen und Kinder vor Gefahren schützen kann. Zum anderen soll sie Kinder und Jugendliche auf Eigenständigkeit vorbereiten und mit zunehmender Reife in die Welt entlassen. Dieser familiäre Doppelauftrag kann in der Phase beginnender Ablösung vom Elternhaus schwierig werden und mit Ängsten einhergehen. Zu früh in diese Welt entlassene Kinder (Stierlin spricht hier von einem Ausstoßungsmodus) können ebenso ängstlich reagieren wie über die Zeit behütete (gebundene) Kinder. Ein solches Binden und Überbehüten kann mit massiven Ängsten und Schuldgefühlen einhergehen, wenn z. B. in der Pubertät eine beginnende Ablösung versucht, letztlich aber nicht gewagt und vollzogen wird. Unausgesprochene Lebensmaximen wie „Du bist allein nicht lebensfähig" oder „Du brauchst uns immer, wie wir dich brauchen" können zu Ausbruchsangst und dem Empfinden von Ausbruchsschuld führen.

In familientherapeutischen Gesprächen wird immer wieder deutlich, dass eine solche Wagenburgmentalität, bei der ein übermäßiger Bindungsmodus gegenüber einer als bedrohlich erlebten Welt vorherrscht, von

Familien oft über mehrere Generationen tradiert ist. Am Anfang mag die seinerzeit richtige und überlebensnotwendige Erfahrung gestanden haben, dass in Zeiten von Vertreibung, Flucht und Heimatlosigkeit solche extremen Bindungen notwendig waren. Seinerzeit stimmige bewusste und unbewusste Familienregeln können mit der Zeit aber dysfunktional wirken: Was einmal als förderlicher Erfahrungsschatz an die Nachkommen weitergegeben wurde, kann sich nun als Ballast herausstellen.

Stierlin weist darauf hin, dass die Loslösung von den Eltern im Rahmen der pubertären Reifungskrise immer mit Angst verbunden ist, letztlich aber ein notwendiger Schritt zur bezogenen Individuation darstellt. Dabei versteht er unter Individuation zum einen die Fähigkeit und Bereitschaft, eindeutige Grenzen zu bilden („meine Wahrnehmung, meine Wünsche, meine Rechte und Pflichten") und sie von denen anderer zu trennen. Zweitens geht es um die Möglichkeit, eigene Ziele zu definieren und durchzusetzen, auch wenn die Umwelt anderes will, drittens darum, sich selbst mit widersprüchlichen Erfahrungen, Lebensmaximen und Gefühlen so zu akzeptieren, wie man ist und dabei Ambivalenz zu ertragen, und viertens um die Bereitschaft und Fähigkeit, Verantwortung für das eigene Handeln, das Gelingen des eigenen Lebens zu übernehmen.

Dabei ist Individuation nur der eine Pol, der Bezug zu anderen und die Bindung zu ihnen der andere Teil. Stierlin spricht hier von „bezogener Individuation" – so wie der frei fliegende Adler der Luft bedarf, so bedarf das eigenverantwortliche Individuum der Beziehung.

Viele Ängste, die weiter unten als Störung oder Krankheit beschrieben werden, hängen eng mit einer noch nicht geglückten, bezogenen Individuation zusammen. Das Wissen um die Freiheit der eigenen Existenz und die Übernahme von Verantwortung ängstigt, ein Ausweichen dieses Entwicklungsschrittes beseitigt diese Angst aber nur scheinbar und vordergründig.

Sich ablösende und damit ihre Individualität entwickelnde Jugendliche bedürfen der Erfahrung, dass ihre Eltern dies trotz eigener Ängste achten und fördern. Der notwendige Schritt der Trennung und Loslösung sollte nicht mit Liebesverlust oder Verlust von Gemeinschaft bedroht werden.

Zusammenfassend kann man über die Bedeutung der familiären Sozialisation für den späteren Umgang mit Angst sagen, dass elterliches Erziehungsverhalten, ausgesprochene und unbewusste Regeln sowie das eigene Vorbildverhalten im Umgang mit Ängsten prägende Spuren bei Kindern und Jugendlichen hin-

Ängste im Erwachsenenalter

terlassen. Allerdings ist der Mensch ein Leben lang lernfähig, dies gilt auch für den Umgang mit Emotionen. So prägend Kindheits- und Jugenderfahrungen sind: Sie machen spätere Revisionen keineswegs unmöglich.

Im Erwachsenenalter finden wir Realangst (vor Arbeitslosigkeit, Krankheit und anderen bedrohlichen Lebensereignissen) sowie Existenzängste, die mit zunehmendem Alter auch mit Ängsten vor dem Verlust von Freunden und Angehörigen, der Angst vor Hilflosigkeit und der Angst vor dem Tod verbunden sind. Auch die Angst, im Leben wichtige Ziele nicht erreichen oder wichtige Aufgaben nicht erfüllen zu können, mag von Bedeutung sein.

Selbstwertgefühl und das emotionale Erleben von Angst hängen eng miteinander zusammen. Angst wird oft als ein qualvolles, unbestimmtes Gefühl der Beengung erlebt, in dem man sich ohnmächtig Unbekanntem, Anrückendem, Unangreifbarem ausgeliefert sieht, ohne eine Möglichkeit der Abhilfe oder des Ausweges zu sehen. Dabei kann sich zum einen ein niedriges Selbstwertgefühl, gespeist durch einschlägige frustrierende Erfahrungen in der bisherigen Biografie so auswirken, dass eigene Kräfte und Fähigkeiten nicht gesehen und bedrohliche Situationen in besonderer Weise beängstigend erlebt werden. Mangelndes Zutrauen und Selbstbewusstsein kann auch zu einer Selbsteinschränkung und Selbstbeschränkung führen, in dem man möglicherweise gefahrvolle Situationen von vornherein meidet. Angst vor sozialer Auseinandersetzung und den damit verbundenen möglichen Gefühlen von Aggression, Trauer oder Sehnsucht, Scham oder Schuld können dazu verleiten, bestimmte Sozialerfahrungen gar nicht erst zu machen. Dies kann zu einer Veränderung des Selbstbildes und einer Verringerung des Selbstwertgefühles führen, was wiederum mit erhöhter Angst einhergeht – hier kommt ein Teufelskreis in Gang. Ein erniedrigtes Selbstwertgefühl kann also nicht nur Ursache, sondern auch Folge überbordender Ängste sein. Im akuten Angstanfall, in der subjektiv unlösbar erscheinenden Krise sind wir der Unsicherheit und Ungewissheit ausgeliefert. Das Erstarren, das auf physiologischer Ebene bereits beschrieben wurde, kann sich auch in Mimik und Motorik im psychischen Erleben und im sozialen Verhalten zeigen. Notwendige Schritte zur Veränderung und Problemlösung werden nicht mehr gegangen, später gar nicht mehr wahrgenommen. Unter „Skotomisierung" versteht man den „Scheuklappeneffekt", der die Sicht für eigene Fähigkeiten zur Problemlösung, mögliche Auswege aus einer bedrohlichen Situation oder denkbare soziale Hilfen durch Freunde und Umgebung verstellt.

Ein 16-jähriger Realschüler mit erheblicher, zum Teil biografisch bedingter und familiär gestützter Angstsymptomatik hatte nicht nur Angst vor sozialen Kontakten (wobei er Freundschaftsangebote in seiner Klasse zunächst gar nicht wahrnahm), sondern auch die massive Befürchtung, den Schulabschluss nicht zu erreichen. Dies trotz guter Zeugnisse und wiederholter Versicherungen seiner Lehrer und Mitschüler, dass diese Ängste unberechtigt waren.

Nach erfolgreichem Schulabschluss scheiterte eine Bewerbung um eine Lehrstelle zunächst daran, dass er es sich einfach nicht vorstellen konnte, als Auszubildender akzeptiert zu werden. Folglich wollte er es erst gar nicht erst versuchen. Er war in dieser Phase auf eine stützende und begleitende Hilfe angewiesen.

So musste er sich zunächst im Rollenspiel beim Therapeuten bewerben, später bei einem eher schroff wirkenden Mitarbeiter und schließlich beim Chefarzt der Klinik. Dann wurde ihm die reale Bewerbung „draußen" zugemutet, wobei er bis zum Vorzimmer des Personalchefs (und nicht weiter) begleitet wurde. Ebenso wichtig wie eine solche Angst mindernde Trainingsmaßnahme war die nach erfolgreicher Anstellung erfolgte Auswertung des Gesamtprozesses: Sie führte zu einer Umstrukturierung seines Erlebens und der Erkenntnis, dass er trotz Angst und in Überwindung seiner Angst eine Lösung existenzieller Schwierigkeiten herbeiführen kann.

Die Kombination von zu hohen Erwartungen an die eigene Leistungsfähigkeit und hohen Ansprüchen an sich selbst und einem erniedrigten Selbstwertgefühl, oft verbunden mit der Notwendigkeit, von anderen bestätigt zu werden, führt zu massiven Ängsten in ungewissen sozialen Situationen. Interesse am anderen, Neugier auf Fremdes und die Bereitschaft, sich auf andere Menschen einzulassen, erfordern den Mut, hierbei auch Risiken einzugehen. Dieser Mut ist auf ein tragfähiges Selbstkonzept und ein die eigene Persönlichkeit akzeptierendes Selbstwertgefühl angewiesen.

Angst kann mit anderen Emotionen zusammen auftreten. Die Kombination von Kummer und Furcht führt eher zur lähmenden Angst mit gleichzeitigen sympathischen und parasympathischen Erregungszuständen auf der vegetativen Ebene, die einander paralysieren, dem subjektiven Gefühl der Aussichts- und Hoffnungslosigkeit und dem Ausdruck lähmenden Entsetzens.

Auf der anderen Seite gibt es Verbindungen zwischen Angst und Aggression. Die „Flight-and-fight-reaction" des Körpers, ausgelöst durch Angst, kann zu aggressiven Verhaltensweisen führen, mit deren Hilfe ein Gegner in die Flucht geschlagen oder eine Gefahr beseitigt wird.

So kann Aggressivität mitunter Ausdruck darunterliegender Ängste sein. Nach dem Motto, dass Angriff die beste Verteidigung ist, neigen wir mitunter dazu, die darunterliegende Angst verbergend, aggressiv und imponierend aufzutreten, manchmal mit der zusätzlichen Angst, die Situation sei verloren, wenn unser Gegner erst unsere Angst bemerke.

Andererseits kann Angst auch im Dienst der Aggressionsabwehr stehen. Wer als Lebensmaxime mitbekommen hat, möglichst nie aggressiv zu sein oder sogar Wut zu empfinden, kann infolge einer solchen massiven Aggressionshemmung nicht nur traurig-depressiv, sondern auch ängstlich werden. Aggressive Impulse, die sich nur verleugnen, nicht aber beseitigen lassen, werden ihrerseits zur Angstquelle. Und die nun erlebte und zentrale Angst warnt davor, die aggressiven Impulse zu erleben und auszuleben.

Enge Zusammenhänge bestehen auch zwischen Neugierde und Interesse auf der einen und Angst auf der anderen Seite. Der Erregungszustand ist ähnlich. Ob ein neugieriges Herangehen an das Fremde oder Ängstlichkeit, mitunter sogar Fremdenfeindlichkeit oder Fremdenhass überwiegt, hängt vom Selbstbewusstsein der Persönlichkeit und dem sicherheitgebenden Kontext ab. Während es also eine anthropologische Konstante ist, dass Fremdes unsere Aufmerksamkeit erregt, ist es vom Grad unserer Selbstsicherheit abbhängig, ob wir interessiert, furchtsam oder ablehnend-aggressiv reagieren.

Überraschung und Schreck sind also, was das Erregungsniveau angeht, in gewisser Hinsicht Vorstufen der Angst.

Furcht: auf ein konkretes Objekt gerichtete Angst

Zielgerichtete, auf ein konkretes Objekt bezogene Angst (Furcht) kann manchmal mit Ekel verwechselt werden: So entpuppt sich die Angst vor kleinen Tieren (z. B. Spinnen) bei näherem Hinsehen eher als ein Ekelgefühl.

Wenn in der Erziehung mit dem Mittel des Beschämens und Demütigens vorgegangen wurde, können Furcht und Schamgefühle eine enge Verbindung eingehen. Einerseits fürchtet man sich vor beschämenden und demütigenden Situationen, andererseits schämt man sich seiner Ängste. Im Extremfall können die kombinierten Wirkungen von Scham und Demütigung einerseits und Furcht und Schrecken andererseits bis zu paranoiden Zuständen führen.

B

Eine etwa 40-jährige Frau hat in ihrer Kindheit und in ihrer Ehe schwerste, zum Teil auch sexuelle Demütigungen und beschämende Erlebnisse erleben müssen. Vor allem in der Kindheit wurden ihre Loyalitätsbedürfnisse ausgenutzt. Für sexuelle Übergriffe ihres Vaters wurde sie verantwortlich gemacht. Die Scham über demütigende Erlebnisse verdrängte vollständig die berechtigte Wut auf diese Übergriffe. Die Angst vor Beschämung und Ausbeutung (auch in ihrem späteren Leben) und die wiederholten Demütigungen trugen schließlich mit dazu bei, dass sie sich schließlich in Situationen gedemütigt, beschämt, eingeschränkt und verfolgt fühlte, wo dies effektiv nicht der Fall war. Sie entwickelte eine paranoide Grundstimmung, in der sie in jedem Sozialkontakt und jedem Ereignis, das ihr begegnete, zunächst eine feindliche Absicht interpretierte. Schließlich fühlte sie sich sogar verfolgt, wenn zwei Passanten an einer Bushaltestelle miteinander redeten und zu ihr hinüber sahen.

Eine ängstliche Erwartung kommender Angst kann das Angstgefühl steigern: Die Angst vor der Angst, also eine generalisierte Angst vor einer episodenweise auftretenden heftigen Panik, kann zusätzlich lähmend wirken.

Angst kann aber auch mit Lustgefühlen in Verbindung treten, insbesondere dann, wenn sie überwunden wird: Achterbahnfahren erfreut sich einer so großen Beliebtheit, weil Überwinden von Angst mit erheblichen Lustgefühlen einhergeht. Extremsportarten wie etwa das Bungee-Springen sollen angeblich sogar Depressionen positiv beeinflussen.

Schuldgefühle können mit Angst, insbesondere der Angst vor Bestrafung, gekoppelt sein. Letztlich handelt es sich um eine Form von Sozialangst, bei der man befürchtet, sich von der Basis einer sozialen Gemeinschaft entfernt zu haben und deswegen bestraft zu werden. Insofern hat Angst auch eine sozial korrigierende Wirkung.

Gesellschaftlich und weltanschaulich können Angst- und Schuldgefühle auch missbraucht werden, um ein Individuum zu einem Verhalten zu bringen, das für es selbst und andere schädlich ist.

Missbrauch von Angstgefühlen

Skrupel, die deutsche Soldaten im Zweiten Weltkrieg empfanden, wenn sie desertierten, hatten manchmal neben den nur zu berechtigten Realängsten, schwer bestraft bzw. erschossen zu werden, auch den Hintergrund, dass man „Führer, Volk und Vaterland" die Treue geschworen hatte und bei einem solchen Treuebruch vermeintlich Schuld auf sich lud. Solche Ängste vor Verlust von Gemeinschaft und damit verbundene Schuldgefühle traten oft auch dann auf, wenn den Betroffenen die Natur dieses Angriffskrieges und die Verbrechen des Regimes bewusst waren.

Es wird deutlich, dass Angst und ihre Bewältigung auch im soziokulturellen Rahmen zu sehen sind. Ob Angst gezeigt werden darf oder nicht, hängt unter anderem auch von kulturell-tradierten und epochal bedeutsamen Maximen ab: Wenn die „Fahne mehr ist als der Tod", müssen auch nur allzu berechtigte Ängste verleugnet werden – sehr zum Schaden verblendeter junger Leute. Auch auf sozialer und kultureller Ebene kann man feststellen, dass Ängste durchaus legitime und positive Warnfunktionen haben.

Militärische Aufrüstung und die Gefahren der Atomtechnik sind zum Fürchten. Sie sollten uns (eigentlich) Angst einjagen und Veränderungen anbahnen, für die es allerhöchste Zeit ist. Wer diese Ängste nicht aushalten kann und sie verleugnet, vergrößert das Risiko, dass Umwelt, Menschheit und damit er selbst großen Schaden nehmen kann.

Zivilcourage

Das Aufzeigen drohender Gefahren oder politischer Missstände wiederum erfordert Zivilcourage. Dies vor allem deswegen, weil man von Gegnern und unter Umständen gerade von Freunden allein gelassen wird. Der Vorwurf des „Nestbeschmutzers" wiegt schwer und führt oft zu erheblichen Verlustängsten, also dem Gefühl, nun ganz allein gelassen zu sein. Oft sind solche Verlustängste für uns so unerträglich, dass wir uns wider besseres Wissen dem Mainstream anschließen und die erforderliche Zivilcourage nicht aufbringen.

Angst wird auch in Kunst und Kultur thematisiert. Film und Theater leben unter anderem von dem Aufbau angst- und spannungsgeladener Effekte, nach deren Auflösung Lust erlebt wird. Dies wird, jedenfalls im Film, auch mit Hilfe einer emotionssteigernden Musik unterstrichen.

Manche Ängste sind bestimmten Epochen unterworfen: Sich religiös äußernde, zum Teil massenhaft auftretende Ängste des Mittelalters erscheinen in einem ganz anderen Licht, wenn man sich vergegenwärtigt, dass in Zeiten großer Seuchen (Pest, Lepra) der mittelalterliche Mensch tatsächlich jederzeit mit seinem plötzlichen Tode rechnen musste.

Auch unsere Zeit, geprägt einerseits durch diffuse und wenig fassbare, generalisierte Ängste einerseits und andererseits durch eine deutliche Tendenz zur Verleugnung von Gefahren, mag epochenspezifische Angstmuster aufweisen. Erfahrungsgemäß ist es in zeitlicher Distanz leichter, solche Angstmuster umfassend zu analysieren.

Angst, so können wir sagen, ist eine menschliche Grunderfahrung, die sich körperlich, emotional, auf der Bewusstseinsebene und in der sozialen Interaktion zeigt. Je nach Kontext und untersuchter Ebene hat sie unterschiedliche Entstehungsbedingungen und hat in unterschiedlicher Weise Sinn. Sie hat Schutzfunktion, bewahrt uns vor unübersichtlichen Gefahren oder unüberlegten Handlungen, kann unser Denken und Handeln in neue Richtungen lenken, führt nach ihrer Überwindung zu Glücksgefühlen, kann Bindung von Menschen fördern, wenn sie in ihren Ängsten einander beistehen oder sich gegen einen ängstigenden Aggressor wehren. Angst spielt in der frühkindlichen Sozialisation und der Eltern-Kind-Interaktion eine Rolle. In der Ermutigung, trotz Ängsten eine Lösung herbeizuführen, kann eine wesentliche Vorbereitung auf das Leben gesehen werden. Auch im sozialen und kulturellen Kontext kann Angst notwendige Veränderungen herbeiführen.

Angst ist mit dem Gefühl der Ohnmacht, der Hilf- und Ausweglosigkeit verbunden. Auf biologischer Ebene führt das zum Erstarren, subjektiv fühlen wir uns gelähmt, und Angst kann die Sicht auf vorhandene und notwendige Ressourcen versperren. Soziale Interaktion kann durch Angst erheblich behindert und verzerrt werden, und auf gesellschaftspolitischer Ebene war während des sogenannten „Kalten Krieges" Angst wahrscheinlich eine der Haupttriebfedern für eine höchst gefährliche atomare Aufrüstung.

So kann Angst also ausufern, sich zuspitzen und zu ernsten Störungen, ja sogar Krankheiten führen. Hiermit befasst sich der letzte Abschnitt dieses Kapitels.

Werden Ereignisse oder Impulse als so beängstigend erlebt, dass sie unerträglich werden, so können sie ins Unbewusste verdrängt oder schlicht verleugnet werden. Verdrängung und Verleugnung sind typische Abwehrmechanismen, mit denen zunächst unerträgliche Impulse oder Situationen aus dem Bewusstsein geraten. Sie dienen damit der psychischen Stabilität.

So kann es stabilitätserhaltend oder überlebensnotwendig sein, die Diagnose einer Krebserkrankung so lange zu verleugnen, wie man die volle Tragweite dieser Krankheit noch nicht ertragen kann. Auch die beängstigende Information, dass das eigene Kind geistig behindert ist, muss manchmal eine Zeitlang abgewehrt und verleugnet werden (vgl. Hülshoff 1992, 192ff.).

So notwendig und sinnvoll solche Abwehrmaßnahmen zu Angstreduktion und psychischer Stabilität sind, so besteht doch die Gefahr, dass notwendige Schritte unterbleiben. Gefährlich werden Verdrängung und Verleugnung dann, wenn wertvolle Zeit bei einer anfangs noch möglichen Krebstherapie verschenkt wird oder die Frühförderung eines entwicklungsverzögerten Kindes unterbleibt, weil Krankheit oder Störung verleugnet wurden.

An diesen Beispielen wird das Janusgesicht der Angst deutlich. Angst kann eine notwendige Warnfunktion übernehmen, ein Nichtbeachten ängstigender Ereignisse kann fatale Folgen haben. Auf der anderen Seite kann Angst ihrerseits lähmend wirken und Weiterentwicklung erschweren oder verhindern.

Zur Störung mit Krankheitscharakter wird die Angst dann, wenn sie einen Grad oder eine Dauer erreicht hat, die in grobem Missverhältnis steht zu den auslösenden Faktoren oder Ursachen. Eine sich ausbreitende Angst und eine Verselbstständigung der Angstbereitschaft, eine sich anbahnende emotionale, soziale oder sogar kognitive Entwicklungshemmung und eine zunehmende Einschränkung des Beziehungsgefüges und Aktionsradius sind ebenfalls wichtige Kriterien, die auf eine schwere Angststörung hinweisen.

In klinischer Hinsicht unterscheidet das Diagnostic and Statistic Manual (DSM IV) der American Psychiatric Association drei große Gruppen von Angst: die generalisierte Angst, die Panikattacke und die gerichtete Angst (Phobie).

DSM IV: Drei Gruppen von Angst

4. Angst, Furcht, Panik

Generalisierte Ängste

Generalisierte Ängste sind durch „frei flottierende Ängste" gekennzeichnet. Die Betroffenen wachen mit Angst auf, Angst wird zum alles beherrschenden Grundgefühl, sie ist da, auch wenn ein ängstigendes Ereignis zunächst nicht ausgemacht wird. Die Angst sucht sich ihren Grund – spätere Erklärungsmuster sind nicht immer identisch mit den wirklichen Quellen und Ursachen einer solchen Angst. Frei flottierende Ängste neigen zur Generalisierung und können sich ausbreiten. Im Extremfall wird jedes Aufstehen, jeder Sozialkontakt, jede Aktivität zur Qual, weil sie mit großer Angst einhergeht. Die körperlichen und seelischen Symptome entsprechen denen, die am Anfang dieses Kapitels beschrieben wurden, doch mitunter in heftigster Ausprägung. Eine allgemeine Reizbarkeit geht mit Erregung und Überempfindlichkeit sowie Schlaflosigkeit einher. Eine ängstliche Erwartung ist bestimmend für das gesamte seelische Erleben. Die vegetativen Äquivalente des Angstanfalls (Herzklopfen, Atemnot, Schweißausbrüche, Zittern oder Schwindel) werden maximal wahrgenommen, der Schwindel kann bis zur Ohnmacht gehen. Eine Reihe psychosomatischer Beschwerden wie Brechreiz, Übelkeit, Durchfall oder Harndrang, Gefühlsstörungen, subjektive Wahrnehmungsstörungen („Sehstörungen") sind häufige Begleiterscheinungen. Dieses Bild trifft mehr oder weniger auf alle generalisierten Angstsyndrome zu.

Angstneurose

Von einer *„Angstneurose"* spricht man dann, wenn ein solches Angstsyndrom zutage tritt als Ausdruck einer neurotischen, unzureichenden Verarbeitung eines intrapsychischen Konfliktes, der mitunter länger zurückliegt und nicht bewusst wird. Solche neurotischen Konfliktlösungen können auch zu depressiven oder konversionsneurotisch-hysterischen Symptomen führen. Ist Angst das führende psychische Symptom, so kann man von einer Angstneurose sprechen.

Panikattacke

Oft gesellt sich zu einer diffusen Angstbereitschaft die Angst vor der Angst. Hiermit ist eine Angst vor *Panikattacken* gemeint. Panikattacken wiederum sind einige Minuten dauernde, heftigste Angstzustände mit allen Zeichen einer Stress- und Panikreaktion, vor allem hochgradiger Erregung und maximaler Angst. Oft gehen sie mit Todesängsten, Vernichtungsbefürchtungen und panisch erlebter Auswegslosigkeit einher. Solche Panikattacken treten in der Regel anfallsartig auf.

Hyperventilationssyndrom

Vor allem bei Jugendlichen können panikartige Zustände von einem Hyperventilationssyndrom begleitet sein. In panischer Todesangst kommt es zu subjektiven (objektiv unbegründeten) Erstickungsgefühlen, so dass die Betroffenen viel zu häufig und zu intensiv atmen. Dadurch kommt es zu einem Missverhältnis zwischen Sauerstoff und Kohlendioxyd im Blut, was nach einigen Minuten zu Benommenheit, Bewusstseinstrübung oder Ohnmacht führt. Außerdem kann es zu einer Verkrampfung der Muskulatur (Pfötchenstellung der Hände, Verspannung der Mundmuskulatur) kommen. Auch wenn dieses Geschehen subjektiv als lebensbedrohlich erlebt wird, ist es objektiv harmlos.

Helfer oder Therapeut können nach symbolischem Öffnen des Fensters den Brustkorb des Betroffenen von beiden Seiten mit den Händen festhalten und mit aller ihnen zur Verfügung stehenden Autorität das Kommando zum Ein- und Ausatmen geben – in der normalen Atemfrequenz von etwa 15 Atemzügen pro Minute. Nach wenigen Minuten normalisiert sich das Blutgasmilieu und die oben beschriebenen Symptome verschwinden.

Das manchmal noch in Erste-Hilfe-Kursen propagierte Verfahren, bei dem man die Betroffenen in eine Plastiktüte ein- und ausatmen lässt, hat physiologisch gesehen den gleichen Erfolg: Die Probanden atmen schließlich nur noch Kohlendioxyd ein, sodass das Missverhältnis zwischen CO_2 und O_2 sich auch reguliert. Ob allerdings das Vorhalten einer Plastiktüte geeignet ist, Menschen mit subjektiver Erstickungsangst zu beruhigen, darf bezweifelt werden.

Unter einer Phobie versteht man eine Angst vor bestimmten Objekten oder Situationen. Es handelt sich also um eine gerichtete Angst, die gleichwohl irrationale Züge trägt und mit übertriebenen Ängsten einhergeht. Die Betroffenen versuchen häufig, Situationen oder Objekte (Menschen oder Tiere), die ihnen Angst einflößen, zu meiden. Durch Vermeidungsverhalten wird Angstfreiheit angestrebt. Das Vermeiden sozialer Kontakte oder anderer angstauslösender Situationen kann seinerseits aber zu schweren Entwicklungsschwierigkeiten und Störungen führen.

Phobien

Eine Reihe von phobischen Zuständen sind leichterer Art und bedürfen nicht unbedingt therapeutischer Behandlung, z. B. leichte *Tierphobien*, die relativ häufig vorkommen und das soziale Leben nicht immer massiv beeinträchtigen müssen. Auch die Angst zu erröten *(Erythrophobie)* kann in unterschiedlichen Schweregraden auftreten.

Die *Akrophobie*, also die Angst, sich in größere Höhen zu begeben (Angst vor dem Besteigen eines Turmes), wird manchmal mit der Angst vor dem Sog des Abgrundes und mitunter sogar mit Angst vor autoaggressiven und selbstzerstörerischen Tendenzen in Verbindung gebracht.

Unter *Klaustrophobie* versteht man die Angst davor, sich in engen oder geschlossenen Räumen (z. B. Fahrstühlen) aufzuhalten oder sich in einer beengenden Menschenmenge zu befinden. Letztlich spiegeln solche Phobien die Angst wider, die Kontrolle über sich und die Situation zu verlieren.

Fließend sind die Übergänge von der Klaustrophobie zur Agoraphobie, der Angst, sich in die Öffentlichkeit zu begeben (griech. agora: der Markt). Agoraphobien sind typische Beispiele für soziale Phobien.

Eine Studentin hatte zunächst Angst, ein Referat vor ihren Kommilitonen zu halten. Später traute sie sich nicht mehr in den Hörsaal, schließlich suchte sie gar nicht mehr die Universität auf. Zuletzt machte ihr sogar das Verlassen der Wohnung Angst.

In therapeutischen Gesprächen ergab sich, dass die Studentin schon seit ihrer Kindheit einen Hang zur Ängstlichkeit hatte, diese massiven sozialen Phobien aber erst gegen Ende des Studiums und angesichts des nahenden und als bedrohlich empfundenen Studienabschlusses auftraten. Die zu erwartende endgültige Ablösung von zu Hause, die bange Frage, ob „die eigenen Flügel tragen" und man im Beruf zurecht komme, aber auch diffuse Angst- und Schuldgefühle, ob man die alternden und als hilfsbedürftig bezeichneten Eltern allein lassen könne, waren die eigentlichen Wurzeln dieser Angst.

Solange diese angstauslösenden Konflikte nicht wahrgenommen werden durften, suchten sich die dennoch auftretenden Ängste andere Erscheinungsformen und manifestierten sich schließlich in der oben genannten Phobie, u. a. mit der Folge, dass das beängstigende Ereignis des Studienabschlusses und des endgültigen Erwachsenwerdens nicht eintreten konnte.

Phobien haben also häufig stellvertretende Funktion. Die ihnen zugrunde liegenden ängstigenden Konflikte sind dem Betroffenen meist nicht bewusst. Hierbei kann es sich um abgewehrte sexuelle und libidinöse Impulse, aber auch um Machtstreben, Aggression, Wunsch nach kindlicher Regression oder andere Impulse handeln, die, wären sie bewusst, zu starker Angst führen würden.

So beschreibt Tölle (1999[12]) eine Frau, die in ihrer Ehe keine Erfüllung findet und durch Straßenangst davor geschützt wird, sich in eine Versuchung führen zu lassen. Ein anderes Beispiel: Die Mutter eines lernbehinderten, verhaltensauffälligen und stark übergewichtigen Jungen war in auffälliger Weise ängstlich um sein Wohlergehen besorgt. Tiefergehende Gespräche und eine längere Begleitung von Mutter und Sohn ließen bald erahnen, dass sie mit einem solch ängstlich-überbesorgten Verhalten aggressive Impulse gegen ihren Sohn abwehrte. Die mögliche Funktion der Aggressionsabwehr der Angst im Sinne einer Wendung ins Gegenteil wurde ja bereits erläutert.

Bei solchen kurzen Darstellungen von Phobien und Ängsten könnte fälschlicherweise der Eindruck entstehen, es seien einzelne

Ereignisse oder Triebimpulse als alleinverantwortlich für die Konstitution solcher Störungen anzusehen. Das trifft nicht zu. Angstkrankheiten in ihren unterschiedlichen Ausformungen sind immer das Ergebnis komplexer Konstellationen. Sie können auf den unterschiedlichsten Ebenen betrachtet werden. Sie haben sowohl biologische als auch biografische, umweltbedingte und soziale Komponenten.

Die 15-jährige Martina leidet unter erheblichen Angstzuständen. Erstmals kam es zu einem Panikanfall, als ihre Familie wegen politischer Unruhen Polen verließ. Auf dem Bahnsteig überkam Martina Schwindelgefühl, Enge in der Brust, Herzklopfen, Atemnot und das Gefühl, den Boden unter den Füßen zu verlieren – was real wie symbolisch gedeutet werden kann.

Die Panikattacken hatten im letzten halben Jahr an Intensität und Häufigkeit zugenommen, und auch in der Zwischenzeit war Angst zur führenden Grundstimmung geworden. Das gesamte Familienleben zentrierte sich um Martina und ihre Ängste. Sie beschrieb neben heftigen Erregungszuständen und den oft anzutreffenden psychovegetativen Erscheinungen wie Herzjagen, subjektive Atemnot, Schwitzen usw. vor allem Schwindel und Ohnmachtsanfälle, das Gefühl, den Boden unter den Füßen zu verlieren, und Veränderungen der visuellen Wahrnehmung: die Welt schien zu zerfließen und ihre Gestalt zu verändern. Dies alles war mit heftigsten Vernichtungsängsten und dem Gefühl subjektiven Ausgeliefertseins verbunden.

Erst nach und nach, in einer Reihe intensiver Gespräche, konnten zunächst bruchstückhaft, dann in größeren Zusammenhängen einige biografisch belastende Ereignisse aufgedeckt werden. Das Puzzle ergab schließlich folgendes Bild: In der Kindheit hatten sich die Eltern zeitweilig getrennt, was für Martina sehr beängstigend war. Die Familie, die polnisch und deutsch sprach und lange Jahre ein Ausreisevisum beantragt hatte, lebte später immer wieder in der Ungewissheit, ob ihnen eine Übersiedlung in die BRD ermöglicht würde. Auch hatte man Angst vor politischen Repressalien in Polen.

Als die Familie schließlich in einer Zeit politischer Unruhen Polen verließ, geschah dies sehr plötzlich und ohne dass Martina hierbei um ihre Meinung gefragt worden war. Die Trennung von ihren Mitschülerinnen und den bisherigen Wurzeln war ein weiterer angstauslösender Faktor.

In Deutschland besuchte sie die Oberschule und stand aufgrund der kulturellen Anpassungsschwierigkeiten trotz ihrer guten Deutschkenntnisse unter erheblichem Leistungsdruck.

Erschwerend kam hinzu, dass sie ihren bis dato bewunderten Vater in jetzt etwas anderem Licht sah: Er hatte einige Schwierigkeiten, sozial Fuß zu fassen und musste mit einem Arbeitsplatz vorlieb nehmen, der finanziell wie gesellschaftlich deutlich unter dem in Polen rangierte. Die Lösung vom kindlichen Elternbild, die Aufgabe einer jeden Pubertät ist (vgl. hierzu Kapitel 11), verlief bei Martina also besonders dramatisch.

Schließlich gab es auch Probleme bei den sozialen Kontakten mit Gleichaltrigen. Martinas Klassenkameradinnen zeigten nach Ansicht der eher konservativen Eltern eine zu große Libertinage, und Martina war zwischen den kulturellen Werten ihrer Familie und den faszinierenden, aber auch beängstigenden neuen Ansichten hin und her gerissen. Ihr Selbstwertgefühl war zeitweilig sehr niedrig.

Gleichzeitig hatte ihr Angstsyndrom auch einen familienstabilisierenden Charakter: In der gemeinsamen Sorge um Martina hatte die gesamte Familie eine Aufgabe, die sie zusammenhielt und beschäftigte. Ein Ziel familientherapeutischer Gespräche war es unter anderem, bei allen Beteiligten Verständnis dafür zu wecken, dass die Schwierigkeiten kultureller Assimilation und damit verbundener Spannung und Ambivalenzen nicht nur Martinas, sondern aller Familienmitglieder Thema waren. Es gelang der Familie, zu sehen, dass ein familiärer Schulterschluss in einer noch fremden Kultur manchmal wichtig und überlebensnotwendig ist, andererseits für die Entwicklung Jugendlicher auch hinderlich sein kann. Eine Reihe der latenten Probleme und Spannungen konnte benannt werden. Gleichzeitig gelang es Martina in einem längeren Prozess, zunehmend schulische und soziale Aufgaben zu bewältigen, auch wenn diese angstbesetzt waren.

Dieses Beispiel soll verdeutlichen, dass biologische Faktoren (z. B. die Pubertät mit ihren hormonellen Umstellungsprozessen), biografische Erlebnisse, das familiäre Beziehungsgefüge mit seinen vielfältigen Interaktionen (z. B. familiärer Schulterschluss), soziokulturelle Faktoren (Leistungserwartung, politische Unruhen, Assimilationsdruck) und psychisches Erleben (Minderwertigkeitsgefühl, Angst vor Angstanfällen) in vielfältiger Weise miteinander interagieren, bevor es zu einer Angstkrankheit kommt. An diesem Beispiel kann auch verdeutlicht werden, dass Angst auf den unterschiedlichen Ebenen einen Sinn hat. Sie motiviert zum Verlassen einer durch Unruhen gebeutelten Heimat, schützt vor zu starkem Leistungsdruck und drohendem Zusammenbruch, hält die Familie zusammen, ermöglicht für längere Zeit einen tragfähigen Kompromiss zwischen zentripetalen (zum Mittelpunkt strebenden) und zentrifugalen (vom Mittelpunkt fortstrebenden) Kräften in der Familie, schützt vor Aggression und lässt Mitgefühl erfahren. Gleichzeitig ist der Preis für all dies hoch, zu hoch.

Ziel: adäquater Umgang mit Angst

Ziel einer Therapie ist es, die Betroffenen erfahren zu lassen, ob und wie all dies auch ohne den Preis einer Angstkrankheit zu erreichen ist. Dabei ist das Ziel einer Therapie nicht die Angstfreiheit, sondern nur der adäquate Umgang mit der Angst, der die weitere Entwicklung der Persönlichkeit ermöglicht. Im oben genannten Fallbeispiel konnte natürlich auch nicht der Assimilationskonflikt aus der Welt geschafft werden. Martina setzte sich aber intensiv mit der Verschiedenheit der Kulturen auseinander und erlebte diese kulturellen Unterschiede jetzt nicht mehr nur als sie bedrohende Spannung, sondern zum Teil auch als eine Bereicherung ihrer Erfahrung.

Mögliche psychotherapeutische Behandlungsformen kann man in symptomreduzierende Maßnahmen und konfliktbearbeitende Maßnahmen einteilen. Zur ersten Gruppe zählen entspannende und übende Verfahren, etwa das autogene Training, und vor allem Verfahren der Verhaltenstherapie. Eine Desensibilisierung und stufenweise Konfrontation mit angstauslösenden Objekten oder Situationen kann zur Gewöhnung und schließlich zur Überwindung der Angst führen. So kann z. B. ein Patient mit Angst vor Hunden zunächst ihn ängstigende Situationen schildern, sich Bilder und Filme mit Hunden ansehen, mit dem Therapeuten Kontakt zu einem Hund aufnehmen und schließlich üben, eigenständig seine Angst zu überwinden. Das im Fallbeispiel auf S. 72 f. bereits dargestellte Einüben eines Vorstellungsgesprächs im Rahmen des sozialen Rollenspiels dient ebenfalls zum einen der Desensibilisierung spezifischer sozialer Ängste, kann zum anderen aber auch als Selbstsicherheitstraining verstanden werden.

Entspannende und meditative Verfahren lassen nicht nur Körperentspannung spüren, sondern regen zur Imagination beruhigender und lustvoller Vorstellungen an – diese aber sind mit dem Gefühl der Angst nicht zu vereinbaren.

In der sozialen Interaktion kann der unter Ängsten Leidende erfahren, wie TherapeutIn oder Gruppenmitglieder trotz eigener Ängste mutig angstauslösende soziale Situationen zu meistern versuchen (Modellernen). Auch soziale Imitation spielt in solchen Gruppenprozessen eine Rolle. Schließlich kann die Erfahrung, mit überbordenen Ängsten nicht alleine zu sein, ein wichtiges und Solidarität stiftendes Erlebnis eines gruppentherapeutischen Prozesses sein.

Supportiv (unterstützend) sind auch sozialtherapeutisch orientierte Maßnahmen, die einerseits den Klienten vor zu großer sozialer Belastung schützen. Unterstützende Hilfe in Krisensituationen kann dazu beitragen, Panikattacken zu überwinden und eine kritische Übergangsphase zu meistern. Die Erfahrung, Angst überwunden zu haben, kann in einer anschließenden Reflexion genutzt werden, um künftige Problemlösungsstrategien zu entwickeln. Gleichzeitig beinhaltet die soziale Begleitung von Menschen mit Angstsyndromen immer auch die Aufforderung, sich angstbesetzte Situationen zuzumuten. Die Klienten werden ermutigt, auf ihre Ängste zu achten und sich gerade dann auch (graduell steigernd) angstbesetzten Konflikten zu stellen, um sie zu überwinden. Dies ist notwendig, weil eine zu stark stützende und auf Fremdlösung ausgerichtete Krisenintervention letztlich die Angstsymptomatik stabilisieren kann.

Im Rahmen einer sozialtherapeutischen Begleitung kann auch zur Trennung (z. B. von den Eltern) ermutigt werden, wobei eine solche „Zumutung" damit verbunden ist, dass der Berater oder Therapeut sein Vertrauen in die Fähigkeit des Klienten äußert, diesen Schritt auch zu schaffen.

Konfliktbearbeitende und rekonstruktive Maßnahmen gehen den psychodynamischen Ursprüngen der Ängste nach. Hierzu eignen sich die Psychoanalyse, aber auch bestimmte Verfahren der Familientherapie.

Eine medikamentöse Behandlung mit Tranquilizern führt im akuten Angstanfall zu vorübergehender Angstreduktion, Beruhigung und Entspannung. Bei der Realangst, die im Rahmen eines Herzinfarktes auftritt, ist die Gabe von Valium® sicherlich indiziert. Vielleicht kann sie bei schwersten Panikattacken als kurzfristige Notmaßnahme auch den Weg zu einer ursachenorientierten Therapie freimachen. Andererseits ist gerade bei chronischen Ängsten die Gefahr des Missbrauchs und der Abhängigkeit außerordentlich groß. Valium (und seine Abkömmlinge) lassen die anstehenden Probleme durch eine „rosarote Brille" sehen und führen zum einen dazu, dass die ängstigenden Probleme nicht angegangen und die notwendigen Entwicklungsschritte nicht getan werden. Zum anderen kann es beim Absetzen dieser Medikamente zu erneuten, überbordenden Ängsten kommen, zumal die angstauslösenden Probleme und Konstellationen jetzt umso weniger ertragen werden. In Einzelfällen kann es auch zu körperlicher Abhängigkeit kommen. Auf die Gefahren der Wechselwirkung von Alkohol, Schmerzmitteln und Tranquilizern, insbesondere der lebensgefährlichen Atemdepression bei Überdosierung, wurde bereits hingewiesen. Insofern sollte auch bei Angstkrankheiten – von seltenen Ausnahmen abgesehen – von einer Behandlung mit Tranquilizern abgesehen werden.

Gerade in angstbesetzten Krisensituationen ist es immer wieder wichtig, sich und dem Klienten zu verdeutlichen, dass das Behandlungsziel nicht in Angstfreiheit liegen kann. Angst ist eine lebensnotwendige Grundemotion des Menschen, und es geht in der Therapie darum, den richtigen Umgang mit ihr zu erlernen oder, wie es Tölle (1984, 75) formuliert, „Angst als Bestandteil des Lebens anzuerkennen und gerade hierdurch zu bewältigen".

Überprüfen Sie Ihr Wissen!

Welche der folgenden Aussagen zur Angst sind richtig?

1. Angst ist ein qualvolles, unbestimmtes Gefühl der Beengung, in dem man sich ohnmächtig Unbekanntem, Anrückendem, Unangreifbarem ohne Möglichkeit der Abhilfe oder des Auswegs ausgeliefert sieht.
2. Von der Realangst unterscheidet sich die neurotische Angst dadurch, dass bei Letzterer ihr Ursprung nicht bewusst ist.
3. Angst ist immer körperliches und seelisches Phänomen zugleich.
4. Angstneurose und Phobien sind Ausdruck ungelöster neurotischer Konflikte.
5. Aggressionshemmung und Wendung ins Gegenteil sind häufige Phänomene bei Angstneurosen.

4.1 Fragetyp C
Antwortkombinationsaufgaben

Welche Antworten sind richtig?

a) Nur die Antworten 1, 2, 3 und 4 sind richtig. ☐
b) Nur die Antworten 1, 2, 3 und 5 sind richtig. ☐
c) Nur die Antworten 2, 3, 4 und 5 sind richtig. ☐
d) Nur die Antworten 1, 2, 4 und 5 sind richtig. ☐
e) Alle Antworten sind richtig. ☐

☒

Aus dem von Kierkegaard benannten „Schwindel der Freiheit" des sich und seiner Endlichkeit bewussten Menschen resultiert vor allem (nur eine Antwort richtig) …

4.2 Fragetyp A
Eine Antwort richtig

a) die Vitalangst ☐
b) die Realangst ☐
c) die Existenzangst ☐
d) die neurotische Angst ☐
e) die Binnenangst ☐

☒

4.3 Fragetyp E
Kausalverknüpfung

1. Die Behandlung einer Angstneurose sollte in jedem Fall eine psychoanalytische sein,

   denn

2. bei der Angstneurose liegen meist unbewusste und nicht bzw. unzureichend gelöste Konflikte vor.

☒
a) Nur die Aussage 1 ist richtig. ☐
b) Nur die Aussage 2 ist richtig. ☐
c) Nur die Aussagen 1 und 2 sind richtig. ☐
d) Die Aussagen 1, 2 und die Kausalverknüpfung sind richtig. ☐
e) Alle Aussagen sind falsch. ☐

4.4 Fragetyp C
Antwortkombinationsaufgabe

Welche somatischen Symptome können bei chronischer Angst auftreten?

1. Muskuläre Anspannung
2. Unruhezustände
3. Herzklopfen
4. Pulsanstieg
5. Änderung der Darmtätigkeit/Durchfall

☒
a) Nur die Aussagen 1, 2, 3 und 5 sind richtig. ☐
b) Nur die Aussagen 1, 3, 4 und 5 sind richtig. ☐
c) Nur die Aussagen 2, 3, 4 und 5 sind richtig. ☐
d) Nur die Aussagen 1, 2, 3 und 4 sind richtig. ☐
e) Alle Aussagen sind richtig. ☐

4.5 Fragetyp A
Eine Antwort richtig

Irrationale, übertriebene Ängste vor gewissen Personen, Objekten und Situationen, die zu Vermeidungsverhalten führen, bezeichnet man als

☒
a) Phobie ☐
b) generalisierte Ängste ☐
c) typische Panikattacke ☐
d) Zwangsimpulse ☐
e) Realangst ☐

Vertiefungsfragen

4.6 Erläutern Sie Zusammenhänge der menschlichen Fähigkeit zur Antizipation von Zukunft und Existenzangst.

4.7 Erläutern Sie anhand von Beispielen, dass die Erscheinungsformen von Ängsten alters- und entwicklungsabhängig sind.

5. Verlust und Trauer, Kummer und Depression

> „Wenn jemand meinen Kummer wiegen wollte,
> und meine Leiden auf die Waage legte, –
> sie wären schwerer als der Sand am Meer.
> ...Woher nehm ich die Kraft, noch auszuhalten?
> Wie kann ich leben ohne jede Hoffnung?
> Ist etwa meine Kraft so fest wie Stein?
> Sind meine Muskeln denn aus Erz gemacht?
> Ich selber weiß mir keine Hilfe mehr, ich sehe
> niemand, der mich retten könnte." (Hiob 6,2 ff.)

Kummer und Trauer lassen sich bereits bei höheren Primaten feststellen, und in der menschlichen Kulturgeschichte gehört das Zeugnis von Trauer und die Klage über Verlust und Leid mit zu den ältesten Zeugnissen. Jeder Mensch kennt das Erlebnis, einen schweren Verlust erlitten zu haben, und die damit verbundenen Gefühle der Ohnmacht, des Alleinseins, des verminderten Antriebs, der Interessenlosigkeit, des Weinens (oder noch nicht einmal mehr Weinen-Könnens), des veränderten Zeitgefühls oder der tiefen Hoffnungslosigkeit. Auch der Ausdruck von Trauer in der Körperhaltung ist uns nicht fremd – Dürers Bild der „Melancholia" ist uns unmittelbar verständlich (vgl. Abb. 5.1).

Das Gefühl von Kummer und Trauer lässt sich – wie die anderen Gefühle auch – auf unterschiedlichen Ebenen untersuchen. Auf einer basalen körperlichen und vegetativen Ebene zeigt sich tiefer Kummer durch einen Verlust an Energie und Vitalität. Die Haltung ist gebückt, die Mimik starr, man scheint an Lebendigkeit eingebüßt zu haben, alle Aktivitäten sind mehr oder weniger gehemmt. Der Appetit nimmt ab, das Essen schmeckt nicht mehr, an Sexualität, aber auch an Spiel oder Zerstreuung verliert man das Interesse, man kann seine Energien nicht mehr auf ein Ziel bündeln. Lang anhaltende Trauer- und Kummerreaktionen können zur Erschöpfung führen: Der Schlaf ist gestört, oft kann man nur einige wenige Stunden schlafen, ohne regelrechten Tiefschlaf, um dann mit bleierner Müdigkeit aufzuwachen. Bei der schwersten Formen der Niedergeschlagenheit, der Depression (die weiter unten ausführlicher behandelt wird), kommt es auf dieser basalen körperlichen Ebene (der Ebene des vegetativen Systems und der Stammhirnreaktionen) oft zu einer Desychronisation von Körper-

Abb. 5.1:
Melancholia.
Kupferstich von
A. Dürer

funktionen, die normalerweise einer Tagesrhythmik unterliegen und in wohldefiniertem Verhältnis aufeinander abgestimmt sind. Die chronobiologische Forschung hat gezeigt, dass der zeitliche Ablauf in der Produktion bestimmter Hormone, aber auch anderer Stoffwechselparameter quasi durcheinandergerät. Ähnliches gilt für den Schlafrhythmus und andere periodisch ablaufende Körperfunktionen.

Offensichtlich gibt es Zusammenhänge zwischen biogenen Aminen, insbesondere den Neurotransmittern Noradrenalin und Serotonin, und Kummerreaktionen. Wie weiter unten zu zeigen sein wird, wirken bei schweren Depressionen stimmungsaufhellende Medikamente (sog. Antidepressiva) in z. T. sehr unterschiedlicher Weise auf den Stoffwechsel dieser und anderer Neurotransmitter ein.

Nahm man früher an, dass bei schweren Depressionen ein Mangel dieser beiden Substanzen, Noradrenalin und Serotonin, vorliege (eine Reihe der Antidepressiva bewirken letztlich einen Anstieg der Serotonin- und Noradrenalinspiegel, und Noradrenalin spielt hinsichtlich des Erregungsniveaus eine wichtige Rolle), so zeigt sich heute, dass diese Sicht der Dinge zu einfach ist.

Man geht inzwischen davon aus, dass sehr subtile und vernetzte Regelkreise, an denen u. a. (aber nicht ausschließlich) Serotonin und Noradrenalin beteiligt sind, zeitweilig aus dem Gleichgewicht geraten, doch erscheinen Einzelheiten dieses Fließgleichgewichts noch widersprüchlich und sind keineswegs restlos aufgeklärt.

Im Grunde kann man lediglich sagen, dass der Stoffwechsel der biogenen Amine bei Trauerreaktionen und Depressionen eine (in ihren Einzelheiten noch nicht geklärte) Rolle spielt. Die mehr oder weniger extreme Belastung eines durch Trauer aus dem Rhythmus geworfenen Menschen zeigt sich bei sehr langandauernder Trauerreaktion oder schwerer Depression manchmal auch in einer erhöhten Ausschüttung des Stresshormons Cortisol, das, wie oben bereits erwähnt, die Abwehrbereitschaft des Körpers senken kann.

Abb. 5.2: Der mimische Ausdruck von Trauer (nach Hjortsjö 1970)

Die Stimmung des Trauernden ist bedrückt (bei der Depression wird von Leere berichtet), die Motorik ist herabgesetzt, und in Körperhaltung, Gestik und Mimik kommt diese Bedrückung ebenfalls zum Ausdruck.

Wenn Sie sich hinknien, Schulter und Kopf nach vorne beugen, ihren Rücken ganz klein machen, und die Hände zaghaft-demutsvoll nach vorne halten, gleichzeitig mit leiser und verzagter Stimme sprechen, so haben sie einen körperlichen Eindruck der Verbindung von emotionaler Trauer und Ausdrucksmotorik – was empfinden Sie dabei?

Übung

Ohne dass uns das oft bewusst ist, nehmen wir im Kummer eine gebeugte oder bedrückte Körperhaltung ein, machen uns klein oder igeln uns ein. Auch der Klang unserer Stimme und anderer paralinguistischer Phänomene verraten unserer Umgebung unsere Stimmung. Verräterisch ist hier nicht, *was* wir sagen, sondern *wie* wir es sagen.

Der mimische Ausdruck von Trauer (vgl. Abb. 5.2) ist anthropologisch festgelegt (er wird ganz wesentlich vom Limbischen System kontrolliert) und wird in allen Kulturen verstanden: Die Augenbrauen sind π-förmig nach oben und innen gebogen, die Mundwinkel nach unten gezogen, der Kinnmuskel schiebt sich hoch, wobei der mittlere Teil der Unterlippe nach oben gedrückt wird. Eine Steigerung des bekümmerten Gesichtsausdrucks lässt das Gesicht „den Tränen nahe" erscheinen.

Auf der Ebene unseres Großhirns, auf der die bisher beschriebenen vegetativen und primär-emotionalen Vorgänge mit dem bewussten Erleben verknüpft werden, äußert sich Kummer als eine Empfindung, in der wir uns einsam und isoliert, ohnmächtig und elend, ungeliebt oder wertlos fühlen. Die Zeit scheint sich endlos hinzuziehen oder sogar still zu stehen.

Verschiebung der inneren Werdenszeit

Hoimar von Ditfurth weist auf den engen Zusammenhang zwischen Niedergeschlagenheit und Zeitempfinden hin. Während wir normalerweise unsere alltäglichen Verfehlungen im sozialen Kontakt deswegen ertragen können, weil wir in Zukunft etwas ändern können, ändert sich dies bei Verlusterlebnissen: Der Abschied von einem geliebten, verstorbenen Partner ist endgültig, und manches Ungesagte bleibt für immer ungesagt. Mit einer Scheidung werden Fakten gesetzt, die einer anfangs so hoffnungsvollen Liebesbeziehung ein enttäuschendes Ende setzen – auch hier entfällt manche Möglichkeit der Hoffnung auf Veränderung. Andererseits kann aber eine „Verschiebung der inneren Werdenszeit", ein subjektiv erlebtes Stillstehen der Zeit, wie es bei schweren Depressionen zu beobachten ist, zu ganz ähnlichen Gefühlen führen: Durch nichts oder niemanden ist der so Deprimierte davon zu überzeugen, dass es für ihn noch eine Chance oder einen Neubeginn in der Zukunft gibt.

Trauer und Verlust

Das bewusste Erleben von Trauer tritt auf, wenn wir uns eines Verlustes bewusst werden. Zunächst ist der Verlust einer geliebten Person von Bedeutung – sei es der vorübergehende (aber als sehr dramatisch erlebte) Schmerz des Kleinkindes bei zeitweiliger Trennung von seiner Mutter, sei es die Trauer um einen geliebten Angehörigen. Aber auch im übertragenen Sinne kann der Verlust von Vertrautem, Wichtigem und Essentiellem zu Trauer führen – der Verlust von körperlicher Integrität nach verstümmelnden (gleichwohl notwendigen) Operationen, der Verlust von Heimat, von liebgewonnenen Vorstellungen oder die bittere Erkenntnis, einiges im Leben nicht erreichen zu können, was man sich eigentlich sehnlichst wünscht.

Gar nicht so selten kommt es vor, dass wir uns zu bestimmten Zeiten unerklärlicherweise traurig fühlen – mit allen Parametern der Trauer auf vegetativer und emotionaler Ebene. Wir wissen nur nicht so genau, warum. Gespräche mit Freunden, die Analyse von Träumen oder anderes können uns den Grund unserer Trauer ins Bewusstsein bringen – beispielsweise dass eine aktuelle Situation einer anderen in Teilbereichen ähnelt, die uns seinerzeit in tiefe Trauer gestürzt hat. Oder dass sich der Jahrestag (die Jahreszeit) nähert, in der wir einen noch nicht verarbeiteten Verlust erlitten haben.

Kübler-Ross: 5-Phasen-Theorie des Trauerns

Die Verarbeitung von Verlust verläuft oft in Phasen. Bekannt ist das Modell von Elisabeth Kübler-Ross, in dem sie ihre Erfahrungen aus Gesprächen mit über zweihundert Sterbenden ausgewertet und fünf Phasen der Verarbeitung (hier: der Trauer angesichts des drohenden Verlustes des Lebens) erarbeitet hat.

Die erste Phase ist gekennzeichnet durch das Nicht-wahrhaben-Wollen und Isolieren: „Nicht ich, nicht jetzt, das ist doch nicht möglich!" Das Verleugnen des (drohenden) Verlustes lässt Angst und Trauer in einem erträglichen Rahmen halten und schützt eine Zeitlang vor einem möglichen Zusammenbruch. Auch direkt nach dem Tod eines Angehörigen ist uns die ganze Tragweite des Verlustes noch nicht zugänglich.

Eine zweite Phase ist durch Zorn und Auflehnung gekennzeichnet, weitere Phasen beinhalten das Verhandeln mit dem Schicksal, die tiefe Niedergeschlagenheit (im Sinne einer Depression) und schließlich das Hinnehmen dessen, was nicht zu ändern ist – mithin die Akzeptanz des eingetretenen Verlustes.

In modifizierter Form werden auch von anderen Autoren (z. B. Schuchardt oder Sporken) Phasen bei der Verarbeitung eines Verlustes und der dabei zu leistenden Trauerarbeit geschildert. Die Verarbeitung von Verlust und Enttäuschung braucht Zeit. Vorübergehende Verdrängung von schmerzhaften Ereignissen, die Isolierung von Gefühlen wie Trauer und Zorn (wenn man z. B. auf einer kognitiv-logischen Ebene die mit einer Scheidung verbundenen Probleme löst, ohne die damit verbundenen Gefühle an sich heranzulassen), das temporäre Verharren in Wut, um Schmerz und Trauer nicht zu intensiv erleben zu müssen – dies alles sind keine psycho-pathologischen Abwehrmechanismen, sondern sinnvolle Möglichkeiten, mit einem uns sonst möglicherweise überwältigenden Schmerz fertig zu werden (Hülshoff 1990).

Zu Problemen allerdings kann es kommen, wenn man über lange Zeit in einer solchen Position verharrt und Veränderung zunehmend schwerer fällt. Hier kann sich eine Depression anbahnen, wie sie weiter unten beschrieben wird.

Kummer kann in jeder Phase unseres Lebens auftreten. Das erste Lebensjahr ist hinsichtlich des Vertrauens in unsere Umwelt (Aufbau des Urvertrauens) und dem Erwerb verlässlicher sozialer und emotionaler Bindungen von besonderer Bedeutung. Schwere Störungen in dieser frühen Bindungsphase können zu einer Anfälligkeit für spätere verstärkte Kummer- und Trauerreaktionen führen. Elternverlust kann zu heftigsten Kummergefühlen und akuten Verlassenheitsreaktionen führen, wie sie u. a. von René Spitz beschrieben wurden: Nach anfänglichem Protest zieht sich das Kind zurück, scheint zu resignieren und wird zunehmend apathischer – schwerste Entwicklungsstörungen oder -verzögerungen können die Folge sein. Je älter die Kinder beim Verlust der für sie so wichtigen emotionalen und sozialen Beziehung sind, desto differenzierter und psychischer kann die Trauerreaktion sein – im Vordergrund stehen nun nicht mehr Entwicklungs- und andere primär somatische Störungen, sondern geringes Zutrauen zu sich selbst und zur Beziehung zu anderen, häufig auch die erschwerte Kontaktaufnahme zu anderen, weil man sich vor Enttäuschungen schützen will.

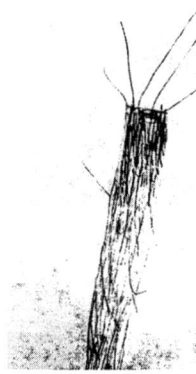

Abb. 5.3:
Baumzeichnung eines Mädchens mit depressiven Symptomen

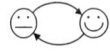

Während der Kindheit können schwere Entsagungen – emotionale, physische oder soziale Vernachlässigung, körperliche oder seelische Kindesmisshandlung sowie sexueller Missbrauch zu schweren Kummerreaktionen sowie Depressionen führen. Die Sprache verrät noch den Zusammenhang zwischen „Verkümmerung", sich „nicht genug um jemanden kümmern" und dem daraus resultierenden „Kummer". Abbildung 5.3 zeigt den „verkümmerten Baum" in der Zeichnung eines 10-jährigen, lange vernachlässigten Mädchens.

Eine besondere Bedeutung im Lebenszyklus hat die Pubertät – wie in Kapitel 11 gezeigt wird, ändern sich in dieser Umbruchsphase Körperfunktionen und -gestalt, Hormongefüge, Selbstbild, Rollenerwartung, Elternbindung, Einbindung im Sozialgefüge und vieles mehr. Der Verlust bisher selbstverständlicher und liebgewonnener Strukturen – z. B. der Verlust der Eltern in ihrer bisherigen Rolle, aber auch Enttäuschungen über das eigene Aussehen, die eigene Leistungsfähigkeit oder das noch unrealistische Selbstbild und nicht zuletzt der Liebeskummer – können zu tiefer Niedergeschlagenheit, manchmal zu Resignation Anlass geben. Da von Jugendlichen noch nicht die Erfahrung gemacht werden konnte, dass die Zeit manche Wunden heilt und der Verlust von Altem Voraussetzung für das Entstehen von Neuem ist, werden die o. g. Verluste manchmal von heftigster Trauer begleitet („The first cut is the deepest…"). Dies ist normal – jeder kennt es aus seiner eigenen Pubertät. Ungünstige Lebensverhältnisse können andererseits dazu führen, dass im Rahmen schwerer Pubertätskrisen Jugendliche in depressiven oder anderen Fehlentwicklungen verharren oder zukünftig in besonderer Weise für vermeintliche oder tatsächliche Misserfolgserlebnisse und Beziehungsschwierigkeiten anfällig werden.

Auf der sozialen Ebene spielen Trauer und Mitleid eine außerordentlich große Rolle. Trauer ist eine der wichtigsten bindungsstiftenden Emotionen. Da sich (fast) jeder in das Erleben eines Trauernden hineinversetzen kann, andererseits der Ausdruck von Trauer intuitiv verstanden wird, ermöglicht dies Mitgefühl, Empathie und damit zwischenmenschliche Bindung.

Maturana (1996) weist in einem anderen Zusammenhang darauf hin, wie wirksam mitleiderweckendes Bitten ist – zwar ist es uns möglich, an einem Bettler vorbeizugehen, aber es kostet in der Regel Überwindung: Wir schauen weg, tun so, als hätten wir ihn nicht gesehen, weichen zumindest dem Blickkontakt aus.

Das Bemühen, Trauer zu vermeiden, und Mitleidreaktionen können sogar eine Beziehung (z. B. eine Ehe) aufrechterhalten, wenn andere Emotionen (z. B. Freude oder Liebe) lange nicht mehr erlebt wurden. Dies ist allerdings nicht unproblematisch:

5. Verlust und Trauer, Kummer und Depression 93

Ein achtjähriges Mädchen kam mit langandauernden, schweren depressiven Verstimmungszuständen in eine heilpädagogische Tagesgruppe. Spielunlust, fast schon süchtiges Fernseh- und Konsumverhalten, Schulverweigerung und seine traurig-niedergedrückte Stimmung waren deutliche Anzeichen. Nach zweimonatiger heilpädagogischer Betreuung besserte sich – jedenfalls im Hort – ihre Stimmung zusehends: Sie beteiligte sich an einigen Spielen, konnte zeitweilig laut lachen und wurde zusehends aktiver.

Zu Hause allerdings, insbesondere an den Wochenenden, verfiel sie „schlagartig" wieder in eine traurige Stimmung. Hintergrund dieses Verhaltens war, dass alle Angehörigen litten – der Opa war krank, der Vater wegen eines schweren Diabetes früh berentet, die Mutter litt unter Allergien und einem Erschöpfungssyndrom, und die 14-jährige Schwester wurde von Migräne geplagt. Der vorherrschende Bindungsmodus in dieser Familie war der des Mitleidens und des Mitleids. Gerade weil man sich wertschätzt und liebt, möchte man dem anderen Leid ersparen. Wer am meisten leidet, so die Tradition dieser Familie, bekommt die meiste Beachtung, Zuwendung und Schonung. Am Anfang dieser Familientradition besteht also ein durchaus verständliches, von Menschlichkeit, Achtung und Liebe geprägtes Bild der familiären Beziehung. Verabsolutiert hingegen führen solche nun erstarrenden Beziehungsmuster dazu, dass nur noch Leid beachtet wird: Jede Regung von Lebensfreude, Spontaneität oder Aggression führt dazu, dass man aus dem Blickpunkt gerät oder mit Aufgaben überfordert wird. So wurden in der hier vorgestellten Familie Aufgaben im Haushalt oder unangenehme Konfrontationen dem jeweils „Gesündesten" übertragen. Schlimmer noch: Der Bindungsmodus des Mit-Leidens wurde zur Chiffre familiärer Zugehörigkeit und Solidarität; Lebensfreude und Vitalität konnte sich der Einzelne kaum noch gestatten, wurde es doch als eine Art „Verrat" an den anderen gesehen.

Die Achtjährige, von der eingangs die Rede war, konnte erst dann die in ihr wohnenden Kräfte entdecken und entwickeln, nachdem sie ihre Eltern von der Verantwortung um deren Wohlergehen lossprachen.

An diesem Fallbeispiel wird deutlich, dass Trauer und Kummer, Leid und Mitleid einen wichtigen Stellenwert im sozialen Miteinander der Kleingruppe, insbesondere der Familie haben.

Aber auch in größeren soziokulturellen Gruppierungen spielt dies eine Rolle: Schievenhöfel (1993b, 39ff.) berichtet von Bestattungsriten und Totenklagen, die sich transkulturell in allen Gesellschaften finden und eine große Bindungsfunktion haben: Die gemeinsam Trauernden fühlen sich in besonderer Weise zusammengehörig und stärken sich in ihrem gegenseitigen Mit-Leiden. Riten, Gesten, Kleidung und Musik greifen biologische Phänomene der Körperhaltung und Mimik sowie der der trauernden Stimmung angepassten Stimme auf und verarbeiten sie in einem kulturellen Prozess, sodass dann die für die jeweilige Region und Zeit typischen Trauerriten entstehen.

Die Zusammenhänge zwischen emotionalem Empfinden, biologisch praeformierter Gestik und Habitus und ihrer Verarbeitung in der Kultur zeigt sich u. a. in der Musik: Musikstücke des Adagio-Typus wie „Ares Tod" von Grieg oder „Allein" von Reinhard Mey geben eine traurige Stimmung wieder: Aktion und Gestik dieser Stimmung werden als niedergedrückt, sich zurückziehend, sich klein machend empfunden, und auf der musikalischen Ebene drückt sich dies durch langsame Rhythmen, einen leise und dunkel wirkenden Klang und geringem Ambitus (Umfang vom höchsten bis zum tiefsten Ton) in Melodie und Harmonik sowie den Moll-Akkorden aus.

Kurz soll auf mögliche Interaktionen des Kummer- und Trauergefühls mit anderen Gefühlsqualitäten eingegangen werden: vor allem bei Depressionen finden sich oft Koppelungen mit Schuldgefühlen. Kleinste Verfehlungen (z. T. Jahre zurückliegend) treten wie „Steine im Flußbett eines ausgetrockneten Flusses wieder an die Oberfläche" (Tölle 1984), und bei schweren Depressionen wird diese Schuld als qualvoll und schicksalhaft erlebt.

Zusammenhänge mit Liebe und Sehnsucht wurden bereits gestreift: Die Theologin Sölle beschreibt Trauer und Leid als Kehrseite der Liebe. Aber auch zur Aggression finden sich Verbindungen: So kann eine auf Trauer und Mitleid basierende Beziehung starke aggressive Elemente zeigen. Die Forderung nach Mitgefühl gewinnt etwas Imperatives, die Macht der Ohnmächtigen zeigt sich darin, dass sie durch Appelle an das Mitleid andere Menschen manipulieren können. Bezeichnend ist dabei, dass die durchaus vorhandene Aggression nicht gezeigt, ausgesprochen, ja mitunter nicht einmal wahrgenommen werden darf. Bei vielfältigen Trauerreaktionsformen und Depressionen liegt, wie Psychoanalytiker formulieren, eine Aggressionshemmung vor. Vor allem in früher Kindheit internalisierte Gebote wie „Du darfst niemals jemandem wehtun!" sind in dieser Absolutheit rigide und entwicklungshemmend, ja sogar unmenschlich, da überfordernd.

Bei entwicklungsspezifischen Aufgaben, bspw. dem Streben nach einer befriedigenden beruflichen Position, nach Besitz, nach Macht und Einfluss, dem Werben um eine Partnerin/einem Partner – bei all diesen sozialen Prozessen werden wir zwangsläufig, ohne dies zu wollen, anderen wehtun: Der Liebeskummer unseres erfolglosen Konkurrenten lässt sich nicht (oder nur um den Preis eigenen Verzichts) vermeiden. Funktional müsste eine solche Regel also heißen: „Du sollst nicht jemandem unnötig wehtun." In der Tat können schwerste Aggressionshemmungen und der totale Verzicht auf jede expandierende Selbstverwirklichung mit zu einer Depression und der Trauer um das „nicht gelebte Leben" beitragen.

Aber auch vermehrte Aggression kann – umgekehrt – Ausdruck darunterliegender Depression sein: Von Hartmann (1970) stammt der Hinweis, dass mindestens fünfzig Prozent aller straffälligen Jugendlichen in ihrer Grundstruktur zutiefst depressiv sind. Kummer und soziale wie emotionale Verkümmerung führen eben nicht nur zu Rückzug und Trauer, sondern bei einem Teil der Betroffenen (dem noch relativ stärkeren Teil!) zu Rebellion, Grenzüberschreitung, Aggression und inadäquaten, weil letztlich andere und sich selbst schädigende Verhaltensweisen. Es ist außerordentlich wichtig, dass Sozialarbeiter, Lehrer und Eltern darum wissen und hinter aggressiven Verhaltensweisen Jugendlicher eine mögliche tiefe Verzweiflung oder Depression erkennen.

Auch hinsichtlich der Emotion von Kummer und Trauer lässt sich fragen, wie sie zustande kommt und welchen Sinn sie hat. Auch in diesem Kapitel möchte ich aufzeigen, dass die Frage nach der Bedeutung von Trauer, wenn sie auf unterschiedlichen Ebenen gestellt wird, eine Verbindung dieser Ebenen ermöglicht und somit zu einem systemisch-integrativen Bild dieses emotionalen Phänomens beiträgt.

Die eher körperlich-vegetativen Phänomene, die wir mit Kummerreaktion, Trauer und (im Extremfall) der Depression verbinden, wie z. B. Vitalitätsverlust, Erschöpfungsgefühl, Müdigkeit, Schlafstörungen usw. haben biologische Komponenten, über die wir recht viel wissen. So hängen Müdigkeit und Schlafstörungen u. a. mit Störungen zirkadianer Rhythmen (biologischer Uhren) zusammen. Eine Infekt- und Krankheitsanfälligkeit bei andauernder Trauer oder Depression hängt u. a. mit einem vermehrten Ausschütten von Cortisol zusammen, das die Abwehr schwächt.

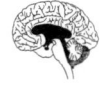

Zusammenhänge mit andauernder, niedergedrückter Körperhaltung und gestörtem Körpergefühl, psychosomatischen Beschwerden und Haltungsschäden werden ebenfalls diskutiert. Welchen Sinn aber hat eine Emotion, die sich auf körperlicher Ebene durch gedrückte oder klein-machende Körperhaltung, Verlust von Spontaneität und Wagemut, herabgesetzter Stimmung und Motorik und typischen mimischen Veränderungen einhergeht?

Zunächst fällt die Ähnlichkeit zum „Totstellreflex" niederer Säugetiere auf: In akuter Gefahr, in der eine Flucht nicht mehr möglich und ein Kampf aussichtslos ist, besteht die letzte Überlebenschance darin, sich „totzustellen" – sich so klein und unauffällig wie möglich darzustellen, um möglichst übersehen zu werden. Eine weitere Wurzel für die biologische Ebene der Kummer- und Trauerreaktion ist möglicherweise die ebenfalls bereits im Tierreich anzutreffende Demutsgebärde: Ein klein und hilflos erscheinender Rivale kann durch eine solche Demutsgebärde mit Signalcharakter auf Schonung von dem Rivalen hoffen. Diese Demutsgebärde bedient sich der bei den sozial lebenden Säugetieren angelegten Tendenz, schonungsbedürftigen (und kleinen) Nachwuchs liebevoll zu behandeln, jedenfalls nicht zu attackieren. Der Rückgriff auf frühkindliche Stigmata (Kindchenschema, jammernde Laute, Regression auf kindliches Verhalten) und die Tendenz, sich klein zu machen, haben also Appellfunktion.

Das Weinen hat neben der Funktion, im sozialen Rahmen auf sich aufmerksam zu machen, vor allem eine karthatische (reinigend-lösende) Wirkung: Zum einen sorgen in der Tränenflüssigkeit vorhandene Lysosomen im wörtlichen Sinne für Reinigung, indem sie keimreduzierend wirken, zum anderen fühlen wir uns nach heftigem Weinen oft seelisch befreit.

Auf biologischer Ebene hat, so kann man zusammenfassend sagen, Trauer und Kummer die Funktion der Schonung. Wenn ein Verlust nicht mehr rückgängig zu machen ist, eine Niederlage nicht mehr abzuwenden ist, die eigenen Kräfte erschöpft sind, so führt die Trauer- und Kummerreaktion dazu, dass wir uns zurückziehen, uns Zeit nehmen, den Schmerz zu verarbeiten, uns zu erholen. Der Körper schaltet auf „Schongang", die vagotone Erregungslage steht im Vordergrund (wir verhalten uns passiv, ziehen uns zurück, halten uns von Aktivitäten fern). Hoimar von Ditfurth weist darauf hin, dass dies höchst sinnvoll ist: In der Tat würden wir uns gefährden, wenn wir uns im Zustand körperlicher oder seelischer Erschöpfung in Außenaktivitäten stürzen, Gefahren nicht rechtzeitig erkennen oder bis zum Zusammenbruch agieren würden. Insofern ist Trauer und Kummer eine wertvolle Notbremse bei körperlicher und seelischer Erschöpfung, meist infolge eines Verlusts. (Beim einfachen Erschöpfungssyndrom können mitunter einige durchgeschlafene Nächte, eine gezielte Ruhepause oder eine Kur dazu führen, dass die Stimmung wieder aufhellt.)

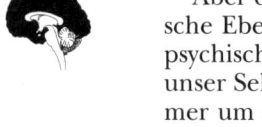

Aber die Trauer hat, so haben wir gesehen, auch eine psychische Ebene: Wehmut, Schmerz, Trauer um Verlorenes werden psychisch wahrgenommen – unsere Stimmung ist herabgedrückt, unser Selbstwertgefühl verringert, unsere Gedanken mögen immer um den erlittenen Verlust kreisen. Auch auf dieser Ebene muss der Verlust verarbeitet werden, schonen wir uns vor weiteren Enttäuschungen, brauchen Zeit, bevor wir uns wieder anderem zuwenden können. Schließlich hat die Emotion des Kummers und der Trauer soziale Bindungsfunktion, wie bereits dargelegt wurde. Trauer und gemeinsames Mit-Leiden verbindet Menschen untereinander. „Geteiltes Leid ist halbes Leid" sagt ein Sprichwort und weist darauf hin, dass gemeinsam erlittene Verluste leichter verarbeitet werden können. Dass eine auf Mitleid und Empathie beruhende Beziehung etwas zutiefst Menschliches und Sinnvolles ist, bei Verabsolutierung dieses Bindungsmodus aber auch Lähmendes haben kann, wurde oben bereits gezeigt. Wie wichtig für den Einzelnen wie für die Gesellschaft die Bindungsemotion der Trauer ist, verdeutlicht ein Beispiel von Schiefenhövel (1993 b, 40ff.):

5. Verlust und Trauer, Kummer und Depression

Schiefenhövel verweist auf Beerdigungs- und Trauerrituale, die je nach Kultur Gemeinsamkeiten, aber auch Unterschiede aufzeigen können. So findet sich praktisch in allen Stammeskulturen ein gemeinsames, fast hemmungsloses Klagen über den Verlust des Verstorbenen. (Auch in der Bibel finden wir beeindruckende Klagelieder und Zeugnisse des Mit-Leidens, etwa wenn von Hiobs Freunden berichtet wird, sie hätten sich angesichts seines Leidens die Kleider zerrissen.)

Trauerrituale

Nach einigen Tagen gemeinsamer Trauer, so Schiefenhövel, kommt es zu einer bewussten Distanzierung der Freunde und Verwandten von diesem Trauerverhalten – man lässt dem Trauernden allerdings weiterhin für eine bestimmte Zeit, meist einige Wochen bis Monate, die Möglichkeit, sich trauernd zurückzuziehen. Dann allerdings wird in allen Stammeskulturen, oft nach festgesetzten Zeiträumen, behutsam aber stetig versucht, den Trauernden ins normale soziale Leben zurückzuführen – es wird förmlich erwartet, dass er sich wieder dem Alltag und Leben zuwendet.

Ähnliche kulturell festgelegte Modi von Trauerperioden finden wir auch in unserer Kultur (Beerdigung nach üblicherweise drei Tagen, 6-Wochen-Amt, Trauerjahr, Totengedenktage). Allerdings stellt es sich in hochzivilisierten und technisierten Kulturen immer mehr als Schwierigkeit heraus zu trauern. Oft wird von Verwandten und Freunden vorschnell vertröstet, vom Trauernden wird erwartet, dass er die Haltung wahrt, ja es werden ganze kulturelle Leitbilder entworfen, nach denen der Mensch möglichst zufrieden und glücklich zu sein hat und Trauer und Leid weitgehend aus dem Bewusstsein verbannt, folglich Trauer geleugnet (nicht natürlich abgeschafft) wird: Don't worry, be happy!

Weder der Gesellschaft noch dem Trauernden tun wir damit einen Gefallen: Es gibt ernst zu nehmende Hinweise dafür, dass Menschen, die sich nicht wirklich zu trauern gestatten, nach schwerem Verlust in erhöhtem Maße gefährdet sind, psychosomatisch und somatisch krank zu werden. Die Funktion des Trauerns auf biologischen, seelischen und sozialen Ebenen mit der Möglichkeit, den erlittenen Verlust zu verarbeiten, sich zu schonen und wieder zu Kraft zu kommen, bevor man sich der Umwelt wieder zuwendet, wird hier besonders deutlich.

Für eine ganze Gesellschaft kann, wie das Psychoanalytiker-Ehepaar Mitscherlich gezeigt hat, die „Unfähigkeit zu Trauern" dazu führen, dass man sich nicht mit dem Verlust von Heimat, missbrauchten Idealen, getöteten Angehörigen nach einem verlorenen, verbrecherischen, von der eigenen Führungsschicht angezettelten Krieg auseinandersetzt. Auch die fehlende Auseinandersetzung mit der eigenen Schuld und der Scham angesichts des Schweigens in den Zeiten des Terrors im Dritten Reich führte oft genug zu einer hektischen Betriebsamkeit („Aufbau der Wohlstandsgesellschaft"), die eine tiefergehende Auseinandersetzung und damit Reifung erschwerte.

Schließlich soll noch darauf eingegangen werden, dass Trauer und Kummer auch entgleisen können; dass sie verzerrt, zu lange oder zu beherrschend auftreten können, Wachstum und Entwicklung hindern und zu erheblichem Leid führen können. In der Regel sprechen wir dann von Depressionen.

Von der Trauer zur Depression

5. Verlust und Trauer, Kummer und Depression

Bei einer Depression handelt es sich um eine deutliche bzw. schwere Störung im affektiven (emotionalen) Erleben, bei der die Stimmung und der Antrieb herabgesetzt sind. Dabei kann Depression (aus dem Lateinischen: deprimere, niederdrücken) nicht einfach als eine besonders schwere Form von Trauer verstanden werden. Vielmehr können bei einer Depression in ihrer schwersten Auswirkung kaum noch Emotionen empfunden werden, es kann noch nicht einmal mehr getrauert oder geweint werden. Betroffene schildern ihr Erleben als auf eine unvorstellbare Weise ausgebrannt, leer und gefühllos, sie wirken freudlos und gedrückt (und empfinden sich auch so), zeigen kaum noch Interesse für Gegebenheiten ihres Alltags, klagen über verminderte Konzentration und gestörtes Gedächtnis und sind kaum in der Lage, Entscheidungen zu fällen. Ihr Denken kreist grüblerisch um einige wenige Themen, vor allem um Krankheit (und die Hoffnungslosigkeit, wieder gesund zu werden), um Schuld (und eine vermeintliche Auswegslosigkeit) oder um die Sorge vor Verarmung. Angst und innere Unruhe treten vor allem des morgens auf, man meint, den Tag nicht bewältigen zu können, fühlt sich müde und energielos. Schlafstörungen, Appetitlosigkeit und Gewichtsverlust, sexuelle Interessenlosigkeit, eine Reihe von vegetativen Symptomen (z. B. Verstopfung), aber auch Druck- und Schweregefühl, Kopf- oder Bauchschmerzen und anderes mehr können somatische Zeichen einer Depression sein. Mitunter stehen sie so im Vordergrund, dass fälschlich eine primär organische Krankheit angenommen und eine Depression zunächst nicht erkannt wird: dann spricht man von einer lavierten (versteckten) Depression. Auf den Verlust der „inneren Werdenszeit" bei schwersten Depressionen wurde schon hingewiesen: Die Zeit scheint (subjektiv) still zu stehen; mit der Unfähigkeit, eine Veränderung von Zeit und Leid überhaupt für möglich zu halten, geht eine tiefe Hoffnungslosigkeit und Verzweiflung einher. Schwer depressive Menschen können suizidgefährdet sein, und manchmal verhindert nur ihre Antriebslosigkeit, den Suizid in die Tat umzusetzen.

Es wurde bereits darauf hingewiesen, dass sich in Kindheit und Jugend Depressionen anders zeigen können: Die kindliche Psyche ist noch nicht so ausgereift, um das Vollbild einer Depression aufweisen zu können. Vereinfacht gesagt: Je kleiner die Kinder sind, umso mehr stehen somatische und psychosomatische Störungen im Vordergrund. So können im Säuglings- und Kleinkindesalter vermehrtes Schreien, Apathie und Interessenlosigkeit, Störungen der körperlichen Entwicklung und vermehrte Infektanfälligkeit Hinweise auf eine Verkümmerung sein (sind es selbstverständlich keineswegs immer!). Im Kleinkind- und Vorschulkindergarten stehen Wein- und Schreikrämpfe, ab dem dritten

5. Verlust und Trauer, Kummer und Depression

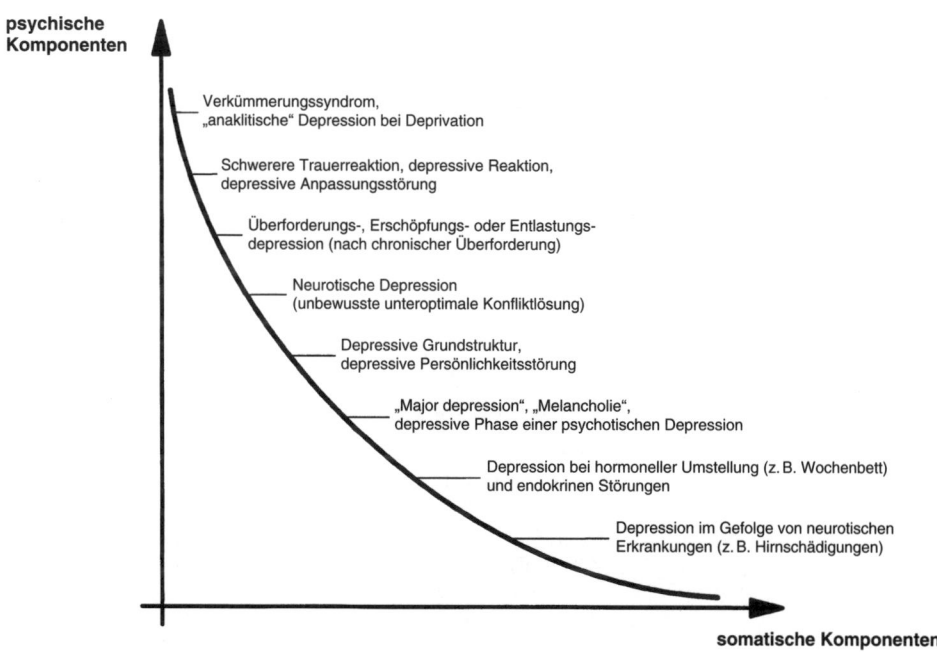

Abb. 5.4:
Psychosomatische Komponenten bei unterschiedlichen Depressionsformen (nach Nissen 1989)

Lebensjahr Einkoten, Schlaf- und Appetitstörungen sowie Kopf- und Körperschaukeln (Jaktationen) im Vordergrund psychosomatischer Zeichen. Besondere Erregung, vor allem aber eine depressiv-dysphorische Grundstimmung sowie Spielhemmung sind (uncharakteristische, aber ernst zu nehmende) Zeichen, die auf eine Depression hinweisen können. Jüngere Schulkinder zeigen psychische Gereiztheit, Unsicherheit, Spiel- und Lernhemmung sowie Kontaktschwierigkeiten. Auf der somatischen Ebene können Einnässen, Nachtangst, Stereotypien sowie Wein- und Schreikrämpfe hinzukommen. Je älter die Kinder bzw. Jugendlichen werden, desto mehr gleicht sich das depressive Bild dem der Erwachsenen an: Auf der körperlichen Seite finden wir Kopfschmerzen und die o. g. somatischen Zeichen einer Depression, auf der psychischen Seite kann man bei Jugendlichen Grübeln, ausreifende Suizidideen, Minderwertigkeitsgefühle und Bedrückung, die zunehmend artikuliert werden kann, beobachten.

Depressionen können unterschiedliche Erscheinungsformen, Ursachen und Schweregrade aufweisen. Abbildung 5.4 geht davon aus, dass zwischen den unterschiedlichen Depressionsformen mehr oder weniger fließende Übergänge bestehen, wobei sie sich hinsichtlich der Gewichtung biologischer und psychischer Faktoren unterscheiden. So weisen beispielsweise Depressionen infolge fehlender emotionaler und sozialer Zuwendung starke psychische Komponenten auf. Demgegenüber stehen bei endogenen sowie hormonell mitbedingten Depressionen (z. B. Wochenbettdepressionen) somatische Faktoren stärker im Vordergrund.

Demgegenüber gibt es Schulen, die eine endogene Depression, dann meistens als Melancholie bezeichnet, streng von anderen depressiven Erscheinungsformen abgrenzen wollen: Versteinerung und Leere, die Herabstimmung und das „Nicht-traurig-sein-Können" gehören zum Kern der Melancholie und führen im Erleben des Melancholischen zu einem Zustand, der ihm selber fremd und unbegreiflich ist, dem wir uns nur im Groben annähern können und den der Patient jedem anderen Leidenszustand bevorzugen würde (Tölle 2000[12]).

B

Ein 40-jähriger Mann erkrankte an einer Depression. Innerhalb weniger Wochen verschlimmerte sich sein Zustand so sehr, dass er zunächst unter unerträglichen Kopfschmerzen (denen keine organisch feststellbare Störung zugrunde lagen) litt. Zusehends wurde er müder, antriebsloser, trauriger und apathischer. Schließlich wollte er nicht mehr morgens aufstehen. Der Tag schien sich endlos hinzuziehen, kleinste Aufgaben fielen ihm anfangs schwer, wurden später unmöglich, die Gedanken kreisten nur noch um die Ausweg- und Hoffnungslosigkeit seines Zustandes, und auch die Versicherung von Ehefrau und Freunden, dieser Zustand werde nicht ewig andauern, änderten daran nichts. Im Höhepunkt dieser Erkrankung, in der er hochgradig suizidgefährdet war, gab er an, dass nicht einmal seine Frau (mit der er in guten Zeiten sehr verbunden war), ihn von einem Suizid abhalten könnte: „Es hat ja doch alles keinen Sinn." Eine intensive, mehrdimensional angelegte, zunächst stützende, später zunehmend aufdeckende psychotherapeutische Behandlung, zunächst stationär, später ambulant, eine gezielte und vorübergehende Gabe von Antidepressiva sowie begleitende physiotherapeutische, ergotherapeutische und soziale Maßnahmen halfen ihm, die etwa drei Monate dauernde schwere Depression zu überwinden und die Leidenszeit zu überbrücken.

Klassifikationsmodelle der Depressionen

Neuere Klassifikationsschemata (z. B. das Diagnostic and Statistic Manual of Psychiatric Diseases, DSM IV) bezeichnen solche Depressionsformen rein beschreibend als „major depressions" und grenzen sie von weniger schweren Depressionen ab: den Trauerreaktionen, mit denen wir normalerweise bei Verlusterlebnissen zu tun haben, depressiven Anpassungsstörungen, wie sie bei langanhaltender und nicht adäquat verarbeiteter Trauer, z. B. im Rahmen einer Scheidung, auftreten können, Überforderungsdepressionen, die nicht selten mit Erschöpfungssyndromen einhergehen u. Ä.

Auch neurotische Depressionen würden hierhin gehören, wobei man eine Neurose annäherungsweise als einen unzureichend gelösten, intrapsychischen und weitgehend unbewussten Konflikt verstehen kann, der mit körperlichen, seelischen und sozialen Störungen einhergeht.

Neuerdings unterteilt die Weltgesundheitsbehörde depressive Episoden rein beschreibend ein in leichte, mittelgradige und schwere. Hell (1994, 40f.) spricht, je nach Schweregrad, von einer „schwermütigen" und einer „eher schwernehmerischen" Form der Depression. Davon abgegrenzt werden schließlich noch eher milde, aber langandauernde Verstimmungen (sog. dysthyme Störungen).

> Der 16-jährige Oliver kommt wegen einer Reihe von Schwierigkeiten zur Beratungsstelle. Die Mutter berichtet, dass der Junge seit mindestens einem Jahr immer häufiger die Schule schwänze, wobei er sich wieder ins Haus schleiche, sich in den Keller verziehe und wahllos Comics und andere leichte Literatur verschlinge, bis es Zeit zum Mittagessen sei. Der übergewichtige Junge isst sehr viel, vor allem Süßigkeiten. Er hat eigentlich keine festen Freunde, zieht sich sozial zurück und isoliert sich, zeigt – trotz normaler Intelligenz – schlechte Schulleistungen, die einen Hauptschulabschluss gefährden, äußerte gelegentlich Suizidgedanken und hat ein ausgesprochen niedriges Selbstwertgefühl.
>
> Er meint, an seiner Misere selbst schuld zu sein und eigentlich immer etwas falsch zu machen. In Gesprächen zeigt sich immer wieder ein starkes Minderwertigkeitsgefühl sowie die Schwierigkeit, Beziehungen aufzubauen und Enttäuschungen zu ertragen. Auch die Eltern zeigen depressive Züge, was sich u. a. in Gestik, Mimik und Kleidung ausdrückt.
>
> In einer kombinierten einzelpsychotherapeutischen, familientherapeutischen und sozialtherapeutischen Behandlung gelingt es Oliver zunehmend, andere Gefühle und Kräfte in sich zu entdecken und zuzulassen – insbesondere Aggressionen, aber auch Freude, Trauer und Sehnsucht. Über sein zunächst einziges Hobby, Computeraktivitäten, gelingt ihm der (zunächst noch durch die Technik Distanz wahrende) Kontakt zu Gleichaltrigen. Er lernt, mit Nähe und Distanz, auch unter Zuhilfenahme technischer Medien, sukzessive umzugehen: Als Disc-Jockey im Rahmen einer Jugendgruppe ist er dabei, ohne sich emotional vereinnahmen lassen zu müssen. In der sozialpädagogischen Gruppenarbeit ist vor allem die Erfahrung wichtig, selbst anderen geben zu können: ehrenamtlich arbeitet man in einem Tierheim mit. Allfällige depressive Krisen des Jungen treten des Öfteren dann auf, wenn es den Eltern vermeintlich (oder tatsächlich) schlecht geht. Aber diese „Kopplung des Leidens" kann nach intensiver Therapie überwunden werden. Auch Jahre danach neigt Oliver in sozialen und psychischen Krisen (wie wir sie alle kennen) dazu, eher depressiv zu reagieren, doch hat er gelernt, damit umzugehen und sich rechtzeitig Hilfe zur Krisenbewältigung zu holen.

Mögliche Ursachen von Depressionen sind außerordentlich vielschichtig und werden häufig genug auch kontrovers diskutiert.

Ursachen von Depressionen

Es kann im Einzelnen an dieser Stelle nicht näher darauf eingegangen werden – ich verweise auf die im Anhang angegebene Literatur, insbesondere auf das bahnbrechende Buch von Daniel Hell (1994). Hier kann in einer Erstübersicht nur gesagt werden, dass auf biologischer Ebene eine Rolle spielen können:

- eine verletzliche Konstitution,
- eine besondere Sensibilität für Angst und Trauer,
- eventuell eingeschränkte kognitiv-affektive Verarbeitungsmöglichkeiten für Trauer,
- Entgleisungen im Neurotransmitter-Hormonhaushalt (Serotonin, Noradrenalin, Cortisol) und
- Rhythmusstörungen (Störungen unserer biologischen Uhren)

Auf einer psychologischen Ebene sind zu nennen:

- Verlustängste,
- emotionale und soziale Vernachlässigung in früher Kindheit,
- Erleben von Trauer als hauptsächlichem Bindungsmodus in sensiblen Entwicklungsphasen,
- Selbstunsicherheit,
- Vermeidungsverhalten entwicklungsspezifischer Aufgaben,
- außerordentliche Sorge vor Verlust – eventuell auf dem Boden bereits erfahrener und nicht verarbeiteter Verluste – sowie
- Einbuße an Selbstwertgefühl.

Auf sozialer Ebene mögen

- mangelnde Anerkennung,
- Stigmatisierung,
- Kommunikations- und Beziehungsstörungen in Ehe und Familie,
- tatsächlicher oder drohender Verlust eines Partners oder einer „Lebensbasis",
- Lähmung der Beziehungsdynamik und
- Stillstand der Interaktion

eine Rolle spielen. In geringerem Ausmaß und in Ansätzen sind diese Faktoren auch bei Trauerreaktionen und Anpassungsstörungen zu finden. Wird die Bedrohung durch das Gefühl der Trauer und die Auseinandersetzung mit dem drohenden oder tatsächlichen Verlust übermächtig und subjektiv nicht mehr lösbar, so kann (subjektiv) daraus eine Gefährdung entstehen, die außerordentlich bedrohlich oder unerträglich wird. In diesem Fall, so Hell, kann man in die Depression abgleiten, in der diese Trauer nicht mehr erlebt werden kann. So gesehen hat auch Depression einen Sinn: Sie kann dann als eine Extremform des Schonverhaltens, einen Rückzug auf die ganz archaische Ebene des Stillstandes interpretiert werden.

Therapie und Begleitung von Depressionen sollten die unterschiedlichen ultimaten und proximaten Auslöser bzw. Ursachen einer Depression auf den unterschiedlichen biologischen, psychischen und sozialen Ebenen berücksichtigen.

Die Abbildung 5.5 verdeutlicht, dass je nach Stadium und Schweregrad einer Depression sehr unterschiedliche Therapieformen indiziert (angezeigt) sind: So können am Anfang der Behandlung einer Major depression somatische Verfahren wie Antidepressiva, Schlafentzugsbehandlung oder Lichttherapie im Vordergrund stehen. Eine psychotherapeutische Begleitung wird in diesem Stadium eher stützenden, keinesfalls aufdeckenden Charakter haben – zu diesem Zeitpunkt könnten die aufwühlenden Themen einer psychodynamischen Therapie gar nicht verkraftet werden. Auch soziotherapeutische Vorgehensweisen werden zunächst beraten und erst danach langsam und sukzessive zur Interaktion in Paarbeziehung oder Familie überleiten. Auch wenn auf diese spannenden und lohnenden Konzepte miteinander verzahnter, interagierender, individuell abgestimmter und zeitlich modifizierter Therapie und Begleitung bei Depression hier nicht näher eingegangen werden kann – es sollte deutlich geworden sein, dass eine systemisch-integrative Sichtweise von Trauer und Depression den Bedürfnissen des Betroffenen und seines Umfeldes besser gerecht wird als ein einseitiges oder gar starres Interpretationsschema (vgl. Abb. 5.5).

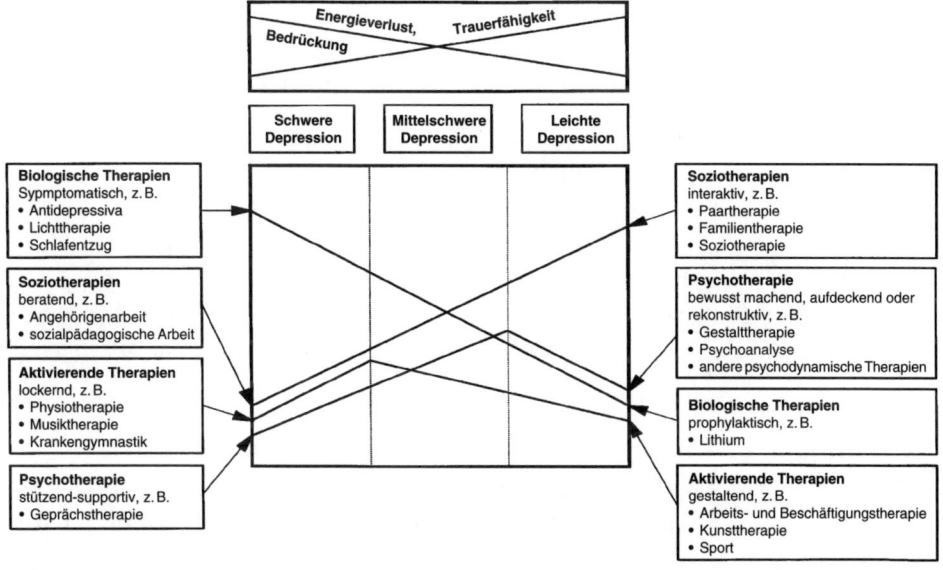

Abb. 5.5:
Bei der mehrdimensionalen Therapie von Depressionen wird u. a. deutlich, dass aktivierende Therapien am Schnittpunkt von schwerer zu mittelschwerer Depression ihre größte Bedeutung haben (nach Hell 1994).

Überprüfen Sie Ihr Wissen!

5.1 Fragetyp A
Eine Antwort richtig
☒

Was verstehen Sie unter einer larvierten Depression?

a) Eine geheilte Depression ☐
b) Eine Wochenbettdepression ☐
c) Eine Depression, die hinter körperlichen Beschwerden verborgen ist ☐
d) Eine Depression, die sich hauptsächlich in seelischen Symptomen (Trauer etc.) äußert ☐
e) Keine Antwort ist richtig. ☐

5.2 Fragetyp A
Eine Antwort richtig
☒

Welche der folgenden Depressionsformen würde man den affektiven Psychosen zuordnen?

a) Depressive (Trauer)-Reaktion ☐
b) Endogene Depression ☐
c) Neurotische Depression ☐
d) Anaklitische Depression/Hospitalismus ☐
e) Typische Depression des Kindesalters ☐

5.3 Fragetyp B
Eine Antwort falsch
☒

Eine der folgenden Maßnahmen wird bei der Behandlung von affektiven Psychosen nicht eingesetzt. Welche?

a) Antidepressiva mit gleichzeitig sedierenden Eigenschaften ☐
b) Schlafentzug bei pharmakoresistenter Melancholie ☐
c) Supportive (unterstützende) psychotherapeutische Betreuung in der akuten Phase ☐
d) Aufdeckende Psychoanalyse in der akuten Phase ☐
e) Stationäre Aufnahme bei suizidaler Gefährdung ☐

Vertiefungsfragen

5.4 Inwiefern ist die Trauer eine „Bindungsemotion"?

5.5 Äußern Sie sich zu möglichen Zusammenhängen von Depression und Verschiebung und Verlust der „inneren Werdenszeit".

6. Freude, Wohlbefinden, Lust und Sucht

> Die Amseln haben Sonne getrunken
> aus allen Gärten strahlen die Lieder
> in allen Herzen nisten die Amseln,
> und alle Herzen werden zu Gärten
> und blühen wieder.
>
> Nun wachsen der Erde die großen Flügel
> und allen Träumen neues Gefieder,
> alle Menschen werden wie Vögel
> und bauen Nester...
>
> (Max Dauthendey)

Jeder kennt das Gefühl der Freude, wir alle streben diese Gefühlslage an. Auch haben wir ein gutes Gespür dafür, dass andere sich freuen: Der strahlende Glanz der Augen, das Lächeln, Vitalität und gute Stimmung fallen uns positiv auf, berühren uns angenehm oder induzieren Neid. So sehr uns allen das Gefühl der Freude vertraut ist, so schwer ist es andererseits, diese Emotion zu definieren. Die Beschreibung im Gedicht von Dauthendey weist auf eine gehobene Stimmung und eine besondere Sichtweise hin: Freudig erregt nehmen wir unsere Umwelt anders wahr als in pessimistischen Zeiten. Sie erscheint uns heller, farbiger, bunter. Wir fühlen uns beflügelt, schweben über den erdverbundenen und mitunter fesselnden Aufgaben des Alltags, Arbeiten gehen uns leicht von der Hand, Gegensätze verlieren an Bedeutung, wir fühlen uns zunehmend solidarisch oder sogar eins mit anderen, sind bereit uns zu öffnen, können althergebrachte Ängste überwinden – kurz: Wir empfinden ein ausgeglichenes Selbstwertgefühl, vitale Kraft und Lebensfreude. Dieser so angenehme Zustand, der oft angestrebt wird, ist paradoxerweise in der Regel nicht gezielt zu erreichen: Oft genug ist Freude ein Nebenprodukt, etwa nach intensiver und konzentrierter Arbeit. Der Ausdruck „Glück" leitet sich vom mittelhochdeutschen „Geluck" ab, dem Passen eines getöpferten Deckels auf den dazugehörigen Topf – konzentrierte Tätigkeit, aber eben auch Glück führen zum Lohn der Arbeit und dem damit verbundenen, höchst befriedigenden Gefühl.

Aber nicht nur die Arbeit, sondern auch schöpferisches, kreatives Tun, Spiel mit Selbstvergessenheit, Freude an der eigenen Kompetenz und eigenen Geschicklichkeit, die Möglichkeit, in Aktivitäten aufzugehen oder eigene Fähigkeiten ausschöpfen zu können, beglückende Beziehungen, Zärtlichkeit, sinnliche Er-

Abb. 6.1: Schematische Darstellung eines Lächelns (nach Hjortsjö 1970)

fahrungen beim Besuch eines Konzertes, dem Genuss einer guten Speise, das befriedigende Erlebnis, anderen etwas geben und schenken zu können, ein gelungenes Fest, selbstversunkene kreative Tätigkeiten, die Betrachtung eines faszinierenden Bildes oder ein besonderes Naturerlebnis – dies alles sind Aktivitäten bzw. Erfahrungen, die das Gefühl der Freude auszulösen vermögen. Insbesondere die Erfahrung, über sich selbst hinauszuwachsen, neue Facetten der eigenen Persönlichkeit zu entdecken und sich in diesem Sinne zu verwirklichen, geht mit Freude einher. Hier wird deutlich, dass Freude nicht so ohne weiteres mit Lust gleichzusetzen ist, obwohl Lust, insbesondere sexuelle Lust, durchaus mit Freude verbunden sein kann. Näheres hierzu weiter unten.

In einer ersten Annäherung kann Freude als ein Gefühl verstanden werden, das durch Selbstvertrauen und das Gefühl, geliebt zu werden und liebenswert zu sein, charakterisiert ist, vertrauensvolle Beziehungen zu anderen ermöglicht und insofern unsere Bereitschaft zu sozialen Bindungen einerseits und Aktivitäten (Spiel, Arbeit usw.) andererseits erhöht. Das Gefühl der Freude geht mit körperlichen und psychischen, positiven Empfindungen, oft auch mit Lust einher.

Das Lächeln wird kulturübergreifend und universell als Ausdruck von Freude verstanden und löst beim Gegenüber seinerseits in der Regel freundlich-freudiges Verhalten aus. Wer uns anlächelt, wird uns sympathisch, wir suchen seinen Kontakt: dies ist auch der Grund dafür, dass Lächeln in Politik und Werbung eine so große Rolle spielt. Der entscheidende mimische Muskel für das Lächeln ist der Zygomatikus-Muskel, der von den Mundwinkeln jeweils zum Jochbein rechts und links (unterhalb der Augenhöhle) zieht. Wird er aktiviert, so werden die Mundwinkel nach oben gezogen, sodass die Zähne sichtbar werden und das Weiß der Zähne aufblitzt. Bei stärkerer Freude kommt es außerdem zu einer Aktivierung des großen Ringmuskels um die Augen, der sich zusammenzieht, sodass sich der obere Teil der Wange nach oben schiebt. Die dabei entstehenden Krähenfüßchen, die Veränderung der Augenkonfiguration und vielleicht auch ein durch Tränenflüssigkeit bedingter Glanz auf den Augen wird vom Volksmund als „Strahlen der Augen" usw. wahrgenommen. Während man den Zygomatikus-Muskel willkürlich bewegen kann („Keep smiling"), entzieht sich die Beeinflussung des Augenringmuskels unserer willkürlichen Kontrolle. Erst wenn wir uns aus tiefstem Herzen freuen (bzw. eine echte Freude sich auch im Limbischen System manifestiert), kommt es zu einem unwillkürlichen „Strahlen der Augen". Evolutionär war es für unsere Vorfahren offensichtlich von Bedeutung, ein gespieltes Lächeln im Sinne von Täuschungsmanövern und Lüge von einem echten, freundlichzugewandten Lächeln zu unterscheiden. In der Interpretation mimischer Wahrnehmung entwickelten wir eine Art „Lügendetektor", der uns ein gekünsteltes Lächeln (bspw. auf Wahlkampfveranstaltungen oder bei Zahnpasta-Reklame) als „irgendwie falsch" erkennen lässt.

Die Aktivierung des Zygomatikus-Muskels mit dem Freilegen der Zähne ist stammesgeschichtlich Erbe des wesentlich älteren Furchtgrinsens anderer Säugetiere: In relativer Demutshaltung werden zwar die Zähne gezeigt, gleichzeitig ist aber ein Beißen unmöglich. Das stammesgeschichtlich ältere Grinsen ist also durch die Kombination „Furcht, leichtes Drohen, leichte Unterwerfung" bestimmt, während das Lächeln durch die Kombination „defensive Entschuldigung, freundlicher Appell" charakterisiert ist (Schiefenhövel 1993a, 33).

Dass sich das Furchtgrinsen der Tiere beim Menschen zum sozialen Lächeln wandelte, ist für Schiefenhövel auch „ein Zeichen für die dem Homo sapiens innewohnende Tendenz zu freundlicher, den Partner für sich einnehmende Kommunikation" (1993a, 33).

Auf diese möglicherweise in der Evolution festzustellende Tendenz zur Entwicklung von mehr Freundlichkeit soll noch etwas näher eingegangen werden. Im Gegensatz zu anderen Evolutionsbiologen und Anthropologen wie bsplw. C. Vogel (1992), die sehr stark die aggressiven, dominanzstrebenden und egoistischen Züge des Menschen betonen, meint der Nobelpreisträger und Neurophysiologe John Eccles einen evolutionären Trend zu vermehrter Möglichkeit von Freude, Liebe und sozialer Bindung beim Homo sapiens feststellen zu können.

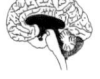

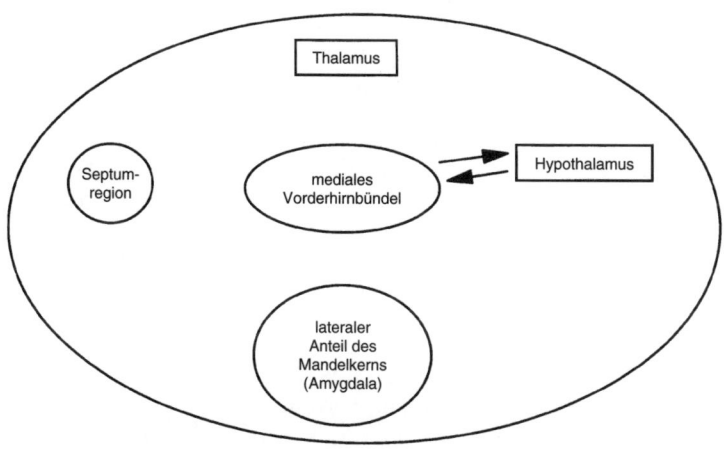

Abb. 6.2: Übersicht der Strukturen des Limbischen Systems, die mit Gefühlen wie Liebe, Lust und Freude assoziiert sind

Abbildung 6.2 gibt noch einmal eine Übersicht über das Limbische System. Dieses weist zwei Hauptkomponenten auf, die den angenehmen und unangenehmen Affekten entsprechen. Die Septumkerne, das mediale Vorderhirnbündel und der damit verknüpfte Hypothalamus und laterale (seitliche) Bezirke des Mandelkerns sind für Emotionen lustvoller und freudiger Art zuständig, wie man aus Elektro-Reizversuchen weiß. Pflanzt man bei Katzen in die entsprechenden Zentren Elektroden und ermöglicht den Tieren per Schalterdruck, einen stimulierenden Reizstrom einzuschalten, so betätigen sie diese Schalter bis zum Exzess und unter Vernachlässigung anderer lebensnotwendiger Aktivitäten wie das Fressen. Aus Berichten von Patienten während einer Hirnoperation, bei denen entsprechende Zentren gereizt wurden, wissen wir, dass auch der Mensch recht unterschiedliche und differenzierte Emotionen von Freude, Wohlbefinden, sexueller Stimulation oder anderen Lustzuständen nach entsprechender elektrischer Reizung empfindet. Hierbei wird deutlich, dass es eine größere Anzahl differenzierter und unterschiedlicher positiver Gefühle gibt, deren basale Verankerung im Limbischen System zu suchen ist. (Da das Gehirn selbst schmerzunempfindlich ist, andererseits bei größeren hirnchirurgischen Eingriffen sichergestellt werden muss, dass nicht versehentlich wichtige Hirnanteile zerstört werden, kommt es mitunter zu solchen Untersuchungen.)

Eine „Biochemie der Freude" zu entwerfen, ist wenig sinnvoll, da es nach Eccles (1989, 174) „vollkommen vergeblich erscheint, einen bestimmten emotionalen Zustand mit der Aktivität eines oder mehrerer biogener Amine erklären zu wollen". Vielmehr handelt es sich um ein Zusammenwirken unterschiedlichster neuronaler Zentren mit ihren jeweiligen Neurotransmittern und den Hormonen, durch die sie stimuliert werden. Hierbei spielt das Oxytocin, das wir als „Bindungshormon" in Kapitel 7 (Liebe und Sexualität) noch näher kennenlernen werden, für Lust und Wohlgefühl bei Orgasmus und Stillvorgang, aber auch bei der längerfristigen Bindung zwischen Partnern eine Rolle, während das Phenyläthylamin ähnlich dem Amphitamin besondere Formen der Lust hervorzurufen hilft. Endorphine hingegen sind körpereigene, morphinähnliche Substanzen, die nicht nur Schmerz abblocken können, sondern auch höchstes Wohlgefühl hervorzurufen imstande sind. Die evolutionäre Bedeutung solcher Endorphine liegt darin, dass sie den Menschen in die Lage versetzen, große Strapazen zu ertragen und, wegen des damit verbundenen biochemisch unterstützten Wohlgefühls, sogar zu suchen – ein Verhalten, das bei Flucht, vor allem aber bei dem Hetzen von Beutetieren erforderlich war. Während Dopamin vorwiegend erregende Wirkung hat, führt Noradrenalin nicht nur zur Erregung, sondern scheint auch bei Wohlgefühl, Interesse und Aufmerksamkeit eine besondere Bedeutung zu haben.

Suchtstoffe aus der Amphitaminreihe, aber auch das Kokain unterstützen diesen Neurotransmitter und führen neben erhöhter Sensibilität, Aufmerksamkeit und Wachheit zu einem hochgradigen Wohlgefühl. Auf die Suchtpotentiale dieser Substanzen wird weiter unten eingegangen. Die Wirkungen der sogenannten Antidepressiva, also stimmungsaufhellender Mittel auf das Noradrenalin-/Serotoninsystem wurde im Zusammenhang mit der Depression und ihrer Behandlung (s. Kapitel 5) bereits beschrieben.

Wir können festhalten, dass sich bei der Evolution zum Menschen hin ein differenziertes neuroanatomisch-biochemisch fundiertes Netz zu Erfahrung positiver Emotionen, insbesondere Lust, Liebe, Bindung und Freude entwickelt hat. Eccles weist nun auf eindrucksvolle Untersuchungen hin, nach denen im Verlauf der Evolution die Anteile des Limbischen Systems zugenommen haben, die mit solchen „positiven" Emotionen in Verbindung stehen. Während also z. B. das Septum im Laufe der Primatenentwicklung bis hin zum Menschen deutliche Größenzunahmen aufweist, seien die mit Aggressionen und Wut verknüpften Komponenten im Verhältnis „unterentwickelt geblieben". So kann man laut Eccles „zu dem Schluss gelangen, dass die Evolution innerhalb des Limbischen Systems jene Komponenten gefördert hat, die mit lustvollen und freudigen Erfahrungen zusammenhängen" (Eccles 1989, 177f.).

Aber warum? Welchen evolutionären Sinn mag es gehabt haben, ausgerechnet solche lust- und bindungsfördernden Emotionsqualitäten zu verstärken?

Wie schon mehrfach betont, geht die Soziobiologie davon aus, dass sich Verhaltensdispositionen nur dann genetisch manifestieren können, wenn die Individuen entweder Nachkommen in die Welt setzen und großziehen können oder nahe Verwandte mit möglichst vielen ähnlichen bzw. gleichen Erbanlagen bis zur Fortpflanzung unterstützen. Erst dann können die entsprechenden für diese Verhaltensweisen vorbereitenden Gene in den Folgegenerationen wieder auftauchen. Nun ist aber die Bindung von Mutter und Kind eine evolutionär hochwirksame Strategie, um zum Gedeihen des Nachwuchses beizutragen. Auch die längere Bindung zwischen Eltern und Partnern über den Sexualakt hinaus, also eine Familiengründung oder Analoga hierzu können mit Schutz, Kontinuität und letztlich Überlebensvorteil verbunden sein. Schließlich wird der Zusammenhalt zwischen Gruppenmitgliedern, insbesondere bei Verwandtschaft und Vertrautheit, weitere Vortei-

Der evolutionäre Sinn von Lust und Bindung

110 6. Freude, Wohlbefinden, Lust und Sucht

le für das Überleben bieten. Freundlichkeit zwischen Mitmenschen, die Lust am Geben und am sozialen Kontakt, das Streben nach Bindungen kann also an den biologischen Wurzeln der Mutter-Kind-Bindung und der Partnerschafts-Attraktivität ansetzen.

Das Gefühl der Freude ist evolutionär so sehr von Vorteil gewesen, dass es in den Dienst von familiärer und sozialer Bindung sowie erhöhter individueller Leistungsbereitschaft gestellt werden konnte. Auf Zwischenhirnebene werden wir nicht nur das Gefühl von Glück wahrnehmen, sondern wir finden auch genetisch verankerte Verhaltens-, Ausdrucks- und Wahrnehmungsdispositionen, die mit der Emotion der Freude verknüpft sind und zum Teil kulturell überformt werden können.

Positive optische Signale

So stimmen uns z. B. visuelle Merkmale, die uns anzeigen, dass uns ein Säugling oder Kind (Tier- wie Menschenkind) gegenüber sitzt, tendenziell freundlicher. Comicfiguren und Spielzeug berücksichtigen gleichermaßen solche Kindchenschemata (vorgewölbte Stirn, pausbäckiges Aussehen etc.), indem sie diese Freundlichkeit induzierenden Signalreize betonen.

Eibl-Eibesfeldt konnte aufzeigen, dass wir freundlich getönten Sprachklang als solchen erkennen, ja sogar die Emotion Liebe von der der Freude nur am Sprachklang zu unterscheiden vermögen. Dabei sind freudige Emotionen durch eine deutliche Erhöhung der Stimmlage gekennzeichnet. Bei freudigen wie erotischen Sätzen kommt es typischerweise zu einer doppelten Hebung der Melodiekontur.

Auf das mimische Programm des Anlächelns wurde bereits eingegangen. Eibl-Eibesfeldt beschreibt eine weitere, mit Freude assoziierte mimische Ausdrucksweise: der sogenannte Augengruß, der bei freudigem Erkennen zu beobachten ist und in einer kurzen Anhebung der Augenbrauen mit anschließendem Lächeln verbunden ist (der Held der Fernsehserie „Magnum" zeigt diesen Augengruß in vielfältigen Variationen).

Weitere biologisch-angebahnte Ausdrucksprogramme, Gesten und Stimm-Merkmale bei freudiger Erregung stehen im Zusammenhang mit dem Flirten und Verliebtsein und werden in Kapitel 7 beschrieben.

Für die Mutter-Kind-Beziehung (bzw. Eltern-Kind-Beziehung) ist das Lächeln des Säuglings von großer Wichtigkeit: Bereits im 3. Lebensmonat reagiert das Kind auf ein ihn anlächelndes Gesicht mit einem Erwidern des Lächelns, was verständlicherweise das Glücksgefühl der Eltern verstärkt und somit beziehungsfördernd ist. Allerdings lächelt das Kind dieser Altersstufe jedes lächelnde Gesicht an, auch Papp-Attrappen, während es mit acht Monaten zwischen fremden und bekannten Gesichtern zu unterscheiden in der Lage ist (auf das Fremdeln wurde ja bereits in Kapitel 4 hingewiesen).

6. Freude, Wohlbefinden, Lust und Sucht   111

Die mit Freude assoziierten motorischen Phänomene weisen noch darauf hin, dass es sich evolutionär um ein Phänomen handelt, das mit Triumph (u. a. Triumphgeschrei, der als „Vorfahre" des Lachens gelten kann) ableitet. Im Stadium großer Freude können wir Luftsprünge vollführen, wir sind in Bewegung, mögen tanzen, vor Freude schreien, singen oder „gröhlen", man mag sich vor Freude „in die Hand beißen" oder ist versucht, mit Gaben um sich zu werfen (Relikte hiervon finden wir bei dem „Werfen von Bonbons" auf Karnevalsumzügen, dem Konfettiwerfen bei Hochzeiten u. a.). Kurzum: Aktivität und Motorik sind gesteigert. Das Mitteilungsbedürfnis zeigt sich nicht nur in der Bereitschaft, anderen etwas zu geben, sondern auch darin, andere an der Freude teilhaben zu lassen („geteilte Freude ist doppelte Freude") – ein freudiges Geheimnis für sich zu behalten fällt vielen schwer. Auf dieser Ebene imponiert Freude als eine Bindung und Vertrauen schaffende Emotion, die uns geneigt macht, uns anderen gegenüber zu öffnen. Dies kann sich auch nachteilig auswirken – in gewisser Hinsicht sind wir in einer solchen Stimmung anderen mehr oder weniger schutzlos ausgeliefert. In der Extremform einer Hochstimmung, der Manie, die weiter unten noch beschrieben wird, können wir anderen weit mehr geben, als dies für uns gut wäre.

Motorischer Ausdruck von Freude

Auch die Wahrnehmung kann von tiefer Freude verändert werden: Wir neigen nun dazu, vertrauensvoll und positiv gestimmt auf andere zuzugehen, Aufgaben in Angriff zu nehmen und mögliche Risiken vielleicht außer Acht zu lassen. In Kapitel 7 wird weiterhin zu zeigen sein, dass es typisch für die Phase des Verliebtseins ist, die weniger schönen Eigenschaften des Partners bzw. die nur unter Schwierigkeiten zu vereinbarenden eigenen Eigenschaften und Wünsche auszublenden.

Bisher wurde beschrieben, welche proximaten Ursachen für die Emotion der Freude auf Zwischenhirn- und Stammhirnebene vorliegen; es wurden Hinweise gegeben auf die Frage, wie Freude entsteht. Unter ultimater Fragestellung (wozu dient eine biologische Verankerung der Emotion Freude?) soll noch ergänzt werden, dass Freude Interesse fördert und soziale Interaktion ermöglicht. Die Beziehung zwischen Eltern und Kind, aber auch die zwischen Sexualpartnern kann vertieft und gefestigt werden. Auch die allgemeine soziale Ansprechbarkeit ist, wie bereits gezeigt, erhöht, wenn wir freudig gestimmt sind. Schmerzen können (subjektiv) als weniger stark erlebt werden, was mitunter die Geburtswehen zu ertragen hilft. Auch „negative" Emotionen wie Angst, Ärger oder Trauer werden durch freudige Ereignisse modifiziert bzw. abgelöst. Auf psychischer Ebene herrscht unter dem Primat von Freude ein Gefühl von

Freude und Immunsystem

Macht, Vitalität und Selbstvertrauen vor, und im Allgemeinen wirkt sich Freude positiv auf unser Selbstwertgefühl und Selbstbewusstsein aus.

Dass rückbezüglich die Emotion der Freude auch auf unser Immunsystem wirkt, weiß jeder aus der eigenen Erfahrung, dass er in „Hochzeiten des Glücks" meist weniger infektanfällig ist. Psychotherapeutische Behandlungen und soziale Begleitung Krebskranker (die eine medizinische Therapie ergänzen, natürlich nicht ersetzen) machen sich diesen Sachverhalt ebenfalls zunutze.

Auf der Ebene des Großhirns wird Freude bewusst erlebt, in Zusammenhang mit anderen Ereignissen gebracht und zum Teil modifiziert (z. B. dann, wenn man sich nicht richtig zu freuen traut, um den Neid der „Götter" – meist Mitmenschen – nicht zu wecken). In der bewussten Empfindung von Freude herrscht ein Gefühl von Selbstvertrauen, Bedeutsamkeit, Attraktivität sowie geliebt zu werden und liebenswert zu sein vor. Die Zufriedenheit mit sich und anderen ist ein häufig zu findendes Charakteristikum von Freude. Izard (1994, 272 f.) benennt eine eher aktive, überschwengliche Freude mit motorischen Äußerungen, die bereits oben beschrieben wurden, sowie eine eher passiv erscheinende, maßvollere und durch Zufriedenheit gekennzeichnete Freude. Auch Verena Kast beschreibt in ihrem lesenswerten Buch über „Freude, Inspiration, Hoffnung" eine eher aktivere Form der Freude, in der wir „aus der Haut fahren müssen", sowie die ruhigeren, besinnlich-kontemplativen Formen freudiger Stimmung (z. B. beim Genießen der Natur). Kast weist weiterhin darauf hin, dass Freude in der Regel auf „Transzendenz" angelegt ist. Das „Sich-Mitteilen" geht über die eigene Person hinaus, führt zur Sehnsucht nach Verschmelzung mit anderen (oder der Natur etc.). In der Extremform der Ekstase und des glückhaft erlebten Rausches, oft mit Drogen verstärkt, finden sich die Zusammenhänge zwischen erlebter Freude und der Sehnsucht nach der Verschmelzung in besonderer Weise.

Freude ist, so wurde gesagt, ein Nebenprodukt. Sie entsteht bei bzw. nach dem glückhaften Gelingen menschlichen Erlebens oder menschlicher Aktivität einschließlich sozialer Beziehungen: bei Kreativität, bei Tanz, bei Musik, in der Arbeit, beim selbstvergessenen Tun, beim Erleben eigener Kompetenz und Geschicklichkeit, beim Finden und Erfinden neuer Zusammenhänge in gelungenen Sozialbeziehungen, in Sexualität und Liebe, bei vielen Formen sinnlicher Reize, u. a. beim Essen und Trinken, aber auch bei ästhetischer Wahrnehmung, bei Kunstgenuss, Teilnahme an Naturerlebnissen und vielem mehr. Während Lust gezielt gesucht werden kann, ist der Wunsch nach Freude zwar da, lässt sich aber nicht direkt befriedigen. Auf der

Suche nach Freude und Lust ist es zunächst einfacher, die Lust zu erfahren: Praktisch alle oben genannten und weitere menschliche Handlungs- und Erlebnisfelder können Lust auslösen (bzw. Lust machen).

Ebenso vielfältig sind mögliche Verhaltensweisen von Menschen, sich möglichst intensive Lust zu verschaffen. Gelingt es nicht mehr, dabei Maß zu halten, wird hemmungslos Lust erstrebt, und verliert man die Kontrolle dabei, so sprechen wir von Sucht.

Von der Lust zur Sucht

Da gibt es zum einen das Feld der stoffgebundenen Süchte, bei dem wir versuchen, uns Lust über psychotrope, chemische Substanzen zu verschaffen. Eher aufputschende Drogen wie Kokain, Amphetamine, LSD und andere verstärken im Wesentlichen den Phenylethylamineffekt im Gehirn und erzeugen einen lustbetonten „Kick". Die Wirkung körpereigener Endorphine, die bekanntlich schmerzlindernd und euphorisierend wirken, können durch Morphium, Heroin und andere Abkömmlinge simuliert bzw. verstärkt werden. Andere Drogen haben euphorisierend-beruhigende Wirkung, z. B. Valium® oder Alkohol, die zudem in der Regel auch Angst reduzieren.

Neben diesen (und anderen) Suchtstoffen können aber auch nicht-stoffgebundene Süchte beschrieben werden. Viele menschliche Tätigkeiten und Verhaltensweisen können süchtig „ausufern": das Arbeiten (Workaholic), das Spielen (Spielsucht), die Freude am Feuer (Pyromanie), das Sammeln, Beschaffen und Einkaufen und vieles mehr. Den Ess-Süchten (Magersucht, Fettsucht und Bulimie) kommt hinsichtlich ihrer Stoffgebundenheit eine Mittelstellung zu.

Freude im hier beschriebenen Sinne ist noch etwas anderes als erlebte Lust. Ein entscheidender Unterschied ist wahrscheinlich der „Nachgeschmack": An freudige Ereignisse, die uns quasi nebenher geschenkt wurden, haben wir in der Regel eine gute Erinnerung.

Fragt man selbst bei schwierigen Paarbeziehungen im Rahmen einer Familientherapie die Partner, wie sie sich kennengelernt und ineinander verliebt haben, so wird man in der Regel ein freudiges Lächeln auf beiden Gesichtern finden.

Die Stimmung, mit der man aus dem Kino kommt oder einen Fernsehabend beendet, mag ebenfalls den Unterschied zwischen Lustbefriedigung und Freude verdeutlichen: Schalte ich erschöpft und mit einem schalen Nachgeschmack den Fernseher aus (oder ödet mich das Kino an, wenn die Lichter wieder angehen), so war mit großer Wahrscheinlichkeit weniger Freude als „nur" Lustbefriedigung im Spiel. Freude, die länger nachhallt, geht möglicherweise mit interessanten Gesprächen, dem Gefühl, etwas Wichtiges erfahren zu haben, einem höheren Erkenntnisgrad und einer allgemeinen Zufriedenheit einher.

Vorfreude

Die Vorfreude tritt auf, wenn wir uns ein mit Freude assoziiertes zukünftiges Erlebnis vorstellen. Sie kann mitunter größer als die eigentlich erlebte Freude sein, wenn wir in der Vorstellung „hemmungsloses Glück" erleben, das der Realität möglicherweise nicht stand hält. Das Risiko von Vorfreude ist stets die mögliche Enttäuschung. Wenn ich mich auf das Weihnachtsfest im Kreis meiner Familie oder auf ganz bestimmte Gesten und Geschenke freue, Fest, Gesten und Geschenke in der Realität aber etwas anders ausfallen als imaginiert, tue ich gut daran, die gehabte Vorfreude dankbar anzunehmen und das, was das reale Fest bietet, so wie es ist, zu genießen. Sich selbst oder anderen Vorwürfe zu machen, dass sich Phantasie und Vorfreude nicht mit der erlebten Realität decken, würde die Freude erheblich reduzieren.

Ebenso fatal wäre es wohl auch, als eine Art Enttäuschungsprophylaxe Vorfreude erst gar nicht zuzulassen und immer vom Schlimmsten auszugehen – nur um nicht enttäuscht zu werden. Erlaubt man sich und anderen also keine Vorfreude, weil eine mehr oder weniger große Enttäuschung durchaus damit verbunden sein kann, so hemmt man Freude oder erstickt sie gar im Keim. Ein solches freudehemmendes Verhalten fänden wir auch dann, wenn man aus Furcht vor Enttäuschung oder Trennung gar keine Freundschaften oder Liebesbeziehungen eingehe. Wer aber nicht bereit ist, trotz der Gefahr von Angst und Trauer freudespendende Beziehungen einzugehen, verpasst möglicherweise einen wichtigen Teil der ihm zur Verfügung stehenden Chancen, Fähigkeiten und Gefühle.

Die Fähigkeit, Freude zu erleben, ist dem Menschen mit in die Wiege gelegt: Bereits während der ersten Lebenstage können Babys lächeln und erleben vermutlich schon Freude, vor allem bei Schläfrigkeit und leichtem Schlaf. Ein erstes soziales Lächeln findet sich bei Anwesenheit eines anderen Menschen, in den ersten Lebenswochen beim Klang einer hohen Stimme, ab dem zweiten Lebensmonat beim Sehen eines menschlichen Gesichtes.

Urvertrauen und Freude

Schleidt (1992) beschreibt in diesem Zusammenhang, dass die frühe Beziehung von Mutter und Kind, später auch Vater und Kind, in entscheidender Phase zum Aufbau eines solchen Urvertrauens beiträgt. So ist bereits das Neugeborene in der Lage, Muttermilch von allen anderen Flüssigkeiten zu unterscheiden, nach einer Woche die Milch der Mutter von allen anderen Ammenmilchen zu unterscheiden. Es ist erwiesen, dass es sich durch den mütterlichen Herzschlag und die mütterliche Stimme sowie von der Mutter ausgehende Gerüche positiv stimulieren bzw. beruhigen lässt. Körperkontakt, Zärtlichkeit und der besondere emotional gefärbte Stimmklang, den Eltern ihrem Säugling gegenüber instinktiv einnehmen, tragen ebenfalls zum Ausbilden eines Urvertrauens bei. Augenkontakt und Augengruß (wie oben be-

6. Freude, Wohlbefinden, Lust und Sucht 115

schrieben) sowie soziales Lächeln sind weitere angeborene Verhaltensdispositionen, die bei Mutter und Kind in der Regel unbewusst wirksam werden und eine Stimmung erzeugen, in der sich Freude entwickeln kann. Auch freudige Spiele im Kleinkindesalter, nehmen und geben, sich verstecken und wieder hervorkommen, in die Luft werfen und wieder auffangen, die Polarität von Spannung und Entspannung – dies alles sind Interaktionen einer vertrauensvollen Beziehung, die zum Aufbau eines Urvertrauens beitragen und wichtig sind für eine tiefe Prägung der Fähigkeit, Freude zu empfangen und zu geben.

Für die Sozialisation von Freude ist es wichtig, dass dem natürlichen Interesse und Erkundungstrieb der Kinder Rechnung getragen wird. Ihre Umgebung soll sie stimulieren, ohne sie zu überstimulieren. Überschaubare und verlässliche, aber durchaus vielfältige Sozialbeziehungen, z. B. in einer Großfamilie, können positiv wirken. Die materiellen Grundbedürfnisse sollten gesichert sein. Wird den Kindern die Möglichkeit neugieriger Forschung und Exploration gelassen, so können die Entdeckungen, die sie machen, Freude auslösen. Gleiches gilt für selbstvergessenes Spiel. Wird es von Erwachsenen gestört, als „kindisch" abfällig kommentiert oder subtil entwertet, kann sich dies hemmend auf die Fähigkeit, Freude zu empfinden, auswirken.

Freude erleben zu lassen ist auch bei der Erziehung eher ein Nebenprodukt: Wir können als Eltern nicht gezielt dauerhafte Freude bei unseren Kindern auslösen. Hingegen können wir sehr wohl eine Atmosphäre schaffen, in der Freude immer wieder aufkeimen und sich entwickeln kann. Vorrangig hierfür ist emotionale Wärme, Vertrauen und Geborgenheit, verlässliche Bindung und Zuwendung.

In Anlehnung an Izard weißt Kast darauf hin, dass es „Menschen gibt, die sich leichter freuen, und Menschen, die sich weniger leicht freuen" (Kast 1991, 86). Dies mag eine Folge von genetischen Dispositionen, Schwangerschaftsfaktoren und – was sicherlich entscheidend ist – frühkindlichen Erfahrungen sein. So gilt es in der Erziehung, die Freude zu fördern statt sie zu dämpfen.

Nicht nur, aber auch in der Familie und Kindererziehung gibt es Verhaltensweisen und Konstellationen, die Freude hemmen oder verderben können. So ist es schwierig, sich in einer Umgebung zu freuen, in der alle anderen nichts zu lachen haben. In Kapitel 5 wurde bereits eine Familie beschrieben, deren vorherrschender Bindungsmodus der der Trauer war. Wenn aber Zuwendung und Aufmerksamkeit stets der bekommt, der am meisten leidet, so läuft, wer sich freut, Gefahr, außen vor zu sein.

Darüber hinaus kann Freude als Akt der Unsolidarität empfunden werden, wenn (meist unausgesprochen) Mitleid und Mit-

Erlaubnis zur Freude

leiden als solidarischer Akt gefordert sind. Kinder brauchen also die Erlaubnis, sich zu freuen, auch wenn anderen Familienmitgliedern nicht danach zumute ist – man kann dies als emotionale Individuation bezeichnen. Damit hängt natürlich zusammen, dass wir nur sehr bedingt für die Emotionen unserer Mitmenschen verantwortlich sind – und umgekehrt! Fair miteinander umgehen und Bedingungen von Verlässlichkeit, Offenheit und Vertrauen herzustellen ist eben etwas anderes als der Anspruch, sich für die Freude oder Trauer anderer verantwortlich zu fühlen. Dies zeigt sich besonders krass in einem von Watzlawick aufgezeigten Beispiel: der „Sei-glücklich!-Paradoxie".

In seiner amüsant geschriebenen „Anleitung zum Unglücklichsein" fordert er den Leser auf, sich vorzustellen, er sei in eine Familie hineingeboren, in der Fröhlichkeit Pflicht sei, da „ein sonniges Gemüt des Kindes der offensichtlichste Beweis elterlichen Erfolges ist". Er fährt fort: „Und nun seien Sie einmal schlechter Laune oder übermüdet, oder haben Sie Angst vor dem Turnunterricht, dem Zahnarzt oder der Dunkelheit, oder keine Lust, Pfadfinder zu werden" (Watzlawick 1984). In einem solchen Familiensystem handelt es sich nicht um vorübergehende Unlust, Trauer oder andere typisch menschliche Phänomene, sondern um den Beweis „elterlichen Versagens". Watzlawick zeigt auf, dass die Aufforderung „Geh auf dein Zimmer und komme nicht eher heraus, als dass du wieder glücklich bist!", die Aufforderung „Mach' deine Hausaufgaben, und mach sie mit Spaß!" oder auch das Ansinnen an den Ehepartner „Gib' Dich mir sexuell jederzeit hin und genieße es voll!" ebenso wie „Sei spontan!" – oder „Hab' keine Angst!" – Aufforderungen unerfüllbarer Paradoxien sind.

Strategien der Verhinderung von Freude

Einem freudigen Menschen kann man verhältnismäßig leicht Schuldgefühle machen. Es dämpft unsere Freude erheblich, wenn wir mit Menschen zusammen sind, die bedrückt, ohne Energie und freudlos sind. Reagieren diese mit Neid, entwerten unsere Freude oder appellieren an unser Mitleid, so können freudige Gefühle leicht in Schuldgefühle umschlagen.

Watzlawick bemerkt, dass das „inoffizielle Motto des Puritanismus bekanntlich laute: ‚Du darfst tun, was du willst, solange es dir keinen Spaß macht.'". Auch vielfältige Variationen des Themas „Man darf sich nicht freuen angesichts des Leids auf der Welt!" können letztlich Ausdruck einer subtilen Aggression sein. Zu Recht fragt Watzlawick, „in welcher geschichtlichen Epoche die gegenwärtigen Weltzustände *nicht* schlimm waren", zu Recht weist Kast auf die vitalisierende Funktion von Freude hin, sodass ein solches subtiles Verbot der Freude die Verhältnisse ganz bestimmt nicht bessert!

Ein weiterer Weg, eigene Freude und die anderer zu hemmen, ist, sich sicherheitshalber die Vorfreude zu verbieten, um gar nicht erst enttäuscht zu werden. Grundsätzlich ist Freude ein temporäres, vorübergehendes Phänomen. Es stimmt schon: Wenn man sich heftig freut, kann es nur schlechter werden. Aber welchen Preis bezahlt, wer sich deswegen gar nicht erst zu freuen traut! Sich aus falsch verstandener Enttäuschungsprophylaxe gar nicht erst auf den Weg zu machen, nur von heren Zielen zu sprechen und zu träumen, das „Ankommen am Zielort" aber tunlichst zu vermeiden, führt in der Regel zur Griesgrämigkeit:

„It is better to travel hopefully than to arrive" – oder nach J. B. Shaw: „Im Leben gibt es zwei Tragödien. Die eine ist die Nichterfüllung eines Herzenswunsches, die andere ist seine Erfüllung." Watzlawick empfiehlt mit subtilem Humor, in asketischem Verzicht über den niedrigen Befriedigungen des Lebens zu stehen, anstatt kleine und große Freuden zu genießen, wo sie auftauchen.

Schließlich können wir uns Freuden versagen, wenn wir die Konsequenz nicht zu tragen bereit sind:

Ein Freudenfest ist mit Arbeit verbunden. Gäste müssen eingeladen, Speisen zubereitet werden. Hinterher gilt es aufzuräumen. Sinngemäß gilt dies wohl für alle Situationen, in denen wir uns freuen. Manchmal ist es die reine Trägheit und Bequemlichkeit, freudigen Situationen aus dem Weg zu gehen.

Schließlich können sich Scham und falsch verstandene Demut hemmend auf die Freude auswirken. Verena Kast ist zuzustimmen, wenn sie unter angemessener Demut versteht, „die Stellung des Menschen im umfassenden Rahmen der Schöpfung zu kennen", nicht aber, „jene Seiten an ihm und uns selbst zu entwerten, die uns ein gutes Selbstwertgefühl und Freude geben". Die biblische Aufforderung, sein Licht nicht unter den Scheffel zu stellen, ist so verstanden die Aufforderung, sich an der eigenen Kompetenz und dem eigenen Leben zu erfreuen.

Zwischen dem Gefühl der Freude und anderen Emotionen bestehen vielfältige, verstärkende und hemmende Wechselwirkungen. Zunächst tritt intensive Freude auf, wenn als negativ erlebte Emotionen abklingen oder verschwinden: bereits das Kleinkind wird es lustvoll freudig erleben, wenn es nach einem „beängstigenden" Wurf von den Armen des Vaters aufgefangen wird. Überwundene Trauer und Trennungsschmerz kann in das freudige Gefühl beim Wiedersehen umschlagen. Ein von Scham oder Schuldgefühl befreiendes Gespräch kann Freude auslösen.

Umgekehrt blockieren Freude und Scham einander. Gehe ich auf jemanden freudig erregt zu, erfahre aber, dass mein Lächeln nicht erwidert wird, so fühle ich mich beschämt.

Über die Zusammenhänge von Freude und Schuldgefühlen wurde bereits gesprochen: Nicht nur das Freuen auf Kosten anderer, sondern bereits der Vorwurf, wie man sich denn freuen könne, wo es anderen nicht so gut gehe, kann Schuldgefühle auslösen und damit Freude verringern.

Trauer und Freude sind normalerweise entgegengesetzte emotionale Pole. Es bleibt aber zu beachten, dass man gerade auch in Phasen massiver Trauer freudige Momente und beglückende Situationen besonders intensiv genießen kann – zum Beispiel dann, wenn ein Schwerkranker Feste oder andere Begegnungen in besonderer Tiefe erlebt.

Die Gefühle von Neugier und Interesse sind häufig mit Freude gekoppelt – nämlich dann, wenn interessiertes Neugierverhalten zu neuen Entdeckungen und schöpferischer Kraft führen. Das freudige Interesse am anderen ist die Grundlage einer Liebesbeziehung und beglückender Sexualität.

Schadenfreude

Auch zwischen Ärger und Wut und daraus resultierender Aggression und Freude können Wechselwirkungen bestehen. Es ist durchaus möglich, in der Aggression gegen andere Freude zu empfinden. Eine häufige, verhältnismäßig harmlose Variante dieses Phänomens ist die Schadenfreude: Das Lachen über den anderen, die Freude am Misslingen seines Vorhabens, das Vergnügen an seinem Pech können zum einen Ausdruck des Bewusstseins: „Zum Glück nicht ich, sondern er!" sein. Zum anderen kann hier Neid auf den vermeintlich Tüchtigeren oder Erfolgreichen relativ schuldfrei ausagiert werden. Nicht ich, sondern das Schicksal hat ihn zu Fall gebracht – dies entlastet von Neidgefühlen und spricht mich gleichzeitig von eigener Verantwortung frei (es sei denn, ich schäme mich meiner Schadenfreude). Bei niedrigem Selbstwertgefühl kann in Konkurrenzsituationen der Erfolg und das Glück des anderen eine starke Irritation für mich sein. Misslingt ihm nun ein Vorhaben, so wird das eigene Selbst relativ entlastet: Wenn er es nicht schafft, brauche auch ich mich nicht zu schämen. Auch dies kann zur Schadenfreude beitragen. Schließlich hat das gemeinsame Verspotten oder Auslachen von Pechvögeln, Außenseitern und anderen auch gruppenverbindenden Charakter. Der, über den man lacht, ist zwar ausgeschlossen und erfährt Aggression, aber die gemeinsam Lachenden fühlen sich vorübergehend verbunden – ein soziales Phänomen, das sich vor allem beim Mobbing beobachten lässt.

Sadismus

Eine extreme Form findet die Kopplung von aggressiven Tendenzen und Freude im Sadismus. Auch in der Zerstörung, in der Destruktivität, beim Quälen anderer kann Freude empfunden werden, wenn ein in der Regel niedrigeres Selbstwertgefühl des Aggressors vorübergehend durch Machtgefühle betäubt wird. In der Freude des Machtrausches, eventuell auch zusammen mit Mittätern, werden das eigene Unvermögen und andere negative Emotionen vorübergehend vergessen. Im Gegensatz zu bisher besprochenen Formen von Freude folgt bei der aggressiv-sadistischen Freude in der Regel der „Kater" in Form von Schuldgefühlen und Scham über das, was man getan hat. Scham und Schuldgefühle aber senken wiederum das Selbstwertgefühl, sodass ein Teufelskreis beginnen kann: Erneut mag es zu aggressiv-sadistischen Verhaltensweisen kommen. Lust an destruktiver Aggression ist also durch einen Aufschaukelungsprozess gekennzeichnet, der sich nicht nur auf andere und die soziale Beziehung, sondern auch auf das eigene Selbst zerstörerisch auswirkt.

In Selbstwertgefühl und Erleben führt Freude oft zum Gefühl von Stärke und Vitalität. Eine „Leichtigkeit des Seins" führt zum Gelingen gestellter Aufgaben, lässt uns kreativ werden, gibt uns die Empfindung von Stärke und Kompetenz, von Überlegenheit und Freiheit. Erhöhtes Selbstvertrauen und die Empfindung eigener Kompetenz machen andererseits das Gelingen unserer Vorhaben wahrscheinlicher, sodass es hier zu einer positiven Rückkopplung kommt. Ähnliches gilt für Freundschaft und Bindung, die, wenn beide Seiten Freude erleben, sich positiv verstärken. In der Freude werden wir offen für anderes und andere. Wer sich selbst akzeptiert, kann auch andere in ihrem Anderssein akzeptieren.

Weiterhin erhöht Freude unsere Fähigkeit, die Welt zu genießen und zu schätzen. Genuss ist nun mehr als die reine Lust: Wer ein Essen voll Freude genießt, läuft weniger Gefahr, sich zu überessen oder in suchtvolles Essverhalten (Fettsucht, Bulimie) abzudriften. Auch Gefühle von Harmonie und Einheit, der Zufriedenheit mit sich und der Welt und die Bereitschaft, die eigene Person transzendierende Erfahrungen zu machen, sind eng mit Freude verbunden.

Freude wirkt sich, so kann man zusammenfassen, positiv auf unser Selbstbewusstsein und unser Selbstwertgefühl aus, und dies biologisch, psychisch und sozial. Dennoch: Auch dies kann Nachteile haben. Wer sich anderen öffnet, wird von Zeit zu Zeit enttäuscht. Wer die Welt eher durch eine rosarote Brille sieht, kann die eine oder andere Gefahr übersehen, wird also verletzlicher. Die Bereitschaft, in freudiger Stimmung zu teilen, was man hat, oder mitzuteilen, was man fühlt, kann von anderen ausgenutzt und missbraucht werden.

Freude ist ansteckend. Es ist schwer, mit seiner Freude allein zu bleiben: Wir versuchen, sie auszudrücken und mit anderen zu teilen. Freudig gestimmt neigen wir dazu, die Verbindung zu anderen Menschen zu suchen. Wir teilen uns mit, empfinden Zugehörigkeitsgefühl und Solidarität. Gemeinsam erlebte Freude kann Anlass sein, ein Fest zu feiern. Tanz, Singen, gemeinsames Essen und Trinken und viele andere kulturelle Ausprägungen gemeinschaftlich erlebter Freude stärken das Zusammengehörigkeitsgefühl und sind Ausdruck dafür, welche wichtige Rolle der Emotion Freude in unserem Sozialleben zukommt. Mit der Freude am Teilen und Geben steigert Freude auch den Altruismus, also die Bereitschaft zu uneigennützigem Tun und Hilfe anderen gegenüber: Wir werden großzügig.

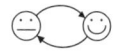

Wir suchen Menschen, die Optimismus und Freude ausstrahlen – es sei denn, die Freude anderer würde uns mit Neid erfüllen. Bei einem tragfähigen Selbstwertgefühl gelingt es uns jedoch auch, Neid gegenüber anderen, die momentan mehr Grund zur Freude haben als wir, zu überwinden. Dann sind wir in der Lage, uns ein wenig mit ihnen zu identifizieren, an ihrem Glück teilzuhaben und mit ihnen zu feiern – wohl wissend, dass auch in unserem Leben Trauer und Freude (oder Glück und Leid) einander ablösen.

Sowohl in der erotischen Partnerbeziehung als auch in der Eltern-Kind-Beziehung spielen nicht nur Gefühle von Lust und Liebe, sondern auch Freude eine ausschlaggebende Rolle. Freilich ist die Freude am anderen immer auch mit Sehnsucht und Trauer bei Trennung, Angst vor Trennung, potentieller Aggression bei zu starker Dichte, Scham bei Grenzüberschreitung oder Schuldgefühlen bei unausgeglichenem Nehmen und Geben überschattet. Die Emotion der Freude kann aber Missverständnisse aufklären, Beziehungsprobleme auflösen und negativ erlebte Emotionen überwinden helfen.

Ein 11-jähriger Junge war wegen Verhaltensauffälligkeiten vorübergehend stationär behandelt worden. Die Mutter wollte ihn zum Wochenende nach Hause abholen und erwartete, ihr Sohn würde sich darüber freuen. Enttäuscht, traurig und ärgerlich darüber, in die Klinik gebracht worden zu sein, empfing er sie mit der trotzigen Bemerkung, er wolle nicht mit ihr nach Hause gehen, sondern an einer Wochenendfahrt der Station teilnehmen, da die Stationsmitarbeiter viel netter seien. Die in ihrer Lebenssituation überlastete, von Schuldgefühlen geplagte und selbstunsichere Mutter war zutiefst gekränkt, und der Konflikt zwischen Mutter und Sohn eskalierte in heftigen gegenseitigen Vorwürfen und aggressiven Ausbrüchen. In einer direkt stattfindenden Krisensitzung konnte die Mutter schließlich äußern, wie sehr sie sich auf das gemeinsame Wochenende gefreut hatte und wie sehr ihr ihr Sohn fehle. Für Sekunden huschte ein Lächeln über dessen Gesicht (Felt-smile, Aktivierung des Zygomatikus-Muskels und typische Augenveränderungen!). Vom Therapeuten darauf angesprochen, ob sie dies bemerkt habe und was sie davon halte, lächelte die Mutter ebenfalls. Zunächst mimisch und gestisch, später auch durch Worte, gelang es beiden, ihre gegenseitige Zuneigung auszudrücken und das gemeinsame Wochenende miteinander zu genießen. Diese Erfahrung war Ausgangspunkt für eine Veränderung des Beziehungsmodus, der nun nicht mehr durch aggressive Impulse, sondern zunehmend durch gemeinsame Freude und Zuneigung charakterisiert wurde.

Die Möglichkeit, Freude zu empfinden und zum Ausdruck zu bringen, wird kulturell kanalisiert und überformt, findet also epochal spezifische kulturelle Ausdrucksmöglichkeiten. Kulturabhängig ist beispielsweise, wie sich Freude in Musik und Tanz äußert. Im westlichen Kulturkreis ist der „Presto"-Typus Freude ausstrahlender

Musik durch schnellen und abwechslungsreichen Rhythmus, hellen belebenden Klang und oft durch aufwärtsstrebende Motive („Dur") gekennzeichnet. Beispiele des Presto-Typs sind die „Ungarischen Tänze" von J. Brahms oder „Feelin' grovie" von Simon and Garfunkel. Nach Eibl-Eibesfeldt korrespondieren zu diesem Typus die Stimmung der Freude, eine agile und vitale Aktion so wie eine vorwärtstendierende und sich öffnende Gestik und Körperhaltung. Musik kann mitreißen und Stimmung induzieren, beruhigen (z. B. bei Wiegenliedern) oder sogar therapeutisch genutzt werden.

Feiertage und Feste sind nicht nur in familiären Beziehungen und Dorfgemeinschaften, sondern auch in größeren kulturellen Zusammenhängen sinn- und zusammenhangstiftende, wichtige soziale Ereignisse, bei denen die Emotion der Freude eine große Rolle spielt.

Nicht nur die großen Freuden, sondern die vielen kleinen Freuden, die wir immer wieder erleben, sind keineswegs belanglos, sondern tragen ganz erheblich zu unserem seelischen Wohlbefinden bei. Die vorweihnachtliche Atmosphäre beim Plätzchen-Backen nebst dem dazugehörigen geheimnisvollen Duft, die Geste eines kleinen Geschenks, zweckfreie Tätigkeiten, die uns Freude bereiten – dies alles steigert Zufriedenheit, Vitalität und Selbstwertgefühl. Eine nur auf Effizienz ausgerichtete Kultur vernachlässigt solche Faktoren. Wer Arbeit, Freizeit und Beziehungen nur unter dem Gesichtspunkt der größtmöglichen Effektivität sieht, wird es schwer haben, sich zu freuen. Unzufriedenheit und möglicherweise süchtiges Suchen nach Lusterlebnissen können die Folge sein.

Umgekehrt haben therapeutische Einrichtungen zur Suchtbehandlung die Wichtigkeit der Milieutherapie erkannt. Die Persönlichkeit eines Menschen und sein Umfeld beeinflussen sich wechselseitig. Im Rahmen der Milieutherapie versucht man das Umfeld so zu gestalten, dass es zur Persönlichkeitsentwicklung beiträgt. Wer in einer solchen Atmosphäre liebevoll ein Essen zubereitet oder mit seiner ganzen Kreativität einen ästhetisch schönen (und nicht nur funktionalen) Tisch schreinert, geht nicht nur mit dem Material, sondern auf Dauer auch mit sich selbst und seiner Umgebung bewusster und wertschätzender um. Dies aber ist eine Voraussetzung für das Erleben von Freude und Selbstbewusstsein.

Zum Schluss dieses Kapitels sollen noch einige Krisen und Störungen im Zusammenhang mit der Emotion der Freude benannt werden.

Es wurde bereits darauf hingewiesen, dass Freude nicht erzwungen bzw. geplant werden kann. Die hektische Suche nach Freude führt oft genug nur zum vorübergehenden Lusterlebnis. Wird das Verlangen danach unwiderstehlich, kann sich Abhängigkeit und Sucht einstellen, die wesentlich durch Kontrollverlust gekennzeichnet ist. Sucht zeigt sich auf körperlicher, psychischer und sozialer Ebene. Obwohl die Suche nach Freude eine ihrer Ursachen ist, führt Sucht paradoxerweise gerade dazu, dass Freude kaum oder nicht mehr erlebt werden kann.

Aggressiv getönter Sadismus kann ebenfalls als eine Fehlentwicklung verstanden werden, bei der der Wunsch nach Freude auf inadäquate Weise pseudobefriedigt wird.

Unter „Ahedonie" verstehen wir die Schwierigkeit bzw. Unfähigkeit, Freude zu empfinden. Sie kann vielfältige, oft in der frühen Kindheit bereits begründete Ursachen haben und hängt nicht selten mit schweren Deprivations- und Verwahrlosungserlebnissen zusammen. Oft ist sie Zeichen einer Depression, wie sie in Kapitel 5 beschrieben wurde.

Manie

Schließlich soll noch kurz auf die sogenannte „Manie" eingegangen werden. Hierbei handelt es sich um eine seelische Störung mit extrem gehobener Stimmung: Initiative und Drang zum Handeln sind deutlich erhöht, man fühlt sich voller Leben und Energie. Selbstsicherheit und Selbstüberschätzung führen nicht selten dazu, dass man gewagte Risiken eingeht, geschäftliche Transaktionen durchführt, die inadäquat oder unsinnig sind, sich durch nichts oder niemanden bremsen lässt und einen Teil der Kritikfähigkeit einbüßt. Die Selbstüberschätzung kann bis zum Größenwahn gehen. Auch wenn man sich nach eigener Einschätzung wohl fühlt, ist die soziale Umgebung zu Recht irritiert. Eine zunehmende Gereiztheit (das griechische Wort Manie bedeutet auch Raserei) des Betroffenen macht den Kontakt mit ihm mitunter äußerst schwierig. Die Manie als Extrem einer gehobenen Stimmungslage hat erhebliche psychische und soziale Konsequenzen. Sie ist zum Glück behandelbar. Ihre Entstehungsbedingungen werden kontrovers diskutiert. Neben biochemischen Faktoren (insbesondere Neurotransmitter) mögen psychodynamisch auch depressionsabwehrende Komponenten eine Rolle spielen.

Hier seien zur Vertiefung die Bücher von Raphaelsen und Helmchen, von Hell sowie von Mentzos empfohlen.

Zusammenfassend ist zu sagen: Freude ist eine dem Menschen eigene, biologisch verankerte Emotion, die die biologische Abwehrkraft und Vitalität stärkt, zum psychischen Wohlbefinden und Stärkung des Selbstbewusstseins beiträgt und als Bindungsemotion eine wichtige Rolle in der sozialen Interaktion spielt. In Mimik, Gestik und Ausdrucksverhalten gibt es typische Erscheinungsformen, die uns eine freudige Stimmung erkennen lassen. Diese Phänomene werde kulturell überformt und bilden die Grundlage für freudige Gemeinschaftserlebnisse und Feste. Menschen so heranwachsen zu lassen, dass sie Freude – die nicht planbar ist – erfahren, ist eine wichtige Aufgabe der Pädagogik.

6. Freude, Wohlbefinden, Lust und Sucht 123

Überprüfen Sie Ihr Wissen!

Welche der folgenden Aussagen treffen zu?

6.1 Fragetyp C
Antwortkombination

1. Freude kann als ein Glücksempfinden gelten, das durch Selbstvertrauen, das Gefühl, liebenswert und vital zu sein, charakterisiert ist.
2. Das Gefühl der Freude erleichtert in der Regel die Bereitschaft, soziale Bindungen einzugehen.
3. Die Betätigung des Muskels, der beim Lachen die Mundwinkel nach oben zieht und die Zähne sichtbar werden lässt, entzieht sich unserer bewussten Kontrolle.
4. In der jüngeren hominiden Evolution haben laut Eccles die Strukturen des Limbischen Systems, die mit Freude, Lust und Liebe assoziiert sind, an Bedeutung zugenommen.
5. Das Gefühl der Freude geht nach Eibl-Eibesfeld oft mit einem typischen Sprachklang einher, der überkulturell verstanden wird.

a) Nur die Aussagen 1, 2, 4 und 5 sind richtig. ☒
b) Nur die Aussagen 1, 2, 3 und 4 sind richtig. ☐
c) Nur die Aussagen 1, 3, 4 und 5 sind richtig. ☐
d) Nur die Aussagen 1, 2, 3 und 5 sind richtig. ☐
e) Alle Aussagen sind richtig. ☐

1. Intuitiv können wir oft ein gekünsteltes Lächeln von einem Lächeln aus echter Freude (Felt-smile) unterscheiden,

   denn

2. Im Gegensatz zum künstlichen Lächeln wird beim „Felt-smile" der Augenringmuskel vom Limbischen System angeregt, was zu charakteristischen Augenveränderungen führt.

6.2 Fragetyp E
Kausalverknüpfung

a) Nur die Aussage 1 trifft zu. ☐
b) Nur die Aussage 2 trifft zu. ☐
c) Die Aussagen 1, 2 und die Kausalverknüpfung treffen zu. ☒
d) Alle Aussagen treffen zu. ☐
e) Keine Aussage trifft zu. ☐

6.3 Fragetyp B
Eine Antwort falsch

☒

Eine der folgenden Aussagen trifft nicht zu. Welche?

a) Endorphine sind körpereigene Substanzen, die zum „Belohnungssystem" unseres Gehirns zählen. ☐
b) Endorphine haben sowohl euphorisierende wie schmerzlindernde Wirkung. ☐
c) Endorphine ermöglichen Menschen, größere Strapazen zu ertragen. ☐
d) Endorphine sind die einzigen bisher bekannten chemischen Substanzen, die zum Gefühl der Freude beitragen. ☐
e) Endorphinrezeptoren können auch von außen zugeführte Suchtstoffe, z. B. Opium oder Heroin, entfalten. ☐

6.4 Fragetyp A
Eine Antwort richtig

☒

Wann würden Sie erwarten, dass ein Säugling eine vertraute Bezugsperson anlächelt, weil er sie erkennt und von Fremden differenziert?

a) Direkt nach der Geburt, da diese Fähigkeit genetisch angelegt ist. ☐
b) Mit etwa einer Woche, wenn der Säugling die Mutter am Geruch eindeutig erkennt. ☐
c) Mit etwa drei Monaten, im Rahmen des reziproken, erwiderten Lächelns. ☐
d) Mit etwa acht Monaten, weil die visuelle Wahrnehmung nun eine Differenzierung in fremde und erlaubte Gesichter erlaubt. ☐
e) Hierzu sind Kinder erst im zweiten Lebensjahr und nicht als Säugling in der Lage. ☐

Vertiefungsfragen

6.5 Welche die Freude hemmenden Verhaltensweisen und Einstellungen kennen Sie?

6.6 Differenzieren Sie Freude und Lust.

7. Sexualität und Liebe

> Verzaubert hast Du mich, Geliebte, meine Braut! Ein Blick zu Deinen Augen, und ich war gebannt. Sag, birgt er einen Zauber, der Schmuck an Deinem Hals? Wie glücklich Du mich machst mit Deiner Zärtlichkeit! Mein Mädchen, meine Braut, ich bin von Deiner Liebe berauschter als von Wein. Du duftest süßer noch als jeder Salbenduft. Wie Honig ist Dein Mund, mein Schatz, wenn Du mich küßt.
> (Altes Testament, Hohes Lied 4, 5 u. 9–11)

Über Sexualität und Liebe etwas Stimmiges, vielleicht sogar Allgemeingültiges zu sagen, ist ein schwieriges Unterfangen. Zum einen ist kaum ein menschlicher Zustand schillernder und mehr vom eigenen Erleben, den eigenen Erfahrungen geprägt. Liebesgedichte sind zunächst Ausdruck der Erfahrungen oder Sehnsüchte dessen, der sie schreibt. Leicht können sie auf andere schwülstig, peinlich oder kitschig wirken, andererseits können sie intensive Gefühle induzieren.

Zum anderen ist das Phänomen, was als Liebe umschrieben wird, außerordentlich vielschichtig. Zwar hat vielleicht jeder eine Vorstellung davon, was „Liebe" ist – viel schwieriger jedoch ist es, zu wissen, was der andere damit meint. Ist Liebe Ausdruck sexueller Lust? Beschreibt sie ein Bindungs- und Zugehörigkeitsgefühl? Ist sie ohne körperliche Zärtlichkeit denkbar? Meint sie Aufopferung, völlige Hingabe, eine Einstellung, bei dem mir das Wohl des anderen mehr bedeutet als mein eigenes Wohl?

Was ist Liebe?

Sind mit Mutterliebe und Liebe von Eltern und ihren Kindern ähnliche Gefühle und Einstellungen gemeint wie mit der Liebe zwischen Mann und Frau? Können Nächstenliebe, Fremdenliebe, die Liebe zu Gott oder zum Leben mit dem gleichen Wort benannt werden wie die erotische Beziehung zwischen zwei Menschen? Wo sind Ähnlichkeiten, wo Unterschiede zwischen dem ekstatischen Verliebtsein, einem Ausnahmezustand, den Oskar Wilde als „Angina der Seele" beschreibt, und dem ruhigen Glück einer dauerhaften Beziehung, den andere als Liebe bezeichnen?

Ist Liebe ein Trieb, eine Emotion oder ein Zustand, der emotionale wie kognitive Elemente hat?

Wir sehen: „Liebe" hat es in sich! Eine eindeutige Begriffsbestimmung ist schwierig, wenn nicht unmöglich, andererseits aber außerordentlich nötig: Wenn ein Ehepartner dem anderen voller Verzweiflung sagt, dass er ihn nicht mehr liebe, so kann das bei beiden Partnern recht unterschiedliche Gefühle und Entscheidungen auslösen, je nachdem, wie dieser Satz verstanden wird. So ist es durchaus normal und aus Gründen, die weiter unten aufgezeigt werden, nachvollziehbar, dass der berauschende Kick des Verliebtseins immer nur temporär auftaucht und in bestimmten Phasen einer Beziehung nicht zu spüren ist. Versteht der Partner unter „Liebe" aber auch und insbesondere Treue, Verlässlichkeit, Achtung und Vertrautheit, so sind Missverständnisse und daraus resultierendes Leid vorprogrammiert.

„Liebe": Erleben und Ausdruck individueller positiver Beziehungen

Die meisten Lehrbücher der Emotionspsychologie, bspw. das von Izard, betrachten Liebe nicht als eigenständige Emotion. Sie gehen vielmehr von einem Konzept aus, das an der Basis Sexualität als einen besonderen, der Reproduktion dienenden Trieb ansieht. Auf der Grundlage dieses Triebes bauen sich Motivationen auf, Beziehungen zu anderen Menschen einzugehen. Diese können sexueller Art sein, aber auch durchaus andere und nicht primär sexuelle Qualitäten entwickeln. Die Gefühle, die hiermit verbunden sind, beinhalten häufig Freude und Glück, sicherlich Interesse, mitunter aber auch Angst, Scham, Ärger oder Trauer, Letzteres vor allem bei Liebesentzug und Liebesverlust. Erst kognitive Prozesse und damit die Definition von „Beziehung" führen schließlich zu dem Begriff „Liebe", der individuell also jeweils durchaus unterschiedlich definiert sein kann.

Wenn in diesem Buch der Liebe ein eigenständiges Kapitel gewidmet wird, dann aus der Erfahrung heraus, dass für die meisten Menschen der Liebe ein besonderer Stellenwert zukommt. In unserem alltäglichen Erleben und unserer Lebenserfahrung unterscheiden wir nämlich sehr wohl Liebeserlebnisse von anderen beglückenden und freudigen Erfahrungen. (In vielen Schlagern, romantischen Liebesliedern, Gedichten und anderen Schöpfungen der Kunst wird die Liebe als etwas ganz Besonderes herausgehoben: die Liebe ist eben eine Himmelsmacht!).

Die Gefahr bei dem Vorhaben, die Liebe als ein Gesamtphänomen im Rahmen eines solchen Kapitels zu beschreiben, andererseits die sehr unterschiedlichen Facetten und Ebenen dieses Phänomens aufzuzeigen, besteht darin, teilweise ungenau zu werden und möglicherweise unterschiedliche Triebkomponenten, Gefühlsdimensionen und Begrifflichkeiten miteinander zu vermischen. Dennoch soll dieses Wagnis unternommen werden.

Aspekte der Liebe: Leidenschaft, Intimität, Bindung

Libidinöse Empfindungen (wie es die Psychoanalytiker nennen), affiliatives Verhalten (ein Begriff aus der Humanethologie: freundlich-zugewandtes Verhalten) oder aber der volkstümlich gebräuchlichere Begriff der Liebe in all ihren Facetten beinhaltet Leidenschaft, Intimität und Bindung. *Leidenschaft* – damit sind Lust und Verlangen, orgiastische Komponenten (griech.: organon, vor Begierde strotzen), Hingabe, Glücksgefühl sowie die

Erfahrung, dass mir zumindest im Moment nichts wichtiger ist als die Liebe, gemeint. *Intimität* kommt dadurch zustande, dass ich bewusst und unbewusst viel von meinem Körper, aber auch von meinen Emotionen und inneren Einstellungen preisgebe. Liebe verschafft uns einzigartige Erlebnisse und Beziehungen, macht aber auch verletzlich. Angst, Scham, Aggressivität, eventuell auch Schuldgefühle können Emotionen sein, die dem entgegenwirken. Der dritte Aspekt der Liebe betrifft die *Bindung:* Wer liebt, geht eine Verbindung ein, bindet sich, wird vertraut.

In seiner Erzählung vom „kleinen Prinzen" lässt Antoine de Saint Exupéry den Fuchs dem kleinen Prinzen berichten, dass man verantwortlich ist für das, was man sich vertraut gemacht hat. Der kleine Prinz erkennt, dass die von ihm geliebte Rose sich von allen anderen Rosen unterscheidet, weil er sie pflegt, sich intensiv mit ihr befasst, eine Bindung mit ihr eingegangen ist. Auch wenn er sich an vielen anderen Rosen erfreuen kann – den Bindungsaspekt der Liebe erfährt er erst in einer vertrauten Beziehung, die diese Rose für ihn einzigartig macht.

Die Fähigkeit, Liebesbeziehungen einzugehen, hat im Laufe der Hominidenevolution massiv zugenommen – ein Aspekt, auf den in Kapitel 6 (Freude) bereits eingegangen wurde. Solche „affiliativen Fähigkeiten" speisen sich vermutlich aus zwei Wurzeln: zum einen aus dem Sexualverhalten und allen Verhaltens- und Erlebensweisen, die damit zusammenhängen. Balzverhalten, Imponiergehabe, Brunstverhalten, chemische und optische Signale, das Anbahnen von sexuellen Beziehungen sind naturgemäß Phänomene, die evolutionär lange vor der Entstehung des Menschen vorhanden waren, beim Menschen aber in einer artspezifischen Weise differenziert und modifiziert wurden (Näheres dazu im nächsten Abschnitt). Eine zweite Quelle affiliativen Verhaltens finden wir im „Brutpflegeverhalten", das zunächst Mutter und Kind, später aber auch Vater und Kind verschiedenster Spezies eine mehr oder weniger intensive Beziehung eingehen lässt. Kindchenschemata, Hilfeappelle, kleinkindhafte Regression auf der einen Seite und Fürsorglichkeit sowie alle Instinkte, Verhaltensweisen und Einstellungen, die dem Gedeihen des Nachwuchses förderlich sind, auf der anderen Seite lassen ebenfalls Bindungen entstehen, die wir mit „Liebe" beschreiben.

Während der Biologe und Anthropologe Norbert Bischof beide Phänomene streng voneinander trennen will und großen Wert darauf legt, dass zwischen Brutpflege und Brunstverhalten im Tierreich große Unterschiede bestehen (woraus er ableitet, dass es sich zwischen Elternliebe und Gattenliebe um fundamental unterschiedliche Phänomene handelt), sehen andere Autoren durchaus Wechselwirkungen zwischen beiden Phänomenen und postulieren, dass die Liebe, die wir als Kind erfahren haben, nicht ohne Einfluss bleibt auf die Liebe, die wir Partnern schenken (und von ihnen empfangen) können. Die Fähigkeit, Nähe auszuhalten, ohne sich selber aufzugeben, die Fähigkeit, sich an Zärtlichkeiten zu erfreuen, das Spiel mit optischen und akustischen Signalen (bspw. solche, die Hilflosigkeit ausdrücken) und vieles mehr finden sich eben, wenn auch unter unterschiedlichen Aspekten, in beiden Formen einer Liebesbeziehung.

Andererseits ist es völlig unstrittig, dass bei der erotischen Liebesbeziehung zwischen Mann und Frau orgiastische, lustvolle Komponenten zu finden sind, die eine andere Qualität haben als die Freude oder Lust beim Streicheln oder Stillen eines Säuglings. Aber: Der leidenschaftliche Kuß, zweifellos ein höchst erotisches Geschehen, überformt ein archaisches Fütterungsverhalten. Und das befriedigende Glücksgefühl während des Stillens hängt eng mit einem Hormon (dem Oxitozin) zusammen, das beim Orgasmus von Mann und Frau eine äußerst wichtige Rolle spielt.

Wie dem auch sei – evolutionär haben sich affiliative Tendenzen und die Fähigkeit, Liebe zu geben und zu erfahren, als so vorteilhaft herausgestellt, dass die damit verbundenen Hirnstrukturen, neuronalen und hormonellen Mechanismen im Laufe der Evolution immer mehr zugenommen haben. Warum?

Sexualität und evolutionärer Vorteil

Die Sexualität trat relativ früh auf, lange vor dem Erscheinen der ersten Säugetiere. Als evolutionäre Strategie bringt sie den Vorteil, dass anders als bei der identischen Zellteilung bei Bakterien es bei einer sexuellen Fortpflanzung zu einer genetischen Durchmischung des Erbmaterials aus mütterlicher und väterlicher Keimzelle kommt. Die Evolution war nun nicht mehr nur auf Spontanmutationen angewiesen – durch die genetische Durchmischung kam es viel schneller zu einer Vielfalt potentieller Eigenschaften, insbesondere auch bereits bewährter Eigenschaften und Strukturmerkmale. Unter den Nachkommen mochte es immer wieder wenig angepasste und „fitte" Individuen geben – die vielleicht wenigen besonders „fitten" Individuen, die die jeweils besten, dass heißt auf ihre momentane Umwelt am besten abgestimmten Eigenschaften ihrer väterlichen und mütterlichen Linie mitbekamen, waren aber so erfolgreich, dass sie eine wesentlich höhere Chance hatten, ihre Gene (nun wiederum sexuell) fortzupflanzen.

Offensichtlich hat es sich sehr schnell als „ökonomisch zweckmäßig" herauskristallisiert, zum einen in Quantität, zum anderen eher in Qualität zu „investieren". Natürlich ist bei väterlichen und mütterlichen Keimzellen die Komplexität und damit Qualität der Erbinformationen gleich. Was aber nicht gleich ist, ist die Anzahl der Keimzellen, die gebildet werden, und die Größe und Ausstattung der Zellen selbst. Keineswegs bei allen Lebewesen, wohl aber bei den Wirbeltieren, zu denen wir auch zählen, produzieren die männlichen Individuen massenhaft hoch bewegliche, sehr kleine und kurzlebige Keimzellen (Spermien), von denen sich nur ein Bruchteil letztendlich fortpflanzen kann. Die „weibliche Strategie" setzt hier mehr auf „Qualität": Eizellen sind um ein vielfaches größer, werden sehr viel seltener und in erheblich geringerer Zahl gebildet, sind andererseits aber nach ihrer Befruchtung und der Durchmischung des genetischen Materials die Zellen, von denen durch Zellteilung die Embryonalentwicklung ausgeht.

Evolutionsbiologen führen diesen Gedanken zu der möglicherweise provozierenden These weiter, dass die weiblichen Individuen, also auch Frauen, sehr viel mehr in die Fortpflanzung investieren als die Männer. Die Fortpflanzung ist durch eine höhere Infektionsgefährdung, durch die Schwangerschaft mit all ihren möglichen Komplikationen, eine jedenfalls beim Menschen mitunter schwierige Geburt und auch Verletzlichkeit und Belastungen während der Stillperiode und der beim Menschen sehr langen Kindheit wesentlich „kostenintensiver" für die Frau. Sie muss also, so die These der Soziobiologie, „wählerischer sein", wenn es um die Auswahl des Vaters ihrer Kinder geht. Die männlichen Individuen (beim Menschen die Männer) wiederum müssen nach dieser These dafür sorgen, dass sie zu den Auserwählten gehören, neigen also eher zu Dominanzstreben, müssen andererseits in irgendeiner Weise sicherstellen, dass sie in der Tat auch der Vater des Kindes sind – was im Gegensatz zur Mutter zunächst nicht mit hundertprozentiger Sicherheit gegeben sein muss.

Investition in Fortpflanzung

Hieraus leitet die Soziobiologie weitere Thesen ab. So wird postuliert, dass Frauen in der Partnerwahl beispielsweise in besonderem Maße auf Zeichen achten, die darauf hinweisen, dass der Mann Schutz, Geborgenheit, materielle Sicherheit verspricht. Die nachzuweisende Tendenz (im Einzelfalle kann es immer anders aussehen), dass Charakteristika wie breite Schultern, größere Körperlänge, „stattliches Aussehen", möglicherweise auch Statussymbole eine Rolle spielen, wird von Soziobiologen als Indiz für die Richtigkeit dieser Thesen gewertet. Aber auch Fürsorglichkeit und die Bereitschaft des Mannes, sich zu binden und in die Beziehung zur Frau und das Aufziehen der Kinder zu „investieren", wären hiernach wichtige Auswahlkriterien. Reziprok würden Männer Frauen nach der potentiellen Fähigkeit, gesunde Kinder auf die Welt zu bringen und aufzuziehen, aussuchen. Vitalität, Jugendlichkeit, bestimmte kulturell überformte, in der Basis aber biologisch mitbestimmte Attributionen wie das Aussehen der Brüste, Taillen-Becken-Relationen, das Aussehen der Haut und anderes mehr wären dann indirekte Indizien, die das Werbeverhalten von Männern beeinflussten.

"Seitensprung" und Bindungsverhalten

Während die bisher formulierten soziobiologischen Thesen durchaus noch wohlwollend von der Öffentlichkeit rezipiert werden, führt die These, dass evolutionsbedingt zwar beide Geschlechter ein starkes Bindungsverhalten zeigen, Männer jedoch etwas leichter zum „Seitensprung" neigten, weil ihre Risiken (biologisch gesehen) geringer und ihr potentieller Nutzen etwas größer ist, des Öfteren auf Widerspruch. Unbestritten ist, dass in den meisten Kulturen „Seitensprünge" von Frauen insgesamt stärker geächtet, zumindest aber anders bewertet werden als die von Männern. Höchst unterschiedlich aber sind die Gründe, die hierfür angegeben werden: Das Spektrum reicht von eben genannten evolutionsbiologischen Thesen bis zur Vermutung, hierbei handele es sich ausschließlich um tradierte und gesellschaftlich bedingte Festschreibungen und Ungerechtigkeiten.

Wichtig scheint mir indes, darauf hinzuweisen, dass uns die Evolution mit einem hohen Freiheitsgrad ausgestattet hat, was unsere sexuellen Vorlieben und Bindungsmodi angeht, dass es andererseits offensichtlich zu gewissen überdurchschnittlich häufigen Verhaltenstendenzen kommt, die zwar für den Einzelnen keineswegs zwingend sind, sich offensichtlich à la longue immer wieder bewährt zu haben scheinen. Der evolutionäre Trend geht sicher dahin, langfristiges Bindungsverhalten zu bevorzugen. Die bei der Menschenfrau auftretende ganzjährige Fruchtbarkeit, die nicht mehr so offensichtlichen Signale während des Eisprungs, die Notwendigkeit einer langjährigen Pflege und Aufzucht der Nachkommen mit in der Regel damit verbundener Partnerschaft, komplexer werdende emotionale und kognitive Strukturen im Erleben, aber auch komplexer werdende Sozialstrukturen – all dies hat dazu beigetragen, dass die meisten Menschen zumindest eine tiefe Sehnsucht nach einer verlässlichen Beziehung haben, die sicher nicht nur kulturell bedingt ist.

Aber noch einmal: Menschen können als Single ein zufriedenstellendes Leben haben, es gibt Vielehen (häufig ein Mann und viele Frauen, durchaus aber auch das gegenteilige Phänomen), und auch die Promiskuität ist eine Lebensform, die offensichtlich „menschenmöglich" ist.

Die Fähigkeit, sich zu verlieben, „Herz und Verstand zu verlieren", Bindungen einzugehen, Intimitätsschranken zu überwinden, für eine Liebesbeziehung und weitergehende Bindungen Opfer zu bringen, war evolutionär also von Vorteil. Für den Einzelnen kann dies durchaus nachteilig sein: Viele Kinder aufzuziehen, auf Karrieren zu verzichten, Liebeskummer zu durchleiden, und was dergleichen an Belastungen mehr ist, muss nicht unbedingt vorteilhaft für das individuelle Leben sein. Für die Nachkommenschaft und damit für die Wahrscheinlichkeit, dass die eigenen Gene in der nächsten Generation wieder auftauchen, zahlt es sich aber aus.

Folglich hat die Natur eine Vielzahl von Organstrukturen, reizverarbeitenden Instanzen sowie chemischen Substanzen (z. B. Hormonen) „erfunden", die „trotz alledem" uns die Liebe in ihren vielfältigen Facetten als großes Glück erleben lassen – sozusagen ein körpereigenes Belohnungssystem für die damit verbundenen Anstrengungen. Dem wollen wir uns nun näher zuwenden.

Was ist es, was uns das Herz höher schlagen lässt, wenn wir einer attraktiven Frau oder einem charmanten Mann begegnen, wenn wir nach langer Trennung der geliebten Person wiederbegegnen, wenn wir in der sexuellen Vereinigung den Orgasmus erleben oder uns an Zärtlichkeit erfreuen? Klar dürfte sein, dass die hier geschilderten Konstellationen (es gibt unzählig viele andere) verschiedene Facetten eines Ereignisses darstellen, das wir als „Liebe" bezeichnen. An solchen Erlebnissen sind in unterschiedlicher Qualität und Intensität unser Sehsystem, unsere Fähigkeit, Gerüche zu erkennen, unser Gehör und unser Tastsinn (insbesondere mit unseren erogenen Zonen) sowie die verarbeitenden Instanzen in unserem Gehirn beteiligt. Darüber hinaus gibt es eine Reihe von (Sexual-)Hormonen, die für Sex, Lust und Bindung eine große Rolle spielen.

Beginnen wir mit den eigentlichen Sexualhormonen. Für das Heranreifen der Sexualorgane sowie der primären und sekundären Geschlechtsmerkmale während der Pubertät spielen das Testosteron beim Mann und Östrogene wie Progesteron bei der Frau eine entscheidende Rolle.

Die Sexualhormone

Stark vereinfacht (Näheres hierzu in der angegebenen Literatur) zeigt Abbildung 7.1, dass Kerne des Hypothalamus, eine Struktur unseres Zwischenhirns, über sog. Releasing-Hormone die Hypophyse, unsere oberste Hormondrüse, beeinflussen. Diese bildet über ihren Hinterlappen u. a. Oxitozin, ein Hormon, das für Geburt und Stillvorgang, aber auch für Bindungsgefühle von Wichtigkeit ist, wie weiter unten gezeigt wird. Im Vorderlappen der Hypophyse werden neben Schilddrüsen und Nebennieren steuernden Hormonen, die an dieser Stelle nicht interessieren, unter anderem das Wachstumshormon Somatotropin, das in der Pubertät eine große Rolle spielt, sowie Prolaktin, FSH (Follikel stimulierendes Hormon) und LH (luteinisierendes Hormon) gebildet.

Beim Mann beeinflussen FSH und LH die Hoden – zum einen die Spermienproduktion, zum anderen die Bildung des Geschlechtshormons Testosteron. Dieses beim Mann in den Hoden gebildete Hormon wiederum ist zum einen für die Ausbildung der sekundären Geschlechtsmerkmale (Bartwuchs, Muskelausprägung, Körpergestalt, tiefe Stimme, Schambehaarung, Penisgröße usw.) in hohem

Testosteron beim Mann

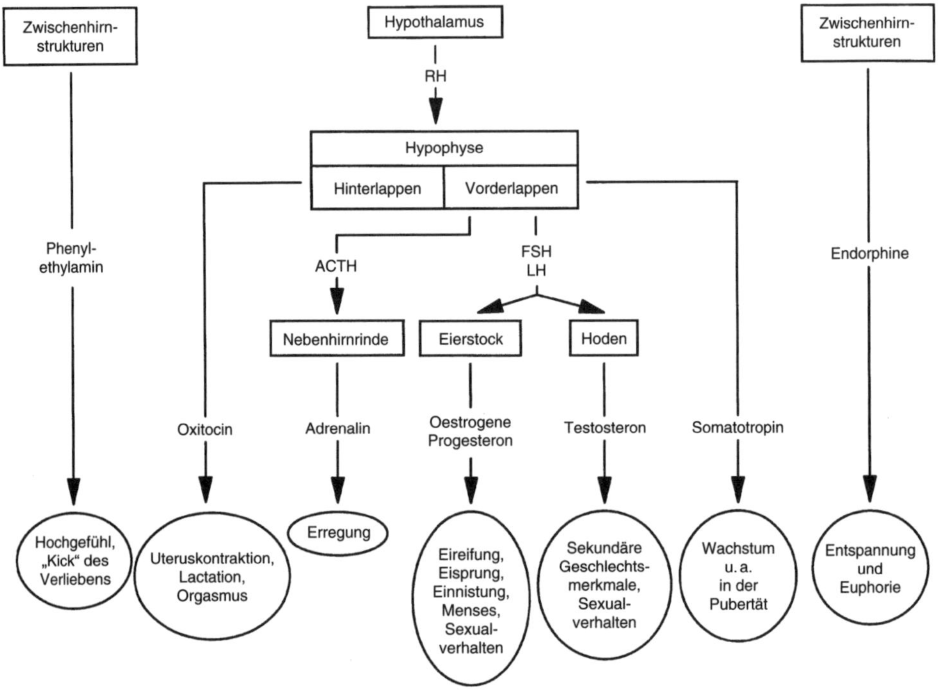

7. Sexualität und Liebe

```
  Zwischenhirn-              Hypothalamus                Zwischenhirn-
  strukturen                       |                      strukturen
      |                           RH
      |                            ↓
      |                       ┌─────────┐
      |                       │Hypophyse│
      |                  ┌────┴────┬────┴─────┐
      |                  │Hinterlappen│Vorderlappen│
      |                  └────┬────┴────┬─────┘
      |                       │         │
  Phenyl-                    ACTH      FSH           Endorphine
  ethylamin                   │        LH
      |                       ↓       ↙  ↘
      |                ┌───────────┐ ┌────────┐ ┌─────┐
      |                │Nebenhirnrinde│ │Eierstock│ │Hoden│
      |                └───────────┘ └────────┘ └─────┘
      |       ↓            ↓            ↓         ↓       ↓
      |   Oxitocin      Adrenalin   Oestrogene  Testosteron  Somatotropin
      |                             Progesteron
      ↓       ↓            ↓            ↓         ↓          ↓         ↓
 ┌────────┐┌─────────┐┌────────┐┌──────────┐┌──────────┐┌─────────┐┌──────────┐
 │Hochgefühl││Uteruskontr.││Erregung││Eireifung,││Sekundäre ││Wachstum ││Entspannung│
 │„Kick" des││Lactation,  ││        ││Eisprung,  ││Geschlechts-││u. a.    ││und        │
 │Verliebens││Orgasmus    ││        ││Einnistung,││merkmale,  ││in der   ││Euphorie   │
 │          ││            ││        ││Menses,    ││Sexual-    ││Pubertät ││           │
 │          ││            ││        ││Sexual-    ││verhalten  ││         ││           │
 │          ││            ││        ││verhalten  ││           ││         ││           │
 └──────────┘└──────────┘└────────┘└──────────┘└──────────┘└─────────┘└──────────┘
```

Abb. 7.1:
Hormone und
Neurotransmitter im
Zusammenhang von
Lust, Sexualität und
Fortpflanzung

Maße mitbeteiligt, zum anderen spielt es eine Rolle im Sexual- und Aggressionsverhalten. Es scheint so, dass die sexuelle Appetenz, die grundsätzliche Erregbarkeit für sexuelle Reize mitbeeinflusst wird durch das Testosteron. Auch das Aktionsverhalten und das „Siegesgefühl" etwa nach einem erfolgreichen sportlichen Wettbewerb gehen mit veränderter Testosteronausschüttung einher. Daraus kann allerdings nicht geschlossen werden, dass Männer mit wenig Testosteron friedlicher oder zwangsläufig sexuell uninteressiert sind. Der Anthropologe Harris bemerkt richtig, dass vielen Menschen großes Leid erspart worden wäre, hätte man rechtzeitig zur Kenntnis genommen, dass es in der Geschichte immer wieder höchst aggressive Eunuchen gab, und dass Lust an Sexualität, ja sogar Orgasmus auch nach Kastration möglich sind (nicht natürlich die Fortpflanzung). Testosteron ist also nicht „das Sexualhormon, das beim Mann zur sexuellen Erregung führt" (so einfach liegen die Verhältnisse nicht.) Es ist, wie Miketta formuliert, ein Hormon, das mit anderen zusammen die Bühne vorbereitet, auf der andere Akteure im Liebesspiel zum Zuge kommen. Insofern spielt Testosteron eine wichtige, aber keine alleinige oder gar einzig ausschlaggebende Rolle bei der sexuellen Appetenz des Mannes.

Auch Frauen bilden Testosteron (etwa 20% der Menge, die der Mann produziert), nämlich in ihren Nebennieren und Ovarien. Es ist auch für ihr Liebesleben von großer Bedeutung, möglicherweise sprechen weibliche Hormonrezeptoren sehr viel stärker an als die des Mannes.

Hormone der Frau

Aber fangen wir „oben" an: Bei der Frau bewirkt das Follikel stimulierende Hormon (FSH) das monatliche Heranreifen eines Eis. Für den Eisprung ist das Gelbkörperhormon (luteinisierendes Hormon, LH) von großer Bedeutung. Diffizile Regelkreise zwischen Hormonen, die das befruchtete bzw. nicht befruchtete Ei abgeben und die auf die „Zentrale" zurückwirken, und hormonelle Stimulationen, die von der Zentrale ausgehen, führen im gegebenen Falle zur Einnistung des Eis oder zum Auslösen der Monatsblutung. Analog zum Testosteron des Mannes werden in der Peripherie, also den Ovarien, Östrogene und Progesteron gebildet, deren Konzentration und Verhältnis zueinander im Menstruationszyklus schwanken.

Diese grundlegenden Sexualhormone der Frau, die unter anderem für die sekundären Geschlechtsmerkmale eine ähnlich große Bedeutung haben wie das Testosteron beim Mann, setzen eine Reihe von Prozessen in Gang, die bei einer Befruchtung des Eis zur Nidation (Einnistung) und dem Heranwachsen des Embryos, sonst aber zu den physiologischen Vorgängen des Menstruationszyklus führen.

Neben den körperlichen Phänomenen haben Intensität und Zusammensetzung dieser unterschiedlichen Hormonfraktionen auch einen Einfluss auf Wahrnehmung und Stimmung: Manche Frauen klagen zu bestimmten Zeiten ihres Zyklus über Kopfschmerzen, Ekelgefühl gegenüber Fleisch, Unverträglichkeit gegenüber bestimmten Gerüchen etc. Stimmungsschwankungen können ebenfalls hormonell mitbedingt sein, insbesondere in Zeiten starker hormoneller Veränderung wie Pubertät, Schwangerschaft, Geburt und Klimakterium. Andererseits sind, wie unten noch zu zeigen ist, Stimmungen und Emotionen auch in diesem Zusammenhang keineswegs nur Resultat hormoneller Veränderung, sondern auch von Einstellungen, sozialen Gegebenheiten und früheren Lebenserfahrungen beeinflusst.

Im Einzelfall keineswegs immer anzutreffen, aber im Durchschnitt mit größerer Wahrscheinlichkeit steigt die sexuelle Appetenz der Frau um die Zeit ihres Eisprungs. Hormonell induzierte Veränderungen an Vaginalschleimhaut, Brust, Geruchsdrüsen etc. mögen sie zu diesem Zeitpunkt auch besonders anziehend für Männer machen. Manche Frauen nehmen zum Zeitpunkt ihres Eisprungs den Geruch des männlichen Androsteniols als angenehmer wahr als zu anderen Zeiten. Eine Vielzahl

Verliebt? Hormone und Neurotransmitter

anderer Phänomene, auf die hier nicht eingegangen werden kann, die aber in dem sehr lesenswerten Buch von Miketta und Tebel-Nagy („Liebe und Sex") dargestellt werden, weisen auf den engen Zusammenhang zwischen den körperlichen Veränderungen, hormonellen Vorgängen und seelischem Erleben hin.

Sind die klassischen Sexualhormone also die „Bühnenarbeiter", so sind die chemischen Hauptdarsteller des Phänomens Liebe andere: da ist zum einen das Phenylethylamin, das – mit anderen Neurotransmittern, also Hirn-Botenstoffen zusammen – ausgeschüttet wird, wenn wir den Kick des Verliebens erleben. Begegnen wir einer attraktiven, charmanten und interessanten Partnerin (einem Partner), „stimmt die Chemie" – kommt es also zu geruchlichen Verlockungen, die weiter unten beschrieben werden, stimmen Aussehen, Zärtlichkeit und erotisches Ambiente und passt das soziale Setting (sind wir bspw. emotional und sozial frei für eine solche Liebesbegegnung), so kommt es nach Flirt und ersten Annäherungsversuchen zu einem stürmischen Liebesgefühl, das die meisten Menschen als „Verliebtsein" beschreiben. Zunächst geht damit eine außerordentliche vegetative wie seelische Erregung einher: die Pupillen weiten sich (was im Mittelalter dem pupillenerweiternden Atropin den Namen „bella donna – schöne Frau" eingebracht hat), das Herz schlägt „wie verrückt", die Atemfrequenz steigt, wir fühlen uns erregt und hingezogen. Die vegetative Komponente dieses Geschehens beeinflusst das Adrenalin, das uns in höchste Alarmbereitschaft versetzt. Anders aber als bei Angst und Wut (bei der Adrenalin ebenfalls eine große Rolle spielt) wird das Gefühl des Verliebtseins nicht nur durch Interesse, sondern durch eine besondere Form des Glücksgefühls bestimmt. Letzteres hängt intensiv mit dem Phenylethylamin zusammen, das unser Gehirn regelrecht überflutet. Biochemisch ist es zum einen mit dem Adrenalin, zum anderen bestimmten Aufputschdrogen aus der Amphetamin-Kokainreihe verwandt.

Es kommt also zu einem eher ekstatisch anmutenden, rauschartigen Glücksgefühl, das uns „den Verstand verlieren lässt". Typischerweise sehen wir uns wie den Partner in den hellsten und schönsten Farben und ignorieren das, was nicht stimmig ist (und uns später wieder einholt). Eine solche euphorische Grundeinstellung als Basis einer Liebesbeziehung ist nicht nur schön, sondern auch biologisch sinnvoll. Dummerweise sind diese Momente des Liebesglücks nicht haltbar. Wenn es uns in einer langfristigen Beziehung immer wieder gelingt, solche Momente zu erleben, kann diese Beziehung sicher als sehr gelungen bezeichnet werden. Aber willentlich herbeiführen können wir solche Glücksmomente leider nicht. Es „geschieht mit uns" – alle mitunter suchthaften Bemühungen um solche Erlebnisse sind erfolglos und führen zur Paradoxie, uns selbst und dem anderen Glück abzuverlangen, obwohl wir dies gerade nicht willentlich herbeiführen können. Auf diese „Sei-spontan-Paradoxien" wird weiter unten ausführlich eingegangen.

Bereits im Kapitel „Freude" wurde auf Endorphine, also körpereigene Morphine, eingegangen. Höchste Zufriedenheit, Euphorie und Wohlbehagen, verbunden mit relativer Schmerzlosigkeit, einer wohligen Entspannung und eines eher stillen und ruhigen Glücks findet sich auch bei der Liebesbeziehung – zum einen nach dem Erleben eines Orgasmus, zum anderen in der Vertrautheit einer langen und liebevollen, Geborgenheit vermittelnden Beziehung. Ganz allgemein dienen Endorphine dazu, Strapazen erträglich bzw. nach gemachten Anstrengungen Wohl- und Glücksgefühl erfahrbar werden zu lassen. Nicht nur nach erfolgreichem Kampf und Sieg, sondern auch nach überwundenem Stress kann es zur Ausschüttung solch euphorisierender Stoffe kommen.

Für das Erleben des weiblichen wie männlichen Orgasmus, eines Phänomens, das zwar durch erogene Zonen und Erregung von Penis bzw. Klitoris ausgelöst wird, das aber ganz wesentlich durch neuronale Vorgänge in unserem Gehirn mit damit verbundenen vegetativen Reaktionen verbunden ist, ist schließlich noch eine weitere Stoffgruppe von Bedeutung: das Oxitozin (eventuell zusammen mit dem ihm chemisch relativ nahestehenden Vasopressin). Zunächst: Oxitozin ist ein Hormon, das in der Austreibungsphase der Geburt von großer Bedeutung ist, nach der Geburt zu Uteruskontraktionen und damit zur Blutungsstillung beiträgt und beim Einschießen der Milch in die mütterliche Brust eine fundamentale Rolle spielt. Gleichzeitig beeinflusst es die Stimmungslage und ist daran beteiligt, wenn es bspw. beim weiblichen Orgasmus, aber auch beim Stillen zu Wohl- oder sogar Glücksgefühlen kommt. Auch bei männlichen Versuchstieren konnte ein direkter Einfluss des Oxitozin auf das Sexual- und Bindungsverhalten sowie Lustgefühle bei sexueller Vereinigung festgestellt werden.

Oxitozin

Bei vielen Säugetieren kommt eine Bindung zwischen Mutter und Jungtier nur dann zustande, wenn die ersten Kontakte zwischen Mutter und Jungtier in einer Zeit erfolgen, in der noch Uteruskontraktionen oder vaginale Reizungen stattfinden, d. h. in der es zu einer erhöhten Oxitozinausschüttung kommt. Schafe entwickeln eine Bindung zu Lämmern nur in dieser Phase und nur unter Oxitozinwirkung. Auch wenn beim Menschen die Dinge nicht so simpel sind: Die große Bedeutung des Stillens und des primären Kontaktes zwischen Mutter und Kind direkt nach der Geburt steht heute außer Frage. Hier spielen nicht nur hormonelle Faktoren, sondern auch Gerüche, die das Kind zweifelsfrei erkennt, der geborgenheitgebende Stimmklang sowie mimische Aktionen und Reaktionen eine große Rolle. Deutlich wird aber immer mehr, dass einer ersten, prägenden Phase in der Begegnung von Mutter und Kind eine ganz wesentliche Rolle im Bindungsverhalten und der Fähigkeit, Liebe und Vertrauen aufzubauen, zukommt.

Eibl-Eibesfeldt (1995) vermutet, dass Oxitozin und Orgasmus auch in der Paarbeziehung eine wichtige Rolle spielen, wenn es darum geht, langfristige Bindungen aufzubauen. Aus humanethologischer Sicht weist er dem Geschlechtsverkehr keineswegs nur reproduktive Bedeutung zu, sondern hält ihn für ein wichtiges, bindungsstiftendes Element, dessen Funktion über die reine Fortpflanzung hinausgeht.

Es wurden hier einige chemische Substanzen, vor allem Hormone und Neurotransmitter, vorgestellt, die direkt oder indirekt mit dem Verliebtsein, der Sexualität und einer liebevollen Bindung zu tun haben. Ihre einzelnen Interaktionen sind keineswegs völlig geklärt. Außerdem ist Miketta (1996) zuzustimmen, dass es letztlich kaum ein Hormon oder eine Substanz in unserem Körper gibt, das *nicht* in irgendeiner Weise unsere Liebesgefühle beeinflusst – ob wir liebevoll oder sexuell gestimmt sind, hängt auch mit unserem Hunger oder unserer Sättigung (und damit mit unserem Blutzucker- und Insulinspiegel) oder unserem Wachheitsgrad (und damit dem Wechselspiel von Serotonin und Noradrenalin) zusammen. Dennoch sollten die bisherigen Ausführungen deutlich gemacht haben, wie sehr unsere liebevollen Stimmungen und unser Liebesverhalten auf einer biologisch-humoralen Basis aufbauen.

Die Rolle des Geruchs

Eine weitere wichtige Basis für das Anbahnen einer Liebesbeziehung ist unser Geruchssystem. Unser Riechhirn gehört zu den ältesten Hirnstrukturen und hat unmittelbaren Anschluss an unser Limbisches System. „Wir können jemanden nicht riechen" sagen wir, wenn uns jemand unsympathisch ist. „Zwischen Kanzler A und Präsident B stimmt die Chemie" – wieder werden soziale Beziehungen auf einen chemischen Nenner gebracht. Im gesamten Tierreich spielen Pheromone und Duftstoffe vor allem im Bereich der Reproduktion eine große Rolle. Eber bilden das Hormon Androstenon, das bei weiblichen Tieren die Paarungsstarre auslöst und eine Begattung ermöglicht.

Auch beim Menschen können olfaktorische Sinnesreize über die Neurone der Riechbahn und dem Hypothalamus das Hormonsystem, insbesondere das der Steroidhormone, beeinflussen. Solche Phänomene zu untersuchen ist allerdings schwierig, zumal persönliche Erfahrung, Tradition und kulturelle Tabus die noch zu erörternden Phänomene überlagern können. Beim Menschen entwickelten sich im Laufe der Evolution besondere Duftdrüsen, vor allem an den Achselhöhlen, im Genital- und Analbereich, an den Vorhöfen der Brustwarzen und den Haaren. Das meist gekräuselte Haar an Axilla- und Genitalregion führt zu einer Oberflächenvergrößerung, so dass sich das Duftsekret weiter entfalten kann. Zusammen mit einer genetisch bedingten Grundzusammensetzung führt insbesondere die individuelle Bakterienflora der Haut zu einem typischen, individuell markanten Geruch, der insbesondere im erotisch-sexuellen Bereich eine besondere Rolle spielt: Gerade beim entblößten Körper entfaltet der Geruch seine größte Wirkung, erst recht bei vermehrter Drüsenfunktion während sexueller Erregung. Man weiß aus Versuchen, dass Männer auch im Schlaf durch weibliche Sexualstoffe (sogenannte Kopuline) beeinflusst werden können. Es wurde bereits darauf hingewiesen, dass Frauen um den Zeitpunkt ihres Eisprungs das männliche Androstenon anders bewerten als zu anderen Zeiten.

Bei der Partnersuche spielen unbewusste Bewertungen des Geruchs eine große Rolle. Untersuchungen bei japanischen Probanden, deren Ehen von ihren Eltern arrangiert wurden, zeigten, dass sie deutlich häufiger den Geruch ihres Partners (gerochen an sonst nicht zu identifizierenden Kleidungsstücken) negativ beurteilten als europäische Probanden mit „romantischer Liebesheirat": Die letztere Gruppe hatte ihre Partner offensichtlich „besser riechen können".

Auch in der Eltern-Kind-Beziehung spielen Pheromone eine wichtige Rolle: Neugeborene wissen, wie Muttermilch riecht und wenden sich dieser nach der Geburt unmittelbar zu. Nach einer Woche können sie die Milch ihrer Mutter von allen anderen Ammenmilchen unterscheiden und die Mutter auch am Körpergeruch (oder auch einem Textil) identifizieren. Umgekehrt können auch Eltern ihre Kleinkinder am Geruch erkennen.

Neuere Befunde zeigen eine relativ enge Beziehung zwischen Ähnlichkeiten im Immunsystem einerseits und Passungen im Geruchssystem andererseits auf. Geruchlich am ehesten zueinander hingezogen fühlen sich Männer und Frauen, die sich offensichtlich immunologisch nicht zu ähnlich, aber auch nicht zu fremd oder andersartig sind. Mit großer Häufigkeit lassen sich Übereinstimmungen zwischen immunologischen Ähnlichkeiten bzw. Abträglichkeiten einerseits und geruchlichen Vorlieben andererseits aufzeigen. Evolutionsbiologisch macht dies Sinn: Eine zu große Ähnlichkeit, vor allem bei naher Verwandtschaft der Partner, birgt eine Menge genetischer Komplikationen.

So sympathisch uns nahe Verwandte sind – eine erotische Beziehung wird durch diese olfaktorischen Phänomene erschwert. Andererseits können zu große Differenzen im immunologischen

System zu Abstoßungsreaktionen bzw. Schwangerschaftskomplikationen führen, sodass auch der gegenteilige Befund eine Erklärung findet.

Anthropologen (z. B. Bischof, 1997) haben darüber hinaus festgestellt, dass Verwandtenehe auch durch einen Gewöhnungsfaktor erschwert wird. In altjapanischen Kulturen, in denen zum Teil Kinder bereits miteinander versprochen wurden und von Kindheit an zusammen lebten, kam es im Erwachsenenalter sehr viel häufiger zu unglücklichen Ehen und Unfruchtbarkeit des Paares als bei solchen Partnern, die sich erst als Erwachsene kennenlernten. Solche Befunde sind auch in anderen Kulturen gemacht worden. Wen wir von Kindheit auf als vertrauten und intimen Partner erlebten, registrieren wir als „geschwisterlich", was Erotik und sexuelle Beziehung erschwert und von Bischof als eine evolutionär angebahnte Inzestbarriere angesehen wird.

Die Redewendung der „Liebe auf den ersten Blick" drückt aus, dass visuelle Reize entscheidend dafür sind, ob wir einen Partner als potentiell interessant ansehen und es zu weiteren Kontakten kommt, aus denen sich eine Liebesbeziehung entwickelt. Relativ geschlechtsspezifisch sind hier einige Stereotypien anzumerken, die natürlich kulturell überformt werden. So neigen Männer dazu, Frauen nach ihrer Gesundheit und Vitalität, ihrer Jugendlichkeit und ihrer potentiellen Fähigkeit, Kinder zu bekommen, einzuordnen – allerdings geschieht das auf einer sehr archaischen und unbewussten Ebene, so dass das, was vom Mann erlebt wird, als Sex-Appeal der Frau imponiert. Haare und Gesicht, Busen und Gesäß, Hüfte und Taille sind körperliche Attributionen, die die besondere Beachtung vieler Männer finden. Der Hüftschwung, der Gang, ein möglicherweise kokettes Drehen des Kopfes, aber auch die Betonung bestimmter Körperregionen (geschminkte Lippen, Ausschnitt, Beinregion) sind Blickfänge. Demgegenüber scheinen Frauen auf etwas weniger körperliche Merkmale Wert zu legen. Miketta hält zwar den „James-Dean-Appeal" (breite Schulter, schmale Hüften, knackiger Po in engen Jeans, markantes Kinn und volles, lässiges Haar) für relativ typische Charakteristika, die Frauen hinblicken lassen, beschreibt aber weiter, die einzige Äußerlichkeit, die durchweg fast alle Frauen störe, sei, wenn Männer kleiner sind als sie selbst.

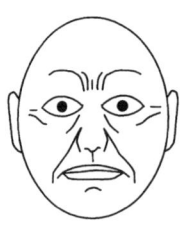

Abb. 7.2: Erfreute Gesichter werden mit großen, ärgerliche Gesichter mit kleinen Pupillen assoziiert (Hess, nach Eibl-Eibesfeldt 1995).

Dieses Phänomen bestätigte sich auch in einer Seminarübung, in der 20 Teilnehmerinnen zunächst gebeten wurden, spontan aufzuschreiben, wie groß sie sich ihren Idealpartner wünschten. Erst anschließend sollten sie ihre eigene Körpergröße aufschreiben, die durchweg unter der erst genannten Größe lag. Ob hier vorwiegend soziokulturelle Überlieferungen eine Rolle spielen und/oder ob dieses Phänomen eine biologische Komponente hat, lässt sich schwer sagen. (Evolutionsbiologen gehen davon aus, dass Primatenmännchen, z. B. Gorillas, erheblich größer als die Weibchen sind, Menschenmänner im Durchschnitt 10 %, und dass sich dies biologisch selektieren konnte, weil die Weibchen die Männchen nach Körpergröße aussuchten und zur Paarung zuließen.)

Mimik und Gestik spielen wie bei anderen Emotionen auch bei dem Flirt und der Liebesbeziehung eine außerordentlich große Rolle. Der Augengruß, das kurze Heben und Senken der Augenbrauen, signalisiert eindeutig Interesse. Das strahlende, freudig erregte Gesicht, die glänzenden Augen, die Lachfalten und das Weiß der Zähne haben im entsprechenden Kontext einen eindeutigen Signalcharakter. Auch die Pupillenreaktion ist verräterisch: Eine große, runde und erweiterte Pupille kann in entsprechendem Kontext (also nicht als Schreckreaktion) sympathisch wirken und Zeichen sexueller Erregung sein.

Dass auch auditive Reize ihren Beitrag zu Flirt, Liebe und Beziehung zu liefern vermögen, ist jedem klar, der sich beim Tanzen verliebt hat, einen schönen Abend mit Musik und Freund/Freundin genossen hat oder sich bewusst macht, dass zärtliche Worte in der Regel auch mit einem anderen Stimmklang einhergehen. Bereits das „Gespräch" zwischen Säugling und Eltern gestaltet sich so, dass sich eine liebevolle Stimmung im Klang der Stimme widerspiegelt. Dies gilt, wenn auch mit anderen Qualitäten, ebenfalls für die Paarbeziehung. Nicht nur die semantische Bedeutung (Koseworte, gegenseitiges Necken usw.) sondern auch paralinguistische Phänomene wie Stimmfrequenz, Lautstärke und Sprachintervalle signalisieren Zärtlichkeit und Liebe. Je nach Kontext können aber auch Geräusche und Laute im Zusammenhang mit Ekstase und Orgasmus ihrerseits erotisieren.

Die Rolle von Stimme und Klang

In besonderem Maße tragen schließlich somatosensorische Reize zur Entstehung von sexueller Lust und dem Wohlbefinden bei Körperkontakt bei. Insbesondere die Reizung sogenannter „erogener Zonen", letztlich aber das Streicheln und Liebkosen der gesamten Haut können Wohlgefühle bzw. Lust auslösen. Streicheln, Kämmen, Einsalben, Säubern, Kraulen – dies alles sind Hautkontakte im Vorfeld der Erotik, die in vielfältigen sozialen Beziehungen eine Rolle spielen und Residuen sogenannten „Fellpflegeverhaltens" sind. (Bereits beim Schimpansen und Gorilla dient das sogenannte „Grooming" nicht nur dem Entlausen, sondern der sozialen Kontaktpflege und der Beruhigung des Partners.)

Die Rolle des Hautkontaktes

Beim Flirt bietet der zufällige und uneindeutige Körperkontakt, z. B. beim Tanzen oder beim „hilfreichen Anreichen der Jacke", eine unverfängliche Möglichkeit, näheren Kontakt herzustellen und im negativen Falle wieder voneinander zu lassen, ohne das Gesicht zu verlieren. Das Berühren primärer und sekundärer Geschlechtsorgane, erst recht das Küssen wird in praktisch allen Kulturen als Überschreitung einer Intimgrenze verstanden und hat eindeutig erotischen Charakter.

Es bleibt festzuhalten, dass Flirt, Verliebtsein, Liebe und Bindung menschliche Verhaltens- und Erlebensweisen sind, die ein tiefes biologisches Fundament haben. Dies äußert sich in Hirnstrukturen, physiologischen und hormonellen Reaktionen und einer Kopplung vielfältiger Sinnesreize. Liebe ist auch ein körperliches Phänomen, ein sinnliches Vergnügen. Wie darüber hinaus Liebe unser Seelenleben und unsere sozialen Verhaltensweisen beeinflusst, soll im Folgenden untersucht werden.

Wie wir gesehen haben, spielen sich bereits die wichtigsten biochemischen und neurophysiologischen Ereignisse beim Erleben von Lust und Liebe nicht nur und vorrangig an den Sexualorganen, sondern ganz wesentlich im Gehirn ab. Das Empfinden von Nähe und Vertrautheit, sexuelle Erregung und Lust, Bindung und Verbundenheit berührt uns emotional und kognitiv. Meines Erachtens wird diese emotionale und kognitive Kopplung vor allem deutlich, wenn man sich die Zusammenhänge von Liebe und Selbstwertgefühl vor Augen hält.

„Liebe Deinen Nächsten wie Dich selbst" heißt es in einem fundamentalen christlichen Gebot, das sich in ähnlicher Form auch in anderen Weltreligionen findet. Erich Fromm formuliert, dass wirklich lieben nur kann, wer sich selbst zu achten und zu lieben gelernt hat (Fromm 2000). Der Respekt vor der eigenen Persönlichkeit, die Fähigkeit, sich anzunehmen, so wie man ist, ein Wissen um die eigenen Fähigkeiten und Schwächen, die Versöhnung mit den eigenen Wurzeln und ein grundsätzliches Bejahen der eigenen Existenz sind wichtige Voraussetzungen einer gelungenen Selbstachtung und Selbstliebe. Ausführlich wird auf das Wesen des Selbstwertgefühls und Selbstbewusstseins in Kapitel 14 eingegangen.

Eine so verstandene Selbstliebe, die auf ein realistisches Selbstkonzept und eine Akzeptanz der eigenen Person gründet, ist etwas anderes als ein selbstverliebtes Um-sich-selbst-Kreisen, wie es im psychoanalytischen Konzept des Narzissmus beschrieben wird. Gerade weil der narzisstische Mensch sich letztlich nicht so akzeptieren kann, wie er ist, nicht in seiner Mitte ruht und Schwierigkeiten hat, ein tragfähiges Selbstwertgefühl aufzubauen, ist er permanent auf Beifall und Zustimmung anderer angewiesen und kreist in seinem Tun und Handeln stets darum, Selbstbestätigung und Bestätigung zu bekommen. Möglicherweise ist er dafür bereit, viel für andere zu tun, aber eine wirkliche Liebesbeziehung zum anderen ist dadurch erschwert, dass er häufig genug um der Bestätigung willen Beziehungen eingeht und Schwierigkeiten hat, sich vorbehaltlos auf den anderen in seiner Eigenheit und das unsichere Abenteuer „Liebe" einzulassen.

Andererseits: Die beglückende Erfahrung, geliebt zu werden, und – worauf Fromm mit Recht hinweist – die sicher essenziellere Feststellung, selbst lieben zu können, ist in hohem Maße geeignet, das Selbstwertgefühl zu stärken, ein Gefühl und Vorstellungen für die schöpferische Kraft und Entfaltungsmöglichkeiten zu entwickeln, die in uns stecken und seelisch zu wachsen.

Zu Recht weist Izard (1994, 310 ff.) darauf hin, dass das seelische Erleben von Liebe mit unterschiedlichen Gefühlen, die noch dazu wechseln, einhergehen kann. Vorherrschend sind sicher Freude und Interesse. Sind wir verliebt oder liebevoll um ein Kind bemüht, so interessieren wir uns für unser Gegenüber. Wir sind aufmerksam, achten auf Mimik und Gestik, auf all die bereits angesprochenen sensorischen Signale, versuchen zu ergründen, was in unserem Gegenüber vor sich geht, sind in der Regel hellwach und oft erregt, kurz – wir sehen von uns ab und interessieren uns für den anderen. Die Emotion der Freude, auf die in Kapitel 6 bereits eingegangen wurde, hängt eng mit Lustgefühlen einerseits und Bindungs- und Liebeserlebnissen andererseits zusammen, hat aber eine eigene Qualität. Ähnlich wie Freude über andere Ereignisse (eine gelungene Arbeit, ein plötzlicher Genuss) ist auch die Freude des Verliebtseins oder einer Geborgenheit gebenden Liebesbeziehung leider nicht planbar oder machbar. Es sind sich plötzlich einstellende, unvorhersehbare Glücksmomente; und der Versuch, sie planend herbeizuführen oder gar einzufordern, muss naturgemäß fehlschlagen.

In diesem Zusammenhang sei noch einmal auf die von Watzlawick herausgearbeitete „Spontan-Paradoxie" hingewiesen. Gefühle kommen und gehen, ohne dass wir dies planen können. Es ist verständlich, aber unrealistisch, zu erwarten, dass das prickelnde Gefühl des Verliebtseins konstant anhalten oder sich in bestimmten Schlüsselsituationen (z. B. am Hochzeitstag) automatisch einstellen wird. Die Forderung an den Partner, er möge einem dieses Glücksgefühl verschaffen, aber auch der Anspruch, man könne und müsse den Partner glücklich machen, führt leicht genug zur Verkrampfung und Enttäuschung. „Liebesglück" ist eine unverdiente Dreingabe, die sich häufig genug einstellt, wenn wir es am wenigsten erwarten.

Ein anderes Beispiel: Eltern eines behinderten Kindes leiden mitunter darunter, dass sie „das Kind nicht lieben können" – worunter dann in der Regel verstanden wird, dass elterliche Glücksgefühle nicht erlebt werden können. Eine möglicherweise noch weitgehend unbewusste Ambivalenz zum Kind oder Ablehnung der Behinderung mag zu Schuldgefühlen und verstärkten fürsorglichen Anstrengungen führen, was Ängste, Aggressionen oder Trauer paradoxerweise erhöhen kann. So ist Görres zuzustimmen, wenn er schreibt, dass ein erster Weg aus diesem Teufelskreis darin bestehen kann, dass die Eltern sich nicht abverlangen, ihr Kind zu lieben (also auf die „Sei-spontan-Paradoxie" verzichten), hingegen ihrem Kind fair gegenüber sind und ihm alles geben, was es braucht und was sie ihm geben können. Entlastet von der Verpflichtung, „Liebesglück" empfinden zu müssen, stellt es sich paradoxerweise oftmals nun erst ein, und Eltern können die Erfahrung machen, dass die Fürsorge gegenüber dem Kind nicht ohne Wirkung auf sie selbst bleibt, dass sie sich mit ihm „vertraut machen" (vgl. die Erzählung von Saint-Exupéry), und dass sie sich über ihr Kind freuen können.

Liebe und Hass, libidinöse Gefühle und Aggressionen mögen Pole auf unserer Gefühlsskala sein – sie hängen aber durchaus miteinander zusammen. Bekanntlich bedeutet „aggredi", auf jemanden zugehen, gleichzeitig aber auch, etwas in Angriff zu nehmen. Ist Liebe ein Gefühl, dass auf Nähe und Beziehungsdichte hinweist, so sorgt Aggression für Distanz. Ist Liebe auch auf selbstlose Hingabe und Sorge für und um den anderen ausgerichtet, so sorgt Aggression für Selbstbehauptung und Dominanz. Das eine ist ohne das andere schlecht denkbar, und auch in Liebesbeziehungen wird man lernen und erfahren, dass Nähe und Distanz, Zuneigung und Abneigung, Fürsorge und Selbstbehauptung wechselseitig auftreten können. Hier einen Modus des Umgangs zu finden, ist eine Aufgabe, die sich jedem Paar und jeder Beziehung stellt. Extreme einer schwierigen „Lösung" können pseudoharmonische Beziehungen sein, in denen eine rosarote Scheinwelt aufgebaut wurde. Beziehungen, in denen es keine Disharmonien gibt, sind häufig genug solche, in denen es keine geben darf, weil sonst das Ende der Beziehung droht oder zu drohen scheint. Auf der anderen Seite finden sich Beziehungen, in denen alle Beteiligten sich extrem und aggressiv durchzusetzen versuchen, weil sie sonst unterzugehen fürchten. Eine weitere, ebenfalls schwierige Konstellation ist das Nebeneinander-Herleben, bei dem man der Spannung von Nähe und Distanz, Liebe und Aggression durch Nichtbegegnung aus dem Weg zu gehen versucht. Zusammenhänge mit Scham ergeben sich daraus, dass Liebe immer auch ein intimes Geschehen ist. Zum einen körperlich, was unmittelbar einsichtig ist, zum anderen emotional, weil man sich und seine Gefühle schutzlos dem anderen preisgibt. Das führt oft genug zur Angst – Angst, dem anderen ausgeliefert zu sein, Angst, vom anderen ausgenutzt zu werden oder ihn selbst auszunutzen. Angst, sich zu verlieren, kann andererseits aber auch vermehrte Schamgefühle hervorrufen, die den Sinn haben, uns vor emotionalen und seelischen Verletzungen zu schützen. So hemmend und einengend inadäquate Schamgefühle einerseits sind, so sehr kann andererseits gesagt werden, dass auch sie in den emotionalen Reigen eines Liebesereignisses gehören.

Die Trauer schließlich ist, wie Dorothee Sölle es einmal formuliert hat, „der Preis der Liebe". In Kapitel 4 wurde gezeigt, dass Trauer die emotionale Antwort auf Verlust ist. Trauern kann man nur um das, was man liebt oder geliebt hat. Umgekehrt muss, wer liebt, mit Trauer rechnen – spätestens dann, wenn der Partner stirbt oder eine andere unwiderrufliche Trennung ansteht, letztlich aber immer dann, wenn wir in unserer Liebe oder vertrauten Beziehung erkennen, wie unvorstellbar anders der andere ist. Die zur Liebe gehörende Erkenntnis, dass ich bei aller Ähnlichkeit und Sehnsucht nach Verschmelzung anders bin als mein Partner/meine Partnerin, dass bei aller Nähe und Verschmelzung wir doch eigenständig und damit getrennt sind – dies alles kann zu Desillusionen und Trauer führen.

Damit wird ein wichtiger Aspekt auf der Beziehungsebene angesprochen. 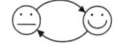 Wenn wir Liebe als ein Phänomen begreifen, das mit Leidenschaft, Intimität und Verbundenheit charakterisiert werden kann, so ergeben sich hieraus nicht nur emotional, sondern auch in unserer Vorstellung, unserem Erleben und unseren Zielen durchaus Spannungen. Ist, um ein Beispiel zu nennen, Liebe selbstlos? Lieben wir den anderen so wie er ist, bedingungslos, vorbehaltlos? Wünschen wir umgekehrt, vom anderen um unserer selbst geliebt zu werden, einfach, weil wir da sind? Sehnen wir uns also nach dem, was Fromm die „mütterliche Liebe" nennt und von dem er ausführt, dass eine Mutter ihr neugeborenes Kind um seiner selbst willen und ohne jede Gegenleistung liebt? Andererseits: Erich Fromm beschreibt auch eine „väterliche Liebe", die durchaus Anforderungen stellt, die davon ausgeht, dass eine dauerhafte Beziehung auch Anstrengung fordert und dass man hierfür etwas tun muss (auch Fromm ist ein Kind seiner Zeit, und seine Einteilung in „mütterliche" und „väterliche" Prinzipien sind meines Erachtens so nicht haltbar). Was aber bleibt, ist die grundsätzliche Frage nach einer vorbehaltlosen und unbedingten Liebe einerseits und dem Wissen darum, dass auch Liebe der Arbeit bedarf). Ist es also so, dass Liebe bedingungslos ist und keine Forderungen stellt, wie es der Apostel Paulus beschreibt: „Wer liebt, ist geduldig und gütig. Wer liebt, der eifert sich nicht... Wer liebt, der trägt keinem etwas nach; es freut ihn nicht, wenn einer Fehler macht... Alles erträgt er mit großer Geduld." (1 Kor 13,4–7). Aber: wäre das nicht auch schon eine sehr große Anforderung an den Liebenden – nämlich so vorbehaltlos auf den anderen zuzugehen? Läge nicht paradoxerweise gerade darin eine große Anforderung?

Oder ist es nicht vielmehr so, dass wir sehr wohl Wünsche und Forderungen an unsere Liebesbeziehung und den, den wir lieben, haben? Haben wir nicht bewusst oder unbewusst Erwartungen an das Aussehen und das Verhalten des anderen, Wünsche an die Glücksmomente, die sich aus der Liebe ergeben sollen, Wünsche an Erfahrungen, die wir ohne eine Liebesbeziehung nicht machen würden?

Eine weitere Spannung ergibt sich aus dem Phänomen, dass Liebe sowohl etwas mit Leidenschaft als auch etwas mit Verbundenheit zu tun hat. Wie verträgt sich die von Watzlawick formulierte Erkenntnis, dass der Wunsch nach leidenschaftlichen Gefühlen weder planbar noch einklagbar ist, mit der ebenfalls bereits angedeuteten Erfahrung, dass tiefe Nähe und Verbundenheit nur eintreten kann, wenn man „sich vertraut macht": ein Vorgang, der mit Konzentration, Anstrengung, vor allem aber mit Verlässlichkeit und Treue zusammenhängt?

Diese Polaritäten haben konkrete und essenzielle Bedeutung: Kann ich am Anfang einer Partnerschaft/Ehe mir und meinem Part-ner versprechen, ihn zeit meines Lebens zu lieben? Und was heißt dies? Kann ich ihm versprechen, ihn glücklich zu machen? Kann ich ihm versprechen, ihn zu achten und unsere Beziehung nicht leichtfertig aufs Spiel zu setzen? In welchem Zusammenhang stehen Freiheit, Individuation und unvorhersehbares Wachstum mit Verlässlichkeit, Treue zu sich selbst und dem anderen? Auch hier, so scheint mir, geht es um ein grundlegendes menschliches Phänomen, das anderenorts bereits beschrieben wurde: die von Stierlin so bezeichnete „bezogene Individuation". Um es noch einmal zu sagen: Individuation umfasst einen Wachstums- und Reifungsprozess, der es mir ermöglicht, mein Leben eigenverantwortlich in die Hand zu nehmen und die mir in die Wiege gelegten körperlichen, geistigen und seelischen Kräfte schöpferisch zu nutzen und dabei auf immer höhere Ebenen zu gelangen. Dazu gehört auch, Verantwortung für die Integration meiner Gefühle, für Entscheidungen und für das, was ich tue oder lasse, zu übernehmen. Individuation hängt, so verstanden, eng mit dem Erleben der eigenen, unveräußerlichen Identität zusammen und zeigt gleichzeitig auch eine Trennung von dem anderen auf. Eine erste Individuationsaufgabe stellt sich in Kindheit und Jugend, insbesondere bei der Pubertät, wie in Kapitel 11 ausführlich dargelegt wird. Gleichzeitig bedeutet Individuation aber nicht, ohne andere auszukommen. Als sozial lebende Primaten sind wir bereits biologisch zwingend auf andere Menschen angewiesen. Als familiär sozialisierte Menschen, als Kulturwesen in einem komplexen Sozialsystem sind wir immer und unabdingbar auf andere angewiesen.

Co-Individuation, Co-Evolution

So verstanden ist eine Liebesbeziehung – sowohl die zwischen Eltern und ihrem Kind, erst recht aber die zwischen zwei Partnern, letztlich aber eine liebevolle Beziehung aller Menschen – darauf angewiesen, dass beide Partner sich entfalten und sich ihrer Individualität bewusst werden können. Stierlin spricht hier auch von einer notwendigen Co-Individuation, wir können auch von einer Co-Evolution sprechen. Damit ist gemeint, dass beide Partner sich entwickeln und einander an dieser Entwicklung teilhaben lassen. Damit ist ein Spannungsfeld unausweichlich. Denn die individuelle Entwicklung läuft nicht synchron. Um es vereinfacht auszudrücken: Wenn ich mir klar mache, dass mein Partner ein ganz anderer Mensch ist, der seine ureigene Entwicklung nehmen wird, bin ich vor Überraschungen nie sicher. Manches davon wird die Beziehung, wird meine eigene Entwicklung erschweren und mich zutiefst verunsichern. Einiges ist kompromissbedürftig. Anderes ist vielleicht unvereinbar. Ich wie mein Partner müssen auf bestimmte Facetten unserer Entwicklung um der Beziehung willen verzichten, andere Facetten unserer Entwicklung sind – trotz Beziehung – vielleicht unverzichtbar. Wie dem auch sei: Sich an der unvorhersehbaren, überraschenden und in Teilen gänzlich anderen Entwicklung des anderen zu erfreuen, ist die eigentliche „Kunst des Liebens". Zu begreifen und vor allem zu fühlen, dass es mein Leben bereichert, dass der andere mir nicht nur ähnlich, sondern auch oft fremd ist, kann eine Chance für immer wieder erlebte Liebesgefühle sein. Freilich kann es auch beängstigen, traurig stimmen oder wütend machen.

Am Anfang einer Liebesbeziehung steht in der Regel der Wunsch nach Glücksgefühlen, Harmonie und Verschmelzung. Unsere Biologie kommt diesem Wunsch nahe, weil Phenylethylamin und andere Stoffe uns vornehmlich das Beglückende der Beziehung und des Partners sehen lassen und uns in eine Art „Liebeswahn" bringen. Die Rückkehr zur Realität (etwas drastisch beschreibt Miketta, dass wir nun die Schweißfüße des Partners wahrnehmen) führt zu einer gewissen Desillusionierung und zur Erkenntnis, dass ich, der andere und die Beziehung facettenreicher sind, als es der erste Eindruck widerspiegelte. Es kommt zu einer gewissen Trennung, familientherapeutisch als Separation bezeichnet. Wird diese zwangsläufige und notwendige Separation als übermächtige Gefahr erlebt, kann im Gegenzug eine pseudoharmonisierende Aktivität an den Tag gelegt werden – gemeinsamer Hausbau, der Versuch ewiger Flitterwochen, aber auch die Anstrengungen beim Pflegen und Erziehen von Kindern können, so sinnvoll solche Aktivitäten eigentlich sind, als Ablenkung benutzt (oder besser gesagt: missbraucht) werden. Mitunter können so bspw. auch die Sorgen um die Kinder von einer notwendigen Auseinandersetzung (in des Wortes wahrster Bedeutung) des Paares ablenken – freilich nicht auf Dauer.

Dem Schritt der Separation folgt die Individuation, also das Gefühl emotionaler und individueller Eigenständigkeit. Dies ist keineswegs nur angenehm.

Drei Schritte nach dem ersten Glück:
1. Separation

2. Individuation

Nehmen wir an, der Partner verzichte um seiner Partnerin willen auf große und abenteuerliche Auslandsreisen, weil diese daran wenig Gefallen findet. In einem u. U. schmerzlichen Prozess der Separation und Individuation mag beiden klar werden, dass es eine Überforderung darstellt, alles mit dem anderen zu teilen oder von ihm zu erwarten. Vor die Frage gestellt, sich ein halbes Jahr von dem anderen zu trennen und die abenteuerliche Reise alleine anzutreten, wird nun Zwiespältigkeit innerhalb der eigenen Person deutlich: Vielleicht sind es nicht nur Ängste der Partnerin, sondern eigene Ängste, die bisher eine solche Reise verhinderten? Die Ungewissheit, wie es nach einem halben Jahr weitergeht, Abenteuerlust auf der einen Seite, Wunsch nach Geborgenheit auf der anderen Seite sind möglicherweise gar keine Polaritäten, die sich aus der Beziehung ergeben, sondern Ambivalenzen, die in mir selbst sind. Der entscheidende Punkt bei der Individuation ist, die Verantwortung für die eigenen Ambivalenzen und den eigenen Gefühlshaushalt eben auch zu übernehmen. Letztlich ist nun nicht mehr die Partnerin an dem Scheitern eines solchen Reisevorhabens „schuld": Ich trage die Verantwortung für das Gelingen meines Lebens in letzter Konsequenz selbst.

Die Schritte der Separation und Individuation, die Freiheit, die ich zu eigener Entwicklung brauche und dem Partner zugestehe, sind nicht ungefährlich: Man kann sich auseinanderentwickeln. Die mit der Individuation verbundenen Trennungserfahrungen können schmerzhaft, traurig, beängstigend oder aggressiver Natur sein, und es besteht die Gefahr, dies nicht auszuhalten.

3. Integration

Ein dritter Schritt ließe sich als Integration bezeichnen: Zum eine gilt es, die unterschiedlichen Facetten der eigenen Persönlichkeit zu integrieren. Wie in Kapitel 14 noch aufgezeigt wird, ist es eine unserer Aufgaben, alle Persönlichkeitsanteile, also auch unsere sogenannten „dunklen Seiten", in unser Selbstbild zu integrieren und uns so anzunehmen, wie wir sind (bzw. geworden sind). Dies gilt auch für die Integration unserer Gefühle, also die Erkenntnis, dass wir lieben und hassen, trauern und uns freuen, Angst, Scham und Schuld empfinden usw.

Zum anderen bedeutet Integration aber auch, den anderen (die Partnerin, den Partner, das sich selbstständig entwickelnde Kind) bewusst in seiner Ähnlichkeit und seiner Verschiedenheit wahrzunehmen und zu respektieren. Wenn eine Beziehung den Wunsch nach Gemeinsamkeit und die Erkenntnis von Verschiedenheit aushält, wenn ich mich an der Entwicklung des anderen genauso freuen kann wie an meiner eigenen, wenn ich Unterschiede zwischen uns nicht mehr als Bedrohung, sondern als Bereicherung meines Lebens erfahre, wenn ein bedingungsloses Einlassen auf den anderen mit Neugier und Mut zum Risiko begleitet wird, dann bahnt sich hier eine Integration auf der Paar- bzw. Beziehungsebene an.

Dieses Modell von Separation, Individuation und Integration ist nun keineswegs als Stufenmodell zu verstehen, wohl eher als ein lebenslanger Prozess.

7. Sexualität und Liebe 147

In seinem immer noch aktuellen und sehr lesenswerten Buch „Die Kunst des Liebens" vertritt Fromm die Meinung, dass, wenn Lieben eine Kunst sei, man diese erlernen müsse. Er meint, dass alle Fähigkeiten und Fertigkeiten, selbst wenn wir die Potenz dazu als Menschen mitbringen, individuell eingeübt und erlernt werden müssen. Dies gelte, so Fromm, auch für die Kunst zu lieben. Dabei gehe es weniger darum, geliebt zu werden, als vielmehr darum, selbst lieben zu können. Zu dieser Kunst gehöre, so Fromm, dass es uns wichtig sei zu lieben. Geduld und Ausdauer sowie die Bereitschaft, an sich selbst zu arbeiten, sind weitere Anforderungen. Auch Konzentration ist eine Fähigkeit, die erlernt werden muss. Hohe Anforderungen, die generell auftauchen, wenn wir seelisch wachsen und reifen wollen. Auch hier tritt eine Polarität zutage. Auf der einen Seite findet sich bei Fromm wie bei Satir, bei Watzlawick und in der gesamten humanistischen Psychologie das Vertrauen darauf, dass dem Menschen die Fähigkeit zu Wachstum, seelischer Reife und Liebe potenziell mit in die Wiege gelegt wurde. Menschen drängen zur Entfaltung, auch seelisch und geistig. Auf der anderen Seite der Hinweis, dass dies ohne Arbeit und Anstrengung nicht zu haben ist. Der oben genannte Prozess einer „bezogenen Individuation" erfordert Wagemut und die Bereitschaft, Anstrengungen und sehr unterschiedliche Gefühle durchzustehen. Ein solcher Prozess ist unsicher. Dennoch führt er immer wieder – unvorhergesehen und überraschend – dazu, dass wir Glück, Verbundenheit, Liebe und – paradoxerweise – Freiheit erfahren können.

Ein Elternpaar kam wegen schwerer Ängste und Schulversagens ihrer 15-jährigen Tochter in eine Beratungsstelle. Recht schnell wurde deutlich, dass neben den Pubertätsschwierigkeiten der Tochter zunächst unausgesprochene Probleme auf der Paarebene standen. Unterschiedliche Erziehungsstile und die Erwartung, der Partner möge doch die eigene Sicht annehmen, führten schließlich zur Frage: Was verbindet uns (außer der Sorge um die Tochter) noch miteinander? Einmal ausgesprochen, wurden nun heftige Gefühle der Enttäuschung, gegenseitiger Verletzung, aber auch Angst um das Fortbestehen der Beziehung deutlich. In den Paargesprächen tauchte immer wieder die bange Frage auf, ob man vielleicht nur wegen der Geburt der ältesten Tochter geheiratet habe und nur wegen der Kinder (sowie der Hypotheken für das gemeinsam gebaute Haus) zusammenbliebe? Es zeigte sich, dass die beiden Partner sehr jung geheiratet hatten, als das „erste Kind unterwegs" war. Die Mutter der Partnerin hatte ihrer Tochter damals von der Heirat abgeraten. Sie sah in der frühen Heirat ihrer Tochter nur die „Muss-Ehe", ein Begriff, der von Anfang an die Beziehung zu überschatten schien.
Auf die Frage des Eheberaters, warum er seine Freundin geheiratet habe, antwortete der Mann spontan: „Weil ich sie geliebt habe." Beide erinnerten sich, wie er mit roten Rosen vor der Haustür gestanden habe. Ein vorübergehendes Lächeln und Strahlen in den Augen machte deutlich,

wie sehr sie sich an diese glücklichen Momente erinnerten und nach ihnen sehnten. Als dies verdeutlicht wurde, konnten sie sich bewusst machen, dass sie zwar auch, aber keineswegs nur wegen des Kindes geheiratet hatten. So wie später deutlich wurde, dass sie auch, aber nicht nur wegen der Kinder und ihres bisherigen gemeinsamen Lebensweges noch zusammen waren. In anstrengender und zum Teil schmerzhafter Auseinandersetzung mit bisher unbewussten Sehnsüchten, aber auch in Konfrontation mit dem „Anderssein" des Partners beschritten beide den Weg der „bezogenen Individuation". Die Erfahrung, dass Trennungen von Vorstellungen und „Vor-Urteilen" einerseits schmerzhaft sind, andererseits neugierig machen können, des Weiteren der Mut zum Risiko, neue Erfahrungen mit sich und dem anderen zu machen und die Bereitschaft, sich und den anderen ernst zu nehmen, führten schließlich dazu, dass die Partner ihre Unterschiedlichkeit als Chance begreifen konnten. Nebenher konnte übrigens die Tochter einen großen Teil ihrer „Symptome" aufgeben.

Zusammenfassend können wir festhalten, dass es sich bei der Liebe um ein Phänomen menschlichen Erlebens handelt, das mit Leidenschaft, Intimität und Verbundenheit einhergeht und von vielfältigen und z. T. sehr unterschiedlichen Gefühlen begleitet wird. Interesse und Freude sind die vorherrschenden, plötzlich auftretenden und nicht planbaren Gefühlsmomente, die uns die Liebe so erstrebenswert machen. Liebe hat mit Bindung und Verbundenheit, aber auch mit Entwicklung seiner selbst und des anderen zu tun. Das stets neu auszuhaltende und zu erlebende Paradoxon von Freiheit, Respekt und Verlässlichkeit kann bei einer gelungenen Liebesbeziehung zu einer beidseitigen Co-Entwicklung führen und nicht nur zur Verbundenheit, sondern darüber hinaus zur bezogenen Individuation beitragen. Quasi als Nebenprodukt kommt es zu Glücksgefühlen mit unterschiedlichen Facetten, je nachdem ob rauschhafte, leidenschaftliche Gefühle oder Sicherheit und Vertrauen ausstrahlende Zuneigung im Vordergrund stehen. Die Gefühlsdimensionen, die in der Liebe auftreten, sind stets und ganz wesentlich auch körperliche Empfindungen, die in engem Zusammenhang mit unserem biologischen Erbe (unseren Hirnstrukturen und Körpersäften) stehen. Evolutionär hat Liebe „Sinn", weil sie dem Gedeihen des Nachwuchses förderlich ist und Bindungen unter Menschen fördert.

Die körperlich und seelisch empfundenen Glücksgefühle sind als „Beigabe" immer wieder erlebbar, nicht aber plan- oder einforderbar. Als Menschen sind wir von unserer Veranlagung her zur Liebe geschaffen, doch hängt unsere Liebesfähigkeit auch davon ab, wie viel ernste Bemühungen wir investieren. So richtig es ist, dass die beglückenden Momente der Liebe uns unverdient zufallen, so richtig ist es auch, dass die Fähigkeit zu lieben eine Kunst ist, die es zu erlernen lohnt.

Überprüfen Sie Ihr Wissen!

1. Kastration des Mannes führt praktisch immer zu einem Abbau von Aggression und Gewaltbereitschaft,

   denn

2. Testosteron spielt eine Rolle im Aggressions- und Sexualverhalten von Männern.

   a) Nur die Aussage 1 trifft zu. ☐
   b) Nur die Aussage 2 trifft zu. ☒
   c) Die Aussagen 1, 2 und die Kausalverknüpfung treffen zu. ☐
   d) Alle Aussagen treffen zu. ☐
   e) Keine Aussage trifft zu. ☐

7.1 Fragetyp E
Kausalverknüpfung

Eine der folgenden Aussagen ist falsch. Welche?

a) Pheromone und Duftstoffe spielen bei den unbewussten Anteilen der Partnerwahl auch beim Menschen eine Rolle. ☐

b) Passungen des Geruchssystems korrelieren häufig auch mit immunologischer „Verträglichkeit" der Partner. ☐

c) Testosteron wird nur beim Mann gebildet. ☒

d) Der sogenannte „Augengruß" beim Flirt ist durch ein kurzes Heben und Senken der Augenbrauen charakterisiert und signalisiert Interesse. ☐

e) Eine große, runde Pupille ist nicht zwangsläufig ein Hinweis auf Angstphänomene, sondern kann auch sexuelles Interesse signalisieren. ☐

7.2 Fragetyp B
Eine Antwort falsch

7.3 Äußern Sie sich zu Zusammenhängen von bezogener Individuation und Liebe in einer Partnerschaft.

7.4 Erläutern Sie die „Sei-spontan-Paradoxie" am Beispiel der Liebe.

Vertiefungsfragen

8. Ärger, Wut und Aggression

> ... und sie führten das Heer wider die Medianiter ... und erwürgten alles, was männlich war. Und die Kinder Israels nahmen gefangen die Weiber der Medianiter und ihre Kinder und brachten sie zu Mose, und Mose ward zornig über die Hauptleute des Heeres und sprach zu ihnen: Warum habt ihr alle Weiber leben lassen?
>
> (4 Mos 31, über den Krieg der Israeliten gegen die Medianiter)

Gewalt zieht sich wie ein roter Faden durch die Menschheits- und Kulturgeschichte. Seitdem durch Bilder oder Schriften Zeugnis von menschlichen Kulturen gegeben wird, finden sich immer wieder Hinweise auf Kriege. Bereits bei Schimpansen, unseren genetisch nächsten Verwandten, sind innerartliche Kämpfe mit erheblicher Aggressivität, insbesondere zwischen Kohorten männlicher Jungtiere, zu beobachten. Ethologen (Verhaltensforscher) und Ethnologen (Völkerkundler) haben daraus den Schluss gezogen, dass der Mensch im Laufe der letzten Millionen Jahre von Hominiden abstamme, deren Aggressionspotential hoch war – Nachkommen pazifistischer Zeitgenossen hätten, so diese These, keine Chance zum Überleben gehabt. Heraklids Wort vom „Krieg als Vater aller Dinge" oder Hobbes „Homo homini lupus" (Der Mensch ist dem Menschen ein Wolf) drücken Ähnliches aus: Der Mensch sei, wenn nicht sogar von Natur aus „schlecht" (oder besser gesagt: aggressiv) so doch tendenziell eher gewaltbereit.

Handelt es sich bei der menschlichen Aggressivität um einen naturhaft angelegten Trieb, der sich periodisch entlädt und nur mühsam durch Erziehung und Kultur zu bändigen ist – meist vorübergehend und höchst unvollkommen, wie immer wieder aufflackernde Kriege und Grausamkeiten zeigen?

Im Folgenden soll die These untermauert werden, dass menschliche Aggressivität eine von vielen Verhaltensdispositionen und Fähigkeiten des Menschen ist. Die ihnen zugrunde liegenden Gefühle (insbesondere Ärger) sind nicht direkt mit Aggressivität gleichzusetzen, auch wenn sie zu Aggression führen können. Neben den zweifellos vorhandenen Fähigkeiten zur Aggressivität hat der Mensch aber ein vielfältiges emotionales, kognitives und auf Verhaltensweisen bezogenes Repertoire zur Verfügung. Aggression, so wird postuliert, ist kein zwangsläufig und unabänderbar auftretendes menschliches Phänomen, sondern muss im Kontext anderer Emotionen und Verhaltensweisen gesehen werden. Sie lässt sich in gewissen Grenzen steuern und modulieren.

Zunächst gilt es, Aggression und Ärger voneinander zu unterscheiden. Aggression ist eine Verhaltensweise, die ein Interesse gegen den Widerstand anderer durchsetzt. Hierbei wird eine Schädigung, Vertreibung oder Zerstörung des Widersachers, eventuell auch von Gegenständen intendiert, zumindest aber in Kauf genommen. Demgegenüber sind Wut, Ärger, Zorn und Ekel Gefühle, die im Vorfeld von Aggression auftreten, nicht aber notwendigerweise zu Aggression führen.

Untersuchen wir das Phänomen der Aggressivität, so kann man die Frage nach Wirk- und Zweckursachen stellen.

Mögliche Antworten könnten sein, dass die Fähigkeit zur Verteidigung, aber auch das Gewinnen knapper Ressourcen Lebewesen mit einer neurohumoralen Grundausstattung im Dienste der Aggressionsbereitschaft bessere Möglichkeiten bot, ihrem Nachwuchs optimale Lebensbedingungen zu gewähren. Daher konnten sich solche genetisch weitergegebenen Strukturen über die Generationsfolge hinweg durchsetzen.

Auf anderen Ebenen lässt sich meines Erachtens ebenfalls die proximate wie die ultimate Frage stellen. So könnte bspw. in einer aggressiven Interaktion zwischen Familienmitgliedern proximat „untersucht" werden, welche Aktionen und Re-Aktionen zu einem sich aufschaukelnden Aggressivitätspotential führen. Die Bedingungen, unter denen sich Ärger entläd und Gewalt zum Vorschein kommt, werden hier gemäß der proximaten Fragestellung analysiert. Andererseits kann (und wird in der Familientherapie beispielsweise) gefragt werden, wozu dieses Verhalten dient. Hier mag sich zeigen, dass auch bei destruktivem oder aggressivem Verhalten ein „guter Grund" vorliegt, auch wenn er den Beteiligten nicht unmittelbar einsichtig ist. So könnte Aggression u. a. von Trauer oder Angst ablenken.

Im Folgenden wird das Phänomen menschlicher Aggression sowie der ihr zugrunde liegenden Emotionen auf unterschiedlichen Ebenen (biologisch, psychisch und sozial) untersucht, wobei die Frage nach dem „Wie" sowie dem „Warum" gestellt wird.

Um das biologische Fundament menschlicher Aggression zu verstehen, kann es hilfreich sein, die Phänomene innerartlicher Aggression im Tierreich kurz zu betrachten – ohne voreilige Schlüsse zum Menschen zu ziehen. Agonales Verhalten, das man in Kampf- und Fluchtsystem unterteilen kann, findet sich nicht erst beim Primaten und Hominiden, sondern schon bei sehr viel weniger entwickelten Tieren.

Biologische Grundlagen der Aggression

Wie Abbildung 8.1 zeigt, beinhaltet agonales Verhalten zum einen die Unterwerfung (Submission) oder Flucht, zum anderen das Drohen oder Kämpfen, entweder im Sinne der Aggression oder im Sinne der Verteidigung. Dieser Fähigkeit, einer Gefahr auszuweichen oder sie durch Beschwichtigung zu umgehen oder

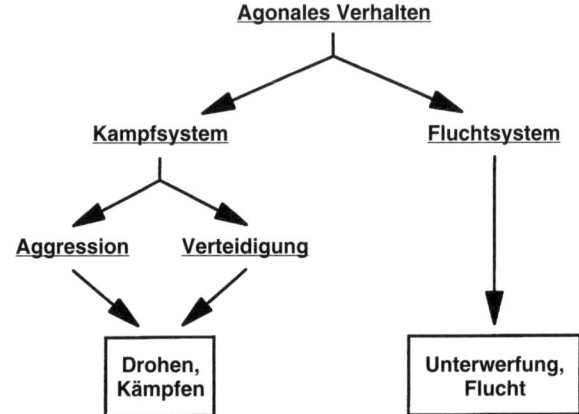

Abb. 8.1:
Agonales Verhalten
(nach Eibl-Eibesfeldt 1995)

Aggression aus ethologischer Sicht

andererseits zu kämpfen, entspricht die grundlegende und basale Strukturierung unseres Nervensystems, insbesondere des vegetativen Nervensystems. So ist der Nervus sympathicus im Sinne einer Alarmreaktion in der Lage, außerordentlich schnell Blutdruck, Atmung, Puls, Gerinnung des Blutes und andere Parameter so zu verändern, dass unter hohem Energieaufwand ein Kampf geführt werden kann. Dem Totstellreflex oder der Unterwerfung entspricht auf dieser basalen, vegetativen Ebene eher die Aktivierung des parasympathischen Nervensystems.

Die Fähigkeit zu drohen oder zu kämpfen ist artspezifisch ausgeprägt und wurde von Lorenz und Mitarbeitern für unterschiedlichste Spezies dezidiert beschrieben. Allgemein kann festgehalten werden: Je niedriger der Entwicklungsstand einer Spezies, desto festgelegter und determinierter sind die Aggressionsprogramme, die oft auf festgelegte Reize (sog. angeborene auslösende Mechanismen) folgen. Je weiter eine Spezies entwickelt ist, desto weniger zwingend ist eine aggressive Reaktion auf Schlüsselreize und desto differenzierter und individueller kann die Aggression ausfallen.

Fragen wir uns nach dem Grund, warum die Fähigkeit zu Aggression und Kampf sich evolutionär tradieren konnte, so kommen wir jedenfalls bei der innerartlichen Aggression bei Tieren zu der Feststellung, dass diese der Sicherung begrenzter Ressourcen, der Rivalität bei der Partnersuche, der Brutverteidigung, dem Errichten einer Rangordnung und ggf. der Gruppenstabilisierung dient. Spätestens bei der Entwicklungsstufe des Primaten zeigt sich aber, dass nicht automatisch das aggressivste Männchen einer Gruppe die höchste Rangposition erreicht. Zwar sind Rangstreben und Imponiergehabe sowie das Ausstoßen von Widersachern wichtige Faktoren, doch andererseits kommt der Fähigkeit zum Beschwichtigen, zum Teilen und zum Herstellen eines sozialen Friedens große Bedeutung zu. Gerade auch die prosozialen Verhaltensweisen erhöhen bei Menschenaffen den Rang in der Gruppe.

Bei den meisten Tieren treten innerartliche Kämpfe als Turnierkämpfe, nicht als Beschädigungskämpfe auf. Evolutionsbiologisch war es offensichtlich zwar von Vorteil, dass durch Drohgebärden Ressourcen verteidigt oder Feinde abgewehrt wurden, doch war eine Tötung des Gegners für die Gesamtfitness der Spezies offensichtlich nicht von Vorteil. Frühzeitig entwickelten sich Aggressionshemmungen (Demutsgebärden, Unterwerfungsrituale etc.), mit deren Hilfe der jeweils Unterlegene die Aggression seines Kontrahenten abblocken konnte.

Der Mensch steht im Erbe seiner hominoiden Vorfahren. Seine Fähigkeit zur Aggression ist nicht nur kultureller Art, sondern hat auch etwas mit seiner Natur zu tun. Biologische Einflüsse führen aber beim Menschen in der Regel nicht zwingend zur Aggression, sondern können tonisierend eine aggressive Handlungsbereitschaft erhöhen. Was uns biologisch mit in die Wiege gelegt (oder anders gesagt: genetisch tradiert) wird, ist weniger ein determinierender Aggressionstrieb, als vielmehr eine potentielle Aggressionsbereitschaft im Sinne einer stammesgeschichtlichen Anpassung. Damit ist gemeint, dass bestimmte neuronale Strukturen und Stoffwechselfunktionen genetisch vorbestimmt sind. Solche Strukturen ermöglichen unter bestimmten Bedingungen, Prägungen und Lernerfahrungen aggressive Verhaltensweisen.

Biologische Faktoren im Dienste erhöhter Aggressionsbereitschaft sind unter anderem humorale Faktoren (Körpersäfte, z. B. Hormone), spezifische Reizsituationen, für die wir besonders empfänglich sind, eine bestimmte neuronale Organisation (also Strukturierung unseres zentralen Nervensystems) sowie besonders tonisierende exogene Reizkonstellationen, die uns mit größerer Wahrscheinlichkeit aggressiv werden lassen als andere Reize. Schließlich sind in diesem Zusammenhang auch angeborene Lerndispositionen zu nennen.

Von den humoralen Faktoren bei der Aggressionsentstehung sind vor allem Hormone und Neurotransmitter zu nennen, z. B. Adrenalin, Noradrenalin, Dopamin und Testosteron, die alle bei der Aggressionsentstehung ihre Bedeutung haben, keineswegs aber spezifisch für die Emotion von Ärger oder das Entstehen von Aggression sind.

Gibt es ein aggressionsspezifisches Hormon?

Adrenalin bspw. ist ein „Stresshormon", das bei potentieller Gefahr ausgeschüttet wird und den Körper in eine sympathikotone Lage versetzt: Herz- und Kreislauffunktion, Atmung, Darmfunktion, Reizverarbeitung durch das Gehirn und anderes mehr ermöglichen schnelle Aktionen. Ob diese Aktion nun Flucht (mit dem Grundgefühl der Angst) oder Kampf (mit dem Grundgefühl der Wut) ist, entscheidet sich noch nicht auf dieser hormonellen Ebene.

Sinngemäß gilt Ähnliches für das Testosteron. Es spielt eine zwar wichtige, aber keine determinierende Rolle bei menschlicher Aggressionsentstehung. Einerseits ist vielfach beschrieben worden (und kann beobachtet werden), dass insbesondere junge Männer (mit erfahrungsgemäß hohem Testosteronspiegel) sich – zumindest statistisch gesehen – risikofreudiger und auf agierende Weise aggressiver verhalten als andere Gruppierungen der Bevölkerung (man denke nur an den Straßenverkehr). Zusammenhänge zwischen riskanten und aggressiven Verhaltensweisen und dem Testosteronspiegel finden sich übrigens auch bei Primaten. Auch ist bekannt, dass *nach* dem erfolgreichen Kampf, also beim Sieg, im Sport (bspw. einem Tennismatch) oder im sozialen Kontext (etwa bei einer bestandenen Prüfung) der Testosteronspiegel steigt, übrigens bei Männern wie Frauen. Daraus nun zu schließen, Testosteron sei nicht nur ein Geschlechtshormon (was es zweifelsfrei ist), sondern auch ein „Aggressionshormon", und die Reduzierung des Testosterons, bspw. durch Kastration, würde zwangsläufig friedfertiger machen, ist in der Regel ein fataler Irrtum. Harris (1994) berichtet über zahlreiche Beispiele aus der Kulturgeschichte, die eine solch simplifizierende Vorstellung als Trugschluss entlarven.

Es gibt also kein „aggressionsspezifisches" Hormon. Auch sogenannte „Liebes- oder Glückshormone" wie bspw. Oxitozin (besondere Bedeutung bei der Bindung zwischen Mann und Frau und Eltern und Kind), Phenyläthylamin (rauschhaftes Empfinden von Verliebtheit und Glücksgefühlen) und Endorphinen (schmerzstillend und euphorisierend) sind in ihrer Funktion polivalent. So kommt es gerade bei Verletzungen im Rahmen kriegerischer Auseinandersetzungen kurzfristig zu einer erhöhten Ausschüttung von Endorphinen. Der „Rausch des Kampfes" ist so zu erklären und mag biologisch den Sinn gehabt haben, vorübergehend schmerzunempfindlicher zu machen.

Auf der Zwischenhirnebene sind es vor allem Strukturen des Limbischen Systems, die mit Gefühlen von Ärger (bzw. Angst, Trauer, Lust und Liebe) verbunden sind und Wechselwirkungen zu gestischen und motorischen Reaktionen aufzeigen. Bereits in den 50er Jahren konnte von Holst zeigen, dass die Reizung bestimmter Strukturen des Zwischenhirns bei Wirbeltieren zu mehr oder weniger stereotypen Aggressionsritualen oder Kampfsequenzen führte (vgl. v. Ditfurth 1980). Beim Menschen kommt es natürlich nicht zu determinierten Aggressionshandlungen bei Reizung bestimmter limbischer Strukturen. Andererseits wird auch beim Menschen das Limbische System aktiviert, wenn wir uns ärgern. Von besonderer Bedeutung sind dabei Hippocampus (Seepferdchen) und Amygdala (Mandelkern).

Wie bereits erwähnt, kam es in der Hominidenevolution zu einer relativen Zunahme der Strukturen im Limbischen System, die mit Freude und lustvollen Erfahrungen zusammenhängen (insbesondere Septum und basolaterale Mandelkerne). Die mit Wut und Aggression verknüpften Komponenten (z. B. zentromediale Kerngruppen und andere) blieben, wie indirekte Spuren bei Hominidenfunden zeigten, im Laufe der letzten Millionen Jahre relativ konstant. Der Nobelpreisträger und Neurophysiologe John Eccles wertet dies als Hinweis darauf, dass freundlich-affiliative Tendenzen, möglicherweise durch Kleingruppe und Familiengründung „in die Welt gekommen" und ursprünglich im Dienste der Verteidigung und Brutpflege stehend, eine mindestens ebenso erfolgreiche evolutionsbiologische Strategie darstellen wie aggressive Konkurrenz, ja, dass mit höherer Entwicklung solche Tendenzen die (nach wie vor noch vorhandenen) aggressiven Dispositionen relativieren können. Er grenzt sich mit dieser Meinung deutlich von anderen Forschern wie beispielsweise dem Anthropologen Christian Vogel ab, der ein pessimistischeres Bild von der Aggressivität des Menschen hat.

In engem Zusammenhang zu Zellverbänden des Limbischen Systems stehen die motorischen Einheiten im Dienste der mimischen Muskulatur. Die menschliche Mimik ist differenzierter und weiter entwickelt als die der Primaten. Auch wenn wir als Menschen darüber hinaus über die Sprache verfügen, war und bleibt die Mimik ein wichtiges basales Kommunikationsmittel. Die vielfältigen Muskeln, dazugehörigen motorischen Einheiten und Innervationsprogramme ermöglichen einen nuancierten Ausdruck von Stimmung und Gefühlen. Offensichtlich ist es für sozial lebende Primaten von großer Bedeutung gewesen, einerseits die eigene Stimmung differenziert ausdrücken zu können, andererseits die Stimmung des anderen, z. B. seine Drohgebärden und die aufkeimende Wut, rechtzeitig zu erkennen und entsprechend zu reagieren.

Aggression bei Primaten, erst recht beim Menschen kann zu unterschiedlichen und differenzierten mimischen Ausdrucksprogrammen führen. Mimisch sind die Übergänge zwischen dem „Angstausdruck" und dem des Zorns fließend. Auf vegetativer Ebene entspricht dies der Tatsache, dass Zorn und Angst zunächst eine Aktivierung des Sympathicus im Sinne einer Kampf- oder Fluchtreaktion zur Folge haben. Beiden gemeinsam ist der Stress mit der generellen Aktivierung des sensorischen und motorischen Systems und einer Vielzahl von (unter anderem hormonellen) Stressparametern. Im Falle des Zorns kommt es allerdings zu einer agonalen (Kampf-)Aktion, während Angst, Panik und Flucht eher mit einer Blockierung des agonalen Systems und der damit verbundenen Stimmung der „Hoffungs- und Aussichtslosigkeit" verbunden sind.

Der „klassische" Gesichtsausdruck tiefen Zorns ist durch das Zusammenziehen der Augenbrauen (sinisterer Blick), des Entstehens einer Zornes- bzw. sogar Notfalte und der Kontraktion des großen Stirnmuskels (die Stirn wird in Falten gelegt) charakterisiert. Physiologische Basis dieses Phänomens sind Programme, die die Lidspalte enger stellen und die Augen vor übermäßigem Lichteinfall schützen. Das Zusammenziehen der Brauen (als Blende gegen das von oben kommende Sonnenlicht) verstärkt den Prozess des Lichtschutzes, andererseits aber auch des Sich-Abkapselns. Zuständig für dieses motorische Programm ist wesentlich der Musculus corrugator supercilii (der Augenbrauenzusammenzieher), der die Augenbrauen nach innen und unten zusammenzieht, sodass die dabei entstehende „Zornesfalte" als Sekundärphänomen zu verstehen ist. Dieses basale biologische Programm, das zunächst dem Lichtschutz diente, ist bei höheren Primaten modifiziert worden und entspricht der Stimmung des Zorns, bei der wir uns von dem uns zornig machenden Objekt abwenden und uns abkapseln. Auch im intrapsychischen Erleben bekommen wir „Scheuklappen", sehen mögliche Konfliktlösungen oder weitergehende Aspekte des Konfliktes plötzlich nicht mehr.

Ein anderes Phänomen, das bei Ablehnung und Missbilligung mimisch in Erscheinung tritt, verringert ebenfalls den Kontakt zur Außenwelt: Es handelt sich dabei um das Nasenrümpfen, bei dem der Musculus levator labii superioris alaeque nasi, also der Heber der Oberlippen und Nasenflügel, in Erscheinung tritt und den Luftstrom verringert. Physiologisch war das zunächst sinnvoll, wenn übelriechende und vermutlich verdorbene Substanzen am Eindringen in den Atmungstrakt gehindert werden sollten. Überformt ist das Naserümpfen nun das Signal leichter sozialer Missbilligung. Dies findet sich auch in unserer Sprache, wenn wir etwas als anrüchig interpretieren. Naserümpfen kann gekoppelt werden mit freundlicheren Zeichen, bspw. einem leichten Lächeln. In diesem Falle wird zwar Missbilligung ausgedrückt, im Gegensatz zur Aggression aber der Kontakt nicht völlig abgebrochen.

So beschreibt der Anthropologe Schiefenhövel eine Fernsehsituation, in der die Ansagerin Dagmar Berghoff im Rahmen einer Talkshow von Joachim Fuchsberger aufgefordert wird, über ihr Privatleben und ihre Beziehung zu sprechen. Dieses Ansinnen wird von ihr abgelehnt und von den mimischen Programmen „Nasenrümpfen und freundliches Lächeln" untermauert.

Die Abbildungen 8.2 a und b zeigen die Unterschiede zwischen dem mimischen Programm des „Naserümpfens" und dem sogenannten „Ekelgesicht". Letzteres überformt eine andere basale biologische Funktion, nämlich das Würgen. Phylogenetisch (in der Entwicklung der Art) wie ontogenetisch (in der Entwicklung des Kindes) ist der Würgereflex und das damit zugrunde gelegte Gefühl des Ekels früh angelegt (Hülshoff 2000). Bereits der Säugling wird die typische uns als Ekelreaktion bekannte Mimik sowie heftiges Würgen produzieren, wenn Bitterstoffe auf seine Zunge geträufelt werden. Der über den Nervus vagus verlaufende Würgereflex wird dazu führen, dass er die unangenehme (und potentiell gefährliche) Substanz ausspeit. Dazu wird ein Teil des Musculus levator labii superioris, also des Muskels, der die Oberlippe hebt, tätig. Neben einer Vertiefung der Nasen-Lippen-Falte kommt es zu einer trogförmigen Konfiguration (etwa umgekehrtes U), wobei die Oberlippe in der Mitte angehoben wird. Oft wird der Mund geöffnet, die Zunge herausgestreckt, und bei massivem Würgereiz kommt es zu einem Hervorstoßen von Speichel, ggf. auch von Mageninhalt. Spucken und Erbrechen sind also physiologisch gesehen nah miteinander verwandt. Dieses sehr archaisch angelegte Würgeprogramm im Sinne der Individualerhaltung wird frühzeitig mit einem Gefühl des Ekels assoziiert und kann später kulturell überformt werden. Das Öffnen des Mundes und das Herausstrecken der Zunge, ein Aufsetzen des Ekelgesichtes, erst recht das Anspucken (das als „Spitting" sprachlich auch mit dem Spott verwandt ist) wird praktisch in allen Kulturen als aggressiver Akt verstanden und bedeutet mehr oder weniger, dass man jemanden „zum Kotzen findet".

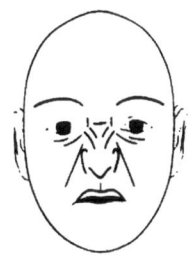

a) Naserümpfen

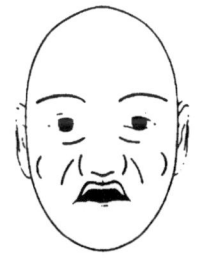

b) Ekel

Abb. 8.2 a und b: Mimischer Ausdruck des Naserümpfens und des Ekels (aus Hjortsjö 1970)

Beim sogenannten „Drohstarren" werden die Augen aufgerissen und die Brauen erhoben, wobei Unmutsfalten auf der Stirn entstehen. Das Anstarren verunsichert oder verängstigt das Gegenüber und wird somit als Drohgebärde wirksam. Ein zusätzliches Herunterziehen der Mundwinkel bei der Drohmimik findet sich bei Mensch und Primaten. Beim Primaten wurden dabei noch die Reißzähne sichtbar, die motorisch-mimischen Einheiten haben sich bis zum Menschen weiter erhalten.

Augenkonfigurationen in Kunst und Kultur, z. B. bei steinernen Wächterskulpturen oder „Medusenhäuptern" sollen Böses bannen und haben die Funktion zu erschrecken. Dies zeigt, wie sehr der drohende Blick beim Menschen noch als beängstigender Stimulus wirkt. Es wird deutlich, dass zum Teil unterschiedliche mimische Ausdrucksweisen im Dienste der Aggression stehen. Geht man davon aus, dass jede Ausdrucksweise einem spezifischen emotionalen Erleben zugeordnet ist, so kann man drei Emotionen isolieren, die, obwohl unterschiedlichen Wurzeln entstammend, in den

Dienst der Aggression gestellt werden können. Nach Izard sind dies der Zorn, der Ekel und die Geringschätzung (Verachtung). Auch dieser dritten emotionalen Komponente, die Izard als „kalte Aggression" bezeichnet, können Charakteristika in Mimik und Gestik zugeordnet werden. Gerade Verachtung und Geringschätzung ermöglichen aggressive Akte auch außerhalb eines impulsiv aufflackernden Zorns und können, wenn es um geplante Aggression oder sogar Vernichtung geht, sehr gefährlich werden.

Am Ende der Ausführungen über mimischen Begleitphänomenen der Aggression zugrundeliegenden Emotionen soll aber noch einmal darauf eingegangen werden, dass es Emotionen nebst dazugehörigen mimischen Programmen gibt, die Aggression abzublocken in der Lage sind. Während sich das Lachen und Auslachen vom „Triumphgeschrei" vormenschlicher Lebewesen ableitet und zwar einen gruppenverbindenden Effekt derer, die Auslachen, hat, andererseits aber den Ausgelachten verspottet und aussondert, was also als Aggression zu bezeichnen ist, hat das freundliche Lächeln seine Ursprünge im „Furchtgrinsen" und ist durch leichte Unterwerfung und freundlichen Appell gekennzeichnet. Beim Lächeln kommt es zunächst zu einer Kontraktion des Zygomatikusmuskels, der vom Mundwinkel zum Jochbein unterhalb der Augenhöhle reicht. Die Mundwinkel werden nach oben und außen gezogen und das „Weiß der Zähne blitzt auf". Dieses Signal ist äußerst wirksam und wird vom Empfänger unmittelbar als sympathisch empfunden.

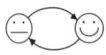

Ein solches freundliches Lächeln führt typischerweise zur Aggressionsabblockung bei Mensch und Tier. Andere Muster der Aggressionsabblockung sind Unterwerfung, das „Sich-klein-Machen", infantile Regression, Weinen oder das Androhen von Kontaktabbruch. Evolutionär haben sich die meisten dieser Verhaltensweisen als Unterwerfungs- bzw. als Submissionsphänomene herausgebildet und griffen basalere Brutpflegeprogramme auf. Das kleine, hilflose Jungtier sendet entsprechende Signale aus, die die älteren Tiere zu freundschaftlichem Schutz und Bindungsverhalten veranlassen. In diesem Zusammenhang sind Muster der Kindchenschemata ebenso zu nennen wie das Schreien oder Sprechen mit hoher Frequenz (kindliche Stimme), das Weinen und anderes mehr, was bereits auf unbewusster Ebene wirkt, indem es uns versöhnlicher stimmt. Sich klein zu machen, sich zu verbeugen oder die „Waffen zu strecken" – also die leeren Hände vorzeigen – entsprechen anderen biologischen Wurzeln, dienen aber ebenfalls der Aggressionsabblockung.

Alle diese Phänomene sind in der Regel kulturell überformt worden. Die Verbeugung bei der Begrüßung, das Sich-Unterwerfen vor Hoheiten, rituelle Begrüßungs- und Versöhnungsformeln usw. sind hier anzumerken. Nach Konrad Lorenz besteht ein großes Problem der heutigen Menschheit darin, dass es ihr mit den Strukturierungen ihres Großhirns gelang, immer ausgefeiltere Distanzwaffen herzustellen. Mitleidappelle, regressives Gebaren und andere Phänomene der Aggressionsabblockung verlieren bereits an Wirksamkeit, wenn man einen Knüppel als Distanzwaffe benutzt. Mit zunehmender Waffentechnik wurden Aggressionen und Kriege zunehmend anonymer.

Der Bomberpilot im Krieg muss keineswegs aggressiv gestimmt sein, wenn er seinen Auftrag ausführt. Höchstwahrscheinlich weiß er von der leiderzeugenden Wirkung der von ihm bedienten Waffen, aber er erfährt sie nicht unmittelbar emotional. Würde man von ihm verlangen, einen Menschen zusammenzuschlagen (was vergleichsweise weniger Leid erzeugen würde als der Abwurf einer Bombe), würde er dies vermutlich tief entrüstet ablehnen, hätte zumindest große emotionale Schwierigkeiten damit.

Auf Großhirnebene kommen vor allem dem Frontalhirn und dem Parietallappen besondere Bedeutung bei Steuerung, Kontrolle und Modulation von Aggressionen zu. So weiß man, dass es nach Frontalhirnläsionen, aber auch bei Schädigungen des Parietallappens (Seitenlappens) zu Schwierigkeiten bei der Erkennung von Fremdaggression, aber auch zu schwer zu steuernden aggressiven Durchbrüchen und Schwierigkeiten in der adäquaten emotionalen Distanzierung kommen kann. Letztlich aber sind an der tertiären Verarbeitung aggressiver Impulse alle Areale des gesamten Großhirns mehr oder weniger und in unterschiedlicher Weise beteiligt. Unsere Gedächtnisstrukturen, unsere Willkürmotorik, die Zentren, die optische, akustische und sensorische Informationen aufnehmen und verarbeiten, Nervenzellverbände (Assemblies), die für das Erkennen, das Vorstellen und die Handlungsplanung immer wieder neu zusammengeschaltet werden (Hülshoff 2000, 346f.) – sie alle sind am Zustandekommen verfeinerter Aggressionen, indirekter und verdeckter Aggressionen, Aggressionsumleitung und überhaupt dem gesamten Repertoire unserer „emotionalen Schliche" beteiligt.

Gerade auch die menschliche Fähigkeit, Aggressionen sprachlich so zu verpacken, dass sie nicht direkt auffallen, ist eine Leistung übergeordneter Großhirnzentren.

Wie wirkungsvoll solch subtile, zunächst kaum zu bemerkende Aggressivität wirken kann, zeigt in unübertrefflicher Weise der Kabarettist Rüdiger Hoffmann, wenn er sich aufschaukelnde, subtile Aggressionen in einer Wohngemeinschaft karrikiert: Zunächst banal wirkende Konflikte wie das Gießen der Blumen, das Säubern der Badewanne oder das Aufwickeln der Telefonschnur werden Anlass für feine, in ihrer Aggressivität zunehmende Spitzen, bevor es erst am Schluss der Parodie zur offenen aggressiven Entladung kommt.

Zwischen den der Aggression zugrunde liegenden Emotionen (Wut und Ärger, Ekel und Geringschätzung) und anderen, primär nicht mit Aggression in Zusammenhang stehenden Gefühlen (Angst, Liebe, Scham und Schuldgefühlen) gibt es zahlreiche Interaktionen.

Angst kann einerseits Aggression hemmen, wenn nämlich ein berechtigter Ärger heruntergeschluckt wird, weil man bei offener Demonstration der Wut oder aggressiven Tätlichkeiten Sanktionen fürchtet. Andererseits kann gerade auch Angst Motor für eine Flucht nach vorne sein und zu aggressivem Verhalten führen. Nach dem Motto, dass Angriff die beste Verteidigung sei, kann Aggression also im Sinne einer Angstreduktion oder -vermeidung dienen. Von Hartmann (1970) stammt der Hinweis, dass es auch zwischen Trauer und Depression einerseits und Aggression andererseits enge Zusammenhänge gibt: Etwa 50 % der von ihm untersuchten jugendlichen Straftäter zeigten erhebliche depressive Störungen. Zwar können Verurteilung und Haftbedingungen zu einer Depression beitragen, oft liegt aber eine langjährige depressive Entwicklung vor.

Schuldgefühle können einerseits Aggressionen blocken. Dann nämlich, wenn beim Auftreten von Ärger und Wut antizipiert wird, dass eine aggressive Überreaktion zu eigenem Unrecht führt und somit unterlassen wird. Auf der anderen Seite kann auch gerade ein überbordendes Schuldgefühl dazu führen, dass man, um begangenes Unrecht zu vertuschen, erneute aggressive Handlungen oder Straftaten durchführt. Im Extrem kann zur Rechtfertigung vorangegangener Gewalt neue Gewalt hinzugefügt werden: „Das ist der Fluch der bösen Tat, dass sie aus Bösem Böses neu gebiert" (Schiller).

Nicht nur unser biologisches Erbe, sondern auch die individuelle Lebensgeschichte und somit unsere Lernerfahrungen beeinflussen, wann, unter welchen Konstellationen und in welchem Ausmaß wir aggressiv reagieren und wie wir Aggression zu steuern imstande sind. Allerdings sind die Voraussetzungen für solche Lernerfahrungen wenigstens zum Teil auch noch biologisch beeinflusst. Für die menschliche Aggressivität relevante Lerndispositionen sind unter anderem Wir-Gruppenfixierungen, xenophobe Tendenzen (Xenophobie: Angst vor Fremdem), Rangstreben, Neigung zu Gefolgshandeln und leichte Indoktrinierbarkeit. Wir neigen dazu, uns nahestehende und seit langem vertraute Menschen anders zu beurteilen als Fremde, vor denen Angst zu haben wir eher geneigt sind. Diese Verhaltensdispositionen sind nicht imperativ (zwingend), sondern eher als Neigungstendenzen zu verstehen. Solche Tendenzen können aber dazu verführen, im Sinne einer als positiv erlebten Gruppenbindung leichter zu Freund-Feind-Schemata verführt zu werden. Hierauf gründet die von Eibl-Eibesfeldt beschriebene leichte Indoktrinierbarkeit.

Auch das Streben nach Rang und Ansehen innerhalb einer Gruppe findet sich bereits bei Primaten und ist als Verhaltensempfehlung ebenfalls beim Menschen zu finden. Wie schon erwähnt, wird der Rang in der sozialen Gruppe nicht erst beim Menschen, sondern bereits beim Primaten einerseits zwar durch Kraft und Stärke, Imponiergehabe und agonal-aggressive Tendenzen bestimmt, andererseits sind aber affiliativ-freundliche und prosoziale Tendenzen von mindestens ebenso großer Wichtigkeit: Die Fähigkeit, Streit zu schlichten, Bündnisse herzustellen, Nahrung zu verteilen, für gerechten Interessenausgleich zu sorgen, wird bereits in Schimpansenverbänden mit hohem sozialen Ansehen und Rang versorgt (auch im Kindergarten ist keineswegs immer der Stärkste, sondern oft auch das mit vielfältigen sozialen Kompetenzen imponierende Kind angesehen und akzeptiert).

Gefolgsgehorsam und die Fähigkeit zur Treue sind, versteht man hierunter eine Verhaltenstendenz, auch eher prosoziale menschliche Verhaltensdispositionen und Ausdruck menschlicher Bindungsfähigkeit. Gerade ein solcher Gefolgsgehorsam kann jedoch zu erheblichen Aggressionen und Leid führen. In der bekannt gewordenen und ethisch umstrittenen Studie von Milgram wurden von einem fiktiven Versuchsleiter im Rahmen eines sogenannten „Lernversuchs" Probanden aufgefordert, Menschen innerhalb dieses „Versuchs" durch Elektroreize zu bestrafen, wenn sie Fehler machten. Die angeblichen „Opfer" waren Schauspieler, die die Körperreaktionen nach Stromstößen simulierten, aber davon wussten die Probanden nichts. Es zeigte sich nun, dass in Abhängigkeit von der vermeintlichen „wissenschaftlichen Autorität des Versuchsleiters" – Doktortitel, weißer Kittel, Versuchsanordnung, Wichtigkeit des angeblichen Versuchs etc. – die unwissenden Probanden mehr oder weniger dazu tendierten, die Anordnungen „im Dienste der Wissenschaft" durchzuführen. Dabei waren sie keineswegs wütend – sie hatten großes Mitleid, wenn sie Stromstöße gaben, die zu heftigen Schmerzensschreien und anderen schweren (gespielten) Reaktionen führten. Sie versuchten zum Teil, die Versuchsanordnung heimlich zu umgehen und den Versuchsleiter zu täuschen – erschreckend oft jedoch leisteten sie keinen Widerstand, sondern führten – im Sinne des Gefolgsgehorsams – die Versuche aus.

Der menschlichen Fähigkeit zum unkritischen Gefolgsgehorsam steht die ebenfalls stark ausgeprägte menschliche Empathiefähigkeit entgegen.

Gefolgsgehorsam: Das Milgram-Experiment

Bereits Schimpansen können sich in die Lage anderer Lebewesen hineinversetzen, also Empathie (Mitgefühl) zeigen. Zeigt man ihnen bspw. einen Film, in dem Menschen in einem brennenden Haus sind und nicht entkommen können, so sind sie anschließend in der Lage, gezielt Werkzeug zur Rettung (Leitern, Stricke etc.) zu holen. Sie haben nicht nur die technische Seite verstanden, sondern vermutlich auch Mitgefühl entwickelt.

Diese Fähigkeit der Empathie ist beim Menschen mit Sicherheit noch viel stärker ausgeprägt. Ebenso wie rationale Überlegungen können auch Mitleid und Mitgefühl vor Aggressionen im Rahmen eines blinden Gehorsams schützen.

So weist Hoimar von Ditfurth darauf hin, dass in den Stellungskriegen des 1. Weltkrieges die Frontsoldaten beider Seiten anfingen, Zigaretten und Lebensmittel auszutauschen, bewusst aneinander vorbeizuschießen oder an hohen Feiertagen (Weihnachten) das Feuer ganz einzustellen. Beide Heeresleitungen veranlasste dies, nach einer gewissen Zeit immer wieder die Frontsoldaten auszutauschen, um aggressive Handlungen überhaupt erst wieder zu ermöglichen. Auch „Fraternisierungsverbote" im Krieg und die „Notwendigkeit", Menschen zu kriegerischem Handeln indoktrinieren zu müssen, belegt die menschliche Empathiefähigkeit: Einerseits kommt es im Krieg ohne Zweifel auch zu individuellen entsetzlichen aggressiven Entgleisungen. Andererseits zeigt die Geschichte immer wieder, dass Machthaber versuchten, die Bevölkerung zu Aggressionen zu indoktrinieren, indem die Feinde zu Unmenschen stilisiert wurden. Offensichtlich war es nötig.

Bei der Frage, wie aggressives Verhalten in der individuellen Biografie „gelernt" wird, gibt es verschiedene Theorien, die alle eine bedingte Richtigkeit beanspruchen können.

So kann Lernen am Erfolg bspw. zu instrumentellen Aggressionen führen: Hat ein Kind gelernt, dass es nur energisch-aggressiv genug auftreten muss, um seinen Willen auch gegen den anderen durchzusetzen, kann dies ggf. zu einer Verstärkung dieses Verhaltens führen. Dann wird Aggression gezielt als Instrument zur Durchsetzung eigener Wünsche eingesetzt.

Andererseits kann Aggression auch explorativen Charakter haben: In allen Lebensabschnitten, vor allem aber in Kindheit und Jugend, erfüllt eine solche explorative Aggression eine wichtige psychosoziale Funktion. Kinder und Jugendliche testen nicht nur ihre Kraft, sondern auch die Grenzen ihres Handelns aus, die durch die soziale Umgebung vorgegeben werden. Es kann unter Umständen sehr enttäuschend sein, wenn eine solche Aggression im Dienst sozialer Erkundung nur auf die „Gummiwand" desinteressierter Erwachsener stößt. In der Regel nimmt die Aggression von Kindern und Jugendlichen in einem solchen Falle zu. Das als Desinteresse erlebte Nicht-Reagieren von Seiten der Umwelt/der Erwachsenen verunsichert zutiefst, führt einerseits zu einer Hybris (man mag meinen, sich alles erlauben zu können), andererseits aber zu einer tiefen Verunsicherung. Wie sollen sich beispielsweise Kinder von Eltern beschützt und sicher betreut fühlen, die noch nicht einmal stark genug sind, empathisch, aber klar und eindeutig auf die kindliche Aggression einzugehen? Ein Aggressionsmodell nach Dollard betont das Auftreten von Aggression nach Frustration. Jede Versagung von lustbetonten Wünschen, jedes Blockieren emotionaler Bedürfnisse, jede Vernachlässigung, so Dollard, führt auf der Seite des Frustrierten zu dem Gefühl von Ärger, Wut und mehr oder weniger starker Aggression. In seiner Ausschließlichkeit gilt dieses Frustrations-Aggressionsmodell inzwischen als überholt. Unbestreitbar allerdings ist, dass Frustration häufig Aggression auslöst. Darauf zu schließen, dass eine Erziehung völlig frustrationsfrei durchgeführt werden sollte, wäre allerdings absurd. Die Kindern zugemuteten Frustrationen müssen einerseits tolerabel sein, andererseits brauchen Kinder Vorbilder und das Erlebnis, Bedürfnisse aufschieben und kleinere Frustrationen ertragen zu können.

Anders liegen die Dinge bei erheblichen, immer wieder zugefügten Frustrationen essenzieller Bedürfnisse nach emotionaler Wärme, Schutz, Sicherheit, Nahrung usw. Chronischer sexueller Missbrauch, seelische und körperliche Kindesmisshandlung, emotionale und soziale Deprivation (Vernachlässigung und Verwahrlosung) können sehr wohl Wurzeln einer aggressiv getönten dissozialen Entwicklung sein. Allerdings ist eine solche aggressiv getönte Dissozialität nach Deprivation eine völlig andere Form von Aggression als aggressives Verhalten, das gerade infolge einer guten Eltern-Kind-Beziehung erlernt wird.

Bei einer dauerhaften, vertrauengebenden und tragfähigen Beziehung zwischen Eltern und Kindern (die eher die Regel zu sein scheint) lernen Kinder am sozialen Vorbild, wie Bandura aufzeigen konnte.

Wenn Kinder geschätzten und geliebten Personen bei aggressiv getönten Handlungen zusahen, waren sie später geneigter, Puppen auch eher aggressiv zu behandeln. Umgekehrt lernten sie auch eher friedfertiges Verhalten am sozialen Vorbild. Bedeutsam hierbei sind das Lernen durch Imitation (Nachahmung), im späteren Alter auch das Lernen durch Identifikation, wobei man sich die Normen und Werte des geliebten und geschätzten Vorbildes zu Eigen macht. Bei guter Eltern-Kind-Bindung identifiziert sich, so können wir sagen, das Kind mit dem vielleicht eher kriegerischen oder eher pazifistischen Vorbild der Eltern.

In der Pubertät kann Aggression unterschiedliche Funktionen haben. Zum Beispiel kann sie der Gruppenkohäsion („Ruf der Kohorte") dienen, wenn gemeinsame aggressive Aktionen das Zusammengehörigkeitsgefühl verstärken und die Gruppenmitglieder verbinden – Ausbrechen aus einem solchen Gruppenverband, gar „Verrat" wird dann meist schwer geahndet. Die Ablösung von bisherigen Autoritäten (Eltern, Lehrer usw.), eine der zentralen

Aggression in der Pubertät

Aufgaben in der Pubertät, ist für den Jugendlichen in aller Regel beängstigend und verunsichert ihn zutiefst. Die Orientierung an Gleichaltrigen, der Peer-group, wird vorübergehend zum möglicherweise existenziell notwendigen Ersatz für bisherige soziale Bindung und Orientierung. Das macht verständlich, dass mancher Jugendliche an Gruppenaggression und gemeinschaftlich unternommenen Gewalttaten teilnimmt, die er alleine nie durchgeführt hätte.

Schließlich kann Aggression Jugendlicher Imponiergehabe und das Darstellen von Virulenz und Männlichkeit ausdrücken, aber auch Protestverhalten gegen eine soziale Ordnung, von der man sich im Rahmen der Pubertät emotional zu lösen beginnt. Auch kann Aggression Jugendlicher die Funktion haben, Schuldgefühle, Scham, Zweifel oder Angst abzuwehren. Nicht immer wird von den Erwachsenen verstanden, dass aggressiv-provokatives Verhalten durchaus auch eine resignative Reaktion darauf sein kann, dass bürgerliche Ziele (Berufskarriere, soziales Ansehen etc.) unerreichbar zu sein scheinen.

Schließlich kann wie in jedem Lebensalter gerade auch in der Pubertät Aggression und das Erleben der eigenen Stärke, erlebte Machtgefühle und das Bewusstwerden mitunter lustgetönter Aggression zur Konsolidierung des eigenen Selbstwertgefühls führen. Letzteres ist in der Pubertät entwicklungsbedingt immer wieder heftigen Krisen ausgesetzt.

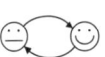

Im Folgenden soll auf die Bedeutung von Aggression in sozialen Kontakten und Beziehungsmustern eingegangen werden. Virginia Satir erläutert, dass es bei niedrigerem Selbstwertgefühl zu aggressiv-anklagenden Verhaltens-, Beziehungs- und Kommunikationsmustern kommen kann, die sie als „Blaming" (Anklagen) bezeichnet. Anschaulich beschreibt sie, wie im Klang der (oft schrillen oder gepressten) Stimme, dem hochroten Gesicht, der nach vorne ausladenden, aufgebläht wirkenden Körperhaltung, der beschuldigenden Wortwahl („immer", „nie") und den damit verbundenen Verabsolutierungen Ärger und Aggression vorherrschender Modus dieser Kommunikationsform sind. In Gestik, Mimik, Körperhaltung und Semantik kommt diese Aggression zum Ausdruck. Leider führt sie zu zwar unterschiedlichen, aber doch recht charakteristischen, sich aufschaukelnden und in der Regel destruktiven Prozessen. Im Extremfall kann es, wenn das Gegenüber sich völlig unterordnet, zu sado-masochistischen Beziehungsmustern kommen. Aber auch eine sich aufschaukelnde Gewalt ist denkbar, wenn beide Kommunikationspartner der beschuldigenden Kommunikation verhaftet sind. Zwar dient ein solches Kommunikationsverhalten dem vorläufigen Stabilisieren eines Restes von Selbstwertgefühl, doch sind die damit verbundenen Gefühle von Wut, später Scham und Schuld und die Trauer über die verpasste Gelegenheit letztendlich dem Selbstwertgefühl abträglich, was erneut einen Teufelskreis zur Folge haben kann. Näheres zu diesem nicht selten zu findenden Phänomen und insbesondere Ansätze zur Überwindung desselben finden sich in Satirs interessantem und gut zu lesendem Buch „Selbstwert und Kommunikation" (2000).

Im sozialen Miteinander reguliert Aggression soziale Nähe und Distanz. Dabei ist unmittelbar einsichtig, dass Aggression in ihren unterschiedlichen Erscheinungsformen (z. B. Drohen) soziale Distanz schafft. Weniger einleuchtend ist, dass „Streiten verbindet", Aggression also durchaus ein Beziehungsangebot (wenngleich ein möglicherweise problematisches) sein kann.

So bemerkte ein etwa 35-jähriger Familienvater, dass nachts um 23 Uhr eine Gruppe von sieben etwa 17-jährigen Jugendlichen die Rückspiegel der vor seinem Haus parkenden Wagen, unter anderem den seines eigenen Autos, abbrachen. Zur Rede gestellt sagten sie, dass dies der gerechte Umgang mit „Spießereigentum" sei. Den Mann packte daraufhin, wie er später sagte, ein „heiliger Zorn", und er hielt einen der Jugendlichen fest und attackierte ihn verbal, wobei er seinem Zorn freien Lauf ließ. Die übrigen sechs Jugendlichen hatten sich aus dem Staub gemacht. Die Szene endete damit, dass er vom erwischten Jugendlichen verlangte, er möge, wenn er den Mut dazu habe, am Folgetag kommen und den Schaden regulieren. Am darauffolgenden Tag kamen alle sieben Jugendlichen, baten um Entschuldigung und meinten, die Sache sei damit erledigt. Sie wurden aber aufgefordert, ihre Namen zu nennen – wobei sie beruhigt wurden, man werde nicht zur Polizei gehen – und binnen einer Woche einen neuen Spiegel zu besorgen und anzumontieren. Dies geschah.

An diesem Beispiel wird deutlich, dass die aggressive Reaktion des Mannes, später gepaart mit Empathie und einer fairen Chance zur Wiedergutmachung, von den Jugendlichen als Beziehungsangebot verstanden werden konnte.

Auch familiensystemisch kann Aggression in unterschiedlicher Weise Sinn haben: zum Beispiel als Konfliktabwehr, wenn Kinder oder Jugendliche mit ihrer Aggression von anderen, scheinbar viel schlimmeren Familienproblemen und Tabus ablenken. In familientherapeutischen Sitzungen ist häufig zu beobachten, dass dann, wenn „heiße Eisen" angesprochen werden und dies den Eltern unangenehm zu werden beginnt, die Kinder massiv und durchaus aggressiv stören, was als Ablenkungsmanöver zu werten ist.

Aggressionen in der Familie fordern Grenzziehungen heraus und können direkt oder indirekt die Machtfrage stellen, also die Familienstrukturen verändern. Unbewusste und bewusste Aufträge, Delegationen über mehrere Generationen hinweg und Familientraditionen entscheiden ebenfalls darüber, ob und in welchem Maß Aggression den familiären Kommunikationsstil bestimmt, ob Aggressionen zugelassen und ausgehalten werden dürfen oder ein Postulat nach vollkommener familiärer Harmonie Aggression tabuisiert. Im Bindungs- und Ausstoßungsmodus, der insbesondere von Stierlin (1975) beschrieben wird, kommt der Aggression ebenfalls eine große Rolle zu. So können (nicht nur, aber auch) bei Anorexia nervosa, der Pubertätsmagersucht, klammernde Bindungstendenzen auf Seiten der Tochter und der übrigen Familie starke aggressive Tönungen aufweisen.

Dasselbe gilt auch für sich vorschnell auflösende Familien, die eher dem Ausstoßungsmodus zuzurechnen sind: Gewaltbeziehungen in Familien, Vernachlässigung, aber auch Aggressionen auf Seiten von Jugendlichen können eine vorschnelle Auflösung der Familie zur Folge haben, wenn die entwicklungsbedingte Spannung zwischen Nähe und Distanz, Bindung und Lösung in der Phase der Pubertät nicht mehr ausgehalten wird.

Schließlich kann Aggression innerhalb von Familiensystemen der Abwehr anderer Gefühle sowie der Entlastung und „Entschuldigung" der Eltern dienen – das aggressiv imponierende Kind stellt sich quasi als „Blitzableiter" zur Verfügung, um das elterliche System, das für das Kind lebensnotwendig ist, zu schützen.

Ein neunjähriger Junge fiel seit längerer Zeit durch massive aggressive Verhaltensweisen auf. In der Klasse war er nach Angaben seiner Lehrer nicht mehr tragbar, massive Wutausbrüche und beginnende dissoziale Verhaltensweisen machten Hilfe und Intervention dringend erforderlich. Der Hintergrund dieses aggressiven Verhaltens war vielgestalt, u. a. war der schon ältere Vater mit der Erziehung überfordert, die Mutter litt an einer chronischen Alkoholkrankheit. Nach langer Beobachtung und Beratung sowie Aussprache des gesamten Helfersystems (Lehrer, Therapeut, Sozialarbeiter etc.) kamen die Eltern zu dem Schluss, dass die momentan beste Lösung sei, den Jungen wochentags in ein Internat zu geben.

Auf einer oberflächlichen Ebene waren Eltern wie Kind mit dieser Lösung einverstanden. Auf die Frage des Therapeuten an den Jungen, warum er ins Internat gehe, antwortete dieser: „Weil ich so gewalttätig, aggressiv und böse bin!" In einem späteren Familiengespräch äußerten die Eltern, der wesentliche Grund für diese Maßnahme sei die Aggression ihres Sohnes. Ihre Mimik verriet allerdings nicht das Gefühl von Aggression, sondern das von Trauer. Darauf angesprochen, fing zunächst die Mutter, später auch Vater und Sohn an zu weinen. Nun gelang es, die jenseits der Aggression sichtbar gewordene Trauer zum Gegenstand zu machen und zu verdeutlichen, dass man nur über etwas trauern kann, was man liebt und wonach man Sehnsucht hat – ein Gefühl, das kaum auszuhalten war. Andererseits ermöglichte gerade das Erleben von Abschiedstrauer, Liebe und unerfüllter Sehnsucht den Familienmitgliedern, sich weiterhin zu begegnen. Nicht nur die Wochenenden, sondern auch die Ferien konnte die Familie so zusammen verbringen. Für das Selbstwertgefühl des Jungen, aber auch für die Eltern war es entscheidend, nicht „versagt" zu haben oder an der pädagogischen Maßnahme schuld zu sein, sondern sich mit dem gemeinsamen Schicksal, den jeweiligen Stärken und Schwächen und vor allem den unterschiedlichen Gefühlen zueinander aktiv auseinander zu setzen und somit in Verbindung zu bleiben.

Aggression manifestiert sich schließlich auch im gesellschaftlichen und sozio-kulturellen Kontext. So muss eine höhere Rate an Gewalttätigkeit oder offener Aggression gegen Sachen oder Menschen in Ballungszentren mit Verslumungstendenz zur Einsicht führen, dass der Mensch offensichtlich auch im Wohnbereich auf Sicherheit gebende Strukturen, soziale Bindung sowie soziale Kontrolle, grundlegende ästhetische Bedürfnisse, die Möglichkeit, Nähe zu erleben und Distanz zu genießen sowie Stress auszuweichen, angewiesen ist. Wo dies aufgrund städtebaulicher Fehler unmöglich wird, kommt es erfahrungsgemäß zu einer höheren offenen Aggressionsrate. Die Einstellung zur Aggressionsbereitschaft unterliegt ebenfalls dem Zeitgeist, der sich im „Mainstream" der allgemein akzeptierten Werte äußert.

Aggression in der Gesellschaft

War es vor 60 Jahren für einen Mann gesellschaftlich lebensnotwendig, „hart wie Kruppstahl, zäh wie Leder und flink wie ein Windhund" zu sein, wurde offene Aggressivität zumindest gegenüber als solchen stigmatisierten Feinden zwingend gefordert, so brach nach dem Zusammenbruch des Terrorregimes des 3. Reiches auch die herrschende Ideologie zusammen. Dort, wo man sich nicht schmerzvoll und ehrlich auch mit dem Zusammenbruch des bisherigen Wertesystems auseinander setzte, wurde die Frage nach dem Umgang mit Aggressivität schlicht verleugnet und tabuisiert. Große Teile der Nachkriegs-Männergeneration taten sich außerordentlich schwer damit, den ihnen anvertrauten Jugendlichen den Umgang mit Ärger und Aggression zu vermitteln.

Zusammenhänge zwischen dem Umgang mit Aggression und den kulturell vermittelten Normen und ethischen Werten sowie den gesellschaftlich bedingten Lebenswelten sind wesentlich vielfältiger und diffiziler, als diese beiden Beispiele darlegen können. Es ist hier aber nicht der Ort, darauf detaillierter einzugehen.

Zusammenfassend können wir festhalten: Die Fähigkeit zur Aggression mit dem Primärgefühl von Ärger und Zorn gehört ebenso wie die Fähigkeit, hierauf hemmend Einfluss zu nehmen, zur Grundausstattung des Menschen. Dabei ist Aggression ein mehrdimensionales Geschehen. Fragen wir auf unterschiedlichen (biologischen, psychischen und sozialen) Ebenen, wie es zustande kommt und wozu es dient, so haben wir die Möglichkeit, individuell und adäquat mit unseren Aggressionen und denen anderer umzugehen, sie auszuhalten, abzublocken, umzulenken und zu transformieren. Dann mag es gelingen, die der Aggression innewohnende Kraft konstruktiv zu nutzen.

Überprüfen Sie Ihr Wissen!

8.1 Fragetyp B
Eine Antwort falsch

☒

Welche der folgenden Verhaltensweisen gehört *nicht* zu dem von Eibl-Eibesfeldt aufgeführten agonalen Verhalten?

a) Cooperation ☐
b) Submission/Unterwerfung ☐
c) Drohen ☐
d) Kampf ☐
e) Flucht ☐

8.2 Fragetyp B
Eine Antwort falsch

☒

Bei der sympathicotonen Alarmreaktion ist eines der folgenden Phänomene eher *nicht* anzutreffen. Welches?

a) schneller Puls ☐
b) verminderte Blutgerinnung ☐
c) erhöhter Blutdruck ☐
d) weite Pupillen ☐
e) gesteigerte Atemfunktion ☐

8.3 Fragetyp C
Antwortkombination

Welche der folgenden Aussagen treffen zu?

1. Bei den meisten Wirbeltieren treten innerartliche Kämpfe als Turnierkämpfe und nicht als Beschädigungskämpfe auf.
2. Nach Ansicht von Konrad Lorenz erhöhen Distanzwaffen beim Menschen die Aggressionsschwelle.
3. Bei der Aggressionsentstehung sind Adrenalin, Noradrenalin, Dopamin und Testosteron von Bedeutung.
4. Zwischen den mimischen Programmen des Angstausdrucks und dem des Zorns gibt es Übergänge.
5. Der Gesichtsausdruck des Zorns ist durch das Zusammenziehen der Augenbrauen, einer Zornes- oder Wutfalte und der Kontraktion des großen Stirnmuskels charakterisiert.

☒

a) Nur die Aussagen 1, 2, 3 und 4 treffen zu. ☐
b) Nur die Aussagen 1, 3, 4 und 5 treffen zu. ☐
c) Nur die Aussagen 2, 3, 4 und 5 treffen zu. ☐
d) Nur die Aussagen 3, 4 und 5 treffen zu. ☐
e) Alle Aussagen treffen zu. ☐

9. Schamgefühle

> Da sah die Frau, dass der Baum gut sei zum Essen und eine Lust zum Anschauen und begehrenswert, um weiser zu werden. Sie nahm von seiner Frucht, aß und gab auch ihrem Manne neben ihr, und auch er aß. Da gingen beider Augen auf, und sie erkannten, dass sie nackt waren. Sie hefteten Feigenlaub zusammen und machten sich Schürzen daraus.
>
> Genesis 3, 6–7

Bereits vor Jahrtausenden wusste man offensichtlich aus Erfahrung, dass Scham ein äußerst peinliches und unangenehmes Gefühl ist, das Menschen dazu bringt, sich den Blicken anderer zu entziehen, sich keine Blöße zu geben und Intimität zu wahren. Gleichzeitig hat das Schamgefühl etwas mit Erkenntnis zu tun: Das Wissen um die eigene Person, mögliche Unzulänglichkeiten oder Verfehlungen, aber auch das Wissen um körperliche und soziale Intimität sowie die Reflexion darüber, vom anderen gesehen zu werden – diese Erkenntnis ist offensichtlich geeignet, Scham auszulösen. So kann in erster Annäherung Scham als ein äußerst unangenehmes (peinliches) Gefühl verstanden werden, das auftritt, wenn man sich anderen gegenüber exponiert fühlt, insbesondere dann, wenn Intimität, Insuffizienz (Ungenügen) oder Verfehlung im Spiel ist. Scham ist also eine sozial wirksame und in besonderem Maße selbstreflexive Emotion. Im Gegensatz zum Schuldgefühl steht nicht das Übertreten eines Gebotes und damit die Schädigung eines anderen oder der Sozietät im Vordergrund, sondern die Verletzung des Selbst. Der Schämende fühlt sich den Blicken anderer ausgesetzt, sieht seine Selbst- und Intimitätsgrenzen in Gefahr, möchte der Situation ausweichen. Zwar können Scham- und Schuldgefühle aneinander gekoppelt sein (begangene Fehltaten können zu einem „beschämenden Schuldgefühl" führen), doch sind die emotionalen Dimensionen von Scham und Schuld grundsätzlich verschieden. Scham- und Schuldszenen sind alltäglich.

Scham setzt Wissen voraus

Stellen Sie sich bitte vor, Sie würden freudestrahlend auf einen vermeintlich Bekannten zugehen, um ihn zu begrüßen, und stellen im letzten Moment fest, dass Sie sich geirrt haben. – Erinnern Sie sich an die Situation, in der Sie einen Witz erzählt haben, über den niemand gelacht hat?

Wenn aber Scham eine grundlegende, alltäglich anzutreffende und offensichtlich dem Menschen anthropologisch in die Wiege gelegte Gefühlsdimension ist, so stellt sich die Frage nach den biologischen Grundlagen und dem Sinn einer solchen, doch ganz offensichtlich unangenehmen Emotion.

Nach Tomkins (vgl. Izard 1994, 440) entsteht Scham im Zusammenhang mit aktiviertem Interesse. Das oben zitierte Beispiel bei der Erkenntnis, versehentlich einen Unbekannten freudig begrüßt zu haben, lässt sich als Folge eines inadäquaten Interesses interpretieren. Nach dieser Hypothese sind Neugier, Interesse und explorative Aktivität zunächst vorhanden, bevor sie durch eine beschämende Erkenntnis gestört werden.

Körperlich geht das Schamgefühl mit erhöhtem Pulsdruck, Schwitzen, einem Kloß im Hals oder Herzklopfen einher, die Sprache wird leiser (oder man spricht weniger), Blickkontakt wird vermieden oder abgebrochen, das Individuum guckt möglicherweise nach unten.

Typischerweise wird der Blick vom anderen abgewandt, Kopf- und Körperbewegung tendieren dazu, den sich Schämenden kleiner erscheinen zu lassen. Die Augenlider sind gesenkt und werden möglicherweise sogar geschlossen (so wie kleine Kinder, die sich schämen, bei geschlossenen Augen mutmaßen, selbst nicht gesehen zu werden). Kurz: der Schämende tut sein Möglichstes, um nicht gesehen zu werden. Dies geht oft mit dem subjektiv empfundenen Wunsch einher, „in den Boden versinken zu können".

Neurale Impulse, die normalerweise für eine Anspannung des Gefäßtonus sorgen, führen dazu, dass uns das „Blut ins Gesicht schießt" – wir erröten.

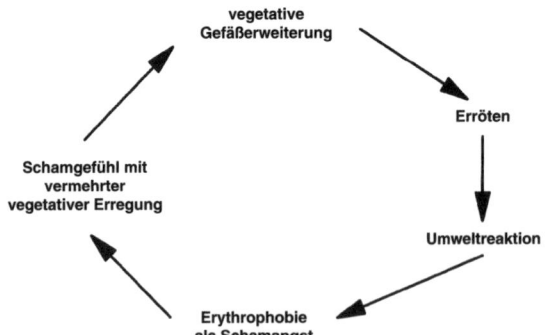

Abb. 9.1: Circulus vitiosus von Schamangst und Erröten

Wie Abbildung 9.1 zeigt, kann das Erröten des Gesichtes, in besonderer Weise augenfällig für unsere Sozialpartner, einen Teufelskreis in Gang setzen: Scham darüber kann wiederum erneute Gefäßveränderungen hervorrufen – ein Vorgang, der als

„Erythrophobie" fälschlich als Angst bezeichnet wird, wobei es sich in Wahrheit um Schamangst handelt. In Redewendungen wie „Der lügt, ohne rot zu werden" kommen Kopplungserwartungen von emotionalem Erleben und vegetative Funktionen ebenfalls zum Ausdruck.

Scham ist eine Emotion mit vegetativer (vorwiegend durch das sympathische Nervensystem gesteuerter) Komponente, das sich in Hunderttausenden von Jahren beim Menschen und seinen Vorläufern etablieren konnte. Ein primärer biologischer Sinn kann nach Illies (1982, zit. in Kruse 1990, 151) darin bestanden haben, eine Bewusstheit von den eigenen Genitalien zu entwickeln, um diese relativ verletzlichen Körperteile zu verdecken und zu schützen. Weiterhin kann Scham eine Rolle bei der Verhütung von Inzest gespielt haben (vgl. Kruse 1990, 214 f.; Bischof 1991, 412 f.): Nach Bischof müssen evolutionäre Selektionskräfte, die stark genug gewesen sind, um Zweigeschlechtlichkeit in die Welt zu rufen, notwendigerweise auch der Inzuchtbereitschaft entgegenwirken. Wenn nämlich die Vermischung mütterlicher und väterlicher Erbanlagen die Vielfalt und Vermischung von Eigenschaften in der Folgegeneration bewirkt und somit von Überlebensvorteil ist, so würde Inzucht gegenteilig wirken: Hier würden eng verwandte Beziehungen wieder zu genetischen Einseitigkeiten führen – mit negativen Folgen für das Überleben der Folgegeneration. Im Kapitel 7 (Sexualität und Liebe) wurde bereits darauf eingegangen, welcher Art die biologischen Mechanismen sind, die uns Sexualität mit Verwandten und von Kindheit an vertrauten Menschen wenig reizvoll erscheinen lassen. An dieser Stelle sei nur vermerkt, dass Scham bei dem Übertreten der Intimschranken im familialen Kontext eine wichtige Rolle spielt.

Allerdings ist dieser emotionale Schutzmechanismus nicht stark genug, um in jedem Falle Inzest zu verhindern. Sonst wäre es wohl nicht nötig gewesen, kulturelle Gebote (oder besser: Verbote) zur Verwandtenehe zu erlassen. Schamgefühle sind leider auch kein Schutz vor sexuellem Missbrauch, wie weiter unten noch gezeigt wird.

Scham dient also der Wahrung der Intimzone, zunächst auf sexueller Ebene, später auch ganz allgemein in der Privatsphäre: Nicht nur Sexualität, sondern persönliche Nähe, körperliche Berührung, das Austauschen von als intim empfundenen Gedanken, Tabus und Tabuverletzung, Persönlichkeitsgrenzen und ihre Überschreitung gehen mit Schamgefühl einher. In jeder untersuchten Kultur finden sich Regeln über das, was als anständig oder anstößig gilt. So unterschiedlich möglicherweise kulturelle Riten und Tabus sind, das Phänomen „Scham" ist überall auf der Welt anzutreffen.

Auch in Kibbuzim, in denen ein möglichst ungezwungenes Zusammenleben von Jungen und Mädchen propagiert wurde, zeigte sich in deren Pubertätsentwicklung schambedingte Befangenheit: Die Mädchen „vermieden es, sich vor ihnen (den Jungen, Anm. d. Aut.) zu entkleiden, lehnten die gemeinsamen Duschen ab, kurz, sie zeigten alle Anzeichen der Scham, deren Entwicklung man eigentlich verhindern wollte" (Eibl-Eibesfeldt 1995, 368).

Eine weitere Aufgabe des Schamgefühls mag darin bestehen, dem Interesse sowie dem Explorationsbedürfnis des Individuums Grenzen zu setzen. So hindert uns Schamgefühl daran, bspw. zu Fremden ein „plump-vertrauliches Verhalten" zu zeigen. Somit hat Scham auch eine nähe- und distanzregulierende Funktion und schützt vor Gefahren der Distanzlosigkeit.

Izard (1994) weist darauf hin, dass uns das Schamgefühl schließlich für die Meinungen und Empfindungen anderer sensibilisiert. Es bleibt uns nicht gleichgültig, wie wir von anderen gesehen werden. Wir entwerfen ein Bild davon, wie wir von anderen gerne gesehen werden und wie sie uns mutmaßlich sehen, und wir tun alles daran, dass dies nicht beschämend für uns wird. Insofern dient Schamgefühl auch der sozialen Kohäsion, also dem Zusammenhalt von Gruppenmitgliedern. Es garantiert Kritikfähigkeit. Bereits beim Vor- und Frühmenschen mag es als beschämend und demütigend erlebt worden sein, wenn man bei der Jagd, der Nahrungssuche usw. nicht den erforderlichen Einsatz zeigte. Schamgefühl, ursprünglich aus anderen biologischen Quellen stammend, konnte sich möglicherweise evolutionär auch durch seine besondere soziale Wirksamkeit behaupten.

Redewendungen wie „jemanden vorführen", „Ansehen haben" oder „sein Gesicht verlieren" weisen auf den Zusammenhang von Ansehen, Achtung und sozialem Status und Statusverlust einschließlich begleitender Schamgefühle bei Fehlverhalten hin. Im Mittelalter war das „an den Pranger stellen" (also das öffentliche Zur-Schau-Stellen) von Menschen, die sich einer Verfehlung schuldig gemacht hatten, oft peinlicher und damit sozial wirksamer als andere Strafen. Auch heute können beschämende Affären von Politikern, die sich bspw. legal Privilegien zunutze machen (Nutzung von Dienstflugzeugen für Privatausflüge, Beschaffung extrem teurer oder sonst kaum zu bekommender Opern- oder Theaterkarten) höchst medienwirksam sein und sozialpolitische Folgen haben – auch wenn keine Gesetzesübertretung vorliegt.

So negativ Scham erlebt wird: Es handelt sich ganz offensichtlich um eine Emotion, die dem Selbstschutz sowie der sozialen Interaktion förderlich ist. Schließlich hat Scham auch auf der Ebene des eigenen Bewusstseins wichtige Funktionen. Scham stört die „fraglose Selbstverständlichkeit des Selbstgefühls" (Hilgers 1996,

15) und beeinflusst damit unser Bewusstsein dafür, wie wir uns selbst empfinden, wie wir auf andere wirken und wie diese Sichtweisen miteinander interagieren.

Hilgers (1996, 200 ff.) erläutert in einem Beispiel die Funktion von Scham für die Konstitution eines Bildes des eigenen Selbst: Ein Kind, das zunächst problemlos Fahrrad fährt, dann aber stürzt und dabei beobachtet wird, wird jäh aus einem stimmig scheinenden und positiven Selbstbild herausgerissen. Im Prozess des Fahrradfahrens konnte es sinnliche Erfahrungen von Fahrtwind, gehaltenem Gleichgewicht, erlebte Geschwindigkeit usw. machen, ohne sich über seine Fähigkeiten und deren Grenzen groß Gedanken zu machen. Im Sturz und danach wird es sich seiner Fähigkeiten und deren Grenzen bewusst. Darüber hinaus realisiert es plötzlich die umgebende Situation, vermeintliche oder tatsächliche spöttische Beobachter usw. Es korrigiert also sein Selbstbild, konstruiert darüber hinaus aber ein vermutliches Fremdbild und versucht beides in Deckung zu bringen. Scham entsteht in der peinlichen Erkenntnis, dass Fremd- und bisheriges Selbstbild auseinanderklaffen und das bisherige Selbstbild korrekturbedürftig ist. Scham kann lähmend wirken, wenn das Kind fortan nicht mehr Fahrrad fährt und allen peinlichen Situationen auszuweichen versucht. Bei tragfähigem Selbstwertgefühl und unter positiver pädagogischer Ermutigung, trotz Beschämung nicht aufzugeben, lernt das Kind hingegen, den Stachel der Scham zu nutzen, um seine Fähigkeiten zu verbessern, also das Bild vom eigenen Selbst in realistischer Weise zu verändern. Die Überwindung beschämender Insuffizienz und das „Vorzeigen der Narben" (körperliche wie seelische) kann Scham in Stolz umschlagen lassen und trägt zur Steigerung des Selbstwertgefühls bei. Entscheidend ist aber vor allem, dass sich in einem von Scham begleiteten Prozess der Selbsterkenntnis die Persönlichkeit des eigenen sowie des imaginierten Bildes anderer bewusst wird.

So trägt Scham zur Weiterentwicklung der eigenen Persönlichkeit und Differenzierung des Identitätsbewusstseins bei. Auf einer kognitiven Ebene kommt es zu dem Bewusstsein des „So bin ich, so bin ich in den Augen anderer". Aber so unvermeidlich Scham bei einem solchen Erkenntnisprozess und bei einer solchen Weiterentwicklung ist, so sehr besteht andererseits die Gefahr der Stagnation und der Entwicklungshemmung bei überbordenden Schamgefühlen. Wird der Spott bzw. die Peinlichkeit unerträglich, versuchen wir solchen Situationen, wo immer es geht, auszuweichen und verpassen dadurch gerade die Chance der Verbesserung und Weiterentwicklung unserer Kompetenzen.

Ausweichen ist ein geradezu typisches Phänomen bei Schamempfindung, bereits auf körperlicher Ebene: In einem Seminar wurden Studenten aufgefordert, sich gegenüber zu setzen und sich ins Gesicht zu schauen. Kaum jemandem gelang dies länger als eine Minute, fast alle Studenten hatten die Befürchtung, sich wegen „irgendetwas schämen zu müssen" und guckten schließlich betreten weg.

In einer anderen Übung wurde ein Teil der Studenten aufgefordert, die Augen zu schließen und sich eine besonders beschämende Situation in ihrer Vergangenheit vorzustellen. Eine andere Gruppe von Studenten beobachtete sie dabei und stellte fest, dass diejenigen, denen es gelang, sich besonders beschämende Ereignisse ins Bewusstsein zurückzurufen, oft unruhig wurden, auf dem Stuhl hin und her rutschten, grimassierten oder andere motorische Tendenzen zeigten, wegzulaufen. (So weist Hilgers (1996, 31) darauf hin, dass Übersprungshandlungen und Tics durchaus auch durch nicht auszuhaltende Schamgefühle involviert werden können.) Bezeichnend war aber auch, dass einem größeren Teil der Studenten es einfach nicht gelingen wollte, sich beschämende Ereignisse zu vergegenwärtigen – jedenfalls nicht in der Seminarsituation, obwohl sie darüber nicht sprechen sollten.

Hier wird deutlich, dass Scham ein derart unangenehmes Gefühl ist, dass wir die Abwehrmechanismen der Verleugnung, Verdrängung und Verneinung in ganz besonderer Weise bemühen, um uns mit beschämenden Ereignissen nicht auseinander zu setzen. In der akut beschämenden Situation meinen wir, in den Boden versinken zu müssen. Gelingt dies nicht, können wir uns also nicht verstecken oder beschämende Situationen verleugnen, so kann es passieren, dass wir verwirrt reagieren, nicht mehr adäquat reden – bzw. zu stottern beginnen – und die Kontrolle über die Situation verlieren. Insbesondere in der Verwirrung kann man eine Bemühung sehen, der beschämenden Situation auszuweichen und sie partiell nicht mehr wahrzunehmen. Im Nachhinein können wir diese Situation umdeuten und verfälschen, damit sie uns erträglicher erscheint, wir können aber auch beschämende Situationen im Geiste durchspielen und imaginieren, wie schlagfertig wir eigentlich hätten reagieren und wie souverän wir die Situation hätten meistern können. Auch Rachephantasien im Anschluss an eine beschämende Situation kommen vor.

So kann das intensive Gefühl von Scham sowie die Angst vor Beschämung auch äußerst entwicklungshemmend sein und dazu führen, die Entwicklung eigener Fähigkeiten und Kompetenzen zu unterlassen.

Schließlich kann auch auf der kognitiven Ebene Scham die Aufgabe haben, uns vor gefährlicher Exposition und Preisgabe von Intimität zu schützen. So schützt Scham Privatheit, ja produziert Privatheit. Scham entsteht auch, wenn eine Beziehung ungewollt zu eng wird und die Grenzen zum anderen durchlässig werden. Jeder kennt das beschämende Gefühl, etwas gesagt zu haben, was er eigentlich nicht hat preisgeben wollen. Scham kann also auch als eine Art „emotionale Notbremse" verstanden werden, die uns zum zeitweiligen Rückzug veranlasst, wenn Selbstbild und Integritätsgefühl gefährdet sind. Scham verhilft uns zur Abgrenzung

9. Schamgefühle 175

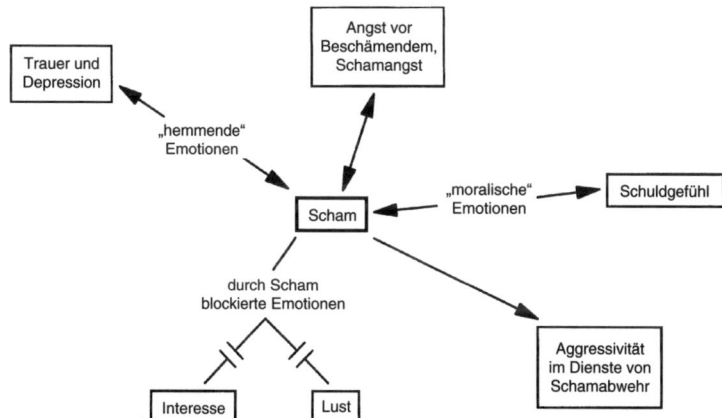

Abb. 9.2: Interaktion von Scham mit anderen Emotionen

unseres Selbst. Dazu kommt es unter anderem, wenn wir mangelnde eigene Kompetenz erleben (Kompetenzscham), wenn unsere Selbst- und Intimitätsgrenzen verletzt werden (z. B. bei Übergriffen anderer, aber auch bei peinlichen und intimen Fragen, bei Demütigung von außen (Spott, Hohn, Witzen), bei Sichtbarwerden körperlicher Blöße, bei einer Diskrepanz zwischen dem eigenen Ideal und dem festgestellten realen Selbst sowie bei der Scham nach vermeintlichen oder tatsächlichen schuldhaften Verfehlungen, wobei im letzten Fall Schamgefühle mit Schuldgefühlen interagieren.

Die Interaktion von Schuldgefühlen, Schamgefühlen, Angst vor Bestrafung und dem immer angestrebten Selbstwertgefühl führt zum Aufbau des Gewissens und zur Beachtung moralischer Prinzipien. Während sich hierbei Schuldgefühle an der Verpflichtung anderen gegenüber orientieren (Gebote und Verbote), beziehen sich Schamgefühle auf das Bild vom eigenen Selbst und dem Versuch, ein positives Selbstwertgefühl aufrechtzuerhalten.

Schamgefühl interagiert vielfältig mit anderen Emotionen (s. Abb. 9.2). Auf Zusammmenhänge zwischen Schamerleben und Schuldgefühl wurde bereits hingewiesen. Zum einen ist es wichtig, diese beiden Emotionen auseinanderzuhalten. Man würde, bspw. in einer psychotherapeutischen Behandlung, am eigentlichen Problem vorbeigehen, würde man eine vermeintliche Schuldproblematik aufgreifen, wo es sich in Wirklichkeit nicht um die Kränkung anderer, sondern die Kränkung des eigenen Selbstwertgefühls geht. Häufig sind zwar Schuld- und Schamgefühle miteinander verknüpft, insbesondere dann, wenn man sich seiner Verfehlung schämt und das Selbstwertgefühl lädiert wird, weil man ein Gebot übertreten, eine Verpflichtung nicht eingelöst oder einen anderen verletzt hat. Andererseits können Schuldgefühle vorgeschoben werden, wenn sie relativ leichter zu ertragen sind als die Beschämung.

So kann im Rahmen einer Trennung oder Ehescheidung deutlich werden, dass man als Partner erotisch oder intellektuell nicht attraktiv genug ist. Die empfundene Scham kann so unerträglich werden, dass man dazu neigt, sich schuldhafte Vorwürfe zu machen. Dann ist es nicht mehr die (vermeintliche oder tatsächliche) Unzulänglichkeit, sondern schuldhaftes Verhalten („Ich war nicht fürsorglich genug"), die vermeintlich zur Trennung geführt hat – manchmal ist dies leichter erträglich! Aber natürlich können auch Schuldvorwürfe an „die andere Seite" dazu beitragen, die Scham aus dem Bewusstsein zu vertreiben.

Angst und Scham sind ebenfalls eng miteinander verzahnt: In der Vorwegnahme möglicher beschämender Situationen kann ich heftige Angst empfinden und versuchen, eine möglicherweise beschämende Situation gar nicht erst aufkommen zu lassen – Vermeidungsstrategien sind die Folge.

Lampenfieber ist eine leichte Form einer solchen Schamangst. Erinnern Sie sich an Situationen, in denen Sie – bspw. in einem Seminar – ein Referat halten sollten? Was hindert Sie, in einer Diskussion einen wichtigen Redebeitrag zu leisten? Vermutlich nicht nur die Angst vor der Konfrontation mit anderen Meinungen, sondern auch die Angst, etwas „Dummes zu sagen" oder zum Zentrum allgemeiner Aufmerksamkeit zu werden.

Auch positive Emotionen wie Freude können sich mit Scham mischen, bspw. wenn wir aufgrund eines Lobs erröten.

„Sie beschämen mich" – ist ein Ausdruck dafür, dass wir ein plötzliches und unerwartetes Lob manchmal nur schwer ertragen können. Zum einen können solche eigentlich positiven Aufmerksamkeiten dazu führen, dass wir ungewollt im Zentrum des Interesses stehen, mithin unsere Intimitätsgrenzen überschritten wurden, zum anderen können wir uns unverdientermaßen geehrt fühlen. Man fühlt sich quasi als Hochstapler, wenn man meint, Lob, Geschenk oder Zuwendung in einem solchen Maße nicht verdient zu haben – diese Erkenntnis geht in der Regel mit Beschämung einher.

Aber auch die Unfähigkeit, Wohltaten zu erwidern, kann beschämen: üppige Gastmähler und Gelage in ursprünglichen Gesellschaften sind keineswegs nur dem Gast erwiesene Wohltaten, sondern dienen der Zurschaustellung der eigenen Gastfreundschaft und des eigenen Reichtums. Können solche Gelage (oder Geschenke) nicht vergolten bzw. erwidert werden, ist das für den Wohltatsempfänger erniedrigend und beschämend.

Auch Kinder können beschämt und verlegen reagieren, wenn sie bei plötzlichem Lob Mittelpunkt des allgemeinen Interesses werden: So kann ein Kind, das gelobt wird, weil es so gut singen kann, sich zukünftig weigern, etwas vorzusingen. Besonders peinlich ist altersunangemessenes Lob (wenn Kinder für bereits Selbstverständliches gelobt werden).

Auch zwischen Depression und Scham gibt es Zusammenhänge – oft gepaart mit Schuldgefühlen. Das Gefühl, versagt zu haben, sich nicht abgrenzen zu können, inkompetent oder „hässlich" zu sein, sich bei Aktivität doch nur eine Blöße geben zu können, kann zu tiefer Niedergeschlagenheit, Bedrückung und Kummer führen, Symptome, wie wir sie als Trauer und Depression in Kapitel 5 bereits kennengelernt haben.

Damit hängt in der Regel ein vermindertes Selbstwertgefühl zusammen. Die beschämende Erkenntnis, anders als das Ich-Ideal zu sein, das Selbstbild korrigieren zu müssen, aber auch die Erkenntnis, von anderen als „bloß, nackt, als unfähig etc." angesehen zu werden, geht in der Regel mit Selbstwertkrisen einher. Vor allem bei Menschen mit bereits gestörtem Selbstwertgefühl können solche Selbstwertkrisen zu unerträglichen Spannungen führen. Dies kann bis zum Suizid führen – am Ende dieses Kapitels wird hierauf noch eingegangen werden.

Libidinöse Gefühle, Sexualität und Lust stehen in ambivalentem Verhältnis zum Schamgefühl. Geringfügig ausgeprägte Scham kann aufgrund der Kontrastwirkung sexuelle Lust bei beiden Partnern sogar erhöhen, den erotischen Spannungsbogen akzentuieren und zur Reifung einer facettenreichen sexuellen Liebesbeziehung führen. Andererseits ist die empfundene Emotion der Scham mit ihrem Bestreben, Intimität zu wahren, die Grenzen des eigenen Selbst gegenüber anderen abzudichten und sich zu verbergen, eine Emotion mit eher hemmendem Charakter. Ein hemmungsloses Erleben von Lust, ein ekstatisches Liebeserlebnis oder die Preisgabe körperlicher und geistiger Intimität an den anderen kann durch Scham gehemmt und gestört werden. Eine Erziehung, die kindliche Schamgefühle missbraucht (s. weiter unten), kann unter anderem zu Hemmungen und Fehlentwicklungen bei der sexuellen Entwicklung und späteren intimen Beziehungen führen.

Etwas ausführlicher wird schließlich noch auf die Interaktion von Scham und Aggression eingegangen, da sie zunächst nicht so ohne weiteres einsichtig ist.

Schamangst und Gewalt

Der renommierte Kinder- und Jugendpsychiater Reinhard Lempp (1977, 43 ff.) berichtet von einem 17-jährigen jungen Mann, der eine 49-jährige alleinstehende Nachbarin ermordet. Der Tat waren zwei Einladungen der Frau an ihn vorausgegangen, wobei er die Aufforderung, er könne kommen, „wenn er ein Bedürfnis habe", offensichtlich völlig falsch, nämlich im sexuellen Sinne verstanden hatte. Als seine sexuellen Annäherungsversuche unter Alkoholeinfluss entschieden zurückgewiesen wurden, fühlte er sich zutiefst gedemütigt und beschämt, er griff die Frau an, die sich wehrte und schrie, worauf er sie „zum Schweigen gebracht" habe. Weiter wird berichtet, dass er nach dem Mord sorgfältig alle Spuren der Tat zu beseitigen versuchte und darüber hinaus auch noch einen kleineren Geldbetrag entwendete.

Lempp wie auch Hilgers (1996, 135 ff.) weisen darauf hin, dass in solchen und ähnlich gelagerten Fällen mit einem gewalttätigen Agieren schwere Schamkonflikte abgewehrt werden. Solche Straftaten „können sich mehr oder weniger impulsiv aus demütigenden Kränkungen ergeben oder im Zusammenhang mit komplexeren Konflikten stehen" (Hilgers 1996, 137). Das Gefühl der unerträglichen Blöße, durchschaut und entlarvt worden zu sein, wird mit Aggression beantwortet, wodurch man wieder Kontrolle über die Situation erlangt. Der Preis ist allerdings für das Opfer entsetzlich, aber auch für den Täter hoch. Die Erleichterung vom Schamgefühl wird durch schuldhaftes Verhalten erkauft, die daraus resultierende Scham kann erheblich größer sein. Im o. g. Fallbeispiel dient der zusätzliche Raub erneut der Schamabwehr: das Schuldgefühl, einen Raubmord begangen zu haben, ist möglicherweise erträglicher als das Schamgefühl nach einem Mord in Zusammenhang mit Sexualität. Gewalt und Aggression, Scham und Schuldgefühl gehen also eine eng miteinander verzahnte Teufelsspirale ein. Straftaten können dann als der Versuch betrachtet werden, Demütigungen zu kompensieren und zur Stabilisierung des Selbstwertgefühls beizutragen. Letztendlich scheitert dieser Versuch natürlich, und mit dem Teufelskreis von Scham, Schuld und Aggression kommt es häufig zur Eskalation.

Ein weiteres Beispiel für diese Zusammenhänge zeigt sich bei der Betrachtung von Ressentiments, Scham und rechter Gewalt, wie sie von Hilgers (1996, 167 ff.) aufgezeigt werden. So können Skins durch „provokante Hässlichkeit", „Bierbäuche und Tätowierungen, Glatzen und Springerstiefel" imponieren. Ein solch schockierendes Äußeres kann durchaus der Abwehr eigener (bspw. pubertärer) Scham dienen, wobei gleichzeitig gruppenbedingte Sicherheit und Identität erlangt wird. Die ebenfalls in der Pubertät häufig anzutreffende Selbstwertproblematik kann verstärkt werden durch das Gefühl, nicht gebraucht und nicht geachtet zu werden. Gerade wenn eigentlich akzeptierte bürgerliche Ideale unerreichbar scheinen, kann das in der Pubertät eh labile Selbstwertgefühl in eine derartige Krise geraten, dass eben jene bürgerlichen Normen massiv abgewehrt und aggressiv attackiert werden. Sich dann unter rechtsextremen Vorzeichen äußernde Gewalt kann verstanden werden als der Versuch, durch Aggression wieder Kontrolle, wenn schon nicht über die Situation, dann über das eigene Selbstwertgefühl zu erhalten. Eine so geäußerte Aggressivität dient also der Wiederherstellung eines Gefühls verlorener Würde und der Abwehr von Scham, der Bestätigung durch die eigene Gruppe und dem Erlangen von Thrill-Erlebnissen, die vom eigentlichen erlebten Elend ablenken können. Hilgers weist in diesem Zusammenhang hin auf die Wichtigkeit einer „Jugendarbeit, die auf Integration setzt, die es unterlässt, gegen Emotionen (beschämende) besserwisserische Aufklärung zu setzen oder rechtsextrem gefährdete Jugendliche mit dem Nationalsozialismus gleichzusetzen. Stattdessen können Alterskompetenzen gefördert und damit Schamszenen weniger wahrscheinlich gemacht werden, in dem das Selbstwerterleben verbessert wird" (1996, 174f.).

Ausprägung und Manifestation von Scham ist unter anderem abhängig vom Entwicklungsstand der Persönlichkeit. Die Fähigkeit, die Emotion der Scham zu erleben, ist zwar allen Menschen anthropologisch mit in die Wiege gelegt, doch wird das, wessen man sich schämt, maßgeblich von der Kultur mitbestimmt, in der das Individuum aufwächst. Insofern trägt das kulturelle Umfeld (ebenso wie bei der Entwicklung von Schuldgefühlen) wesentlich zur Manifestation von Scham bei. Schamgefühl kann aber erst erlebt werden, wenn die seelische Entwicklung so weit herangereift ist, dass Selbst- und Fremdeinschätzung im sozialen Kontext erfasst werden können.

Mit zunehmendem Alter wird sich das Kleinkind „peinlicher" Situationen bewusst, insbesondere dann, wenn es den eigenen Ansprüchen oder denen seiner Bezugspersonen (meist der Eltern) nur unvollständig genügt. Dies trifft in besonderem Maße im zweiten und dritten Lebensjahr zu, dem Stadium der motorischen Integration. Aufgabe dieser Phase ist es, die motorischen Fähigkeiten zunehmend soweit zu vervollkommnen, dass man „auf den eigenen Beinen steht". Grob- und Feinmotorik, Laufen, Greifen und Begreifen, aber auch die Beherrschung der Analmuskulatur (und damit des Stuhlgangs) werden so weit entwickelt, dass sich ganz neue Lebenswelten für das Kind eröffnen. Der Weg in die Eigenständigkeit, der sich für das Kleinkind z. B. dadurch manifestiert, dass es eigenständig Türen öffnen und seinen Aktionsradius unglaublich vergrößern kann, ist aber von vielfältigen „Niederlagen" begleitet. Immer wieder erlebt das Kind, dass seine Autonomiebemühungen mit beschämenden Misserfolgserlebnissen begleitet werden. Insofern wird diese Phase von Erikson als durch die Polarität „Autonomie versus Scham und Zweifel" charakterisiert. In dieser Phase stehen sich Autonomie und Schamgefühl besonders krass gegenüber. Diese Phase ist also besonders sensibel für das Thema „Scham". Es wäre allerdings falsch, anzunehmen, dass hier unwiderruflich und unkorrigierbar autonomiehemmende und schametablierende Fehlentwicklungen angebahnt würden oder dass nur diese Phase für die Schamentwicklung von Bedeutung sei. Zu Recht weist Kruse (1991, 147 ff.) darauf hin, dass gerade Vorschul- und Schulkinder wesentlich häufiger und vor allem differenzierter über Schamerlebnisse berichten. Insuffizienz, das Gefühl, im Mittelpunkt zu stehen, beschämend erlebte Demütigung können jetzt in ihrer vollen Tragweite wahrgenommen werden.

Eine besonders schamsensible Periode ist sicherlich auch die Pubertät. In dieser Phase des körperlichen und seelischen Umbruchs voller Unsicherheiten ist das Selbstbild äußerst ungefestigt, die Auseinandersetzung mit vermuteten oder tatsächlichen Fremdbildern und Reaktionen aus der Umwelt also durchaus problematisch. Vermeintliche oder tatsächliche Auffälligkeiten auch geringfügiger Art (Pickel, Acne vulgaris, schlaksige Bewegungen etc.) führen mitunter zu heftigen Schamgefühlen. Ähnliches gilt für die neu erfahrenen sexuell getönten Gefühle, die erst ins Erleben integriert werden müssen. Massive Schamgefühle können der lustvollen Erfahrung von Sexualität und der Integration in das eigene Selbst entgegenstehen. In dieser Situation kann ein bewusst provozierendes oder „schamloses" Auftreten ein Versuch sein, mit beschämenden Gefühlen der Unsicherheit und der Selbstwertkrise fertig zu werden.

In praktisch allen Entwicklungsphasen der Kindheit und Pubertät kommt es, was die Begleitung durch Eltern oder Pädagogen angeht, darauf an, Kinder und Jugendliche zu ermutigen, trotz der mitunter auftretenden Scham ihre Fähigkeiten weiterzuentwickeln, Schritte in die Autonomie zu wagen und Selbst- wie Fremdeinschätzung in einem fortlaufenden Prozess wahrzunehmen und weiterzuentwickeln. Wer gelernt hat, das Risiko von Scham auf sich zu nehmen anstatt beschämende Ereignisse zu vermeiden, dem gelingt es am ehesten, beschämende Situationen durch persönliche Weiterentwicklung zu überwinden.

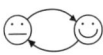

Das Gefühl von Scham spielt in der sozialen Interaktion und Kommunikation eine nicht zu unterschätzende Rolle. Ausgangspunkt ist auch hier das biologische Fundament: Fühlen wir uns den Blicken anderer ausgesetzt, stehen wir mit vermeintlichem oder tatsächlichem Unvermögen, Blöße oder einer Verletzung unseres Intimbereichs im Mittelpunkt der allgemeinen Aufmerksamkeit und erfahren dabei herabsetzende oder entwürdigende Reaktionen unserer Umwelt, so reagieren wir bereits auf einer körperlichen Ebene: Wir versuchen uns klein zu machen, wegzuschauen, wir werden rot vor Scham, die Hände werden feucht, wir beginnen zu stottern und was dergleichen Reaktionen mehr sind. Wie bereits gesagt, ist das dabei auftretende Gefühl von Scham außerordentlich peinlich, so dass wir es unter allen Umständen zu meiden trachten.

In sozialen Gruppen kann dieses biologisch fundierte Phänomen nun ausgenutzt werden, um Gruppennormen zu erhalten, Regelverstöße zu ahnden oder in der Beschämung von Außenseitern Gruppenkonformität zu erfahren. Der von der Gruppennorm Abweichende kann gehänselt und ausgelacht bzw. an den Pranger gestellt werden. Das Lachen über den Ausgestoßenen verbindet – allerdings nur die übrige Gruppe, der Ausgelachte lacht, wie Eibl-Eibesfeldt bemerkt, selten mit. Schließlich kann das Anstoß erregende Verhalten oder Aussehen auf Seiten der Umgebung zu solchen Aggressionen, auf Seiten des Betroffenen zu solchen Schamgefühlen führen, dass er sich aus der Gruppe zurückzieht, zum Eigenbrötler wird, der in des Wortes wahrster Bedeutung „sein Brot alleine essen muss". Eibl-Eibesfeldt (1995, 448 ff.) weist zu Recht darauf hin, wie gefährlich solche Interaktionsmuster von Aggression und Scham sind – ganz offensichtlich für den Beschämten, aber auch für die Gruppe, die oft aus Vorurteilen und Ressentiments, eigener Unsicherheit oder Unkenntnis liebenswerte, tüchtige Menschen beschämt und ausstößt und sich damit selbst um wichtige soziale Kontakte bringt.

Mit der Beschämung geht in der Regel eine erhebliche Krise des Selbstwertgefühls einher, die im Einzelfalle nicht nur zu sozialem Rückzug, sondern sogar zur Regression sozialer Fähigkeiten führen kann.

Ein 16-jähriger, selbstunsicherer, hochintelligenter und stattlicher Jugendlicher imponierte in einer Jugendgruppe vor allem den Mädchen zunächst durch seine Schlagfertigkeit, Ironie und gekonnte Witze. Das Auftreten eines Rivalen, der stärker, „gutaussehender" und interessanter war, führte dazu, dass man sich öffentlich über den 16-jährigen lustig machte – seine Witze waren jetzt altbacken, seine Bemühungen um Aufmerksamkeit peinlich, sein Benehmen wurde als lächerlich interpretiert. Dies genügte, um den Jugendlichen trotz nach wie vor vorhandener Fähigkeiten dazu zu veranlassen, sich völlig zurückzuziehen. Nicht nur, dass er die Jugendgruppe verließ; fast ein Jahr lang gelang es ihm nicht mehr, Anschluss an andere Jugendliche zu finden.

Das letztgenannte Beispiel von Demütigung und Scham mag extrem sein. Aber auch im alltäglichen Kontakt miteinander kommt es immer wieder zu als beschämend erlebten Situationen, bei denen man aufpassen muss, die soziale Interaktion in Gang zu halten bzw. wieder in Gang zu bringen.

Im Beisein seiner Mutter wurde ein 5-jähriger Junge von der Mutter eines anderen Kindes gefragt, ob er nicht Lust habe, mit ihrem Kind zu spielen. Er antwortete hierauf, er selbst habe nichts dagegen, doch seine Mutter möge sie, die Mutter des anderen Kindes, nicht so gerne leiden, und deshalb würde das mit dem gemeinsamen Spielen schwierig werden. Es verwundert nicht, dass die beiden Frauen eine Zeitlang mit der Klärung ihrer Beziehung beschäftigt waren.

Auch relativ ubiquitäre schamauslösende Situationen können Schwierigkeiten machen. Scham über die eigene Unbeholfenheit, Unsicherheit oder das eigene körperliche Aussehen kann zu mehr oder weniger großen Störungen im Erleben der Sexualität führen. Redeängste sind nicht selten keine Ängste im eigentlichen Sinne, sondern die Scham davor, sich zu exponieren und vielleicht etwas Falsches sagen zu können.

Ein 14-jähriger Jugendlicher fing immer (und nur) in sozial exponierten Situationen an zu stottern, insbesondere in der Schulsituation, wenn er etwas gefragt wurde. Nicht nur er, sondern auch die Lehrerin empfand in der Interaktion Scham, weswegen sie nicht wusste, ob und in welcher Form sie ihn aufrufen sollte. Nach einer gemeinsamen Aussprache entschlossen sich beide, ihre Scham, die man halt nicht ändern konnte, auszuhalten und sich normal zu verhalten. Die Lehrerin behandelte den Schüler wie alle anderen Schüler, der Schüler antwortete in dem Wissen, dass dies zum Stottern führte. Die Folge war, dass sich die Kommunikation zunehmend entkrampfte und sich das Stottern nach einiger Zeit verlor.

Wie Abbildung 9.3 zeigt, kann der Weg von der Scham zur Demütigung eher als passiv, der Weg zur Bescheidenheit eher als aktiver Prozess verstanden werden. Der aktive Versuch, beschei-

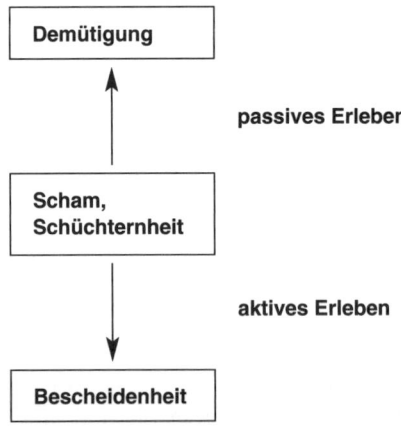

Abb. 9.3: Aktive und passive Schambewältigung

den aufzutreten, ist eine Möglichkeit, einer Demütigung durch andere zuvorzukommen.

Die soziale Funktion von Scham und Beschämung ist ambivalent: Zum einen dient eine auf dem Schamgefühl basierende soziale Interaktion dazu, Normen und Regeln innerhalb der Sozietät zu etablieren. Mord und Totschlag, sexuelle Übergriffe, anstößiges Verhalten, Faulheit oder Feigheit etc. sind Verhaltensweisen, die beschämen und tunlichst unterlassen werden sollten. Auf der anderen Seite können Vorurteile und Ressentiments, starre soziale und kulturelle Regeln sowie übertriebene Angst vor Peinlichkeiten soziale Interaktionen und menschliche Begegnung blockieren.

Umgang mit Scham hängt eng mit der familiären Sozialisation zusammen. Das gesunde Kind ist neugierig und aktiv. Mit zunehmendem Aktionsradius kommt es immer häufiger in Situationen, in denen es etwas „Falsches" oder „Anstößiges" unternimmt. Im eigenen Selbsterleben sind diese Aktionen zunächst nicht falsch, doch führen die Reaktionen der Umwelt (Gelächter, Kommentare, Bestrafung, Ermahnungen) zur Erkenntnis des unpassenden Verhaltens. Die nun erlebte Scham wirkt paradox: Zum einen kann sie Initiative, Freude und Interesse hemmen und somit zum Entwicklungsstillstand führen, zum anderen kann sie Ansporn zu Verbesserung sein und dazu führen, dass Scham in Stolz umgewandelt wird. Ein solcher Anreiz, Aufgaben zu meistern und Scham in Stolz zu verwandeln, kann familiär gefördert werden oder verkümmern.

Wenn die primären Bezugspersonen immer wieder Schamaffekte und Bloßstellungen als „Erziehungsmittel" missbrauchen, wenn sie die Grenzen kindlicher Intimität nicht achten, sie ihr Kind in Abhängigkeitsscham halten oder selbst vermitteln, dass schamauslösende Situationen kaum auszuhalten seien, so kann sich das verhängnisvoll auf den zukünftigen Umgang mit Scham und beschämenden Erlebnissen auswirken. Wenn umgekehrt Eltern ihren Kindern Coping-Strategien (Bewältigungsstrategien) vorleben, wenn Innovationen, Ideen und Kreativität auch dann begrüßt werden, wenn sie das Risiko von Misserfolg und Scham beinhalten, wenn glaubhaft vermittelt wird, dass das Aushalten und Überwinden von Scham zu höherer Leistungsfähigkeit, befriedigenderen Sozialkontakten und gesteigertem Selbstwertgefühl führen – dann kann in der Familie ein wesentliches Fundament für Autonomie, Selbstentwicklung und Kreativität gelegt werden.

Bei familiärer Gewalt spielt Scham eine besondere Rolle. Zum einen kann elterliche Gewalt nicht selten der (völlig verfehlte) Versuch sein, wieder „Herr der Lage" zu werden und Kontrolle über die Situation zu erlangen: Eigene Erziehungsunfähigkeit, die Schwierigkeit, einen Konflikt adäquat zu lösen oder mit Aufgaben fertig zu werden, können als so beschämend erlebt werden, dass Gewalt als vermeintliche Lösungsstrategie bevorzugt wird. Zum anderen lösen in der Regel aber solche Gewaltaktionen und körperliche Züchtigungen bei den Eltern nicht nur Schuld-, sondern auch massive Schamgefühle aus. Dies äußert sich etwa darin, dass alle möglichen Anstrengungen unternommen werden, um Spuren von Gewalt zu beseitigen oder zu bagatellisieren. Kinder werden nicht zum Kinderarzt gebracht oder vom Turnunterricht ferngehalten, andere Ursachen (Unfall) werden als Erklärung für Blutergüsse konstruiert. Vor allem aber wird die vermeintliche Schuld auf das Kind projeziert – nun, da das Kind selbst Schuld an der Gewalt auslösenden Interaktion hat, muss man sich seines eigenen, aggressiven Verhaltens nicht mehr schämen. Ein Teufelskreis, bei dem dem Kind neuerlich, nun auf emotionaler Ebene, Gewalt angetan wird.

Aber auch für das Kind ist es schambesetzt, wenn die Eltern seine eigene Intimsphäre nicht respektieren und Grenzen überschreiten. Nicht nur der sexuelle Missbrauch, auch die körperliche oder seelische Gewaltanwendung gegenüber Kindern ist eine unzulässige Grenzüberschreitung, die die Würde, die Autonomie und das Selbstwertgefühl des Kindes verletzt und zu tiefen Schamgefühlen führt. In besonders drastischer Weise trifft dies natürlich auf den sexuellen Missbrauch zu. Da, wie im Kapitel 10 (Schuldgefühle) näher ausgeführt, gerade die Opfer dazu neigen, Schuld- und Schamgefühle zu empfinden, obwohl sie eindeutig keine Verantwortung tragen, und da kindliche Scham- und Schuldgefühle vom Täter bewusst und gezielt ausgenutzt werden, ist sexueller Missbrauch in zweifacher Hinsicht beschämend: Zum einen wird in extremer Weise die eigene Autonomie in Frage gestellt und die eigene Intimität verletzt. Körperlich, seelisch, sexuell und emotional werden Schamgrenzen vom Täter überschritten. Zum anderen werden die nun empfundenen Gefühle wie Angst, Scham und Schuldgefühl wiederum zur Quelle erneuter Scham, insbesondere dann, wenn man mit niemandem darüber sprechen darf – ein oft genug vom Täter arrangiertes Setting.

Im sozialen Leben sind Scham und Beschämung von großer Wichtigkeit. Die gesellschaftliche Bestrafung sozial unerwünschten Verhaltens ist häufig mit massiver Beschämung vermischt. Gegen solche schamauslösenden gesellschaftlichen Reaktionen kann man sich als Individuum innerhalb gewisser Grenzen schützen: Wer sich sozial angepasst verhält und die bestehenden gesellschaftlichen Erwartungen und Regeln beachtet, wird nicht „an den Pranger gestellt" – wenngleich in totalitären Regimen häufig genug genau dies dennoch passiert.

9. Schamgefühle   185

In westlichen Kulturen kommt es aber vermehrt zu einem Phänomen, das es an sich immer schon gegeben hat: der beschämenden Zur-Schau-Stellung intimer Gefühle nicht wegen des Übertretens sozialer Regeln, sondern zur Befriedigung von Lust und Neugier. Gerade die Printmedien und das Fernsehen neigen auf der Suche nach höheren Verkaufszahlen bzw. Einschaltquoten dazu, immer mehr leidende Menschen, Menschen in Angst oder Verzweiflung, aber auch in intimen Situationen von Freude ungefragt zu filmen und diese Aufnahmen einem weltweiten Publikum zugängig zu machen.

Überschreitungen der Schamgrenze

„Wie fühlen Sie sich?" – Diese Frage eines skandinavischen Fernsehreporters an den Vater eines Todesopfers der Ostseefähre Estonia, unmittelbar nach Übermittlung der Nachricht vom Tod seiner Tochter – überschreitet massiv die Grenzen der invaduellen Intimität. Dem Vater wird erneut Leid zugefügt: Nach dem Verlust seiner Tochter verliert er nun das Recht auf die Intimität seiner Gefühle, die massiv zur Schau gestellt werden.

Auch wenn das Darstellen von Opfern und ihren Gefühlen sowie die Grenzüberschreitung von Intimitätsschranken und Schamschwellen nicht neu ist: Neu ist die globale elektronische Verbreitung, die beliebige Wiederholung von Szenen (per Videorekorder oder Reality-TV) und das durch die Zoom-Technik mögliche Vergrößern von Mimik und Gestik. Hilgers (1996, 179ff.) weist aber zu Recht darauf hin, dass es sich nicht immer – wie im oben genannten Beispiel – um passive Opfer unseres Medienzeitalters handelt. Mitunter können sich Exhibition und Voyeurismus gegenseitig bedingen.

So sind nicht wenige Menschen bereit, sich in entsprechenden Sendungen spärlich bekleidet zu zeigen, tränenreich von intimsten Erlebnissen zu berichten, Freude oder Leid in für sie überraschenden, arrangierten Szenen zur Schau zu stellen oder intime, zum Teil außergewöhnliche Verhaltensweisen oder Erlebnisse preiszugeben, die sie in ihrem Bekanntenkreis so nie äußern würden. Was aber veranlasst einen Menschen, öffentlich im Fernsehen zu demonstrieren, dass er gezielt Winde abgehen lassen kann? (Nebenbei, die Moderatorin gab später zu, sich privat mit einem solchen Menschen, den sie immerhin in ihre Sendung aufgenommen hatte, nicht unterhalten zu haben.) Und was veranlasst den Zuschauer, trotz häufigen Lamentierens über die Niveaulosigkeit solcher Sendungen, eben diese immer wieder einzuschalten?

Bei beiden, dem Zuschauer und dem sich zur Schau Stellenden, geht es nach Hilgers um Schambewältigung. Der Zuschauer, dessen Neugier und Sensationslust anonym, nämlich vor dem Fernsehsessel, befriedigt werden kann, erkennt zwar das Beschämende der Situation, fühlt sich aber in der Lage, die Situation zu kontrollieren – was ihm die Befriedigung einer scheinbaren Schambewältigung ermöglicht. „Nicht ich – sondern jene dort verhalten sich beschämend" mag der Leitgedanke des Rezipienten sein. Umgekehrt tritt der sich zur Schau Stellende den „Sprung nach vorne" an: Indem er offensiv bekennt, fühlt er sich denen, die ihm zuschauen, überlegen und beschämt sie dadurch (jedenfalls in seiner Wahrnehmung). Dazu kommt, dass das Medium „Fernsehen" im Bewusstsein der Beteiligten die gezeigten Intimitäten quasi veredelt – das Gefühl, im Licht der Öffentlichkeit gestanden zu haben, überwiegt dann gegenüber dem Schamgefühl.

An diesem Exkurs wird deutlich, dass das Auftreten von Schamgefühl immer auch eine sehr starke soziokulturelle Komponente hat. Dass wir uns schämen können und dass uns dieses Gefühl unangenehm ist, ist evolutionsbiologisch in unsere Wiege gelegt worden. Wessen wir uns schämen, ist sehr stark kulturell bedingt. Welche Körperteile bekleidet oder unbekleidet sind, kann – je nach Kultur – stark variieren. Aber irgendeine Regel zur Bekleidung oder Verdeckung bspw. des Genitalbereichs haben praktisch alle Kulturen, wie sog. „Schamschnüre" an der Beckenregion bei im übrigen unbekleideten Aipo-Indianern oder das „Feigenblatt der Eva" auf dem Bild Cranach des Jüngeren zeigen. Man muss also in der gleichen Kultur und Tradition aufgewachsen sein oder sich intensiv mit dem soziokulturellen Hintergrund eines Menschen beschäftigen, um das Beschämende einer Situation nachvollziehen zu können.

Damit kommen wir zur Frage, wann und unter welchen Umständen Schamgefühl, so wichtige Funktionen es für den einzelnen wie für die Gesellschaft erfüllt, zum schweren, mitunter psychopathologischen Problem werden kann.

Ein „Zuwenig" an Scham kann z. B. bei sexuellem Missbrauch konstatiert werden. Scham- und Schuldgefühle sind wichtige emotionale Faktoren, die Menschen daran hindern, andere zu schädigen (s. auch Kap. 10, Schuldgefühle). Gerade beim sexuellen Missbrauch sind eindeutige Verurteilungen seitens der Gesellschaft notwendig: Sexuelle Übergriffe aller Art sind keine Kavaliersdelikte, sondern schuldhafte Straftaten, deren man sich auch zu schämen hat.

Bei einem „Zuviel" an Scham kann die Scham so stark und das damit verbundene Gefühl so unerträglich werden, dass man vermeintlich keinen anderen Ausweg mehr sieht, als aus dem Leben zu scheiden. Dies ist eine extreme Variante des bei der Scham immer vorhandenen Gefühls, in den Erdboden versinken zu wollen und für alle unsichtbar zu sein. Vor allem die Kopplung mit

Schuldgefühlen (mögen sie nun berechtigt sein oder nicht) mit dem Gefühl von Scham bei Entdeckung führt mitunter zu einer brisanten und unerträglichen Stimmungslage.

Ich habe einige delinquent gewordene Jugendliche kennengelernt, die weniger wegen ihrer Straftat, als vielmehr wegen der „Schande, vor Gericht zu stehen" sich umzubringen versucht haben. So hielt ein 16-Jähriger, der ein Fahrrad gestohlen hatte und erwischt worden war, die Scham des Bekanntwerdens nicht aus. Emotional allein gelassen und damit konfrontiert, dass er seinen eigenen und pubertär durchaus strengen Moralmaßstäben nicht genügt hatte, sah der Junge keinen anderen Ausweg als einen – zum Glück vereitelten – Suizidversuch.

Tölle (1984) weist auf Zusammenhänge mit unerträglichen Schamgefühlen und Wahnentwicklung hin. Das Wesen des Wahns ist ja nicht die Ungeheuerlichkeit der gewähnten Behauptungen als vielmehr die Unkorrigierbarkeit, mit der man am Wahn festhält.

So kann der Verliebte zunächst meinen, das Lächeln der geliebten Person gelte ihm. Normalerweise wird er sich, falls dies nicht der Fall ist, zwar mit Liebeskummer und Schmerz, aber immerhin doch der Realität stellen können. – Der Schuldbewusste wird im Normalfall möglicherweise Andeutungen oder Blicke auf sich beziehen, bei näherer Überprüfung aber erleichtert feststellen, dass man ihn nicht meint oder entdeckt hat. – Wer unsicher hinsichtlich seines Aussehens oder seiner Kleidung ist, wird möglicherweise das Gefühl haben, angestarrt zu werden, sich aber letztlich davon überzeugen können, dass dies nicht der Fall ist.

Dies alles trifft für den Wahnkranken nicht zu: Unverrückbar fühlt er sich angeschaut, verfolgt, wähnt, dass man über ihn und niemanden anderes, selbstverständlich abfällig, redet, dass man ihn erotisch belästigen wolle oder ihm mit Vernichtung drohe. Die Unfähigkeit, auch andere Deutungsmuster zuzulassen, einen anderen Blickwinkel einzunehmen oder das Erklärungssystem zu verändern, die Unfähigkeit also zur „Kopernikanischen Wende" (weil es in der Geschichte lange gedauert hat, die Möglichkeit zuzulassen, dass sich die Erde um die Sonne und nicht umgekehrt dreht) ist es also, die das Wesen des Wahns ausmachen. Neben anderen Triebkräften ist es nun auch das Gefühl unerträglicher Scham, die reaktiv zur Wahnbildung beitragen kann. So kann die Scham über eigene sexuelle Wünsche, die unvereinbar mit dem moralischen Selbstbild sind, möglicherweise durch einen erotischen Beziehungswahn abgewehrt werden: nicht ich, sondern die anderen sind es, deren sexuelle Begierde so bedrohlich ist. Auch der Wahn, verfolgt zu werden, kann von beschämenden aggressiven Impulsen ablenken. Wahnkranke sind in ihrer Persönlichkeit nicht selten hochsensible, sehr gewissenhafte und moralisch empfindende Menschen, die den Druck subjektiv empfundener Insuffizienz (Ungenügens), den Druck beschämender Situationen oder den Druck mit ihrem Selbstbild nicht zu vereinbarender Emotionen und Triebe nicht mehr aushalten können. Dies macht die Therapie und Korrektur des Wahnerlebens so schwierig.

Scham kann bei Hilflosigkeit verschiedenster Art zum großen Problem werden: Eltern, die sich der geistigen Behinderung und damit vielleicht verbundenen Schwierigkeiten ihres Kindes schämen, können im Extremfall möglicherweise die Behinderung ihres Kindes verleugnen oder sogar das Kind und ihre gesamte Familie isolieren. Sie können sich aber auch eigentlich einfühlbarer zeitweiliger Aggressionen dem Kind gegenüber schämen und sprachlos voreinander und vor potentiellen Helfern stehen – wichtige entlastende Gespräche, gemeinsamer Trost oder Hilfe kommen dann nicht zustande.

Die Frau, die ihre pflegebedürftige Mutter versorgt und körperlich wie emotional immer wieder an den Rand der völligen Erschöpfung gerät, mag nicht nur depressiv, sondern auch verschämt reagieren: „Keiner soll mich so sehen" ist der bezeichnende Titel eines Buches über die Problematik in Pflegebeziehungen.

Scham kann Menschen daran hindern, ihnen zustehende Sozialhilfe in Anspruch zu nehmen. Sie kann verhindern, frühzeitig (oder rechtzeitig) ärztliche, soziale oder psychotherapeutische Hilfe in Anspruch zu nehmen. Gerade bei den Widerständen im Rahmen einer Psychotherapie spielen Schamgefühle eine große Rolle.

In der Regel wendet man sich an den Psychotherapeuten, wenn man aufgrund seelischer Schwierigkeiten in eine mehr oder weniger schwere Krise geraten ist. Bereits das Aufsuchen eines Therapeuten und der damit verbundene Erstkontakt ist häufig nicht nur durch Angst vor dem Unbekannten, sondern vor allem durch Schamgefühle gekennzeichnet. Auch im weiteren therapeutischen Prozess treten solche Schamgefühle auf: z. B. dann, wenn klar wird, wo man Unzulänglichkeiten hat. Aber auch bis dato nicht wahrgenommene Anteile der Persönlichkeit, aggressive, libidinöse, ängstliche Gefühle oder Strebungen können, wenn sie mit dem eigenen Selbstbild zunächst nicht zu vereinbaren sind, mit erheblicher Scham einhergehen. Die typische Reaktion beim Auftreten unangenehmer Gefühle im Rahmen einer Psychotherapie sind psychische Abwehrmechanismen, z. B. das Verleugnen und nicht Wahrhabenwollen von Konflikten oder Gefühlen, das Verdrängen unangenehmer oder konflikthafter Inhalte, die Projektion auf andere („nicht ich, sondern mein Partner ist aggressiv") etc. Grundsätzlich dienen solche Abwehrmaßnahmen dem Schutz vor unterschiedlichen Gefühlen, auch vor Aggressionen, Ängsten usw.; aber der Abwehr von Schamgefühlen und Peinlichkeit, die manchmal vom Therapeuten übersehen wird, kommt meines Erachtens eine besondere Bedeutung zu. Außerdem ist die intime Situation eines therapeutischen Prozesses, ähnlich wie es vielleicht bei der Beichte oder bestimmten Arztbesuchen der

Fall sein mag, in besonderer Weise dazu geeignet, Scham aufkommen zu lassen, muss man sich doch einerseits seine Hilflosigkeit eingestehen, andererseits Teile des intimen Bereichs offenlegen. Widerstände können also auch darauf hinweisen, dass das Vertrauensverhältnis zwischen Therapeut und Patient noch nicht tragfähig genug ist, um die aufkommende Scham auszuhalten. Darauf hat der Therapeut Rücksicht zu nehmen, insbesondere durch eine Haltung, die nicht nur die Persönlichkeit des Patienten, sondern auch und gerade seine Widerstände akzeptiert und respektiert.

Zusammenfassend kann festgehalten werden, dass Scham eine sehr heftig empfundene Emotion ist, die starken selbstreflexiven Charakter hat, dem Schutz des Individuums vor Bloßstellung dient und von sozialer Bedeutung ist. Scham sensibilisiert für die Empfindungen und Meinungen anderer und kann somit zu sozialen Verhaltensweisen beitragen. Scham revidiert das Selbstbild und trägt damit zu einer realistischen Selbstsicht und Selbsterkenntnis bei. Auf der anderen Seite kann, wie gezeigt wurde, ein inadäquates Maß an Scham die psychische und soziale Entwicklung hemmen und Ursache vielfältiger Fehlentwicklungen sein. Auch die soziale Komponente von Beschämung und Scham kann ausgenutzt werden und zu Abhängigkeiten führen. Scham ist ein außerordentlich heftiges, wenn auch kurzlebiges Gefühl und wird als äußerst unangenehm erlebt. Daher ist es verständlich, dass man diesem Gefühl wenn immer möglich auszuweichen versucht. Für das seelische und soziale Wachstum hingegen wäre es wichtig, alle Teile der eigenen Persönlichkeit kennenzulernen und anzunehmen und die dabei mitunter auftretenden Schamgefühle auszuhalten und zu überwinden.

Überprüfen Sie Ihr Wissen!

9.1 Fragetyp C
Antwortkombination

Welche der folgenden Aussagen treffen zu?

1. Bei der Schamreaktion tendieren Kopf- und Körperbewegung dazu, den sich Schämenden kleiner erscheinen zu lassen.
2. Scham ist ein äußerst unangenehmes Gefühl, das insbesondere in Zusammenhang mit Intimität, Insuffizienz oder Verfehlung auftritt.
3. Scham dient der Wahrung von Intimität.
4. Scham kann zur Weiterentwicklung der eigenen Persönlichkeit und Differenzierung des Identitätsbewusstseins beitragen.
5. Scham und Schuldgefühle sind meist nicht eindeutig voneinander zu trennen.

a) Nur die Aussagen 1, 2, 3 und 5 treffen zu. ☐
b) Nur die Aussagen 1, 2, 3 und 4 treffen zu. ☐
c) Nur die Aussagen 1, 2 und 3 treffen zu. ☐
d) Nur die Aussagen 2, 3 und 5 treffen zu. ☐
e) Alle Antworten treffen zu. ☐

9.2 Fragetyp E
Kausalverknüpfung

1. Die Inhalte dessen, wessen man sich schämt, sind praktisch in allen Kulturen gleich

   denn

2. die Fähigkeit, die Emotion der Scham zu erleben, ist allen Menschen anthropologisch mit in die Wiege gelegt.

a) Nur die Aussage 1 trifft zu. ☐
b) Nur die Aussage 2 trifft zu. ☐
c) Die Aussagen 1, 2 und die Kausalverknüpfung treffen zu. ☐
d) Alle Aussagen treffen zu. ☐
e) Keine Aussage trifft zu. ☐

Vertiefungsfragen

9.3 Beschreiben Sie Zusammenhänge von Selbsterleben und Scham.

9.4 Welche Funktionen kann Scham in der sozialen Interaktion von Menschen haben?

10. Schuldgefühl und Gewissen

„Schuld" ist ein schillernder Begriff: Ein Mensch kann im strafrechtlichen Sinne schuldig werden, er kann finanzielle Schulden haben, sich wegen Missachtung von Geboten moralisch oder religiös schuldig fühlen oder im zwischenmenschlichen Miteinander nach seiner oder anderer Meinung schuldig geworden sein. Wir bitten um Entschuldigung und sind nicht gerne jemandem etwas schuldig.

Ähnlich wie die Scham ist Schuld mehr als eine Gefühlsdimension. Es handelt sich um ein affektiv-kognitives Phänomen: Zum einen wird Schuld als ein intensiv-unangenehmes Gefühl erlebt, zum anderen ist sie nur im Rahmen eines gedanklichen Konstrukts denkbar. Schuld beinhaltet stets, dass man eine Regel nicht beachtet oder eine unerlaubte Grenze überschritten hat. Was aber ein Gebot oder Verbot bzw. eine soziale Grenze ausmacht, wird kulturell definiert und individuell gelernt. Insofern ist das Erleben eines Schuldgefühls immer an ein soziales Umfeld und kognitive Erfahrungen gebunden.

Schuld als affektiv-kognitives Phänomen

Erste Ansätze von Schuldgefühlen finden sich bereits bei Primaten, insbesondere Schimpansen. Der renommierte Primatenforscher Frans de Waal beschreibt eindrucksvoll, wie bei sozial lebenden Primaten das Gruppengefühl und die soziale Hierarchie, aber auch Harmonie und Ordnung aufrechterhalten werden. Dazu reicht es nicht, eine Rangordnung zu errichten und zu stabilisieren. Es müssen auch immer wieder Leistungen für andere Individuen und für die gesamte Gruppe erbracht werden. Schimpansen sind bereits in der Lage, sich an erbrachte soziale Leistungen zu erinnern. Fellpflege, Flankenschutz bei Kampf und Auseinandersetzungen, sexuelle Gefälligkeiten oder das Abgeben von Nahrungsmitteln sind keine einseitigen Prozesse, sondern werden registriert und mit Erwartungen verknüpft. Grenzüberschreitungen werden verrechnet: Ein unterlegenes Männchen leistet schuldbewusst Wiedergutmachung – durch Fellpflege und andere Gefälligkeiten.

Damit haben wir bereits einige Grundprinzipien kennengelernt, die für das Entwickeln von Schuldgefühl von Bedeutung sind: Zum einen muss man sich an soziale Leistungen erinnern können

– an die eigenen sowie die von anderen erbrachten. Zum anderen wird ein „soziales Schuldkonto" angelegt, das alle Beteiligten veranlasst, nach Ausgleich zu streben. Schließlich können Unruhen und Kampf innerhalb einer Gruppe gemildert oder sogar verhindert werden, indem Regelverletzungen, die mit Schuldgefühlen einhergehen, durch Wiedergutmachung ausgeglichen werden.

Wie konnte sich die für diese Zusammenhänge notwendige Fähigkeit, Schuldgefühle zu empfinden, evolutionär bilden? Die Soziobiologie geht davon aus, dass Verhaltensbereitschaften, also die Tendenz, bevorzugt in einer bestimmten Weise zu agieren und zu reagieren, dann eine Chance haben, wenn sie dem Überleben dienlich und von Vorteil sind. Entscheidend (nach den Thesen der Soziobiologie) ist nicht unbedingt das Wohlbefinden des Individuums, sondern die Frage, ob es dazu kommt, Kinder in die Welt zu setzen und großzuziehen. Entscheidender Faktor ist also das Wiederauftauchen der Gene in Folgegenerationen. Nun können genetisch (mit-)bestimmte Eigenschaften zum einen über die eigenen Nachkommen in die nächste Generation gelangen. Statistisch gesehen hat mein Kind 50% meiner Erbanlagen mitbekommen. Aber auch nahe Verwandte haben eine Reihe von genetischen Merkmalen mit mir gemein. Der Sohn meiner Schwester hat – wiederum rein statistisch gesehen – immer noch 25% gemeinsame Merkmale in seinem genetischen Pool.

Altruismus aus Sicht der Soziobiologie

Für das Wiederauftauchen bestimmter Eigenschaften in der Folgegeneration ist es also nicht nur förderlich, die eigenen Nachkommen zu versorgen, sondern auch bei der Versorgung naher Verwandter behilflich zu sein. Verhaltensdispositionen, die Fürsorge und Sozialverhalten im Clan ermöglichen, haben also eine relativ große Chance, sich durchzusetzen. Ein Schlüsselbegriff aus der Soziobiologie ist der des „reziproken Altruismus". Hierbei wird postuliert, dass scheinbar selbstloses, altruistisches Verhalten unter genetischen Gesichtspunkten durchaus egoistisch sein kann. Ein Individuum, das sich für seine Kinder oder für andere aufopfert, kann persönlich Schaden erleiden. Dispositionen für ein solches Verhalten haben dennoch eine Chance, wieder aufzutauchen – nämlich dann, wenn Kinder und nahe Verwandte, also Individuen mit ähnlicher genetischer Ausstattung, überleben und zur Fortpflanzung gelangen. Je höher eine Spezies entwickelt ist, desto vorteilhafter wird es, für andere zu sorgen, anderen Gefälligkeiten zu erweisen oder für sie einzuspringen, auch wenn man keinen unmittelbaren Nutzen davon hat. Die Natur hat uns mit einer Reihe von Lust- und Belohnungsmechanismen (und entsprechenden Gefühlen) ausgestattet, die uns anhalten und befähigen, anderen zu helfen und uns dabei wohlzufühlen, auch wenn wir keinen unmittelbaren Gewinn daraus haben.

Evolutionär sinnvoll ist dies, weil mit einer gewissen Wahrscheinlichkeit wir und unsere Nachkommen ebenfalls Empfänger solcher Wohltaten sind – jedenfalls bei Lebewesen, die in einem Sozialverband leben. Andererseits muss „das Konto ausgeglichen sein", soll – unter dem Strich – ein solches Verhalten von evolutionärem Vorteil sein. Soziobiologisch ausgedrückt: Nur dann haben Verhaltensprädispositionen eine Chance, in die nächste Generation geschleust zu werden, wenn mit einer gewissen statistischen Wahrscheinlichkeit solche Verhaltensweisen auch erwidert werden und somit zum genetischen Überleben beitragen. Folglich ist es eine wichtige Leistung, Dank und Verpflichtung zu registrieren und zum Ausgleich zu bringen. Das in der Soziobiologie als „Tit-for-Tat"-Prinzip (Wie du mir, so ich dir) benannte System sozialer Beziehungen schützt in der Summe vor Ausnutzung.

„Tit for Tat"

Dazu ist zum einen eine kognitive Leistung vonnöten: Ich muss *erkennen* und *im Gedächtnis speichern*, was ich für andere getan und was ich ihnen schuldig geblieben bin – umgekehrt gilt das Gleiche. Das alleine reicht aber nicht. Um zur Triebfeder sozialen Handelns zu werden, ist ein intensives Gefühl von Ärger notwendig, wenn andere mir Dienstleistungen schuldig geblieben sind. Umgekehrt empfinden wir ein tiefes Unbehagen, wenn wir anderen etwas schuldig geblieben sind, das „Schuldkonto" also nicht ausgeglichen ist.

Kognitive Voraussetzungen von Schuldgefühl

Schließlich kann das Hervorrufen von Schuldgefühlen bewusst in das Arsenal sozialer Manipulationen und Tricks integriert werden. Nicht nur die Androhung von Strafe, sondern auch das mimische, gestische oder sprachliche Ausdrücken eines Vorwurfs können beim Gegenüber Schuldgefühle wecken – und, was Mimik und Gestik angeht, nicht erst beim Menschen. Die Fähigkeit zum Erleben von Schuldgefühlen, die mit einem bestimmten Ausdrucksverhalten einhergehen, gehört zu unserer biologisch-anthropologischen Grundausstattung. Ihre Voraussetzung ist unter anderem ein gutes Gedächtnis und ein Erkennen von sozialen Situationen.

Eine weitere, biologisch-anthropologische Determinante für das Auftreten von Schuldgefühlen ist die Fähigkeit des Menschen, in *kausalen Kategorien* zu denken. Bereits Kant hat neben Raum und Zeit die Kausalität als a priori (von vornherein) dem Menschen mitgegebene Kategorie seines Denkens erkannt. Evolutionär war es zweckmäßig, passend, dass sich wahrnehmungsverarbeitende Strukturen entwickelten, die einen Kausalzusammenhang zwischen Ereignissen herzustellen versuchten. Mit anderen Worten: Wir Menschen gehen davon aus, dass alles einen Grund, eine Ursache haben muss.

Ein solches Bedürfnis nach Herstellung von Kausalitäten kann mit dazu beitragen, Schuldgefühle (oft völlig unberechtigte und unpassende) hervorzurufen. So können bei unbegreiflichen und unerklärlichen, vielleicht bedrohlichen Ereignissen „Sündenböcke" für das sonst Unerklärliche verantwortlich gemacht werden – Hexenverfolgungen des Mittelalters und Verfolgungen ethnischer oder kultureller Minderheiten auch in unseren Tagen bieten furchtbare Beispiele.

Auf der anderen Seite kann die Suche nach dem Grund, der Ursache eines Ereignisses auch mit tiefen eigenen Schuldgefühlen einhergehen – bspw. bei schwerer Krebserkrankung, bei der mitunter die Patienten (medizinisch oft völlig unberechtigt) sich selbst die Schuld an ihrer Erkrankung geben.

Dass Krankheit als Strafe, als Folge für soziales Fehlverhalten oder als Konsequenz ungesühnter Schuld erlebt wird, ist ein häufig anzutreffendes Phänomen. Sowohl in der Menschheitsgeschichte als auch in der seelischen Entwicklung von Kindern finden wir als Durchgangsphase, dass die unbegreifliche Tatsache, plötzlich hilflos und krank zu sein, zunächst als Willkür einer archaischen, gewaltigen Macht oder als Strafe für selbstverschuldetes Fehlverhalten, schließlich als Prüfung erlebt wird (so wird bspw. Hiob von Gott auf seine Charakterfestigkeit geprüft).

Krankheit als schicksalhaftes Ereignis zu erleben, dem wir als biologisch evoluierende Wesen unterworfen sind, das zum Teil medizinisch positiv beeinflusst werden kann, letztlich aber immer ein Begleiter des Menschen ist und nichts mit Schuld zu tun hat, ist eine sehr reife Verarbeitungsform. Gerade bei schwerer Krankheit neigen auch wir häufig zur Regression in archaischere Denk- und Gefühlsmodelle.

Die mimischen Ausdrucksformen bei Schuldgefühlen sind relativ gering: Wie bei Scham senken wir auch bei Schuldgefühlen den Kopf, wenden den Blick ab oder werfen nur flüchtige Blicke auf die Menschen, die uns anklagen. Wir versuchen, dem Blickkontakt auszuweichen. Im Unterschied zur Scham, bei der wir eher erröten, sieht ein sich schuldig fühlender Mensch eher bedrückt aus. Außerdem dauert Schuldgefühl in der Regel wesentlich länger an als Schamgefühl (Izard 1994, 472).

Ebenso wie Scham kann Schuldgefühl als „eine moralische Emotion" bezeichnet werden: Schuldgefühle entstehen, wenn die Prinzipien einer Gemeinschaft verletzt werden. Zuvor mussten soziale, ethische, religiöse Prinzipien der Gemeinschaft bekannt sein und übernommen werden, was in einem Prozess der sozialen Reifung über Imitation und Internalisierung sozialer Verhaltensweisen und Erwartungen geschieht (siehe weiter unten). Letztlich macht sich das Individuum moralische Grundsätze seiner Eltern und schließlich der Gesellschaft zu eigen und integriert sie in seine emotionale und kognitive Struktur, das eigene Gewissen entsteht. Bei einer Überschreitung sozial festgelegter Grenzen, einer Verletzung sozialer Verpflichtungen und Normen und einem Zuwiderhandeln der gültigen und integrierten Moral kommt es zu Schuldgefühlen. Diese werden in der Regel als außerordentlich quälend erlebt. Schuldgefühle legen sich schwer auf das Gemüt eines Menschen, der intensiv darüber nachdenkt (grübelt) und sich stark damit beschäftigt.

Gelingt es, sich offen dem eigenen Fehlverhalten zu stellen, auch seinem Gegenüber (den man möglicherweise geschädigt hat) zu begegnen und die Dinge so schnell und gut wieder in Ordnung zu bringen, wie einem das möglich ist, so wird man am ehesten mit den Schuldgefühlen fertig. Oft aber sind Schuldgefühle so peinlich, dass ihre Ursache in das Unbewusste verdrängt oder anderweitig abgewehrt werden – bekanntlich sieht man den Splitter im Auge des anderen wesentlich eher als den Balken im eigenen Auge. Das Eingestehen eigener Verfehlungen, die Annahme der eigenen, mitunter hinter dem Ideal zurückliegenden Persönlichkeit fällt Menschen oft so schwer, dass sie sich eher bewusst wie unbewusst über lange Zeit mit Schuldgefühlen herumplagen, die ihr Denken und ihre Initiative lähmen, als dem Fehlverhalten zu begegnen und die Dinge wieder in Ordnung zu bringen.

Schuld hat Verpflichtungscharakter: Um mit sich und seiner sozialen Umgebung wieder ins Reine zu kommen, muss Wiedergutmachung geleistet und Umkehr vollzogen werden. Eine Aussöhnung ist erst nach „Ausgleich emotionaler Konten" möglich. Wichtige Triebfedern eines solchen Verhaltens sind neben dem Erleben von Schuldgefühlen auch die Angst vor Strafe und – ganz wesentlich – die Furcht vor sozialem Ausschluss.

Schuldgefühle dienen bei sozial lebenden Primaten und letztlich auch beim Menschen der Aggressionshemmung, der Hemmung sexueller Ausbeutung und Inzest und der Hemmung von Verschwendung. Ihr „Sinn" wird einsichtig, wenn man sich klar macht, dass ohne die Möglichkeit, Schuldgefühle zu erleben, das soziale Miteinander durch ungesteuerte Aggression, zunehmende Verschwendung oder sexuelle Ausbeutung und Grenzüberschreitung erheblich gefährdet wäre. Antagonistische, Schuldgefühlen entgegengesetzte Gefühlsdimensionen sind folglich die des Ärgers und der Wut und der sexuellen Lust. Dienen Ärger und Wut beispielsweise der Selbstbehauptung, so sind Schuldgefühle eng mit sozialen Verpflichtungen und altruistischem Verhalten verknüpft.

Enge Verzahnungen zwischen Schuldgefühlen, sozialen Mechanismen und Gesundheit bzw. Krankheit finden sich bspw. bei den Heilungsriten in Stammeskulturen. Hier wird Heilung als ein ganzheitlicher Akt der Versöhnung zwischen Individuum, Umwelt, sozialer Gruppe und Gottheit verstanden. So haben Schamanen nicht nur heilend-ärztliche, sondern auch priesterliche Funktion. Heilung bedeutet in diesem Sinne auch Aussöhnung mit sich und anderen, nachdem „Schuldkonten" beglichen worden sind.

Wie weiter unten noch zu zeigen sein wird, hat das Auftreten von Schuldgefühlen und das Wecken von Schuldgefühlen zwei widersprüchliche Aspekte: Zum einen sind Schuldgefühle, so wurde gezeigt, für ein funktionierendes Sozialsystem von großer Bedeutung. Erst wenn in einer Gesellschaft klar ist, dass Schuld auf sich lädt, wer Kinder sexuell missbraucht, werden Täter zur Verantwortung gezogen. Zur Entwicklung der Persönlichkeit und der Übernahme sozialer Verantwortung tragen Schuldgefühle bei.

Auf der anderen Seite können in der Erziehung und Sozialisation Schuldgefühle instrumentalisiert und missbraucht werden. Starke, zum Teil von außen oktroyierte Schuldgefühle hemmen die Eigeninitiative, machen gefügig und können folglich missbraucht werden. Im Extremfall kann das massive Auslösen von chronischen Schuldgefühlen sowie der Furcht, aus der Gemeinschaft ausgestoßen zu werden, zu schwersten körperlichen Störungen, ja sogar zum Tod oder Selbstmord führen.

Sowohl das Erleben von Schuld als auch das Evozieren von Schuldgefühlen beim anderen kann heftig wirken. So kann ich möglicherweise meinem Partner oder Freund mit leidendem Augenaufschlag verkünden, er möge sich ruhig amüsieren, ich käme mit meinem Leid schon alleine zurecht: Mit hoher Wahrscheinlichkeit wird die Folge sein, dass der andere sich schuldig fühlt, weil er seinem Vergnügen nachgeht, anstatt mir beizustehen. Das Evozieren von Schuldgefühlen kann also einen Machtfaktor des sozialen Miteinanders darstellen.

Wie stark unterschwellige, implizite Vorwürfe wirken können, auch wenn dies gegen alle Vernunft spricht, macht folgendes Beispiel des renommierten Psychiaters und Wissenschaftsautors Hoimar von Ditfurth deutlich (1992):

1940 wegen eines begonnenen Medizinstudiums vom Kriegsdienst zurückgestellt, begegnete er in einer Gaststätte einem frisch verwundeten Offizier von der Ostfront, der seinen verbundenen Arm demonstrativ zur Schau stellt. Der Autor berichtet von massiven Gefühlen des Unbehagens, die ihn überkommen haben und die er sich gar nicht erklären konnte. Das Gefühl, sich „vor der Pflicht gedrückt zu haben" und damit schuldig an der Gemeinschaft geworden zu sein, wird übermächtig – obwohl die Entscheidung zum Medizinstudium bewusst und gern fiel und er vom Regime freigestellt wurde. Auch die Analyse, dass es sich um einen verbrecherischen Angriffskrieg und keineswegs um Vaterlandsverteidigung handelt, ist nur die eine Seite – die andere Seite ist die, dass der Schuldgefühle erzeugende soziale Druck übermächtig werden und Individuen dazu bringen kann, Dinge zu tun, die sie rational ablehnen.

Aber auch die eigenen, subjektiv empfundenen Schuldgefühle können eine erhebliche psychische Eigendynamik entfalten. Zum einen können sie Initiative, Lebenslust und Freude hemmen. Zum anderen können, vor allem nach Fehlverhalten oder Straftaten, unbewusste Schuldmechanismen dazu führen, dass man, noch ohne sich dessen richtig im Klaren zu sein, der Umwelt seine Schuld signalisiert und somit zur Aufdeckung der Tat, zur Strafverhängung, Sühne und Ausgleich des Schuldkontos beiträgt.

In Schillers Gedicht „Die Kraniche des Ibikus" kommt dies zum Ausdruck: Zwei Wegelagerer ermorden um des Geldes willen jemanden, der im Todeskampf ausruft: „Die vorbeiziehenden Kraniche sind Zeugen dieses Verbrechens." Später verrät sich einer der Täter, indem er in einer Menschenansammlung voller Schrecken seinen Komplizen auf Kraniche aufmerksam macht, die zufällig am Himmel vorbeiziehen – „Sieh da ... die Kraniche des Ibikus" – woraufhin er als Täter erkannt und erfasst wird.

Ein ähnlicher unbewusster Mechanismus mag bei einem Studenten vorgelegen haben, der sich selbst Leistungsnachweise (sogenannte „Scheine") ausstellte und sie mit der fingierten Unterschrift eines Professors versah. Das Ganze fiel dadurch auf, dass er sich eine „2,4" als Zensur bescheinigte, während die Prüfungsordnung bekanntermaßen nur die Abstufungen 2,0 und 2,3 und 2,7 vorsah.

Wenn uns auch die Gefühlsdimension des Schuldgefühls, also die Möglichkeit seines intrapsychischen Erlebens, biologisch mit auf den Lebensweg gegeben ist, so ist die Intensität und Ausprägung von Schuldgefühlen, vor allem aber die kognitive Komponente, der Aspekt, weswegen wir uns schuldig fühlen, sozio-kulturell vermittelt und weitgehend von der Biografie abhängig.

Mit zunehmender Selbstständigkeit erlebt bereits das Kleinkind, dass es Fehler macht, Grenzen überschreitet und zum Missfallen seiner Umgebung (insbesondere seiner Eltern) Ge- und Verbote missachtet. Bereits in der Trotzphase, aber natürlich auch in späteren Phasen wird die eigene Macht, werden eigene Fähigkeiten benutzt, um den Aktionsradius auszuweiten, eigenständiger zu werden und die Grenzen des Erlaubten auszuloten. Misslingt das Vorhaben der Autonomie, kann ein Kind bspw. etwas nicht leisten, was es sich vorgenommen hat, so kommt es typischerweise zu Scham und Zweifel an den eigenen Fähigkeiten. Werden dem Kind hingegen auch moralische Vorhaltungen gemacht, wird Strafe oder Liebesentzug angedroht oder wird das Kind verantwortlich gemacht für Trauer oder Ärger seiner Eltern, so können, neben Angstgefühlen, Schuldgefühle entstehen.

Vor und während der Kindergarten- und Grundschulzeit lernt das Kind zunächst durch Imitation elterlichen Verhaltens, moralische, ethische und soziale Gebote und Verbote zu beachten. Darüber hinaus kann es sich mit geliebten Bezugspersonen (den Eltern) identifizieren und die elterlichen Maximen verinnerlichen (internalisieren). Auf diese Weise entsteht das affektiv-kognitive Gerüst, das wir Gewissen nennen. In der Auseinandersetzung mit archaischeren Strukturen, die zum Beispiel lust- oder aggressionsgetönt sein können, reift das Gewissen zu der Instanz heran, die das Handeln mit den Erwartungen des sozialen Umfeldes in Einklang zu bringen versucht.

Während eine rein strafende Erziehung häufig zu Angstreaktionen (und sekundär zu aufgestauter Wut und/oder Resignation und Depression) führt, ist eine Erziehung, die auf das Einfühlen und die Empathie anderen gegenüber abhebt, eher dazu geeignet, zur Gewissensbildung beizutragen.

Das kann durchaus problematisch sein. In der sogenannten „magischen Phase" am Ende der Latenzzeit, also etwa mit fünf oder sechs Jahren, neigen Kinder dazu, sich und ihre Bedeutung zu überschätzen. Der Satz der Mutter: „Schau nur, wie traurig du mich gemacht hast – jetzt habe ich wieder Kopfschmerzen" kann durchaus wörtlich verstanden und überbewertet werden, letztlich zu schweren Schuldgefühlen auf Seiten des Kindes führen.

Voraussetzung ist freilich ein empathisches, durch Bindung gekennzeichnetes Verhältnis zwischen Mutter und Kind. Schuldgefühle und das Gefühl, für das Leid oder Wohlergehen eines anderen mit verantwortlich zu sein, können nur bei Bindung und Liebe entstehen. Ähnliches gilt auch für den Liebesentzug, also eine gedrohte oder befürchtete Trennung bei Fehlverhalten, die ebenfalls zum Aufbau von Schuldgefühlen beitragen kann. Auch Liebesentzug kann nur eintreten, wo vorher Bindung und Liebe war. Aber hier wird die Zwiespältigkeit der Bedeutung von Schuldgefühlen bei der kindlichen Sozialisation deutlich: Zwar treten Schuldgefühle bei der Internalisierung sozialer Normen und Werte und dem gelegentlichen Überschreiten sozialer Gebote sowie einem die Eltern enttäuschenden kindlichen Verhalten immer wieder auf und können, wenn sie nur kurzfristig vorhanden sind und adäquat bearbeitet werden, durchaus verkraftet werden. So gesehen haben sie Signalfunktion und leiten das Kind auf den Weg, Verantwortung für das eigene Handeln, die zwischenmenschliche Beziehung und das Wohlergehen anderer zu übernehmen. Andererseits besteht hier eine nicht zu unterschätzende Gefahr des emotionalen Missbrauchs. Eltern und Erzieher können gerade in sensiblen Phasen der Kindheit massive Schuldgefühle evozieren und Kinder damit in emotionaler Abhängigkeit halten. Ein Übermaß an Schuldgefühlen wirkt lähmend und bedrückend, kann heftige depressive und resignative Gefühle zur Folge haben und steht letztlich einer Entwicklung zur Autonomie im Wege.

Ein fünfjähriges Kind, dessen Eltern sich zur Scheidung entschlossen haben, wird erfahrungsgemäß alles in seinen Kräften Stehende versuchen, um die Eltern zu versöhnen. In seiner entwicklungsbedingten magischen Hybris meint es, hierzu auch in der Lage zu sein. Da es ihm aber nicht gelingt, den elterlichen Konflikt zu lösen, fühlt es sich am Scheitern der Ehe schuldig – es hat das Schlimmste ja nicht verhindert. Erliegen hier die Eltern der Versuchung, das Kind emotional zu missbrauchen, indem sie einseitige Loyalität für sich und gegen den Ex-Partner fordern, so verstärken sich diese Schuldgefühle auf ein mitunter unerträgliches Maß.

Ein anderes Beispiel findet man häufiger bei Familien mit Alkoholproblematik: Nicht selten schiebt der Alkoholkranke die Verantwortung für sein exzessives Trinken auf die Familienmitglieder, zum Beispiel die Kinder und ihr Verhalten. Oft versuchen diese Kinder alles in ihrer Macht stehende, um Vater oder Mutter vom Trinken abzubringen. Gelingt dies nicht (und es kann nicht gelingen!), fühlen sie sich extrem schuldig, weil sie ihrer vermeintlichen Verantwortung nicht gerecht geworden sind. Typischerweise können sie bis ins Erwachsenenalter Extremes im sozialen oder gesellschaftlichen Bereich leisten und haben stets das Gefühl, es sei nicht genug: in der Tat ist es auch nicht genug, um das Elend der Eltern zu wenden. Therapeutisch wird es darauf ankommen, diese oft von extremen Schuldgefühlen begleiteten Delegationen zu verdeutlichen und abzustreifen.

Es soll schließlich noch darauf hingewiesen werden, dass die Fähigkeit zu erkennen, dass man etwas Falsches getan hat und zur Wiedergutmachung verpflichtet ist, in Abhängigkeit zur emotionalen und kognitiven Entwicklung heranreifen muss. So wird z. B. ein vierjähriges Kind es für ein schlimmeres „Vergehen" halten, wenn jemand versehentlich sechs Teller kaputtgeworfen hat, als wenn ein anderer absichtlich einen Teller zerbricht. Das Kriterium der Intention (Mutwilligkeit) wird in diesem Alter noch nicht voll erfasst.

Schuldgefühle treten nicht nur auf, wenn ein Individuum konkrete Erwartungen seiner Umgebung nicht erfüllt, sondern auch dann, wenn es gegen eigene, internalisierte Gebote verstößt.

So kann bspw. in der Pubertät ein Jugendlicher erheblich darunter leiden, seinen hochgesteckten Idealen nicht genügen zu können. Onanieskrupel, überzogene Erwartungen idealistischer Art, die nicht erfüllt werden konnten, Schuldgefühle beim Verlassen der Eltern oder bei emotionalen Konflikten mit ihnen sind beredte Beispiele dafür, dass wir uns auch dann schuldig fühlen können, wenn unsere soziale Umgebung unser „Vergehen" nicht so dramatisch bewertet oder sogar gar nicht bemerkt – entscheidend ist, vor den eigenen internalisierten Erwartungen versagt zu haben.

So kann schließlich in jedem Lebensalter ein mehr oder weniger bewusstes Gefühl dafür auftreten, eigene Ziele nicht erreicht, Fähigkeiten nicht verwirklicht oder Freunden und Angehörigen nicht das ihnen Zustehende gegeben zu haben. Zu einem möglicherweise „existenziellen Schuldgefühl", das einhergeht mit der Erkenntnis, eine Reihe emotionaler, kognitiver oder sozialer Möglichkeiten nicht ausgenutzt und schließlich verpasst zu haben, ist nun zu sagen: aufgrund von Erziehung, Lebenssituation und Biografie ist es keinem Menschen möglich, alle potentiell in ihm schlummernden Möglichkeiten im Laufe seines Lebens zu verwirklichen. Wir sind existenziell darauf angewiesen, Entscheidungen zu fällen, und eine jede solche Entscheidung schließt viele andere aus. Insofern ist Entwicklung nur möglich bei gleichzeitigem Abschiednehmen von Lebenswegen und Möglichkeiten, die prinzipiell auch möglich, nun aber verschlossen sind. Hierüber Schuldgefühle zu empfinden, wäre gelinde gesagt unzweckmäßig.

Anders ist es, wenn Scham, Angst, Wut und unverarbeitete Lebensereignisse uns daran hindern, in Beziehung oder Beruf Dinge zu tun oder Änderungen vorzunehmen, die durchaus möglich sind. In solchen Konstellationen wird ein Leben unter dem eigenen Niveau zumindest unbewusst manchmal als quälend erlebt, und ein Eingestehen der bisher noch nicht genutzten Möglichkeiten, ein Überwinden der zugrunde liegenden Ängste und gegebenenfalls eine Kurskorrektur im konkreten Alltag kann durchaus befreiende Wirkung haben.

Auch Trennung von Menschen kann mit heftig empfundenen, zum Teil existenziell erlebtem Schuldgefühl einhergehen. Zum einen kann nach aggressivem oder sexuell getöntem Verhalten die Furcht entstehen, man könne verlassen werden. Nicht selten mischt sich diese Furcht mit dem Gefühl, sich schuldig verhalten und eine Trennung heraufbeschworen zu haben. Zum anderen kann eine situativ oder entwicklungsgeschichtlich notwendige Trennung, die wir anstreben, mit erheblichen Schuldgefühlen einhergehen. Weiter unten wird dies noch am Beispiel der Pubertät zu zeigen sein, wenn bspw. Jugendliche die notwendige Loslösung von ihren Eltern nur mit großen Loyalitätskonflikten und Skrupeln angehen können.

Aber letztlich trennen wir uns während unseres gesamten Lebens immer wieder nicht nur von Situationen, sondern auch von Menschen: Jeder Wechsel des Arbeitsplatzes, jedes neue Hobby, jeder Umzug impliziert das Kennenlernen neuer Menschen und notwendigerweise das Verblassen alter Beziehungen. Aber auch die intensivste und intimste Beziehung zu einem anderen lehrt uns, dass wir nicht vollständig eins werden mit ihm, dass wir letztlich ihm zwar nahe sein, nicht aber für sein Lebensglück verantwortlich sein können, dass mit anderen Worten eine vollständige Harmonie zum anderen nicht möglich ist. Diese grundlegende Getrenntheit, dieses grundlegende Alleinsein jedes menschlichen Lebens kann nicht nur manchmal schmerzhaft sein, sondern auch das Gefühl hervorrufen, dem anderen noch etwas schuldig zu sein. Dies ist nicht gerechtfertigt. Wir brauchen den Austausch und die Nähe von anderen Menschen, können und dürfen uns dabei aber nicht vollständig mit ihm identifizieren. So meint Izard (1994, 480) mit Khana, dass unsere Unfähigkeit, in vollständiger Harmonie mit anderen Menschen zu empfinden, eine Tatsache menschlicher Existenz und Individualität sei und nicht als Schuld angesehen werden könne. Zwischen Schuldgefühlen und anderen Emotionen bestehen Wechselwirkungen. Sowohl Scham als auch Schuldgefühl können als „moralische Emotionen" verstanden werden: Sie werden in gleichen oder ähnlichen Situationen erlebt, nämlich dann, wenn es etwas zu verbergen oder im sozialen Kontext richtigzustellen gilt. Beide Emotionen sind unangenehm.

Bereits beim Ausdrucksverhalten ergeben sich allerdings Unterschiede: Scham geht häufig mit Erröten einher, bei Schuldgefühlen kommt die „bedrückte Miene" hinzu. Schamgefühl ist vor allem situationsbezogen. Kann man der peinlichen Situation entfliehen (oder ausweichen), so legt sich meist dieses unangenehme Gefühl. Schuldgefühle hingegen sind quälender, andauernder und gehen oft mit dem Bewusstsein einher, jemandem Unrecht zugefügt oder etwas getan zu haben, was ethisch falsch oder nicht zu vertreten war.

Scham und Schuldgefühl

So kann die Erkenntnis beim morgendlichen Kater, dass man sich am Abend unter Alkoholeinfluss „daneben benommen hat", mit Scham einhergehen. Schuldgefühle empfindet man hingegen, wenn man unter Alkoholeinfluss jemanden verbal oder tätlich verletzt hat.

Die Verknüpfungen zwischen Schuldgefühlen und Angst wurden bereits angedeutet: Schon in der Erziehung und Sozialisation in der Kindheit können Regelübertretungen nicht nur zu Schuldgefühlen, sondern auch zur Angst vor Strafe, insbesondere aber auch zu der Angst, verlassen zu werden, führen. Insofern sind Schuldgefühle eng verknüpft mit der Sorge, von der Gemeinschaft, deren Regeln man übertreten hat, vorübergehend oder ganz ausgestoßen zu werden. Wiedergutmachung und Ausgleich der Schuldkonten dienen also auch dazu, einer drohenden Trennung oder einem Liebesentzug entgegenzuwirken.

Angst und Schuldgefühl

Sowohl sexuelle Impulse mit den ihnen zugrunde liegenden Emotionen sexueller Lust und Freude als auch aggressive Impulse (Ärger, Wut) können von Schuldgefühlen begleitet sein, nämlich dann, wenn Normen überschritten werden. Insofern können Schuldgefühle als antagonistische Kräfte zu sexuellen und aggressiven Gefühlen gesehen werden. Dienen Letztere der Selbstbehauptung, so stehen Schuldgefühle eher im Dienst sozialer Normen. Im Extremfall können Schuldgefühle sexuelle Initiative ebenso wie notwendiges konfrontierend-aggressives Verhalten völlig hemmen. Bei einer schweren Aggressionshemmung können die nach wie vor ungelösten Probleme mangels Konfrontation und Bereinigung der Situation zu schweren seelischen Störun-

Lust, Aggression und Schuldgefühl

gen führen. Wer das eigene aggressive Verhalten, ja sogar eigene aggressive Gefühle unterdrücken oder verleugnen muss, weil sich sonst unerträgliche Schuldgefühle einstellen, wird letztlich in seiner Handlungsfähigkeit gelähmt und läuft Gefahr, depressiv oder autoaggressiv reagieren zu müssen.

Depression und Schuldgefühl

Auch zwischen Depression und Schuldgefühlen lassen sich Verbindungen finden: Bei der schweren Form einer endogenen Depression, wie sie in Kapitel 4 beschrieben wurde, finden sich häufig schwerste (für Außenstehende oft nicht nachzuvollziehende, weil völlig überzogene) Selbstvorwürfe, Schuldgefühle und Skrupel. Auf der anderen Seite können sich aber auch Schuldgefühle schwer auf das Gemüt legen und ihrerseits zu einer Depression beitragen.

Schließlich werden Selbstbewusstsein und Selbstwertgefühl ganz erheblich von Schuldgefühlen tangiert. Dies soll am Beispiel der Pubertät kurz erörtert werden. Wie in Kapitel 11 noch gezeigt wird, ist die Pubertät in besonderer Weise eine Phase, in der es um die Ausbildung der eigenen Identität, eines Selbstbewusstseins und eines Gefühls für den Selbstwert geht. In der Suche nach neuen Rollen, Funktionen und Weltanschauungen kommt es immer wieder dazu, dass sich Jugendliche überfordern (und auch überfordert werden). Sie haben z. T. überzogene Vorstellungen von dem, was sie können und leisten sollten, wie sie wirken und welche Aufgaben auf sie warten. Idealistische Tendenzen sind häufig zu beobachten. Zu tiefer Niedergeschlagenheit führt es, wenn man diesen eigenen Erwartungen nicht gerecht wird, also (subjektiv) „versagt". Kollidieren Jugendliche nun nicht nur mit ihren eigenen Erwartungen an sich selbst, sondern auch mit Normen ihrer Familie oder der Gesellschaft, so können erhebliche Selbstwertkrisen die Folge sein. Erwachsene merken dies nicht immer, vor allem dann, wenn Jugendliche „großspurig" über ihre Verfehlungen hinweggehen und so tun, als ob sie dies nichts anginge. In Wirklichkeit ist ihr Selbstwertgefühl oft erschüttert.

Zur Persönlichkeitsentwicklung in der Pubertät gehört also auch, ein realistisches Bild von sich selbst zu entwickeln. Stolz auf die eigene Persönlichkeit, das Anerkennen von Fähigkeiten, Selbstbewusstsein und Selbstwertgefühl können, so eine wichtige Erfahrung einer gelungenen pubertären Entwicklung, einhergehen mit der Erkenntnis, nicht allen eigenen und fremden Ansprüchen zu genügen und durchaus auch erhebliche Fehler zu machen.

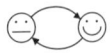

Im sozialen Kontext spielen Schuldgefühle eine nicht zu unterschätzende Rolle. Nicht nur das Androhen von Strafen oder von Liebesentzug, sondern auch das Wecken von Schuldgefühlen kann sich dazu eignen, andere zu beeinflussen und zu manipulieren – also Macht auszuüben. Als sozial lebende, verbal wie mimisch agierende Lebewesen verfügen wir über ein beträchtliches

Repertoire, wenn es darum geht, auf der Klaviatur der Schuldgefühle zu spielen: Das gegenseitige Geben und Nehmen ist nicht immer nur von Selbstlosigkeit geprägt. Oft genug legen wir „Schuldkonten" an und erwarten Dank und Gegenleistung zu einem späteren Zeitpunkt.

Die in Kapitel 9 bereits beschriebenen Festgelage indianischer Stammeskulturen, in denen die Gäste dadurch beschämt werden, dass Unmengen von Fleisch und Gemüse aufgetragen werden, können neben Scham auch Schuldgefühle hervorrufen. Mancher Gast kann sich nicht revanchieren, also die Dankesschuld abtragen, weil ihm hierzu die Mittel fehlen. Die vermeintliche Wohltat des großzügigen Gelages führt also zu einer beschämenden und, wenn man die Gegenverpflichtung nicht einlösen konnte, schuldbewussten Reaktion.

Man kann also auch, was altruistisches und „gutes" Verhalten angeht, zuviel des Guten tun. Wie sehr wir bestrebt sind, noch ausstehende Verpflichtungen einzulösen, Konten auszugleichen und wieder in ein soziales Gleichgewicht zu kommen sowie Verstöße gegen Regeln ungeschehen zu machen, zeigt sich in den vielfältigen Redewendungen, die wir hierfür erfunden haben: Entschuldigung, tut mir leid, sorry, Verzeihung, ich schulde dir was, usw.

Solche exkulpierenden Verhaltensweisen können aber auch oberflächlich bleiben und von einer tatsächlichen Änderung der Beziehung ablenken. Manchmal ist es einfacher, sich schnell zu entschuldigen, anstatt die Beziehung zu ändern: Es würde unter Umständen eine offene Auseinandersetzung und Konfrontation, möglicherweise auch eine Trennung von eingefahrenen Beziehungsmustern bedeuten; der damit verbundene Schmerz wird gerne umgangen.

Eine besondere Form in der Abwehr von Schuldgefühlen findet sich in dem paradox anmutenden Versuch, gerade durch Entschuldigungen und Selbstanklagen die eigenen Verfehlungen zu bagatellisieren. Man fordert geradezu den Widerspruch seiner Umgebung heraus („So schlimm ist das doch gar nicht!"), indem man sich selbst in inadäquater Weise beschuldigt.

Bei dem Versuch, eigene Schuldgefühle zu vermeiden, kann es nicht nur zur Verdrängung und Verleugnung dieses Verhaltens und den damit verbundenen Gefühlen kommen. Darüber hinaus wird das unangenehme Problem externalisiert, auf einen Sündenbock oder ein Opferlamm übertragen. Ist man sich mit anderen darüber einig, dass ein bestimmter Nachbar, ein Familienmitglied, ein Außenfeind oder eine ethnische Minderheit an Streitigkeiten, Arbeitslosigkeit, Lärmbelästigung oder sonstigem Unbill „schuld sind", so hat eine solche Sündenbockreaktion nicht nur die Funktion, von eigenem Fehlverhalten oder Schuldgefühlen zu entlasten oder zumindest abzulenken. Darüber hinaus verbindet sie die Gemeinschaft derer, die den Sündenbock ausfindig gemacht haben.

Viele der bereits angeschnittenen Umgehensweisen mit subjektiv empfundener Schuld finden sich auch in Familienbeziehungen wieder. So kann bspw. der Prozess der „Konfliktumleitung" innerhalb einer Familie dem oben beschriebenen Sündenbockprinizip ähnlich sein.

Ein 42-jähriger Mann und seine 38-jährige Frau berichteten, dass ihre Eheschwierigkeiten, die Unmöglichkeit, mal gemeinsam Urlaub zu machen, und die massiven Auseinandersetzungen mit ihren Kindern wesentlich auf die „Halsstarrigkeit" und Unleidlichkeit der mit im Hause wohnenden, pflegebedürftigen Oma zurückzuführen seien. So nachvollziehbar die Generationskonflikte zwischen dem Paar und der Mutter/Schwiegermutter waren, so unwahrscheinlich ist es, dass alle hier skizzierten Konflikte im familiären Zusammenleben darauf allein zurückzuführen sind. Der „identifizierte Patient" – hier die zu pflegende Großmutter, oft genug aber auch das auffällige oder Symptome zeigende Kind – hat hier eine die Gruppe stabilisierende Funktion, von anderen und unterschwelligen Konflikten abzulenken. Indem z. B. ein Kind die Schuld für das „Nichtfunktionieren" der Familie auf sich nimmt, lenkt es nicht nur ab, sondern entlastet seine Eltern in Loyalität und Liebe zu ihnen. Hier kann das störende oder kränkende Verhalten erst aufgegeben werden, wenn sich der Indexpatient der Beziehung der Familie sicher ist.

„Bezogene Individuation" (H. Stierlin)

Vor allem beim Prozess der „bezogenen Individuation", einer, wie Stierlin herausstellt, grundlegenden Entwicklungsaufgabe menschlicher Beziehungen, spielen Loyalitätskonflikte, Schuldkonten und Verpflichtungen eine nicht zu unterschätzende Rolle. „Bezogene Individuation" kennzeichnet einen Prozess, der die Eigenverantwortlichkeit für das Gelingen des eigenen Lebens und damit die Eigenständigkeit als Ziel hat, gleichzeitig aber um die vielfältigen Bezüge zu anderen, ebenfalls eigenständigen Persönlichkeiten weiß und darauf verwiesen ist. So sind wir, im Idealfall eigenverantwortliche Persönlichkeiten, auf die soziale Bindung zu anderen, ebenfalls eigenverantwortlichen Persönlichkeiten, angewiesen. Im Verlauf der kindlichen Sozialisation geht es also darum, dass Eltern ihren Kindern Schutz, Wärme, Zuneigung und Nahrung in einem für die Entwicklung der Kinder nötigen und adäquaten Maße geben, sie gleichzeitig auf ein eigenständiges und eigenverantwortliches Leben vorbereiten. Erziehung und familiäre Sozialisation findet also im Spannungsfeld von Bindung und Ablösung statt. In allen Phasen der Kindheit, vor allem aber während der Pubertät, kann es hier zu erheblichen Konflikten kommen.

Stierlin unterscheidet drei Modi der Ablösung: im Extrem den Modus der *Ausstoßung,* den der *Bindung* und den der *Delegation.* Beim Modus der *Ausstoßung* werden die Kinder zu früh sich selbst überlassen, die Eltern sind bspw. nicht in der Lage, Spannungen auszuhalten und reagieren mit einem rigorosen und viel zu frühem „Du bist selbst für dich verantwortlich, mach was du willst!". Nicht selten fühlen solche ausgestoßenen Kinder sich schuldig und meinen, ihre Misere selbst verschuldet zu haben. So ist es unter anderem eine immer wieder zu beobachtende Aufgabe in der Betreuung von Heimkindern, ihnen zu verdeutlichen, dass sie nicht die Verantwortung für die Heimeinweisung (etwa durch aggressives Verhalten) tragen, sondern dass die Verantwortung hierfür ganz wesentlich bei den Eltern liegt (die ihrerseits möglicherweise überfordert waren).

Ausstoßung

Der häufig anzutreffende *Bindungsmodus* kann ebenfalls sehr eng mit Schuldgefühlen verknüpft sein. Er liegt vor, wenn eine altersentsprechende und adäquate Ablösung, vor allem in der Pubertät, nicht ohne erhebliche Loyalitäts- und Gewissenskonflikte vonstatten gehen kann. Notwendigerweise müssen Jugendliche in dieser Phase ihre Eltern „entthronen" und ihr Bild von den bisher im Wesentlichen richtig handelnden und allmächtigen Eltern korrigieren und richtigstellen. Das an sich ist schon ein schmerzhafter Prozess, doch wenn Eltern aufgrund ihres vielleicht niedrigen Selbstwertgefühls dies nicht verkraften können und zutiefst beleidigt oder vorwurfsvoll reagieren („Ich weiß schon, wir haben alles falsch gemacht!") kann ein solcher emotionaler Ablösungsschritt so Schuldgefühl erzeugend sein, dass er unvollständig bleibt (oder ganz unterbleibt). Im Extremfall können Jugendliche und ihre Eltern auf sehr ungute Weise aneinander gebunden sein. Ist man davon überzeugt, dass weder man selbst noch der andere ohne eine solche Bindung letztlich lebensfähig ist, entwickeln sich schwere Schuldgefühle, wenn sich eine solche Trennung in Gedanken oder Taten anbahnt. Wer sich nicht vorstellen kann, dass die alternden Eltern auch ohne das Kind als Lebensaufgabe zurecht kommen, kann die Eltern nicht verlassen, ohne Schuldgefühle zu entwickeln. Wer seinen Kindern nicht zutraut, dass sie flügge werden, wird ebenfalls Schuldgefühle entwickeln, sollte er ihnen den Auszug aus dem „Hotel Mama" nicht zumuten. Auf der „Über-Ich"- (also Gewissensebene) ist ein solcher Bindungsmodus durch gegenseitige Loyalitätsverpflichtungen gekennzeichnet. Der richtige Gedanke, dass man seinen Eltern für die entgegengebrachte Fürsorge Dankbarkeit bezeugen will, pervertiert, wenn dies die vollständige Identifikation und Unfähigkeit zur Trennung von ihnen beinhaltet. Der richtige Gedanke, dass man seinen Kindern Hilfe und Zuwendung

Bindung

schuldet, pervertiert ebenfalls, wenn man ihre Eigenständigkeit und damit auch die Begrenztheit des eigenen Erziehungsauftrags verkennt.

B Seminarübungen zeigen immer wieder, wie häufig Bindungsmodi StudentInnen daran hindern, ihren eigenen und mitunter notwendigen Weg zu gehen. So meinte eine Studentin zu einem wichtigen Abschluss-Seminar nicht kommen zu können, da sie dringend auf den Hund ihrer zu diesem Zeitpunkt verreisten Eltern aufpassen müsse. Dafür nahm sie bewusst eine mögliche Verlängerung der Studienzeit in Kauf – sie meinte es ihren Eltern schuldig zu sein. Sie war höchst erstaunt, als sie nach Teilnahme an einem Familienberatungsseminar feststellte, dass ihre Eltern nach Offenlegung des Konfliktes ganz anders reagierten, als sie dies erwartet hatte.

Delegation   Der dritte von Stierlin herausgearbeitete Modus, die Delegation, beinhaltet einen Auftrag, den der sich vom Elternhaus ablösende Jugendliche mit auf den Weg bekommt. Er soll bspw. so erfolgreich wie der Vater oder so hilfsbereit wie die Mutter werden oder bleiben, die Eltern übertrumpfen (oder gerade das nicht tun) bzw. eingestandene oder uneingestande Wünsche der Eltern erfüllen. Sind solche Aufträge adäquat, bewusst, können sie verhandelt und verändert werden, und entsprechen sie den Neigungen und Fähigkeiten des Jugendlichen, können sie zur Steigerung seines Stolzes und Selbstwertgefühls beitragen. Anderserseits können sie ihn überfordern und zu erheblichen Versagens- (Insuffizienz-) und/oder Schuldgefühlen führen, weil man sich nicht imstande sieht, das von den Eltern gewünschte Studium durchzuhalten. Auch umgekehrt können Kinder und Jugendliche sich schuldig fühlen, wenn sie erfolgreicher werden als ihre Eltern (in Ausbildung und Studium, in ihren Beziehungen, in ihrem Aussehen oder ihren sportlichen Leistungen) – Kinderpsychiater sprechen hier von einem „Schneewittchenkomplex".

Besondere Loyalitätskonflikte treten auf, wenn Delegationen und Aufträge nicht miteinander zu vereinbaren sind: Wer von seinem Sohn einerseits erwartet, dass er nach den Maßstäben unserer Gesellschaft erfolgreich ist (Studium, Beruf, ehrenvolles Verhalten, sicheres Auftreten), anderseits implizit von eben diesem Sohn Aufregung, Thrill und „Über-die-Stränge-Schlagen" erwartet – also all das, was man sich selbst uneingestandenerweise nicht traut – setzt diesen Jugendlichen einem unlösbaren Auftrag aus. Entweder dem Jugendlichen gelingt es, sich diese paradoxe Delegation bewusst zu machen und sich davon zu lösen, oder er muss zwangsläufig scheitern, was wiederum heftige Schuldgefühle auslöst.

Wenn Vater und Mutter an das Kind unterschiedliche und entgegengesetzte Aufträge haben – was immer das Kind macht, es verhält sich einem der Eltern gegenüber illoyal. Eine Beziehungsfalle, die nicht nur in Familien mit Scheidungsproblematik vorkommt.

Delegationen können darüber hinaus eine lange Vorgeschichte haben. Regeln und Familientraditionen, die möglicherweise vor einigen Generationen sehr sinnvoll waren, können sich im Laufe der Jahrzehnte als zunehmend dysfunktional erweisen. Nichtsdestotrotz sind sie vielleicht immer noch sehr wirksam, zumal sie nicht eindeutig benannt, sondern eher unbewusst tradiert werden. „Vermächtnisse" sorgen dafür, dass man sich innerhalb eines Familienverbandes nach ganz bestimmten Maximen zu verhalten hat. Es werden über Generationen „Schuldkonten" angelegt, Verdienst und Verschulden werden registriert und kommentiert. Ein Verletzen solcher oft ungeschriebenen Regeln geht nicht nur mit Vorwürfen aus dem Familiensystem – die wären noch am ehesten überwindbar – sondern vor allem mit Schuldgefühlen einher, weil man sich illoyal verhalten hat.

Im Umgang mit gegenseitigen Verpflichtungen, der Entwicklung einer moralisch handelnden Persönlichkeit und der Übernahme von Verantwortung für das eigene Tun kommt es darauf an, Schuldgefühle als solche wahrzunehmen, die ihnen zugrundeliegenden Quellen zu erkennen, sich von inadäquaten und unrealistischen Aufträgen oder Verpflichtungen bewusst zu trennen (weil deren unbewusstes Nichteinhalten Schuldgefühle hervorruft) und Verantwortung für das eigene Tun und Lassen zu übernehmen. Dazu gehört auch, Fehler und Fehlentscheidungen sich und wenn nötig anderen einzugestehen, die notwendigen Korrekturen einzuleiten und ein Selbstbewusstsein zu entwickeln, das auch der Begegnung mit eigenen Verfehlungen standhält. Einfach ist das nicht. Gerade bei erheblichen Verfehlungen können Scham und Furcht so unerträglich werden, dass sie abgewehrt werden – schließlich wird die Verantwortung völlig geleugnet und es existiert kein Schuldbewusstsein. An zwei Beispielen soll dies exemplarisch verdeutlicht werden: zum einen an den immer zu beobachtenden Verleugnungsstrategien bei Männern, die die Straftat eines sexuellen Missbrauchs begangen haben, zum anderen am Umgang der Kriegsgeneration mit der Nazi-Vergangenheit.

Charakteristikum des sexuellen Missbrauchs ist zum einen die sexuelle Befriedigung, die ein Älterer (meist Erwachsener) hieraus zieht, zum anderen die Abhängigkeit des emotional und von Seiten des psychosexuellen Entwicklungsstandes unreiferen Kindes/Jugendlichen. Schließlich spielt auch mehr oder weniger Gewalt eine Rolle. Selbst wenn es nicht zu deutlichem physischem

Zwang kommt, sind doch oft versteckte oder offene Drohungen, zumindest das Ausnutzen des kindlichen Loyalitätsbedürfnisses zu finden. Die Verantwortung liegt eindeutig stets beim Täter, auch wenn dieser mitunter dem Opfer eine Mitschuld zuschreiben will.

Auf die unterschiedlichen Symptome, die Schwierigkeiten bei der Diagnostik, ernst zu nehmende Folgeschäden bei sexuellem Missbrauch und mögliche therapeutische Interventionen kann hier nicht eingegangen werden (näheres siehe Hülshoff 2000a, 180ff.). In diesem Zusammenhang soll verdeutlicht werden, dass und wie Täter die Schuld ihres Fehlverhaltens leugnen und die Verantwortung hierfür ablehnen. Findet sich z. B. beim Täter eine belastete Vorgeschichte (Misshandlung, Deprivation, Alkoholkrankheit, Sexual- oder schwere Beziehungsstörungen), was keineswegs immer der Fall ist, wird dies oft als „Entschuldigung" hervorgebracht.

Bei den Tätern kommt es nicht selten zu charakteristischen Verleugnungsstrategien. Zunächst wird durch offene oder versteckte Gewaltandrohung, die Ausnutzung der Loyalitätsbedürfnisse und abgeforderte Versprechen versucht, den sexuellen Missbrauch geheim zu halten. Gelingt dies nicht mehr, so wird die Häufigkeit oder die Art des sexuellen Missbrauchs oft heruntergespielt. Schließlich wird versucht, den Therapeuten/Berater auf seine Seite zu ziehen, indem um Empathie geworben wird. Aber auch offene Ablehnung und Feindseligkeit sind möglich. Kennzeichen ist in jedem Falle, dass die klare und eindeutige Verantwortung für den sexuellen Missbrauch lange nicht übernommen wird.

Selbst eindeutig eines sexuellen Missbrauchs überführte Täter versuchen, Verantwortung, die offensichtlich als unerträglich erlebt wird, auf andere, oft das Opfer selbst, zu schieben. Haben sie damit Erfolg, wirkt sich dies auf die Psyche des Opfers katastrophal aus. Es ist unbedingt notwendig, dass der Täter die alleinige Verantwortung für den sexuellen Missbrauch unmissverständlich und für alle unüberhörbar übernimmt. Auch die Konsequenzen (vorübergehende oder dauerhafte Trennung etc.) müssen von ihm getragen werden, das Opfer hingegen gilt es von Schuldgefühlen zu entlasten.

Am Beispiel des sexuellen Missbrauchs kann nicht nur gezeigt werden, wie groß die Versuchung ist, unerträglich erscheinende Schuldgefühle und Verantwortung für Fehlverhalten zu leugnen bzw. auf andere zu projizieren. Gleichzeitig wird auch deutlich, dass Unrechtsbewusstsein, die Übernahme für die Verantwortung nach Fehlverhalten und Straftaten und das Empfinden von Schuldgefühlen und Reue unabdingbar sind, soll es in einem solchen Fall zu Umkehr, einer dauerhaften Änderung des Verhaltens und neu strukturierten Beziehung kommen. Aber auch gesellschaftlich ist es notwendig, dass Straftaten wie sexueller Missbrauch als Schuld und nicht als Kavaliersdelikt definiert werden.

Die Verharmlosung von begangenem oder toleriertem Unrecht und die Abspaltung und Verleugnung offensichtlich peinlichster Schuldgefühle finden sich mitunter auch bei der Nichtbearbeitung der Nazi-Vergangenheit. Die Verbrechen, die zwischen 1933 bis 1945 in Deutschland und den von ihm überfallenen Gebieten begangen wurden, waren sichtbar für jeden, der sie sehen wollte. Andererseits bot das Regime zahlreiche Verdrängungshilfen für die, die nichts sehen wollten. So wurden zwischenmenschliche Beziehungen neu definiert, ethnische Minderheiten und politische Gegner bspw. als Un- oder Untermenschen dargestellt, was die Schwelle des Schuldgefühls bei manchem Volksgenossen verminderte. Der bedingungslose Gefolgsgehorsam, der nicht nur abverlangt, sondern auch bereitwillig geleistet wurde, befreite vermeintlich von der Verantwortung für begangenes Unrecht und Verbrechen. Nicht immer lag wirklich Befehlsnotstand vor, wo dies später behauptet wurde. Und wo immer es möglich war, wurden vom Nazi-Regime Verbrechen geheim gehalten.

Besteht eine erste Schuld darin, nicht hingesehen und geschwiegen zu haben, verführt worden zu sein und sich verführt haben zu lassen, wie das ehrlich, kritisch und offen etwa von Hoimar von Ditfurth (Innenansichten eines Artgenossen, 1992) beschrieben wurde, so besteht die „zweite Schuld" (Giordano 1990) darin, allzuschnell nach dem Krieg zur Tagesordnung übergegangen zu sein. Aus denen, die mitliefen und schwiegen, die weggugckten und es nicht so genau wissen wollten, wurden „über Nacht" Menschen, die versicherten, nichts von alledem gewusst zu haben, ja nichts hätten wissen können. Oft gelingt es in Familientherapie-Seminaren erst der dritten Generation nach Kriegsende, über die SS-Zugehörigkeit ihrer Großeltern zu sprechen. Der Preis für die Verleugnung von Schuld, der Weigerung, Verantwortung zu übernehmen, ist hoch. Verzerrte Kommunikation, Tabus innerhalb der Familie, fehlende Aussprache zwischen Vätern und Söhnen, Misstrauen, Unsicherheit bei der Übernahme elterlicher Werte sind immer wieder eindrucksvoll beschrieben worden (z. B. von Stierlin 1988, 197 ff.)

Schuld und Vergangenheitsbewältigung

„Das hab' ich getan", sagt mein Gedächtnis. „Das kann ich nicht getan haben" – sagt mein Stolz und bleibt unerbittlich. Endlich – gibt das Gedächtnis nach (Nietzsche, Jenseits von Gut und Böse, Aphorismus 68).

Es sollte deutlich geworden sein, dass das Handeln nach dieser Maxime, so verständlich es wegen der unangenehmen Dimension von Schuldgefühlen ist, echten menschlichen Begegnungen und einer persönlichen Weiterentwicklung im Wege steht.

Der Umgang mit Schuld ist, es deutete sich bereits an, nicht nur ein individuelles und familiäres bzw. Gruppenphänomen. Der kollektive Versuch, Nazi-Unrecht zu bagatellisieren, und die breit anzutreffenden Kommunikationsstörungen und Sprachlosigkeiten zwischen den Generationen trugen in der Gegenbewegung maßgeblich zur sogenannten „68er Revolte" bei.

Der Begriff der Schuld ist eng mit dem der Sühne, der Strafe, der Wiedergutmachung und der Umkehr, der Reue, Läuterung und Verzeihung verknüpft. Die meisten Religionen gehen davon aus, dass Menschen an sich, ihren Mitmenschen oder Gott schuldig werden und Aufgaben verfehlen können, und bieten Hilfestellungen bei der Wiedergutmachung und Umkehr an. Was, richtig verstanden, ein Neubeginn im Aufbau des eigenen Selbstbewusstseins und echterer tragfähigerer mitmenschlicher Beziehungen sein kann, kann aber auch umschlagen in ein Überbewerten der vermeintlich angehäuften Schuld. Haben Religionsstifter Befreiung von Schuld und die Möglichkeit eines Neuanfangs intendiert, so können sich in religiöse Vorstellungen immer wieder auch Vorwürfe und Selbstvorwürfe, rigide Regeln und heftige Schuldgefühle bei z. T. nur geringfügigen Übertretungen einschleichen.

Am Ende dieses Kapitels soll noch kurz auf einige Störungen und Fehlentwicklungen im Zusammenhang mit Schuldgefühlen eingegangen werden. Nach Kruse (1991, 157f.) können inadäquate Schuldgefühle Grundlagen einiger der schwersten neurotischen Symptombilder sein. So können Skrupel als Problem bei der Selbstbehauptung auftreten, wenn aggressive oder sexuelle Gedanken oder Handlungen nur mit größten Schuldgefühlen durchgeführt werden können. Schuldgefühle können die Initiative und die Durchsetzungsfähigkeit eines Menschen derartig lähmen, dass er hilflos zu werden droht. Manchmal ist dies verknüpft mit einer Neigung zu schlechtem Gewissen, bei dem sich ein Mensch in unpassender Weise für alle möglichen Übel seiner Umgebung verantwortlich fühlt, insbesondere dann, wenn er nicht willens oder in der Lage ist, das Leid anderer (auf Kosten seines eigenen Wohlbefindens) zu lindern.

Schuldgefühle beim Tod eines nahestehenden Menschen

Starke Schuldgefühle können auch bei dem Tod eines nahen Angehörigen auftreten. Zum einen kann Trauer und Wut darüber, dass man verlassen worden ist, umschlagen in das Gefühl, wegen solcher aggressiver Empfindungen schuldig geworden zu sein. Zum anderen kann die uneingestandene Empfindung „gut dass er und nicht ich..." Schuldgefühle auslösen. Schließlich können ambivalente Gefühle, z. B. durchaus auch aggressive Impulse oder Wünsche wie „möge meine Belastung mit seiner Krankheit doch endlich ein Ende haben..." sowie die Erkenntnis, nach dem Tod des Angehörigen endgültig nichts mehr klären oder wiedergutmachen zu können, zu solchen Schuldgefühlen beitragen. Wie Hoimar von Ditfurth (1980) richtig anmerkt, sind solche vorübergehenden Schuldgefühle, gerade bei dem Tod eines geliebten Angehörigen oder Freundes, normal und werden mit der Zeit auch überwunden. Immerhin können sie im Einzelfall auch längerfristig bestehen bleiben und zu lähmenden und quälenden Selbstvorwürfen führen.

Nach Lewis (vgl. Izard 1994, 477) sowie Tölle (1984, 165ff.) können Schuldgefühle auch beim Wahn eine wichtige Rolle spielen. Auf die Psychodynamik und die vielfältigen Ursachen beim Entstehen eines Wahns kann hier nicht näher eingegangen werden. Lediglich auf eine Komponente soll in diesem Zusammenhang hingewiesen werden: Der Wahnbildung kann unter anderem eine Projektion, eine radikale Verlagerung von Erlebnisinhalten der eigenen Person in die Außenwelt zugrunde liegen.

Schuldgefühl und Wahn

Wünsche, Regungen, Gedanken, die mit dem eigenen Selbstbild so unvereinbar sind, dass sie zu stärksten und unerträglichsten Schuldgefühlen Anlass geben, werden externalisiert, nach außen projiziert, sodass das Schuldempfinden abgewehrt wird. So braucht man sich und anderen seine Wut und Aggression gegenüber einem Freund oder Nachbarn nicht mehr eingestehen, sondern fühlt sich vom anderen in aggressiver Weise bedroht. Aus Selbstvorwürfen können Beschimpfungen und Drohungen von Seiten der Umwelt werden, was bis zu dem Hören vorwurfsvoller Stimmen im Verfolgungswahn gehen kann. Nach Tölle sind diese „subjektiv anscheinend leichter zu ertragen als Selbstbezichtigungen. Hierin liegt die Entlastung". Gerade beim sensitiven Beziehungswahn kann es bei entsprechendem Zusammentreffen von Charakter, Erlebnis und Milieu zu Wahnentwicklung kommen, wenn ethische Niederlagen, Erfahrungen beschämender Insuffizienz und vermeintliche oder tatsächliche Verfehlungen zu so großen Schuldgefühlen führen, dass sie unerträglich werden. Auslöser für einen Wahn sind dann Schuldgefühle nach Verfehlungen in den zwischenmenschlichen Beziehungen und Insuffizienzerfahrungen in beruflichen und sozialen Lebensbereichen (Tölle 2000). Anders als bei Neurosen, bei denen Konflikte bzw. das Schulderleben mehr oder weniger verdrängt, also aus dem Bewusstsein gedrängt werden können, bleiben die Schuldgefühle bei der Wahnentwicklung quälend im Bewusstsein, beherrschen das Erleben des Betroffenen in einer unerträglichen Weise, werden aber wahnhaft umgearbeitet, was zu einer gewissen Reduktion der Schuldgefühle führt.

Schuldgefühl und Zwänge

Bei Zwangsstörungen können Denkinhalte und Handlungsimpulse nicht unterdrückt werden, da sich sonst unerträgliche Angst einstellt. Die Betroffenen wehren sich erfolglos gegen Zwangshandlungen, die sie in der Regel als unsinnig empfinden. Hierbei können Zwangsgedanken, Zwangsimpulse und Zwangsverhalten auftreten. Zwangsgedanken liegen bspw. bei der Vorstellung vor, es könne einem anderen etwas zustoßen (gekoppelt mit eigenen Schuldgefühlen), wobei dieser Gedanke zwanghaft immer wieder ins Bewusstsein tritt. Muss zur Abwendung einer Gefahr für sich selbst oder den anderen immer wieder, in mitunter stereotyper Weise, eine Handlung vollzogen werden (Zählzwang, Kontrollzwang, Waschzwang), so spricht man von Zwangsverhalten. Eine wesentliche Triebfeder von Zwangssyndromen ist sicherlich die Angst. Aber auch starke Schuldgefühle lassen sich finden, etwa bei Wasch- oder Kontrollzwängen („Ich wasche meine Hände in Unschuld!"). Ritualisierte Reinigungs- oder Kontrollhandlungen sollen unbewusst von schuldhaftem Verhalten symbolisch befreien oder vorbeugend dafür sorgen, dass „nichts Böses passiert". Insofern haben Zwangshandlungen auch die Funktion, aggressive Gefühle und Tendenzen, die stark schuldhaft erlebt werden, abzublocken.

Schuldgefühle, so dürfen wir zusammenfassend festhalten, sind Emotionen, die uns veranlassen können, unser Verhalten zu ändern. Wann und in welcher Intensität sie auftreten, ist allerdings abhängig von den bis dato gemachten Sozialisationserfahrungen, einem internalisierten Wertesystem und dem sozio-kulturellen Rahmen, in dem wir leben. Schuldgefühle treten auf, wenn wir internalisierte und als richtig erkannte Werte verletzen, soziale Verpflichtungen nicht eingehen (etwas jemandem schuldig bleiben), unerlaubte Grenzen übersteigen.

Insofern dienen Schuldgefühle der sozialen Bindung und schützen uns wie andere vor inadäquaten Aggressionen, problematischer Sexualität oder Verschwendung. Ein „Zuwenig" an unangenehmen Empfindungen bei sozialen Regelüberschreitungen kann zu einer Verschiebung bzw. einem Verlust moralischer Standards und Verantwortlichkeit führen, ja bis zur Skrupellosigkeit und Verantwortungslosigkeit gehen. Auf der anderen Seite, so wurde gezeigt, kann ein Übermaß an Schuldgefühlen, oftmals durch die bisherige Biografie und Erziehung bedingt, die Initiative hemmen und die Grundlage erster Störungen sein. Neigt ein Mensch dazu, in übertriebener bzw. inadäquater Weise Schuldgefühle zu entwickeln und Verantwortungen auch da zu übernehmen, wo dies unsinnig ist, kann unter Umständen ein verdeckter Auftrag (Delegation) vorliegen, der aus früheren Zeiten seiner familiären Entwicklung stammt. Das Aufdecken solcher Vermächtnisse und Verpflichtungen, das Durcharbeiten der damit verbundenen Gefühle – insbesondere Schuldgefühle – und die bewusste Verabschiedung oder Modifikation solcher Aufträge kann dazu beitragen, den kognitiv-affektiven Komplex von Überverantwortung und Schuldgefühlen zu verändern.

Letztlich kommt es darauf an, ein rechtes Maß zu entwickeln bei der Übernahme für eigene Verantwortung, auch wenn man von eigenen Fehlern manchmal peinlich berührt ist, andererseits sich von Schuldgefühlen nicht übermannen und in seiner Initiative blockieren zu lassen. Dabei weist Izard (1994, 474) darauf hin, dass das Verleugnen von Verantwortung und die Verdrängung Schuldgefühle induzierenden Fehlverhaltens lähmt, während es befreienden Charakter haben kann, wenn man sich der eigenen Verantwortung stellt: „Diejenigen, die den Mut aufbringen, ihrer Schuld ins Auge zu blicken und sofort damit beginnen, an einer Wiedergutmachung zu arbeiten, leiden nicht so lange unter der Qual der kognitiven Wiederholung der Schuldsituation wie diejenigen, die die Konfrontation mit ihrer Schuld aufschieben."

Nicht nur bei der Entwicklung des Gewissens, sondern auch bei der des Selbstbewusstseins und Selbstwertgefühls ist eine integrierende Verarbeitung aller Facetten der Persönlichkeit, auch des eigenen Fehlverhaltens und den damit verbundenen Schuldgefühlen, von Wichtigkeit. Es geht darum, Verantwortung für das eigene Tun und die eigene Geschichte zu übernehmen, inadäquate Ansprüche ohne skrupulöse Bedenken von sich zu weisen, eine Balance zwischen den egoistischen und altruistischen Tendenzen zu finden, das Leben zu genießen, wo dies möglich ist, Auseinandersetzungen zu wagen, dabei aber die Regeln des Fairplay so weit es geht einzuhalten.

Auch die dunklen Seiten bei sich selbst akzeptieren zu können, sich so zu nehmen, wie man ist, Fehler und Versäumtes einzugestehen, auch wenn dies mit peinlichen Gefühlen einhergeht, ist Zeichen einer reifen Persönlichkeit und ausgeprägten Selbstbewusstseins und befähigt zur Übernahme von Verantwortung. Versteht man „bezogene Individuation" als die Fähigkeit, das eigene Wollen, Tun und die eigenen Ziele von denen anderer abzugrenzen und sie ggf. auch gegen sie durchzusetzen, andererseits dabei die Bezogenheit zum sozialen Umfeld nicht zu verlieren, so ist der rechte Umgang mit sporadisch auftretenden Schuldgefühlen und die Übernahme der Verantwortung für das eigene Handeln ein deutliches Indiz für das Gelingen einer solchen bezogenen Individuation.

Überprüfen Sie Ihr Wissen!

10.1 Fragetyp C
Antwortkombination

Welche Aussagen treffen zu?

1. Erste Anzeichen von Schuldgefühlen finden sich bereits bei Primaten, insbesondere bei Schimpansen.
2. Schuldgefühle setzen Erinnerungsfähigkeit voraus.
3. Schuldgefühle dienen beim Primaten und beim Menschen der Aggressionshemmung, der Hemmung von sexueller Ausbeutung und Inzest und der Hemmung von Verschwendung.
4. Schamgefühl dauert in der Regel erheblich länger an als das Schuldgefühl.
5. Scham und Schuldgefühle werden auch als „moral-konstituierende Emotionen" bezeichnet.

a) Nur die Aussagen 1, 2 und 5 sind richtig. ☐
b) Nur die Aussagen 2, 3 und 5 sind richtig. ☐
c) Nur die Aussagen 1, 2, 3 und 5 sind richtig. ☐
d) Nur die Aussagen 2, 3, 4 und 5 sind richtig. ☐
e) Alle Aussagen sind richtig. ☐

10.2 Fragetyp B
Eine Aussage falsch

Eine der folgenden Aussagen ist falsch. Welche?

a) Zu Schuldgefühlen kommt es bei Überschreiten sozial festgelegter Grenzen, einer Verletzung sozialer Verpflichtungen und Normen und einem Zuwiderhandeln der gültigen und integrierten Moral. ☐
b) Schuldgefühle werden häufig sehr quälend erlebt und können sich schwer auf das Gemüt eines Menschen legen. ☐
c) Das Evozieren von Schuldgefühlen kann ein Machtfaktor im sozialen Miteinander darstellen. ☐
d) Die kognitive Komponente von Schuldgefühlen, also die Inhalte, wegen der Menschen sich schuldig fühlen, sind praktisch in allen Kulturen mehr oder weniger identisch. ☐
e) Während eine rein strafende Erziehung häufig zu Angstreaktionen (und sekundär zu aufgestauter Wut oder Resignation oder Depression) führt, ist eine Erziehung, die auf das Einfühlen und die Empathie anderer gegenüber abhebt, eher dazu geeignet, zur Gewissensbildung beizutragen. ☐

1. Das Auftreten von Schuldgefühlen ist als dysfunktional und grundsätzlich entwicklungshemmend anzusehen

denn

2. Subjektiv empfundene Schuldgefühle können eine erhebliche Eigendynamik entfalten und Initiative, Lebenslust und Freude hemmen.

a) Nur die Aussage 1 trifft zu. ☐
b) Nur die Aussage 2 trifft zu. ☐ ☒
c) Die Aussagen 1, 2 und die Kausalverknüpfung treffen zu. ☐
d) Alle Aussagen treffen zu. ☐
e) Keine Aussage trifft zu. ☐

10.3 Fragetyp E
Kausalverknüpfung

Welche der folgenden Aussagen treffen zu?

1. Das eigene Ungenügen gegenüber hochgesteckten Zielen und Idealen in der Pubertät kann Anlass heftiger Schuldgefühle sein.
2. Schwere Depressionen sind häufig von Schuldgefühlen begleitet.
3. Bei starken familiären Bindungen können Individuationsversuche Jugendlicher mit Loyalitätskonflikten und Schuldgefühlen einhergehen.
4. Projektion, Verleugnung und Verdrängung sind typische Mechanismen zur Abwehr von Schuldgefühlen.
5. Charakteristikum des sexuellen Missbrauchs ist zum einen die sexuelle Befriedigung, die ein Älterer (meist Erwachsener) hieraus zieht, und zum anderen die Abhängigkeit des emotional und vom psychosexuellen Entwicklungsstand her unreifen Kindes/Jugendlichen.

a) Nur die Aussagen 1, 2, 3 und 4 treffen zu. ☐
b) Nur die Aussagen 2, 3, 4 und 5 treffen zu. ☐ ☒
c) Nur die Aussagen 1, 3, 4 und 5 treffen zu. ☐
d) Nur die Aussagen 1, 2, 3 und 5 treffen zu. ☐
e) Alle Aussagen treffen zu. ☐

10.4 Fragetyp C
Antwortkombination

10.5 Welche sozialen Funktionen erfüllen Schuldgefühle?

10.6 Erläutern Sie am Beispiel inadäquater familiärer Bindung und Loyalität im pubertären Ablösungsprozess die entwicklungshemmende Wirkung unangebrachter Schuldgefühle.

Vertiefungsfragen

11. Emotionen in der Pubertät

Neben der frühen Kindheit ist keine Entwicklungsphase des Menschen für seine emotionale Entwicklung so entscheidend wie die Pubertät, die Phase der körperlichen und seelischen Reifung, der Neuorientierung in Gruppe und Gesellschaft und der Suche nach der Identität. Die in einem relativ kurzen Zeitraum auf den Jugendlichen einstürmenden Veränderungen führen oft zu einem Sturm der Gefühle, völlig neuen emotionalen Erlebnisdimensionen, die verarbeitet und in die Persönlichkeit integriert werden müssen, um eine auch emotionelle Reifung zu ermöglichen.

Begriffe „Pubertät" und „Adoleszenz"

Im allgemeinen Sprachgebrauch versteht man unter „Pubertät" die Zeit der Geschlechtsreifung, unter „Adoleszenz" die Entwicklungsphase vom Jugend- zum Erwachsenenalter. Nach Ansicht des Kinder- und Jugendpsychiaters Remschmidt (1988, 292) hingegen umschreibt der Begriff „Pubertät" in erster Linie die körperlichen Aspekte, während sich der Begriff „Adoleszenz" eher auf die psychosozialen Veränderungen in der Jugendzeit bezieht.

Die Pubertätsentwicklung beginnt und endet bei Mädchen etwa zwei Jahre früher als bei Jungen. Die körperliche Entwicklung zwischen dem 10. bis 19. Lebensjahr ist zunächst durch ein zunehmendes Längenwachstum charakterisiert. Weiterhin kommt es zur Ausreifung der Sexualorgane sowie zur stufenweisen Ausreifung charakteristischer sekundärer Geschlechtsmerkmale wie Schambehaarung oder Brustentwicklung. Schließlich geht damit eine massive hormonelle Umstellung einher, die nicht nur körperliche, sondern auch emotionale Konsequenzen hat. Und dann muss in diesem Zusammenhang auch auf Veränderungen der Körperproportionen und damit verbundenen Unsicherheiten eingegangen werden.

Beim Jungen kommt es etwa ab dem 11. oder 12. Lebensjahr bei gleichzeitiger Zunahme des Längenwachstums zu einem starken Wachstum von Hoden und Penis und einer leichten Brustdrüsenschwellung, die nicht selten zu beobachten ist. Das stärkste Längenwachstum findet sich in der Mitte der Pubertät (mit etwa 14 oder 15 Jahren), gefolgt von der beginnenden Behaarung an der Oberlippe, Entwicklung der Axillarbehaarung, dem

Stimmbruch und dem Ausreifen von Hoden und Penis, was mit der Produktion von reifen Spermien einhergeht. Mit der Zunahme von Gesichts- und Körperbehaarung, der männlichen Stirn-Haar-Grenze und dem Schluss der Wachstumszonen an den Extremitäten (Epiphysenschluss) sowie dem damit verbundenen Wachstumsstillstand ist die körperliche Seite der Pubertätsentwicklung etwa mit dem 19. Lebensjahr beendet. Der Zeitpunkt der ersten Ejakulation kann beträchtlich variieren, liegt oft eineinhalb Jahre vor der mit etwa 15 oder 16 Jahren zu erwartenden vollen Ausreifung des Hodens und der Zeugungsfähigkeit.

Bei Mädchen ist die Zunahme des Längenwachstums, eine erste Brustknospung und Reifung der Vaginalschleimhaut oft bereits mit 10 oder 11 Jahren zu beobachten, gefolgt von einem starken Wachstum der äußeren und inneren Genitale und einer zunächst unregelmäßigen, noch ohne Eireifung verbundenen Monatsblutung, der eine Behaarung der Achselregion sowie eine weitere Ausreifung der sekundären Geschlechtsmerkmale (Brustentwicklung und Schambehaarung) folgt. Erste regelmäßige, mit Eisprung verbundene Monatsblutungen mit der Möglichkeit einer Schwangerschaft können erheblich variieren und sind häufig im 14. und 15. Lebensjahr zu finden. Die volle Ausreifung der sekundären Geschlechtsmerkmale, Epiphysenschluss und Wachstumsstillstand kann mit etwa 16 oder 17 Jahren erwartet werden.

Die hormonellen Veränderungen werden durch die „oberste Hormondrüse", die Hypophyse, eingeleitet und führen zu einem komplexen, genetisch vorprogrammierten und miteinander vernetzten Ablauf von Hormonausschüttungen: im Wesentlichen das Wachstumshormon Somatotropin, Hormone, die das Wachstum und die Ausreifung der Geschlechtsorgane beeinflussen (z. B. Gonadotropin, Follikel stimulierendes Hormon) sowie die eigentlichen weiblichen (Gestagene, Östrogene) und männlichen Hormone (Testosteron und seine Derivate). Sexualhormone können direkt und indirekt auch das Wachstum beeinflussen und leisten zudem einen Beitrag zur Veränderung des emotionalen Erlebens – einige der neu auftretenden emotionalen Erlebnisdimensionen können auch durch das Anfluten von Hormonen in bisher nicht erlebter Konfiguration und Ausmaß mit erklärt werden.

Hormone in der Pubertät

Die körperlichen Veränderungen müssen verarbeitet und ins Leben integriert werden. So können Mädchen die Entwicklung ihrer Brust mit großer Sorge beobachten: vorübergehende Asymmetrien, subjektiv zu groß oder zu klein empfundene Brüste, Rundungen an Bauch, Hüfte und Gesäß oder andere noch nicht endgültig einzuordnende Veränderungen am eigenen Körper werden mitunter mit Sorge und Bestürzung wahrgenommen. Ein begleitendes, einfühlsames und informierendes Gespräch (z. B.

über die Tatsache, dass Asymmetrien der Brust in der Pubertät temporär, bei vielen erwachsenen Frauen aber auch ganz normal sind) kann hier sehr hilfreich sein. Auch ein vermeintlich zu kleiner (z. B. im Unterhautfettgewebe noch etwas verdeckter) Penis oder die oft auftretende, vorübergehende Brustanschwellung, die hormonell bedingt ist, kann Jungen in der Pubertät in Verwirrung stürzen.

Die bange Frage, ob man zu groß oder zu klein, zu dick oder zu dünn, zu unförmig oder zu auffällig ist – kurz ob man: „o.k." ist – beschäftigt alle Jugendlichen (vorübergehend) mehr oder weniger und ist eng mit Selbstbild, Selbstwertgefühl und Identität verknüpft. Eine vergleichsweise harmlose Auffälligkeit wie eine Akne kann subjektiv als sehr schweres Leid empfunden werden, zumal sie im Gesichtsbereich für jedermann sichtbar ist. Natürlich ist damit auch die Frage nach dem eigenen Geschlechtsbild, den Rollenerwartungen an Männer und Frauen und modischen Trends verbunden. Der Vergleich mit anderen Jugendlichen und vermeintliche oder tatsächliche Abweichungen in der eigenen körperlichen Entwicklung können zu Beunruhigung, zu aggressivem oder depressivem Verhalten führen und im Extremfall eine chronische, von Minderwertigkeitsgefühlen geprägte Neurotisierung in Gang setzen.

Es wird also darauf ankommen, in dieser Lebensphase den eigenen Körper wahrzunehmen, zu pflegen, zu genießen und sinnvoll zu gebrauchen. Auf das Erleben der Sexualität wird weiter unten noch eingegangen. Dem Bedürfnis nach körperlicher Betätigung und Leistung, dem Nutzen der neu zu entdeckenden Körperkraft, dem Erfahren eines neuen Körperbildes kann auch durch Sport und adäquate Arbeit Rechnung getragen werden. Häufig allerdings können Jugendliche, die selbst erst ihre eigenen Grenzen kennenlernen müssen, von ihrem erwachsenen Umfeld dabei überfordert oder ausgenutzt werden: sowohl am Arbeitsplatz als auch in Fitness-Studios.

Der vermeintlichen oder tatsächlichen Reaktion der Umwelt auf das Äußere eines Jugendlichen kommt eine außerordentlich große Bedeutung bei: Abfällige Bemerkungen über Haartracht, das Schminken, schlaksige Bewegungen beim Laufen oder Tanzen (auch der motorische Umgang mit den neuen Körperproportionen will gelernt sein) können, so harmlos diese Bemerkungen vielleicht gemeint waren, als tiefe Kränkung erlebt werden und zu erheblichen psychischen Verletzungen führen – selbst dann, wenn der Jugendliche äußerlich „cool" bleibt. Das eigene Körperimago und damit auch das Selbstbild und Selbstwertgefühl ist eben noch nicht konsolidiert und damit verletzlicher als in anderen Entwicklungsphasen.

11. Emotionen in der Pubertät 219

Emotionale Besonderheiten in Pubertät und Adoleszenz sollen nun vor dem Hintergrund der Grundbedürfnisse in dieser Entwicklungsphase, relativ typischer Reaktionsweisen von Jugendlichen und ihrer Interaktion mit dem sozialen Umfeld betrachtet werden. Viele Bedürfnisse entstehen in der Adoleszenz entweder neu oder in anderer Ausprägung als in der Kindheit: Remschmidt nennt einmal physiologische Bedürfnisse, vor allem das Verlangen nach körperlicher und sexueller Betätigung. Beides kann gegebenenfalls mit Misserfolgserlebnissen und starken Selbstwertkrisen einhergehen. Eine noch nicht ins eigene Selbstbild integrierte Sexualität, die anfangs noch völlig neuen Erfahrungen von Lust und Erotik können nicht nur zu freudig-erotischen, sondern auch aggressiven oder bedrückenden Erlebnissen führen. Das emotionale Erleben von Scham und Schuld, wie es in Kapitel 9 und 10 näher beschrieben wurde, kann in der Adoleszenz besonders heftig sein, vor allem dann, wenn in Zeiten vermeintlicher sexueller Freizügigkeit ein Jugendlicher meint, als unzeitgemäß abgetan zu werden, wenn er hier Probleme hat.

Sicherheitsbedürfnisse, die zunehmend nicht mehr von der Familie, sondern von Peer-Gruppen befriedigt werden, stehen oft im Gegensatz zum Wunsch nach Unabhängigkeitsbedürfnissen, die in der Phase beginnender Ablösung und Neurorientierung in Gruppe und Gesellschaft notwendig sind. Das „Hin-und-hergerissen-Sein" zwischen Sicherheitsbedürfnis und Autonomiebestrebung, zwischen Nähe und Distanz, zwischen Halt und Ablösung, das Scheidt (1992) mit dem Schlagwort „Halt mich fest – laß mich los!" charakterisiert, kann zu tiefen Ängsten führen.

Angstsyndrome, wie sie in dieser Entwicklungsphase manchmal auftreten (vgl. das Fallbeispiel in Kapitel 4, S. 80f.), können mit ungeahnter stürmischer Heftigkeit von Jugendlichen, denen dies in dieser Dimension neu ist, erlebt werden.

Das Bedürfnis nach Zugehörigkeit, das Liebesbedürfnis und die oft damit verbundene Erfahrung von Einsamkeit und dem Gefühl, nicht verstanden zu werden, gehen oft genug mit Resignation, Trauer und Rückzug einher. Die Trauer im Jugendalter (die bis zur Jugenddepression führen kann) wird deswegen als so gravierend erlebt, weil den Jugendlichen oft noch die Erfahrung fehlt, dass auch der tiefste seelische Schmerz mit der Zeit verarbeitet wird und somit verblasst. Liebeslieder und Schlager, die sich mit dem Thema „Liebeskummer" befassen, drücken dies häufig aus.

Das Leistungsbedürfnis mit dem Wunsch, die neuen kognitiven und körperlichen Fähigkeiten zu erproben und über Leistung Achtung und Wertschätzung nicht zuletzt von Angehörigen des anderen Geschlechts zu erreichen, kann umge-

Grundbedürfnisse in der Pubertät

kehrt auch zu Misserfolgserlebnissen führen, vor allem dann, wenn die Ansprüche an sich selbst und andere unrealistisch hoch sind. Insofern können Gefühle von Wut und Ärger, Trauer und Angst, aber auch schwere Krisen des Selbstwertgefühls resultieren. Umgekehrt gibt es in der Jugendzeit immer wieder Phasen, in denen man die Welt grundlegend verändern zu können meint und, manchmal auch in Überschätzung der eigenen Stärke, sich sehr vital und leistungsfähig fühlt – Gefühlsdimensionen von Interesse, Neugier und Freude herrschen nun vor. Damit ist das Bedürfnis nach Selbstverwirklichung und Ich-Entwicklung und letztlich die Suche nach der eigenen Identität eng verknüpft. Diese sehr unterschiedlichen Bedürfnisse, verbunden mit einer Reihe von Entwicklungsaufgaben, auf die weiter unten eingegangen wird, und der nicht immer adäquaten Reaktion des familiären und weiteren sozialen Umfeldes führen typischerweise in der Pubertät zu mehr oder weniger stürmischen emotionalen Krisen, die durch die o. g. schon skizzierten körperlichen und hormonellen Veränderungen mit beeinflusst werden.

In der emotionalen Sphäre zeigt sich eine erhebliche Unsicherheit. Die Gefühle in neuer Dimension werden zwar wahrgenommen, können aber noch nicht immer adäquat beschrieben, ausgedrückt, in Handlung umgesetzt oder kontrolliert werden. Die überschießenden Aggressionen, Depressionen bzw. Rückzugstendenzen, die Exklusivität von Gefühlen (himmelhochjauchzend oder zu Tode betrübt) und die häufigen, oft stürmisch verlaufenden Gefühlsschwankungen sind so zu erklären. Sie haben neben solchen proximaten Erklärungsversuchen aber wohl auch ultimaten Sinn: In den heftigen Aggressionen eines Autoritätsprotestes gelingt es dem Jugendlichen, sich abzulösen und eigenständig zu werden. Depression, Rückzug und infantile Regression schützen ihn mitunter davor, sich vorschnell auf neue und ihn überfordernde Wagnisse einzulassen – Ähnliches gilt für Ängste.

Die Normalität der Krise

Die Heftigkeit, mit der Emotionen in der Pubertät auftreten, sind nicht etwa als Unreife in einer Übergangsphase, sondern als eigenständige Qualität zu bewerten – sie sprechen für Kraft und Vitalität, für Entwicklung und eine sich zunehmend konsolidierende Identität des Jugendlichen. *Nicht die emotionale Krise in der Pubertät, sondern ihr Ausbleiben ist bedenklich.*

Dass andererseits allfällige Pubertätskrisen unter ungünstigen Bedingungen eine Eigendynamik entwickeln können, die entwicklungshemmend ist, wird am Ende dieses Kapitels gezeigt. Eine Schwierigkeit für die Umwelt, Gefühlsstürme Jugendlicher als solche zu erkennen und adäquat damit umzugehen, liegt auch darin, dass Jugendliche in ihrem Bemühen um Integration ihrer neu entwickelten Emotionalität manchmal emotionale Ausdrucksweisen entwickeln, von denen sie annehmen, dass sie adäquat seien: man versucht, „cool" zu bleiben oder „angeturnt" zu wirken – orientiert sich also an sozio-kulturell und epochal propagierten Verhaltensmustern und findet zunächst wenig Möglichkeiten, die wirklich erlebten Gefühle kongruent (stimmig) und authentisch (echt) auszudrücken. So können dann im Extremfall Zusammenbrüche eines vermeintlich emotionalen Gleichgewichts (bis hin zu schweren aggressiven Durchbrüchen oder Suizidalität) die Umwelt völlig überraschen.

Nach der körperlichen und emotionalen Entwicklung soll noch kurz auf die kognitive Entwicklung eingegangen werden, die nach Piaget vor allem durch das Stadium der „formalen Operationen" charakterisiert ist. Deren Kennzeichen ist die Fähigkeit, abstrakt und logisch zu denken und Hypothesen zu überprüfen. Jugendliche können nun, anders als im vorherigen Stadium der konkreten Operationen, Lösungshypothesen für Probleme theoretischer und hypothetischer Natur aufstellen. Abstrakte Regeln und Gesetze der Logik (Mathematik, Physik, Philosophie) können erkannt und benutzt werden, erarbeitet, begriffen und übernommen werden. Mit der Möglichkeit, komplexe Operationen höherer Ordnung durchzuführen, kommen Jugendliche in die Lage, allgemeine Problemlösungsstrategien zu entwickeln. Diese neu entwickelte Fähigkeit wirkt sich auf das Selbsterleben und die Reflexion über die eigene Person, aber auch das Sozialsystem aus. Das eigene Denken, Fühlen und Handeln kann zum Gegenstand von Reflexionen werden. Das führt im Einzelfall manchmal auch zu der Möglichkeit, stundenlang über ein Problem nachzudenken (oder zu grübeln), ohne mit jemand anderem darüber zu sprechen oder gar durch Handeln zu überprüfen, ob die eigenen Einschätzungen oder Sorgen zutreffen. Kurz: Man kann sich in eine eigene Gedankenwelt zurückziehen, was nicht immer unproblematisch ist. Auch die Konstruktion von Idealen ist ein hiermit eng assoziiertes Phänomen in der Adoleszenz. Die neu entwickelten kognitiven Fähigkeiten mit den sich daraus ergebenden neu zu entdeckenden Welten können mitunter dazu führen, dass der Jugendliche sich und diese Fähigkeiten überschätzt. Daraus resultieren dann hohe Anforderungen und Ideale, denen man in der Realität nicht immer gerecht wird. Solche idealistischen Vorstellungen, die sich manchmal auch in ideologischen oder politischen Anschauungen ausdrücken, aber auch im asketischen Aspekt der Pubertätsmagersucht ihren Ausdruck finden können, sind geradezu typisch für diese Entwicklungsphase.

Mit der Rebellion gegen die als völlig unzulänglich empfundene soziale Wirklichkeit geht oft eine Rebellion gegen die ebenso als unzulänglich erlebte eigene Fähigkeit einher. In einem mitunter schmerzhaften und das Selbstwertgefühl kränkenden Prozess lernen Jugendliche (manchmal erst Erwachsene) ein realistisches Selbstbild zu entwickeln und sich in allen emotionalen und kognitiven Aspekten anzunehmen („demutsvoll grüßt der, der ich bin, den, der ich eigentlich sein möchte"). In der Phase der Pubertät allerdings können idealistische Überforderungen und die oft damit verbundenen narzisstischen Kränkungen zu einer erheblichen Selbstwertkrise führen: in besonderem Maße sind Jugendliche dafür anfällig, mit Wut, aber auch mit Verzweiflung und Resignation zu reagieren, wenn sie an die Grenzen ihrer Leistungsfähigkeit oder Grenzen des Machbaren stoßen. Auch subjektiv als solche erlebte „ethische Niederlagen" führen nicht selten zu tiefer Verzweiflung. Nehmen Schuld- und Schamgefühle, Rückzug und Resignation ein solches Ausmaß an, dass der Jugendliche gar nicht mehr in der Lage ist, seine tatsächlichen Fähigkeiten als solche zu erkennen, können lang andauernde, manchmal sogar bleibende tiefe Selbstwertkrisen resultieren und die weitere kognitive und emotionale Entwicklung blockieren.

Neben den Grundbedürfnissen der Pubertät, auf die bereits eingegangen wurde, lassen sich auch eine Reihe von Entwicklungsaufgaben für das Jugendalter definieren.

Die folgenden Ausführungen orientieren sich vor allem an Havighurst (in Remschmidt, 1988, 291ff.).

Demnach besteht eine Aufgabe für das Jugendalter darin, den eigenen Körper zu akzeptieren und sinnvoll zu gebrauchen. Auf die damit möglicherweise verbundenen Schwierigkeiten wurde bereits eingegangen. Neue und reifere Beziehungen mit Altersgenossen beider Geschlechter zu erreichen und eine männliche bzw. weibliche Rolle zu entwickeln hängt eng mit der Akzeptanz des eigenen Körpers zusammen, geht aber darüber hinaus.

So wird zunächst die Erfahrung sexueller Lust, neuer erotischer Gefühlsdimensionen, aber auch die der Sexualität innewohnenden aggressiv-expansiven Tendenzen, die Angst vor Verschmelzung oder Kontrollverlust, die Sorge vor Kränkendem oder Demütigendem sowie der Umgang mit Ungewissem, mit Scham- oder Schuldgefühlen zu verarbeiten sein. Das Erleben von Intimität, die Angst, ausgelacht zu werden, der Umgang mit dem Bedürfnis nach Selbstbefriedigung und vieles mehr sind sehr sensible Themen, über die nicht immer in hinreichender Weise gesprochen werden kann. Das Finden der eigenen (männlichen oder weiblichen) geschlechtsspezifischen Rolle orientiert sich nicht nur an biologischen Grundmustern. Darüber hinaus spielen kulturelle und gesellschaftliche Erwartungen eine sehr große Rolle. Wie ein Mann oder eine Frau idealtypisch zu sein haben, wird sehr stark kulturell definiert. Rollenzuschreibungen schlagen sich in Idolen, Literatur und Musik nieder („Weil ich ein Mädchen bin", „Wann ist ein Mann ein Mann?").

Von möglicherweise noch größerer Bedeutung sind allerdings geschlechtsbezogene Rollenmuster, Erwartungen und Prägungen, die uns seit früher Kindheit beeinflusst haben: Das Selbstbild und das Vorbild des Vaters, aber auch das Wunschbild oder die Erwartungen der Mutter an Männer beeinflussen stark das Männerbild des Sohnes – Analoges gilt für Töchter. Auch die Erwartungen an das andere Geschlecht (die „Traumfrau", der „Märchenprinz") werden u. a. aus familiären Quellen gespeist. Aber nicht nur die Eltern, sondern auch Großmütter und -väter, als beispielhaft oder abschreckend erlebte Verwandte sowie die Erfahrungen mit unseren Geschwistern können Rollenverhalten prägen und beeinflussen. Mitunter werden solche „Vermächtnisse" zunächst gar nicht so recht bewusst.

„Einer jungen Frau wird von ihrer Mutter und ihrer Großmutter das Vermächtnis aufgetragen, sich für die Befreiung der Frau einzusetzen. Sie kann dieses Vermächtnis nur erfüllen, wenn sie sich beruflich emanzipiert, politisch aktiv wird und dabei etwas Besonderes leistet. Gleichzeitig versucht sie, das ebenfalls tief in der Familientradition verankerte Vermächtnis einzulösen, eine gebende, dienende Mutter vieler Kinder und eine aufopfernde Hausfrau zu sein. Sie gerät hier unausweichlich in einen Auftragskonflikt" (v. Schlippe 1987, 48).

Mit zunehmendem Alter orientieren sich Jugendliche, was ihre männlichen und weiblichen Rollen angeht, vermehrt an Idolen und Vorbildern der Umwelt. Lehrerinnen oder Gruppenleiter, aber auch Sportler oder Schlagersänger werden zu Vorbildern. Die manchmal etwas unkritische, emotional hoch besetzte Verehrung und Wertschätzung, die u. a. auch auf Popfestivals beobachtet werden kann (dass etwa die Auflösung einer Jugendband von Fans mit tiefer Verzweiflung registriert wird), nimmt Marianne Rosenberg in ihrem Lied „Mister Paul McCartney, siehst du wie ich leide?" liebevoll-ironisch aufs Korn.

Die unsichere und mit großen emotionalen Ambivalenzen begleitete Annäherung an gegengeschlechtliche Partner, die ersten Liebeserlebnisse und der wohl unvermeidliche Liebeskummer führen manchmal zum Gefühl der Hoffnungslosigkeit, was ebenfalls in Literatur und Musik seinen Ausdruck findet. Aber auch die völlig neue Qualität der Begegnung wird beschrieben, z. B. in dem Song „Tausendmal berührt" von Klaus Lage:

… erinnerst du dich, wir haben Indianer gespielt
und uns am Fasching in die Büsche versteckt.
Was war eigentlich los, wir haben nie was gefühlt
so eng nebeneinander und doch gar nichts gecheckt …
Doch so aufgewühlt hab ich dich nie geseh'n
du liegst neben mir, und ich schäm mich fast dabei
was war bloß passiert, wir wollten Tanzen gehn,
alles war so vertraut, und jetzt ist alles neu …

Sexuelle Identitätssuche

Die Entdeckung der eigenen Sexualität und die Suche nach der Geschlechterrolle kann bei Jungen in der Pubertät zu homosexuellen Reaktionen oder Episoden (z. B. Duldung von homosexuellen Aktivitäten oder homosexuelle Befriedigung) führen. Solche nicht seltenen Episoden sind fast immer situations- oder phasenbedingte, temporäre Übergangsphänomene, können im Einzelfall aber mit schweren Ängsten, Schuldgefühlen oder Identitätskrisen einhergehen, die dann der Beratung oder therapeutischen Hilfe bedürfen.

Die sehr viel seltenere homosexuelle Entwicklung bedarf, da es sich nicht um eine Krankheit handelt, nur dann pädagogischer oder therapeutischer Begleitung, wenn aufgrund erschwerter Selbst- oder Fremdakzeptanz ein starker Leidensdruck entsteht.

Suche nach weltanschaulicher Orientierung, Bedeutung der Gruppe

Weitere vor allem sozial relevante Aufgaben in der Adoleszenz bestehen darin, eine Reihe von Werten und Überzeugungen als Richtschnur für das eigene Verhalten zu erwerben, also eine eigene tragfähige Weltanschauung zu entwickeln sowie verantwortliches Verhalten in der Sozietät anzustreben und zu übernehmen. In dem Ablösungsprozess von der Herkunftsfamilie orientieren sich, wie bereits gesagt, Jugendliche zunehmend an Gruppierungen Gleichaltriger, sog. Peer-Groups. Hier werden Rollen im Sozialverband ausprobiert, hier können Konkurrenz erfahren, eine Position angestrebt oder verteidigt, Bündnisse und Koalitionen geschlossen werden. Die Gruppe Gleichaltriger, meist zunächst gleichgeschlechtlicher, später zunehmend auch heterogener Peers, spielt eine wichtige Rolle zur Stabilisierung des eigenen emotionalen und kognitiven Erlebens. Außerdem hat sie eine große Bedeutung bei der Angstabwehr und dem Erfahren von Sicherheit, Halt und Geborgenheit. Zeitweilig kann die Gruppe so wichtig werden, dass ihre Ziele und Ideale mitunter unkritisch übernommen werden.

So können Jugendliche, zumal unter Alkoholeinfluss, sich gegenseitig zu provokativem und aggressivem, ja gewaltsamem Verhalten aufstacheln. Der Gruppen- und Konformitätsdruck kann so groß sein, dass sich Jugendliche zu Handlungen hinreißen lassen, die sie alleine nie vollzogen hätten. Dann war das Gefühl drohender Einsamkeit oder drohenden Gruppenverlustes so übermächtig, dass eine eigenständig-selbstbewusste Steuerung unterlag.

Auch Drogenkonsum (Alkohol, Heroin, in den letzten Jahren zunehmend Ecstasy) unterliegt nicht nur epochalen, sondern altersgruppenspezifischen Einflüssen. Der gemeinsame Gebrauch von Drogen, gemeinsame emotionale Erlebnisse, aber auch der als Gruppenprozess erlebte Drogenkonsum kann eine bedeutende Rolle im Aufrechterhalten des emotionalen Gleichgewichts spielen. Dieser Gruppendruck kann so stark werden, dass Jugendliche aus eigener Kraft sich solchen z. T. entwicklungshemmenden und damit schädlichen Einflüssen nicht entziehen können.

Mit zunehmender emotionaler und sozialer Reife gelingt es Jugendlichen, gesellschaftliche Normen und Werte nicht nur kritisch zu überprüfen, sondern sie zu einem stimmigen Weltbild, der Richtschnur eigenen Handelns zu integrieren. Entscheidend ist dabei, dass es sich um eine selbst erarbeitete (und mühsam erkämpfte) Selbst- und Weltkonzeption handelt. Sie kann (und wird häufig) oft genug der der Eltern in wichtigen Punkten ähneln (ein ironisches Sprichwort meint, Reife bestehe darin, Dinge zu tun, auch wenn die Eltern dies für gut halten), in anderen, ebenfalls wichtigen Punkten aber, werden sicher Divergenzen deutlich – Ausdruck einer Auseinandersetzung mit und Ablösung von bestimmten Facetten elterlicher oder gesellschaftlicher Normen. Letztlich geht es also darum, Werte, Überzeugungen und Verhaltensweisen zu entwickeln, die vor sich selbst und vor anderen verantwortet werden.

Reifungsprozesse

Mit der zunehmenden Übernahme von Verantwortung sind auch die Aufgaben, sich auf eine partnerschaftliche Beziehung und ggf. Familie sowie auf wirtschaftliche Eigenständigkeit vorzubereiten, verknüpft. Der Frage nach der Art der Beziehung, die man eingehen möchte, den Regeln, die gelten sollen, den eingestandenen und uneingestandenen Wünschen und der Beziehungsklärung im praktischen Alltag kommt allerdings nicht nur in der späten Pubertät, sondern das ganze Erwachsenenalter hindurch Bedeutung zu. Wesentliche Weichen für den beruflichen, finanziellen und sozialen Status werden in der Spätphase der Pubertät gestellt. Emotionale und soziale Schwierigkeiten oder Fehlentwicklungen, die in dieser Phase nicht überwunden werden, können zu einer Blockierung der beruflichen Entwicklung führen – vorzeitiger Schulabgang, Abbrechen von Berufsausbildung oder Studium oder das Scheitern an der Wirklichkeit eines angestrebten Berufes sind meist nicht Ausdruck mangelnder Intelligenz, mangelnden Fleißes oder fehlender Eignung. Oft lassen sie sich auf emotionale Krisen, insbesondere Selbstwertkrisen, zurückführen.

So habe ich einige StudentInnen kennengelernt, die in der entscheidenden Abschlussphase ihres Studiums zunächst an der letzten Prüfung oder dem Erstellen der Diplomarbeit scheiterten – und dies, obwohl sie während der gesamten Schullaufbahn und im Verlauf des Studiums zum Teil überdurchschnittliche Leistungen erbracht hatten, Prüfungs- oder Diplomarbeitsthema mit großem Interesse selbst wählten und tüchtig sowie leistungsmotiviert waren. Vertiefende Gespräche ergaben zumeist große Ängste vor der endgültigen Loslösung bisheriger Sicherheit gebender Strukturen (dem Elternhaus, von dem man noch finanziell unterstützt wurde, der vertrauten Umgebung der Hochschule und Wohngemeinschaft, dem Gefühl, letztlich nur sich selbst, nicht aber einem Arbeitgeber oder einer Familie verpflichtet zu sein).

Auch somatische Störungen in dieser Phase einer „verlängerten Pubertät" sind ernst zu nehmen: Schwindelattacken, Panikzustände, Atemstörungen etc. Die drastische Verlängerung der Ausbildungszeit, die oft anzutreffende perspektivische Unsicherheit, ob man im angestrebten Beruf überhaupt Arbeit findet, gesellschaftliche Anforderungen an Flexibilität und Mobilität und das Fehlen allgemeingültiger und bleibender Richtlinien, was für einen Beruf wichtig ist, können solche Krisen verschärfen. Besonders das Phänomen, weit über die Zeit der (körperlichen) Pubertät hinaus zumindest finanziell noch abhängig zu sein, kann sich auf das Selbstwertgefühl negativ auswirken.

Eine letzte wichtige Entwicklungsaufgabe besteht nach Havighurst darin, eine gefühlsmäßige Unabhängigkeit von Eltern und anderen Erwachsenen zu erreichen. Gefühlsmäßig – d.h. nicht nur finanziell, weltanschaulich, kognitiv und hinsichtlich des Lebensalltags (nach Gesprächen mit Studenten zu urteilen ist das Anschaffen der eigenen Waschmaschine ein oft wesentlicher Schritt in die Unabhängigkeit) muss man sich vom Elternhaus lösen. Darüber hinaus gilt es, eine emotionale Distanz zu erreichen. Dazu müssen die in der Kindheit idealisierten Elternbilder „entthront" werden. Waren, bei allem Protest, in der Kindheit die Eltern doch die letztlich ausschlaggebenden, Halt und Stärke gebenden Personen und in der Regel auch Vorbilder, so ändert sich dies mit zunehmender Reifung in der Adoleszenz: Schwächen und Fehler, inadäquate oder nur bedingt zufriedenstellende Lebens- und Beziehungsmuster werden in aller Schärfe deutlich. In dem Bemühen um emotionale Ablösung schießen Jugendliche naturgemäß oft über das Ziel hinaus – Autoritätsprotest, heftige Ablehnung, Trauerreaktionen, aber auch anklammerndes Verhalten und kindliche Regression sind Ausdruck einer Ambivalenz zwischen Nähe und Distanz zu den Eltern.

Diese Ambivalenz und Unsicherheit findet sich auch auf der elterlichen Seite. Die Familiendynamik in der Pubertät ist geprägt von der Bewältigung des beginnenden familiären Ablösungsprozesses. Nicht nur die Jugendlichen, auch die Eltern stehen vor dem Widerspruch, einerseits einander zu brauchen und andererseits die Ablösung vorzubereiten. Dieser Ablösungsprozess steht im Spannungsfeld von zentripitalen Bindungskräften, die den Jugendlichen in der Familie halten und ihm Halt geben, sowie zentrifugalen Ausstoßungskräften, die ihn aus der Familie in die Eigenständigkeit schicken.

Sind die Ambivalenzen und die damit verbundenen emotionalen Spannungen zu stark, können also Wut, Ärger, Trauer oder Sehnsucht nicht mehr ausgehalten werden, oder besteht Angst davor, man selbst oder der Partner könne dies nicht verkraften, so kann das Pendel zur einen oder anderen Seite ausschlagen. Die Familie hält den Spagat zwischen Verantwortung füreinander und Eigenständigkeit nicht mehr aus.

Im Falle der *Ausstoßung* kommt es zu einem vorzeitigen Ablösungsprozess, wobei möglicherweise die Eltern ihre noch vorhandene Verantwortung nicht übernehmen, andererseits die Jugendlichen vorschnell in sie überfordernde Situationen entlassen werden.

So lernte ich Eltern kennen, die angesichts des vermutlich drei- oder viermaligen Heroingebrauchs ihrer 16-jährigen Tochter emotional so überfordert waren, dass sie die Verantwortung für sie nicht weiter übernehmen wollten: „Tu was du willst, du bist alt genug!" In solchen Konstellationen besteht die Aufgabe einer Therapeutin/eines Therapeuten nicht darin, die Verantwortung für den Jugendlichen zu übernehmen, sondern darin, den Eltern ihre noch vorhandene Verantwortung wieder zuzumuten und sie dabei zu unterstützen.

Die Gegenposition nimmt ein, wer die gestalterhaltenden (morphostatischen) *Bindungskräfte* eines Familiensystems über Gebühr und inadäquat beansprucht. Dies ist nicht im Sinne einer einseitigen Schuldzuweisung, sondern im Sinne eines zirkulären und sich selbst verstärkenden Prozesses zu verstehen: Sowohl die Eltern können etwas davon haben, wenn sich ihre Tochter noch nicht ablöst, als auch die Tochter kann an diesem Prozess aktiv und mit (vermeintlichem) Gewinn beteiligt sein. Übermäßige Bindung ist Zeichen mangelnden Selbstwertgefühls und mangelnden Zutrauens auf die eigenen Kräfte und die des jeweilig anderen. Die Tochter mag besorgt sein, die Eltern würden – jetzt als Paar allein gelassen und der Elternfunktion enthoben – nicht miteinander zurechtkommen, die Eltern wollen ihr Kind vor vermeintlichem Leid oder Gefahren schonen und muten ihr das Risiko zunehmender Eigenständigkeit nicht zu. Änderungsversuche sind typischerweise mit starken Ängsten verbunden, während das Beharren in einmal gefundenen Bindungsmustern nicht selten depressive Züge annimmt. Das Verharren in Bindungsmodi führt à la long allerdings zu Entwicklungs- und Reifungsverzögerungen sowie zur Hemmung der emotionalen und sozialen Entwicklung.

11. Emotionen in der Pubertät

B

Der fast 20-jährige Johannes, ein intelligenter und gutaussehender junger Mann, zieht sich schon seit über einem Jahr zunehmend von der Welt zurück: Eine Lehre hält er nicht durch, sein Erlebnishorizont ist weitgehend auf das familiäre Umfeld beschränkt. Nach dem Abbruch der Lehre erhält er von den Eltern zum Trost ein Auto, auch wird ihm der Führerschein spendiert, um ihm ein „Erfolgserlebnis" zu geben. In der Folgezeit ist er weitgehend damit beschäftigt, die gesamte Familie zu chauffieren: zu Ärzten, ins „Fantasialand", zu Freunden und Behörden (die Eltern sind leicht gehandicapt). Dafür darf Johannes abends (auf Kosten der Eltern) mit dem Wagen lange Spritztouren unternehmen (der Vater meint hierzu: „Das stärkt sein Selbstwertgefühl, und vielleicht lernt er ja auch mal eine Freundin kennen!").

Anhand dieses Beispiels kann man die drei von Stierlin vorgeschlagenen Ebenen einer solchen Bindung demonstrieren. Eine „Es-Bindung" ist auf der affektiven Ebene anzusiedeln: Der Sohn hat Lustgewinn davon, das Auto benutzen zu dürfen, ohne sich dafür in besonderer Weise anstrengen zu müssen. Aber auch den Eltern verschafft es Erleichterung, nicht mehr mit den öffentlichen Nahverkehrsmitteln fahren zu müssen. Auf einer „Ich-Ebene" gibt es rational gute Gründe für ein solch bindendes Verhalten: Steuerlich mag ein solcher Wagen absetzbar sein, und es gibt gegenseitige Vorteile, die man miteinander verrechnen kann: Eine Hand wäscht die andere.

Auf der normativen „Über-Ich-Bindungsebene" gibt es möglicherweise Ge- oder Verbote, die eine solche Bindung beeinflussen: So ist ernst zu nehmen, dass die Eltern tief besorgt um das Wohlbefinden ihres Sohnes waren, der zeitweilig auch suizidgefährdet war. Insofern hat ihr Verhalten Sinn. Aber auch der Sohn fühlt sich verpflichtet, seine Eltern in ihrer jetzigen, sie emotional und sozial belastenden Lebensphase nicht allein zu lassen und sie zu unterstützen. So verständlich ein solches, die familiäre Bindung weiter verfestigendes Halten ist – es birgt Gefahren. Zum einen wird es dem jungen Mann zunehmend schwer fallen, zu erfahren, dass er durch eigene Kraft etwas zu erreichen in der Lage ist, zum anderen werden auch die Eltern unter der zunehmenden Unselbstständigkeit ihres Sohnes und der damit verbundenen Belastung für sie selbst leiden.

Zusammenfassend lassen sich die eben dargestellten Aufgaben der Adoleszenz als beginnende Ablösung vom Elternimago, der Integration von Körper und Sexualität, der Einordnung in soziale Gruppen der Entwicklung eines tragfähigen Selbstkonzeptes und einer persönlichen Identität charakterisieren.

Von Erikson wird die Identitätsentwicklung als das führende Charakteristikum der Adoleszenz herausgestellt. Erst mit zunehmender Reife, mit dem Durchstehen z. T. erheblicher emotionaler Krisen und der persönlichen Erfahrung, diese überwunden zu haben, entwickelt sich ein solches tragfähiges Selbstwertgefühl und -konzept. Drohende Identitätskrisen innerhalb dieses Prozesses gehen mit Insuffizienzgefühlen (also dem Gefühl, den Anforderungen nicht gewachsen zu sein), Depressionen oder Identitätsstörungen, mitunter sogar suizidalen Krisen einher. Im Bemühen, das Selbstwertgefühl einigermaßen stabil zu halten, können Jugendliche zum einen ihre anstehenden Probleme durch vermehrte Leistung zu lösen versuchen – ein prinzipiell sinnvolles, im Einzelfall problematisches Verhalten: Freude an der Sexualität oder Mut zum Risiko (inklusive der Möglichkeit eines Scheiterns) lassen sich nicht immer durch Leistung kompensieren.

Anpassungsphänomene, also das Verändern des eigenen Erlebens oder Verhaltens anstelle des Versuchs, etwas durchzusetzen, sowie evasive Verhaltensweisen, also das Ausweichen vor Konflikt- oder Spannungsfeldern, können vorübergehend sehr hilfreich sein, verabsolutiert aber auch zu emotionalen Schwierigkeiten führen: Vor allem Angst und Depressionen können Begleiterscheinungen solch sich verfestigender Problemlösungsstrategien sein. Aggressive Herangehensweisen haben den Vorteil, dass Konflikte in Angriff genommen werden, können andererseits aber die Gefahr von Destruktivität oder erheblicher Sanktionen beinhalten.

Die Notwendigkeit, den eigenen Weg zu finden, sich von herkömmlichen Autoritäten zu distanzieren, um eigene Wertmaßstäbe zu erarbeiten und dann letztlich in einem tragfähigen Einklang mit der sozialen Umgebung die eigene, selbstverantwortete Weltanschauung zu finden, macht nicht nur eine Loslösung von der Familie, sondern auch eine Auseinandersetzung mit weiteren sozialen Gruppen und der Kultur notwendig. So war und ist die Adoleszenz immer auch ein sozio-kulturelles Phänomen. Welche Ideale, aber auch welche Ausdrucksformen bedeutsam werden, ist je nach Epoche recht unterschiedlich. Der „Zeitgeist" einer Jugendkultur, in der sich der Protest gegen den gesellschaftlichen „Mainstream" äußert, kann sich innerhalb weniger Jahre erheblich ändern. Meist aber sind von Jugendlichen und jungen Erwachsenen getragene Ereignisse sozio-kultureller Bedeutung (Woodstock-Festival, Studentenrevolte, vielleicht auch Teile der Friedensbewegung) von erheblicher Dynamik. In Auftreten, Gestik und Habitus, Musik oder Präsentation finden Jugendliche eine Möglichkeit, sich mit gesellschaftlichen Autoritäten auseinander zu setzen und sie zu hinterfragen oder zu negieren, bspw. seinerzeit die Gruppe Pink Floyd mit „Another break in the wall":

We don't need no education,
we don't need no thought control...!
Hey teacher, leave us kids alone.

11. Emotionen in der Pubertät

Wie sehr andererseits solche in der Jugendszene entwickelten Formen von Musik, Mode usw. aufgegriffen und in einer Jugendlichkeit zum Postulat erhebenden Gesellschaft leicht kommerzialisiert werden können, zeigt ein Blick in Zeitschriften, Boutiquen oder auf Jugendliche zugeschnittene Fernsehkanäle.

Dies führt uns zu der Frage, unter welchen Bedingungen die Aufgaben und allfälligen Krisen der Pubertät, insbesondere mit ihren stürmischen emotionalen Begleiterscheinungen, Fehlentwicklungen, psychische Störungen oder ernste Erkrankungen verursachen können.

Eine an sich „normale" und für die Pubertät typische Entwicklungs- bzw. Übergangskrise kann sich zu einer „pathologischen" Krise auswachsen, wenn die Symptomatik eine Eigendynamik entfaltet und wichtige phasenspezifische Entwicklungsschritte verhindert.

So kann im Extremfall die mehrmalige Injektion von Heroin ein solches Suchtpotential zur Folge haben, dass die bisher schon bestehende Pubertätskrise durch das Suchtgeschehen um ein Vielfaches verschärft wird und der Jugendliche aus eigener Kraft nicht mehr aus diesem Teufelskreis herauskommt. Aber auch schwere Formen der Anorexia nervosa oder Folgeschäden nach einem Suizidversuch, schließlich auch ein verpasster Schulabschluss infolge von protesthafter Schulverweigerung oder soziale Ängste, die zum Abbruch von Beziehungen mit Gleichaltrigen führen, können Folgen haben, die über die Phase der Pubertät hinausgehen und eine Weiterentwicklung der Persönlichkeit blockieren.

Remschmidt (1988, 310 ff.) benennt eine Reihe häufiger anzutreffender Störungen und Erkrankungen in der Jugendphase. Einige sollen kurz benannt werden.

Autoritätskrisen

Autoritätskrisen können sich in einer universellen Protesthaltung, familiärem Protest, Weglaufen oder Schulverweigern äußern. Auch Aggression, Gruppenaggression, Gewalt und Delinquenz können mit solchen Autoritätskrisen zusammenhängen und als Versuch verstanden werden, gesellschaftliche und familiäre Normen in Frage zu stellen.

Pubertätsmagersucht

Am Beispiel der Pubertätsmagersucht soll exemplarisch etwas ausführlicher der Zusammenhang von Entwicklungsaufgaben und emotionalen Krisen in der Pubertät aufgezeigt werden. Als Pubertätskrise weist die Anorexie typische Merkmale einer solchen Reifungsproblematik auf: Der Umgang mit dem eigenen Körper, die Akzeptanz des eigenen Aussehens ist gestört, die erforderlichen körperlichen wie seelischen Reifungsschritte werden als so beängstigend erlebt, dass es zu einer Regression in frühkindliche Verhaltensweisen (und einen Stillstand bestimmter körperlicher Entwicklungen) kommen kann, und auch die familiäre Ablösungsproblematik findet sich regelmäßig bei einer Anorexie.

Die Pubertätsmagersucht ist eine Erkrankung, die typischerweise mit extremer Abmagerung und einer mehr oder weniger drastischen Nahrungsverweigerung einhergeht. In Verkennung des eigenen Körperbildes und der falschen Ansicht, übergewichtig zu sein, wird die Nahrung verweigert. Die Kalorien werden gezählt, die Mädchen greifen auf kalorienarme, aber durch starke Gewürze schmackhafte Nahrung zurück, nach gelegentlichen Heißhungerattacken wird erbrochen, und mit Hilfe von „Muntermachern" (Amphetamine) oder Abführmittel (Laxantien) wird das Gewicht weiter reduziert. Auf der körperlichen Ebene fällt neben der extremen Abmagerung eine insbesondere bei Kälte leicht eintretende Blaufärbung der Extremitäten, Kreislaufstörungen und Schwindel auf. Ansonsten sind die Mädchen über lange Zeit erstaunlich leistungsfähig und leistungsbereit – erst im schweren Stadium einer Anorexie kann es dann zum plötzlichen Zusammenbruch und zu lebensgefährlichen Krisensituationen kommen – dann kann eine Anorexie im schlimmsten Falle tödlich verlaufen. Eine sekundäre Amenorrhoe, das Ausbleiben der Monatsblutung, tritt bei den Betroffenen oft schon auf, bevor es zu deutlicher Abmagerung kommt.

Ein zentrales Problem anorektischer Mädchen oder junger Frauen scheint darin zu liegen, die weibliche Geschlechterrolle nicht übernehmen zu können. Möglicherweise werden die damit vorgestellten Rollenzuschreibungen, die durch die Gesellschaft, eventuell aber auch durch nahe Bezugspersonen, Mutter, Großmutter oder Schwester übermittelt werden, als so wenig attraktiv bzw. so bedrohlich erlebt, dass dies zum Problem wird. Für die Pubertät typische Entwicklungsaufgaben wie die Ablösung vom Elternhaus, die Annahme des eigenen Körpers und seiner Veränderungen, das emotionale Erleben der mit der sich entwickelnden Sexualität verbundenen Veränderungen oder die soziale Neueingliederung einschließlich erster Freundschaften wird manchmal als so bedrohlich und angstbesetzt erlebt, dass es zu einer psychischen, sozialen und somatischen Regression kommt – die Reifung zur erwachsenen Frau stagniert.

Darüber hinaus können auch familiäre Beziehungsstörungen oder symbiotische Konflikte als sicher nicht obligate, immerhin aber mögliche Faktoren benannt werden. Die mit der Heranreifung verbundene Ablösung tangiert nicht nur die Jugendliche, sondern auch ihre Familie. Außerdem kann eine Anorexie auch Ausdruck eines familiären Machtkampfes sein, wenn aggressiv getönte Konflikte nicht offen und fair ausgehandelt werden können (wenn bspw. eine starre Familienregel dauerhafte Harmonie verlangt). Dann zeigt sich in der Anorexie die Ambivalenz zwischen Nähe und Distanz, dem Versuch, Zuwendung zu bekommen, andererseits aber auch, durch die Anorexie „auszubrechen" (und sei es in die Therapie oder Klinik). Auch die familiäre Sorge um die pubertätsmagersüchtige Tochter und Schwester ist dann meist durch eine Ambivalenz von Mitgefühl und Trauer, aber auch bis dato unterdrücktem Ärger gekennzeichnet.

Schließlich muss darauf hingewiesen werden, dass manchmal hinter einer Anorexie Misshandlungs- und Missbrauchserlebnisse stehen können: Hier ist der „Sinn" einer Verweigerung von Nahrung und damit der Verzögerung des Heranreifens in einem Schutz vor weiterer drohender sexueller Ausbeutung zu sehen.

Ziel einer psychotherapeutischen Behandlung wird sein, die typischen Probleme und Entwicklungsaufgaben der Pubertät erleben, aushalten und bewältigen zu lassen und die Jugendlichen dabei zu begleiten, die damit verbundenen Gefühle und Veränderungen in ihr Eigen- und Weltbild zu integrieren. Immer muss eine psycho- und soziotherapeutische Behandlung/Begleitung von einer medizinischen Begleitung flankiert sein: Das Gewicht muss regelmäßig überwacht, allfällige Mogelversuche müssen bemerkt und bedrohliche Zustände frühzeitig erkannt werden.

Schließlich sind neben den therapeutischen Maßnahmen im engeren Sinne auch pädagogische Interventionen notwendig und sinnvoll. Die Betroffenen sind nicht nur „Anorektikerinnen", sondern zur gleichen Zeit auch Schülerinnen, Töchter, Freundinnen, verliebt – kurz Jugendliche in ihren typischen Lebenswelten. Diese zu beachten und die Jugendlichen darin zu bestärken, sich nicht nur in ihrer Krankenrolle, sondern vor allem in den anderen Aspekten ihres Seins zu sehen, ist eine wesentliche Aufgabe der Sozial- und Heilpädagogik.

Drogenabhängigkeit

Auch die Drogenabhängigkeit kann Ausdruck einer sich perpetuierenden Pubertätskrise sein. Der übermäßige Alkoholkonsum oder der Gebrauch von aufputschenden oder beruhigenden Drogen ermöglicht eine Manipulation des Gefühlslebens. Subjektiv nicht lösbar erscheinende Probleme, seelische oder soziale Konflikte und unerträglich erscheinende Emotionen können betäubt werden. Die besondere Jugendkultur, in der dies geschieht, trägt weiter zur Verfestigung des Suchtverhaltens bei. Schließlich erreicht die Abhängigkeit von der als Unterstützung empfundenen Droge einen solchen Grad, dass ohne fremde (professionelle) Hilfe eine Veränderung kaum noch möglich ist.

Angstzustände in der Pubertät treten auf, wenn die Übergänge in der Entwicklung und die damit verbundenen neuen Aufgaben als zu bedrohlich oder verunsichernd erlebt werden. Es sei auf das Fallbeispiel in Kapitel 4 (S. 80 f.) verwiesen. – Auch Depressionen können in der Pubertät eine spezifische Ausprägung erhalten, wie das Fallbeispiel in Kapitel 5 (S. 100) zeigt. – Narzisstische Krisen und eine latente Suizidalität sind leider gar nicht so seltene Störungen im Jugendalter: Besonders sensitive Reaktionen auf kränkende Erlebnisse, Scham- und Schuldgefühle, Insuffizienzgefühle (also Versagens- und Minderwertigkeitsgefühle) können eine solch schwere Erschütterung des Selbstwertgefühls zur Folge haben, dass vermeintlich nur der „Ausweg" eines Suizids bleibt. Dabei stehen auslösende Momente für Suizidhandlungen auf den ersten Blick in keinem Verhältnis zu dieser folgenschweren Handlung – da werden einige wenige kränkende Äußerungen über das Aussehen, ein Streit mit der Freundin, eine schlechte Schulnote oder andere vermeintlich banale Ereignisse zum Tropfen, der das Fass zum Überlaufen bringt. Darunter verbergen sich allerdings meist bereits ein erschüttertes Selbstwertgefühl und erhebliche Kränkungen.

Angstsyndrome und Depressionen

Mehrfach bin ich Jugendlichen begegnet, die nach kleineren Eigentumsdelikten (z. B. Kaufhausdiebstahl, bei dem sie erwischt wurden) mit einem Suizidversuch reagierten. Scham und Schande, die Erschütterung der Selbstachtung und die Diskrepanz zwischen hohem ethischen Anspruch und dem Fehlverhalten waren dann kaum zu ertragen.

B

Risikofaktor für eine Suizidalität kann zum einen das scheinbar „endlose" Erleben von depressiver Verstimmtheit mancher Jugendlicher sein – das Wissen um die Vergänglichkeit auch depressiver Stimmungen ist noch nicht voll ausgereift. Andererseits kann Suizidalität des Jugendalters aggressive wie autoaggressive Komponenten haben – hier sind Zusammenhänge zur Depression zu sehen, wie sie in Kapitel 5 bereits erörtert wurden.

Suizidalität

Im Vorfeld eines Suizids kommt es meist zu einer situativen und dynamischen Einengung: situativ, weil der Jugendliche in seiner persönlich erlebten Situation keinen Ausweg mehr sieht, dynamisch, weil in den Beziehungsmustern und im kognitiv-affektiven Prozess des Erlebens kein flexibles Umgehen mit dem vorherrschenden Problem mehr möglich scheint. Ein strenges und rigides Über-Ich, ein hohes Ideal mit entsprechenden Anforderungen, eine schnelle Verunsicherung des Selbstwerterlebens und noch unsichere, ambivalente soziale Beziehungen können ebenso Risikofaktoren sein wie Angst vor Verlassenheit und

Hilflosigkeit. Selbst-abwertende Gedanken, gezielte oder ungezielte Suiziddrohungen, Suizidphantasien oder Vorbereitungen suizidaler Art, aber auch eine plötzliche, scheinbare Gelassenheit („Ruhe vor dem Sturm"), obwohl sich an der Problemlage nichts geändert hat, sind gravierende Warnsignale und müssen immer ernst genommen werden.

Konversionen Schließlich soll noch kurz auf Pubertätshypochondrie und Konversionssymptomatik eingegangen werden. Unter Pubertätshypochondrie versteht man eine vermehrte Zuwendung zum eigenen Körper, übertriebene Beobachtung körperlicher und sexueller Funktionen, erhebliche Krankheitsbefürchtungen, eine nicht verarbeitete Onanieproblematik etc. Die oben aufgezeigten massiven körperlichen und emotionalen Veränderungen können sich krisenhaft in diese Richtung zuspitzen. Bei einer Konversionssymptomatik wird ein primär seelischer Konflikt ins Unterbewusste verdrängt und damit abgewehrt, wobei es zu einer Regression (Rückschritt) im Erleben und Verarbeiten zu vorpubertären Stufen kommt: Auf einer magischen Ebene des Denkens werden Konflikte „gelöst", wobei die Überprüfung der Realität umgangen wird. Dabei bleiben die emotionalen und triebhaften Komponenten des in Wirklichkeit natürlich nicht gelösten Konfliktes erhalten. Durch Verschiebung, Verdichtung und Symbolisierung werden die jetzt weitgehend unbewussten Anteile des Konfliktes und die mit ihnen verbundenen Stimmungen und Antriebskräfte in die Körpersprache umgesetzt und konvertieren nun zu einem körperlichen Symptom. So kann es schließlich zu konversionsneurotisch bedingten motorischen Lähmungen, pseudo-epileptischen Anfällen, sensiblen (z.B. Schmerzüberempfindlichkeiten) oder sensorischen (Pseudoschwerhörigkeit, konversionsneurotische Sehstörungen) Symptomen kommen.

Bei all diesen Phänomenen handelt es sich nicht um eine Simulation: Die Betroffenen spielen keine falschen Tatsachen vor, um etwas zu erreichen. Es handelt sich vielmehr um eine schwere seelische Krise, die in organischen Funktionsänderungen ihren Ausdruck findet. Der primäre Krankheitsgewinn besteht in der Möglichkeit, dem mit dem Gewissen unvereinbaren zugrunde liegenden seelischen Konflikt auszuweichen, der sekundäre Krankheitsgewinn kann in besonderer Beachtung durch die Umwelt, Schonung oder anderen Vorteilen liegen. Die Konversionsneurose kann also als eine unzureichende Lösung eines intrapsychischen Konfliktes mit regressiven Tendenzen und typischen Abwehrmechanismen verstanden werden.

Konversionssyndrome treten u. a. in familiären Konstellationen auf, bei denen elterliche Delegationen, Erwartungen und Zuschreibungen den Jugendlichen überfordern, ohne dass er sich dagegen wehren kann. Langfristige Überbehütung (over-protection), die deswegen zu Selbstwertkrisen führen kann, weil der Jugendliche sich kaum etwas aus eigener Kraft zutraut und in der Realität auch tatsächlich an Grenzen stößt, vor denen ihn die Familie bisher zu bewahren versucht hat, aber auch unklare Grenzen innerhalb des Familiensystems und insbesondere eine inadäquate „erwachsenenähnliche" Rolle des Jugendlichen (Parentifizierung, Schiedsrichterfunktion etc.) können eine Konversionsneurose begünstigen. Letztendlich ist die Konversionsneurose des Jugendalters auch eine Möglichkeit, zumindest vorübergehend den phasentypischen Konflikten und Anforderungen auszuweichen.

So lagen den psychogenen Lähmungen einer 15-jährigen unter anderem auch die Erwartungen der Eltern zugrunde, nach Schulabschluss in der elterlichen Gaststätte mitzuarbeiten, anstatt einen anderen Beruf zu ergreifen. Dieser Ablösungskonflikt, bei dem es auch um die berufliche Identität, aber ebensosehr um Protest gegen elterliche Autorität ging, konnte aufgrund internalisierten familiären Loyalitätsdrucks zunächst nicht bewusst angegangen werden. Die Rebellion fand körperlich statt.
Eine 18jährige Kinderarzthelferin mit psychogener und vorübergehender Hörstörung berichtete, sie könne das „Geschrei der Kinder nicht mehr hören". Die symbolhaften Zusammenhänge ihrer funktionellen (Hör-) Störung und dieser spontanen Äußerung führten zu dem zugrunde liegenden Konflikt: Sie fühlte sich gegen ihren Willen durch elterliche Erwartung in diesen Beruf hereingedrängt. Die Konversionssymptomatik ersparte ihr die entwicklungsangemessene Aufgabe, entgegen den elterlichen Erwartungen eine ihren Neigungen und Fähigkeiten besser entsprechende Ausbildung zu wagen und damit Risiken einzugehen.

Am Ende dieses Kapitels bleibt festzuhalten, dass die Pubertät und Adoleszenz eine Entwicklungsphase voller körperlicher, seelischer und sozialer Veränderungen ist. Die Aufgaben der Integration neuer körperlicher, emotionaler und sozialer Erfahrungen, die Neuorientierung im sozialen Raum einschließlich der Ablösung vom Elternhaus und die Konsolidierung eines tragfähigen Selbstwertgefühls, die zum Teil stürmisch verlaufenden Emotionen, die zu Krisen führen können, die oft häufig wechselnden und zumeist ambivalenten Gefühle, die zum Teil völlig neuen Erlebnisdimensionen solcher Affekte sind nicht nur Folge der oben beschriebenen Veränderungen und Anforderungen, sondern zugleich ein Zeichen vitaler Kraft und dynamischer Neuorganisation. So gesehen ist die Jugendzeit zwar eine stürmische, mitunter auch krisenbesetzte, aber eben vor allem lebendige und besonders dynamische Phase unseres Lebens.

Überprüfen Sie Ihr Wissen!

11.1 Fragetyp C
Antwortkombinationsaufgabe

Welche der folgenden Bedürfnisse sind Grundbedürfnisse, die sich meist (auch) in der Pubertät finden lassen?

1. Verlangen nach körperlicher und sexueller Betätigung.
2. Sicherheitsbedürfnisse, die nicht mehr von der Familie, sondern eher von der Gruppe Gleichaltriger befriedigt werden.
3. Ausgeprägte Unabhängigkeitsbedürfnisse, die durch den Zuwachs an kognitiven Möglichkeiten verstärkt werden.
4. Das Bedürfnis nach Zugehörigkeit (Liebesbedürftigkeit) auch als gewisse Reaktion auf ein Gefühl von Einsamkeit und des Nicht-verstanden-Werdens.
5. Leistungsbedürfnis/Leistungsmotivation mit verschiedenen Aspekten: Erprobung neuer kognitiver Fähigkeiten, Erlangung von Achtung und Wertschätzung durch Leistung, das andere Geschlecht durch Leistung beeindrucken usw.

Welche Aussagen treffen zu?

a) Nur die Aussagen 1, 2, 3 und 4 sind richtig. ☐
b) Nur die Aussagen 2, 3, 4 und 5 sind richtig. ☐
c) Nur die Aussagen 1, 2, 4 und 5 sind richtig. ☐
d) Nur die Aussagen 1, 2, 3 und 5 sind richtig. ☐
e) Alle Aussagen sind richtig. ☐

11.2 Fragetyp B
Eine Antwort falsch

Eine der folgenden Antworten zur Selbstverwirklichung und Ich-Entwicklung in der Pubertät ist falsch. Welche?

a) Das Bedürfnis nach Selbstverwirklichung und Ich-Entwicklung gehört zu den Grundbedürfnissen in der Pubertät. ☐
b) Die Motivation zur Entwicklung der eigenen Persönlichkeit und des eigenen Ichs ist oft verknüpft mit der Leistungsmotivation und korrespondiert mit dem Bedürfnis, anerkannt und akzeptiert zu werden. ☐
c) Die Motivation zur Entwicklung der eigenen Persönlichkeit und des eigenen Ichs finden sich in archaischen Stammeskulturen nicht. ☐

d) Selbstverwirklichung bedeutet, die eigenen Fähigkeiten zu realisieren und fortlaufend weiterzuentwickeln. ☐
e) Die Motivation zur Selbstverwirklichung, zur Entwicklung des eigenen Ichs und der eigenen Persönlichkeit korreliert in hohem Maße mit der Entwicklung eines günstigen Selbstkonzepts. ☐

Eine Aussage zum Selbstkonzept in der Pubertät ist falsch. Welche?

11.3 Fragetyp B
Eine Antwort falsch

☒

a) Mit zunehmendem Lebensalter (Jugend) sind nur die familiären Sozialisationserfahrungen wesentlich für die Entwicklung des jugendlichen Selbstkonzepts. ☐
b) Das Selbstkonzept ist eine Resultante einer Interaktion biologischer, psychologischer und psychosozialer Einflüsse im Verlauf der individuellen Entwicklung. ☐
c) Ein ungünstiges Selbstkonzept führt zu geringer Selbstachtung und als Folge möglicherweise zu sozialem Rückzug, Aggressivität und Delinquenz. ☐
d) Ein ungünstiges Selbstkonzept fördert konforme Reaktionen in belastenden Situationen. Die betreffenden Jugendlichen unterliegen leicht Gruppendruck und damit auch delinquentem Verhalten, das in Gruppen begangen wird. ☐
e) Ein ungünstiges Selbstkonzept kann auch die Wahrnehmung tiefgreifend verändern. Solche Jugendliche können z. B. selbst erbrachte gute Leistungen kaum akzeptieren, weil sie diese nicht für möglich halten. ☐

11.4 Wie erklären Sie sich die überschäumende, wechselhafte und teilweise inadäquat anmutende emotionale Erlebens- und Verhaltensweise in der Pubertät?

11.5 Nennen Sie die wichtigsten Entwicklungsaufgaben der Pubertät. Inwiefern sind sie von emotionalen Prozessen begleitet?

Vertiefungsfragen

12. Emotionen und Familiensystem

Die Soziobiologie vertritt die These, dass es angeborene Lern- und Verhaltensbereitschaften sowie besondere Merkmale bei Lebewesen gibt, die sich nur deswegen haben ausbilden können, weil sie evolutionär gesehen für das Überleben von Vorteil waren. Menschen neigen nach dieser Theorie dazu, mit Vorliebe Erfahrungen zu sammeln und Kenntnisse zu erlernen, die dem Überleben ihrer Nachkommen förderlich sind. Sie gehen Bindungen ein, weil sie eine hohe Affinität für dieses Verhalten haben – es war dem Aufwachsen der Kinder in evolutionären Zeiträumen förderlich. Sie bevorzugen Verwandte vor Nichtverwandten, reagieren in besonderer Weise auf Signale ihrer eigenen Kinder und sind, so eine weitere Theorie, beispielsweise für den Nepotismus (die Vetternwirtschaft) anfällig.

Für Männer sind insbesondere die Kinder der Schwestern verwandtschaftlich besonders nahestehend – sie sind mit Sicherheit, was ihre Gene angeht, zu 25 % mit ihnen verwandt. Die Verwandtschaft zu eigenen Kindern ist zwar genetisch betrachtet doppelt so groß, andererseits nicht immer sicher. In Kulturen mit großer sexueller Liberalität oder bei Kinderlosigkeit (Fürstbischöfen des Mittelalters) spielt demnach, so müsste man soziobiologisch folgern, der Nepotismus eine große Rolle.

Natürlich suchen wir uns unseren männlichen Ehepartner nicht (zumindest nicht bewusst) wegen seiner imposanten Statur und seinen breiten Schultern oder die Ehefrau wegen ihrer Vitalität, Jugend und Gesundheit aus, weil wir uns davon eine größere „biologische Reproduktionswahrscheinlichkeit" versprechen. Sexuelle Anreize und Triebe sind angelegt, werden kulturell und lebensgeschichtlich überformt und führen letztlich zu Lustgefühlen, die handlungsbestimmend sind – wir sind schlicht und einfach verliebt. Die Soziobiologen gehen aber davon aus, dass die Basis dieser Emotionen, die letztlich unser Verhalten zwar nicht steuern, aber mit beeinflussen und anbahnen, evolutionsbiologisch zu erklären ist und sich letztlich nur durchsetzen konnte, weil sie reproduktiv von Vorteil war. Im Folgenden sollen einige Befunde aufgezeigt werden, die einen mehr oder weniger engen Zusammenhang zwischen biologischen Prädispositionen und der menschlichen Tendenz, Familien zu gründen, aufzeigen. Diese dem Menschen eigentümliche Tendenz ist nie imperativ: Sie wird kulturell überformt und kann erheblich modifiziert werden. Wir kennen monogame und polygame (Viel-Frauen- und – seltener – Viel-Männer-) Beziehungen, lockere und auf ein Leben angelegte Beziehungen in sehr unterschiedlichen kulturellen Ausprägungen. Dennoch gibt es immer wieder auftretende Tendenzen, die bestimmte Formen des Bindungsverhaltens wahrscheinlicher machen als andere.

Von Norbert Bischof stammt das Beispiel, dass wir offensichtlich einen „Verwandten-Erkennungs-Mechanismus" entwickelt haben, der uns „unser Fleisch und Blut" emotional anders behandeln lässt als uns weniger nahe Stehende. So zeigten breit angelegte Studien, dass nicht-verwandte Kinder, die von früher Kindheit an „geschwisterlich" miteinander aufwuchsen, später so gut wie nie eine wirkliche Liebesbeziehung mit sexueller Lust eingingen. Wurden sie, wie zeitweilig in bestimmten chinesischen Regionen üblich, auf Druck ihrer Eltern und gegen ihren Willen verheiratet, so war diese Beziehung für beide Partner außerordentlich belastend und sexuell sehr schwierig. Ihr Erleben war „geschwisterlich", und die „emotionale Planstelle" für Geschwister sieht – so Norbert Bischof – nun einmal anders aus als eine solche für einen Liebes- und Sexualpartner. Es sieht so aus, als ob die primäre Vertrautheit eines geschwisterlichen Zusammenwachsens, der Geruch, das Aussehen, das intime Kennen von Verhaltensweisen in einer bestimmten, prägenden Phase – der Kindheit – eine so starke und prägende Spur hinterlässt, dass solche Menschen die notwendige „Fremdheit und Exotik" eines sexuell anregenden Partners nicht bekommen. Geschwisterlicher Inzest, der natürlich hin und wieder vorkommt, ist eher die Ausnahme und wird darüber hinaus kulturell in der Regel massiv abgelehnt.

Im Bindungsverhalten der Partner – bzw. Eltern – gibt es eine Reihe biologischer Fundamente, auf die in Kapitel 7 bereits eingegangen wurde. Erinnert sei zum Beispiel an die Bedeutung des Oxitozins beim Zustandekommen einer längeren und tragfähigen Bindung, die Bedeutung von Pheromonen und anderen Sexualduftstoffen, sexueller Schlüsselreize und anderes mehr, auf das hier nicht mehr eingegangen werden soll.

Die Bindung zu Eltern und Kind, ebenfalls ein wichtiger Baustein familiärer Beziehungen, weist ebenfalls eine Reihe biologischer Fundamente auf. So ist sich bereits vor der Geburt nicht nur die Mutter ihres Kindes bewusst – sie fühlt es mitunter heftig – sondern auch das Kind hat sich an Herzschlag und Tonfall der Mutter in den letzten vorgeburtlichen Wochen gewöhnt.

Bereits direkt nach der Geburt ist die mütterliche Stimme vertrauter als andere Stimmen, sodass sie das Neugeborene eher beruhigen kann. Die mütterlichen Herztöne mit ihrer charakteristischen Frequenz können, auf Tonband aufgenommen, das Frühgeborene beruhigen. Beim Stillen werden unruhige Kinder instinktiv bevorzugt linksseitig angelegt, wo der mütterliche Herzschlag besonders zu spüren ist – auch in der Kunst werden Mutter-Kind-Szenen, beispielsweise bei Madonnenbildern, oft so dargestellt, dass das Kind auf der linken Seite getragen wird.

Neugeborenen-reflexe und biologische Prädispositionen

Darüber hinaus bringt das Neugeborene eine ganze Reihe von biologisch zunächst verankerten Verhaltensweisen mit auf die Welt – ohne sie gelernt zu haben. Instinktiv wendet es sich bei Gesichtsberührung dem taktilen Stimulus (Brustwarze oder Zeigefinger) zu und fängt an zu saugen. Vor aller Erfahrung weiß es auch, wie Muttermilch riecht und bevorzugt diesen Geruch allen anderen Gerüchen. Nach einer Woche hat es den spezifischen Geruch „seiner" Muttermilch wahrgenommen – von Mutter oder Amme – und bevorzugt ihn allen anderen Muttermilchproben. Aber auch der Körpergeruch und das Parfum der Mutter (oder einer anderen primären Bezugsperson) wird „erkannt". Auf der anderen Seite und reziprok entwickelt sich in der letzten Phase der Schwangerschaft, der Phase der Geburt und den ersten nachgeburtlichen Wochen auch eine sehr starke Mutterbindung. Im Idealfall bilden hier Prä-, Peri- und Postnatalzeit ein Kontinuum, das dem Kind den Verlust der „Urhöhle" des Mutterleibes so leicht wie möglich macht. Aber eine solche Mutter-Kind-Bindung entsteht nicht allein durch den Akt des Gebärens und Stillens. Es handelt sich um eine sehr sensible Phase, in der Aktionen und Reaktionen, Einanderkennenlernen und Erkennen auf beiden Seiten auf einer sehr tiefen biologischen, emotionalen und auf Seiten der Mutter bewussten Ebene vonstatten gehen. Oft unbewusst reagieren Mütter (auch Ammen, aber auch Väter) in besonderer Weise emotional auf die akustischen Frequenzen eines Säuglings – Babygeschrei rührt uns anders als andere Schreie. Der Säugling stellt aktiv Kontakt her, und in der Aktion und Reaktion von Säugling und Bezugsperson entwickelt er in diesem ersten Lebensabschnitt das Urvertrauen darauf, dass er in der Welt geborgen ist. Oft ohne dies zu reflektieren, „antworten" Mütter auf das Verhalten ihrer Säuglinge: Ein Lächeln im dritten Monat wird durch ein Gegenlächeln erwidert, Lautäußerungen des Säuglings werden nachgemacht und wiederholt, die Stimme der Bezugsperson passt sich der des Kindes an. Körperkontakt ist von ganz besonderer Bedeutung in diesem Prozess. Menschen können im Gegensatz zu „Nestflüchtern oder Nesthockern" als „Traglinge" bezeichnet werden. Bereits bei Primaten wird das noch unselbstständige Jungtier längere Zeit von der Mutter getragen. Ein sol-

ches Tragen (oder zumindest Wiegen) und der Körperkontakt zwischen Bezugsperson und Kind ist vor allen Dingen in den ersten Wochen und Monaten für das emotionale Gedeihen des Säuglings von großer Bedeutung.
Auch die Reaktion auf Unlustgefühle, insbesondere das Weinen des Kindes, hinterlässt prägende Spuren. Das Weinen eines menschlichen Säuglings hat eine starke Signalwirkung. Selbst bei Fremden kann es emotionale Zuwendung auslösen – ein weinender Säugling lässt uns nicht ungerührt. Wir nehmen das weinende Kind auf den Arm und drücken es, wiegen oder sprechen beruhigend auf es ein. All diese Verhaltensweisen sind biologisch angebahnt, normalerweise benehmen wir uns so, wenn nicht kulturelle Werte dagegen sprechen:

Die in der deutschen Kaiserzeit propagierte Maxime, man dürfe Säuglinge nicht im Sinn einer „Affenliebe" verwöhnen, sondern müsse sie rechtzeitig emotional abhärten, hatte verheerende Auswirkungen, wie in einschlägigen Autobiografien nachzulesen ist. Mütter und Väter haben sich hier gegen ihr vorbewusstes, instinktives Wissen einem letztlich dem Menschen nicht angemessenen kulturellen Diktat gebeugt. Ähnliches gilt auch für die „wissenschaftliche" These der 60er Jahre, man solle Säuglinge im Sinne einer Gewöhnung an Regeln nur alle vier Stunden stillen. Erst recht bedenklich ist das Propagieren von Flaschenmilch als der „besseren Säuglingsnahrung" – zweifellos ist die Muttermilch die beste aller Alternativen im ersten Lebenshalbjahr, auch wenn Flaschenmilch ihr in ihrer Beschaffenheit relativ nahe kommt.

Es könnte nun der Eindruck entstehen, dass diese biologisch angebahnten, in der ersten Lebensphase besonders wichtigen reziproken Interaktionen notwendigerweise zwischen leiblicher Mutter und Säugling ablaufen müssen. Dem ist nicht so. Prinzipiell kann auch eine Amme, sogar der Vater (mit Ausnahme des Stillens) die oben genannten und andere Funktionen übernehmen. Entscheidend für den Säugling ist, dass er in dieser Phase eine vertraute, Sicherheit gebende und warme Beziehung zu einem Menschen aufbauen kann, auf den er sich immer verlassen kann. Urvertrauen (und im Gegensatz Urmisstrauen) hängt also damit zusammen, inwieweit emotional verlässliche Geborgenheit (vorbewusst) in der Säuglingsphase erlebt werden kann. Insofern kann man in dieser Phase ein Kind nicht verwöhnen, und gut gemeinte Ratschläge nach dem Motto „den Tyrannen erzieht man sich in der Wiege" sind falsch und haben verheerende Auswirkungen, werden sie befolgt.

Hier haben wir bereits ein Beispiel für den Übergang von biologischen Grundmustern zu den sozialen und pädagogischen Aufgaben bei der Konstitution von Familie. Im familiären Zusammenleben etablieren sich Regeln, die funktional oder dysfunktional, explizit oder implizit sein können. Explizite Regeln („Zu Mittag essen wir gemeinsam!") sind offen, bekannt und allen bewusst. Sie können angefochten und ggf. verändert werden. Implizite Regeln sind verdeckt, unbewusst, aber ebenfalls sehr wirksam. Funktional sind Regeln dann, wenn sie Wohlbefinden und Wachstum aller beteiligten Familienmitglieder fördern. Dysfunktional sind sie dementsprechend, wenn sie dies nicht tun, also dem Wachstum im Wege stehen. Nun sind Regeln in der Familie aber nicht für die Ewigkeit gedacht, sondern in dem sich ständig ändernden Familiensystem ihrerseits sinnvoller Weise Änderungen unterworfen.

Die Regel „Ich bin immer da, wenn mich mein Kind braucht, denn das Kind hat absoluten Vorrang" ist in den ersten Lebensmonaten für das Kind von großem Vorteil, und häufig können auch die Eltern in dieser Betätigung – trotz aller Erschöpfung und trotz allen Stresses – große Befriedigung finden (andererseits kann der Stress natürlich auch zu groß werden). Dieselbe Regel ist aber bei einem vierjährigen Kind keineswegs mehr sinnvoll.

B So kann die Regel „Wenn unser Kind Angst hat, darf es zu uns ins Bett kommen." im ersten oder zweiten Lebensjahr für alle Beteiligten entwicklungsfördernd sein. Wenn aber ein 14-jähriger, also in der Pubertät befindlicher Junge wegen massiver Ängste das Schlafzimmer mit der Mutter teilt, während der wochentags auf Montage arbeitende Vater an den Wochenenden im Wohnzimmer schläft, so ist diese Familienregel vermutlich höchst dysfunktional, also die elterliche Beziehung und die pubertäre Entwicklung des Jugendlichen hemmend. Familienregeln, so hat es Virginia Satir einmal formuliert, sind wie Stadtpläne: sie veralten schnell und müssen immer wieder verändert werden, wenn man sich nach einigen Jahren noch zurechtfinden will.

Bevor wir uns weiter auf das Gebiet systemischer Gesichtspunkte von Familienbeziehungen begeben, sollen noch einige Zusammenhänge zwischen biologischer Grundlage und sozialer Interaktion kurz geschildert werden. In der Kommunikation zwischen Eltern und jungem Kind kommt es typischerweise zu einem Dialog. So mag die Mutter schweigen, während das Kind trinkt, und reden und lächeln, während es eine kurze Trinkpause macht. Auch nach jeder Äußerung machen Mütter und Väter instinktiv oft eine kurze Pause, die etwa so lang ist, wie eine Antwort dauern würde, so dass das Kind an den Rhythmus dialogischen Sprechens gewöhnt wird. Ein späteres „Brabbeln" zeigt ähnliche Rhythmen. Ein Nichteinhalten dieses zeitlichen Dialograhmens, also ein pausenloses Einreden auf das Kind, führt zu einer Überreizung und in der Regel dazu, dass sich der Säugling abwendet.

Dieses von Schleidt (1992, 14 ff.) angeführte Beispiel ist nur eines für die hohe Sensivität dieser Lebensphase.

Auch biologisch angelegte und aufeinander passende Schemata im Aussehen von Säuglingen und Präferenzen unserer Wahrnehmung führen mit größerer Wahrscheinlichkeit zu Bindungsverhalten. Das bereits von Konrad Lorenz beschriebene „Kindchenschema" spiegelt typische Charakteristika neugeborener Tiere und Menschen wider: große Augen, großer Kopf im Vergleich zum übrigen Körper, Pausbäckigkeit (Fetteinlagerungen in den Wangen) usw. In der Regel reagieren wir emotional positiv auf solche Reize, wir finden kleine Kinder „süß", und solche Verhaltensbereitschaften finden sich auch, was den Geruch oder das „Plappern" von Säuglingen angeht.

Kindchenschema

Die enge Verbindung zwischen biologischem Fundament, emotionaler Bedeutung und sozialer Interaktion im familiären Geschehen wurde hier etwas ausführlicher für die Säuglingszeit beschrieben. Prinzipiell lassen sich solche Zusammenhänge auch für die weitere Kindheit aufzeigen, und die Verflechtung zwischen Biologie, Psyche und sozio-kulturellem Umfeld in Pubertät und Adoleszenz wurden bereits in Kapitel 11 eingehend beschrieben.

Die in der Familie verlebte Kindheit trägt maßgeblich zum emotionalen Erleben bei. Zum einen können Kinder häufig wiederkehrende emotional relevante Konstellationen erleben, beispielsweise, wenn aufgrund von Schicksalsschlägen oder elterlichen Lebensgeschichten Trauer ein häufig anzutreffendes oder vorherrschendes Grundgefühl in der Familie ist. In Kapitel 4 wurde eine solche Familienkonstellation beschrieben.

Auch Gewalt und Aggression kann zu einem familiären Klima führen, in dem Wut, Angst und/oder Resignation zu den in der Kindheit vorwiegend erlebten emotionalen Grundmustern werden. Die „Frozen Watchfullness", also das ängstliche Ausschauhalten nach der nächsten Aggression, erschwert dann nicht nur Lernen und Spiel, sondern auch die ihnen zugrunde liegenden Emotionen von Freude und Interesse.

Ein von Überbehütung geprägtes Familienklima kann die emotionalen Grundstimmungen eines Kindes, aber auch die der Eltern nachhaltig beeinflussen:

Der 9-jährige Mark wird von seinen Eltern als „Sorgenkind" benannt. Neben einer schweren Neurodermitis und sozialen Anpassungsschwierigkeiten stehen vor allem schwerste und rezidivierende Asthmaanfälle im Mittelpunkt der elterlichen Sorge. Mark ist hochgradig allergisch belastet. Seine Neurodermitis und sein Asthma sind im Wesentlichen auf genetische und allergische Komponenten zurückzuführen. Darüber hinaus aber ist er in Zeiten körperlicher Anstrengung, aber auch bei Infekten der oberen Luftwege in besonderer Weise gefährdet. Und schließlich zeigt sich, dass seelische Aufregung und Stress, insbesondere emotionale Überforderung, einen Anfall mit auslösen (nicht verursachen!) können. Solche emotionalen Stressoren sind vor allem elterliche Überbehütung und ein fürsorgliches Verhalten, gegen das sich der Junge nicht zu wehren vermag, angstbesetzte Situationen, insbesondere im Klassenverband, aber auch generell viele „aufregende" Situationen, denen sich der Junge zunächst nicht gewachsen zu sein glaubt. In solchen, ihn emotional aufwühlenden Situationen gerät er häufig nicht nur in einen vegetativen Erregungszustand, sondern es stellt sich dann auch ein schwerer Asthmaanfall ein, der nur durch massive Medikation (u. a. Cortison) zu beheben ist.

Die emotional vorherrschenden Grundstimmungen des Jungen schwanken zwischen Ängstlichkeit und Sehnsucht nach Vitalität, die neben freudigen auch aggressive Impulse beeinhaltet. Er schwankt zwischen dem Impuls nach Selbstständigkeit (und dem Wunsch, sich von den Eltern zu lösen) und dem gegenteiligen Wunsch nach Nähe, Halt, Schutz und Zuwendung.

Aber auch das Verhalten und Erleben der Eltern ist ambivalent. In tiefer und berechtigter Sorge um das Wohlergehen ihres Sohnes (er hatte bereits einmal einen allergischen Schock erlitten) wird ihr manchmal überfürsorgliches Verhalten, ihre starke Bindung an den Sohn und ein Schonungsverhalten, das ihn einschränkt, verständlich. Nicht nur der Junge, auch die Eltern fühlen sich aber dadurch eingeschränkt – zumindest unterschwellig kommen auch bei ihnen aggressive Gefühle vor, zumal dann, wenn sich alles nur noch um Mark und sein Asthma dreht. Dies induziert aber Schuldgefühle: „Eine gute Mutter denkt so nicht!" – und so werden die aggressiven Impulse durch ein noch überbehütenderes Verhalten verdrängt. Auf beiden Seiten entwickelt sich ein Circulus vitiosus, der durch das eigentliche (allergische) Krankheitsgeschehen alleine nicht mehr zu erklären ist.

Eine ähnliche Familienkonstellation stellt die Abbildung 12.1 dar. Hier steht der „Indexpatient", ein 11-jähriger Junge, aufgrund einer Behinderung im Zentrum der familiären Sorge.

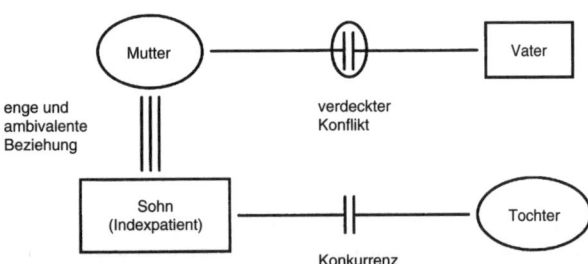

Abb. 12.1: Indexpatient und Familienbeziehung

In dem zu Abb. 12.1. gehörenden familiären Kontext trägt der Indexpatient auf seine Weise zur Stabilität des Familiensystems bei; als Symptomträger bietet er an, elterliche und geschwisterliche Aufmerksamkeit auf sich zu lenken. Andere, durchaus auch vorhandene wichtige Themen und emotionale Belastungen, z. B. ein latenter Ehekonflikt, müssen (respektive können) zunächst hintenangestellt werden. Intensive familientherapeutische Gespräche erbrachten zwar eine Einsicht in diese Zusammenhänge, doch gelang es allen Beteiligten zunächst nicht, dies emotional zu erleben. Erst als das Märchen „Dornröschen" therapeutisch als Metapher genutzt wurde, wurde der Mutter auf emotionaler Ebene bewusst, dass man seine Kinder nicht vor allen Gefahren schützen kann; keine Mauer oder Dornenhecke dieser Welt vermag das, ja schlimmer noch: Überbehütung kann entwicklungshemmend sein. Die Mutter brach daraufhin in Tränen aus, und nach anfänglichen „Tröstungsversuchen" gelang es Vater und Kindern, diese Trauer auszuhalten. In den folgenden Sitzungen wurde viel mit Metaphern und Skulpturen gearbeitet. Das Gedicht von Khalil Gibran war für die Eltern von besonderer Bedeutung:

„Eure Kinder sind nicht eure Kinder...
Sie kommen durch euch, doch nicht von euch,
und sind sie auch bei euch, so gehören sie euch doch nicht..."

In der Skulpturarbeit konnte jedes Familienmitglied abwechselnd die anderen drei und den Therapeuten als „Double" so stellen, wie es seiner Wunschvorstellung von Familienbeziehung entsprach. Wie „Wachspuppen" wurden die Akteure in Position gebracht, Gestik, Mimik, aber auch Position im Raum versinnbildlichten angestrebte oder phantasierte Beziehungsmuster. Es wurden unterschiedliche Wünsche nach Nähe und Distanz deutlich. Manchmal wollte man einander sehr nahe sein, ein anderes Mal wurde Distanz wichtig. Dieses körpernahe Vorgehen löste heftige Emotionen aus. Wut und Ärger, Angst, Schuldgefühle, Trauer und Verzweiflung, aber auch Sehnsucht, Entdeckungsfreude, Vitalität und Zärtlichkeit konnten erfahren werden. Erst das emotionale Erleben brachte, im Gegensatz zu einer wenig erfolgreichen analysierend-kognitiven Vorgehensweise, eine Veränderung.

Neben schicksalsbedingten Ereignissen (Life-events) und Familienkonstellationen, die bestimmte emotionale Erlebnisse in besonderem Maße ermöglichen oder verhindern, ist der in der Familie erlebte Umgang mit Gefühlen für das heranwachsende Kind von Bedeutung. So kommt es auch auf Regeln an, die in Bezug auf Gefühle aufgestellt worden sind. Neben der Funktionalität bzw. Dysfunktionalität von Regeln, auf die oben bereits eingegangen wurde, kann auch zwischen impliziten und expliziten Regeln unterschieden werden. Explizite, ausdrückliche Regeln sind allen bekannt: „Auch in Wut darf nicht geschlagen werden!" könnte eine solche Regel sein. Explizite Regeln sind grundsätzlich dis-

Familiäre Beziehungsmuster und Umgang mit Gefühlen

kutierbar, weil sie allen Beteiligten bewusst sind. Man kann sich darüber ärgern, sie erfolglos zu ändern versuchen, sie können starr und inzwischen dysfunktional geworden sein, aber da sie grundsätzlich im Bewusstsein der Beteiligten sind, besteht potentiell die Möglichkeit, sich von solchen Regeln de facto oder innerlich zu distanzieren.

Im Gegensatz hierzu sind implizite Regeln nicht oder zumindest nicht vollständig bewusst. Dennoch sind sie in hohem Maße wirksam. Ungeschriebene Gesetze, Rollenerwartungen, durch Mimik und Gestik geäußerte Zustimmung oder Missbilligung und die Tabuisierung bestimmter Themen sind im Zusammenhang solcher geheimen, aber stillschweigend akzeptierten oder erwarteten Regeln zu sehen. Äußerungen wie: „Wir sind immer eine harmonische Familie!" können die Regel „Aggression darf es nicht geben!" beinhalten. Zum Vermächtnis (Auftrag, Delegation) werden Regelsysteme und Lebensmaximen dann, wenn mehr oder weniger unausgesprochene Erwartungen in die nächste Generation weitergegeben werden, auch dann, wenn diese bereits die Herkunftsfamilie verlässt.

Wenn zwei Partner eine Familie gründen, nehmen sie aus ihren jeweiligen Herkunftsfamilien eine Reihe ihnen bewusster, expliziter Regeln und Aufträge mit, die sie mit ihrem Partner absprechen und gegebenenfalls modifizieren, jedenfalls einander anpassen können. Darüber hinaus haben sie in ihrem „Rucksack" Delegationen, denen sie sich zunächst nicht so bewusst sind. Da mag die Ehefrau vielleicht das Vermächtnis verinnerlicht haben, das Bild einer harmonischen Familie aus ihrer Herkunftsfamilie fast schon missionarisch weiterzugeben, während der Mann von seinen Eltern vielleicht die unausgesprochene Erwartung nach kraftvoller und durchaus auch aggressiver Auseinandersetzung mit auf den Weg bekommen hat.

Die sich vermutlich abzeichnenden Konflikte in der neu gegründeten Familie („Immer musst du streiten!" – „Ich bin dir noch nicht einmal eine Auseinandersetzung wert!") haben neben der konkreten, aktuellen Konfliktsituation auch Wurzeln in den Vermächtnissen der Herkunftsfamilie. Und hierbei geht es um „erlaubte", „unerlaubte" und „geforderte" Gefühle: So können Regeln im Umgang mit Gefühlen das emotionale Erleben über mehrere Generationen beeinflussen.

Auch das „Einrichten von Schuldkonten" (Stierlin) hängt eng mit dem emotionalen Gehalt von Regeln und Delegationen zusammen. Induzierte oder erlebte Schuldgefühle, Versöhnungswünsche und Wiedergutmachungsbestrebungen, aber auch Trauer und Erwartung hängen einerseits vom familiären Regelwerk ab, führen andererseits zu mitunter heftigen aggressiven oder depressiven Verstimmungen. Hierauf ist in Kapitel 10 (Schuldgefühl) ja bereits eingegangen worden.

12. Emotionen und Familiensystem

	Säuglings-alter	Kleinkind-alter	Vorschul-alter	Latenzzeit	Pubertät
Psychosoziale Krisen (Erikson)	Urvertrauen/ Urmisstrauen	Autonomie/ Scham u. Zweifel	Initiative/ Schuldgefühl	Fleiß/Minder-wertigkeits-gefühl	Identität Id.-diffusion
Phasenspezifische Aufgaben (Nissen)	Kontakt-aufnahme	motorische Integration	Realitäts-prüfung	Soziale Einordnung	Neu-orientierung
Entwicklungs-stadien des Kindes- und Jugendalters (Erikson)	oral-sensorisch 1. Lj	anal-muskulär 2.–3. Lj	Loko-motorisch genital 4. u. 5. Lj	Latenzphase 6.–11. Lj	Pubertät/ Jugend ca. 12.–18 Lj

Entwicklungs-stadien der Familie (Oswald/ Müllensiefen)	I	II	III	IV	V
	Lösung v. Herkunfts-familie	Partnersuche Paarbildung Beziehungs-regelung Abstimmung	Familie mit kleinen Kindern a) Familien-gründung (1. Kind) Übernahme Elternfunktion b) Familien-erweiterung Geschwisterl. Subsystem Familiäre Sozialisation	Familie mit Schulkindern Regelung von Außen-beziehungen u. gesell. Integration	Familie in Ablösung Beginnende Ablösung Kinder/Eltern	Kontraktions-phase Paar-beziehung Großeltern-funktion

Tabelle 12.1 benennt „Phasen", die sich natürlich in jeder Familie etwas anders darstellen. In einer *ersten Phase,* in der sich die zukünftigen Partner kennenlernen, ineinander verlieben und sich entschließen, eine Familie zu gründen, führt der Wunsch nach Harmonie und Verschmelzung zunächst nicht selten dazu, Teile an sich und dem anderen, die „nicht so zusammenpassen", zu übersehen. Diese „nicht passenden Wünsche und Gefühle" drängen nach einer gewissen Zeit aber an die Oberfläche und führen zu Auseinandersetzungen und Ent-Täuschungen (in des Wortes wahrster Bedeutung) sowie der Erkenntnis, dass die Beziehung zwar auch, aber nicht nur erfüllend ist.

Dieser über eine partielle Trennung (Separation) erreichte Schritt kann als Individuation bezeichnet werden: Den Partnern wird jeweils klar, dass sie bei allem Glück des Zusammenseins in vielen wichtigen Fragen ihres Lebens letztlich allein sind. Bei Krankheit, in der Schwangerschaft, während der Geburt, in belastenden beruflichen Situationen, bei verantwortlichen Entscheidungen, schließlich im Sterben können wir uns freuen, einen verständnisvollen Partner an der Seite zu haben – letztlich müssen wir diese Wege selbst gehen und eigenständig verantworten. Anders ausgedrückt: Den Sinn seines Lebens muss und darf jeder für sich alleine entdecken, wir können keine Verantwortung für das Gelingen unseres Lebens vom anderen erwarten (und umgekehrt). Hier wiederholt sich ein Individuationsschritt, der bereits vom Jugendlichen in Bezug auf die Eltern gegangen werden muss. Misslingt in der Partnerschaft eine solche Individuation (oft genug deswegen, weil die Individuation von der Herkunftsfamilie

Tabelle 12.1: Phasen der Familie und Entwicklungsphasen in Kindheit und Jugend (aus: Hülshoff 2000b, 351)

noch nicht geglückt ist), so können hektische Betriebsamkeit im Gefolge der Geburt des ersten Kindes sowie weitere „Verpflichtungen" von dieser Auseinandersetzung und damit verbundenen belastenden Gefühlen ablenken – meistens für einige Jahre, bis die Konflikte dann umso stärker zum Vorschein treten.

In der *zweiten Phase* wird die Dyade der Paarbeziehung zur Triade, in der Fürsorge, Liebe, aber auch Ängste zunächst vor allem dem Kind zugute kommen. Bei diesem verständlichen (und auch unter evolutionsbiologischen Gesichtspunkten sinnvollen) Geschehen ist es wichtig, dass die Paarebene nicht zu kurz kommt: Rivalität um die Gunst des Kindes oder den richtigen Erziehungsstil, Ärger bei der Verteilung um die knappen Ressourcen Geld und Zeit, aber auch der Wunsch nach Liebe und Zärtlichkeit vom Partner und gemeinsame Interessen sind wichtige Themen und – noch wichtiger – Gefühle, die beachtet werden und nicht zu kurz kommen sollten. Das geschwisterliche Subsystem, Bündnisse mit- und gegeneinander, zum Teil auch gegen das elterliche Subsystem sind ebenfalls von hoher emotionsbestimmender Kraft.

In einer Seminarübung hatten StudentInnen die Gelegenheit, in Gruppen ihre Erfahrungen zu den Rollen Erstgeborener, Letztgeborener, Mittelkinder und Einzelkinder auszutauschen und dann im Rollenspiel den „Geschwistern" von ihren Erlebnissen zu berichten. Immer wieder wurde deutlich, durch wie viele Sehnsüchte und Liebe, aber auch Rivalität, Trauer oder Angst solche uns sehr prägenden Beziehungen bestimmt sind.

In einer dritten Phase der Familienentwicklung, die etwa mit der Einschulung eines Kindes benannt werden kann, wird die Familie „öffentlich": Wie Kinder und Eltern miteinander umgehen, welche Freunde Kinder gewinnen, welche Leistungen sie in der Schule erbringen, woran sie Spaß haben und was sie ablehnen – dies alles ist nun nicht mehr allein „Familiensache", sondern wird vom Umfeld registriert und oft genug auch bewertet. Schulkinder müssen sich – etwas vereinfacht gesagt – auf zwei Ebenen „bewähren". Zum einen wird von ihnen Leistung erwartet: rechnend, schreibend, sprachlich, musisch, sportlich usw. Zum anderen müssen sie sich sozial einordnen in eine Gruppe Gleichaltriger, und auch dies ist eine wenngleich soziale und emotionale Leistung. Auf beiden Ebenen kann es zu Schwierigkeiten und starken Ängsten bis hin zu Schulphobien kommen (in Kapitel 4 wurde bereits darauf eingegangen). Um den Kindern ihren natürlichen Spaß ihrer Leistung, an der Erkundung ihrer Umwelt und am Lernen, aber auch am gemeinsamen sozialen Spiel zu erhalten, ist es nötig, dass die Pädagogen und insbesondere die Eltern die Kinder so nehmen, wie sie sind – mit all ihren möglichen Schwierigkeiten und emotionalen Befindlichkeiten. Dies ist einsehbar, aber nicht leicht.

Letztlich haben Eltern bewusst oder unbewusst Wünsche, Vermächtnisse und Delegationen (oft genug in Anlehnung an die eigene Herkunftsfamilie), die zu manchmal impliziten Erwartungen an die Kinder führen: „Es ist mir egal, ob du später Jura oder Medizin studierst" (wobei implizit erwartet wird, dass die Tochter studiert). Die Akzeptanz, die Kinder so zu nehmen, wie sie sind, geht auch einher mit der Enttäuschung, dass sie in Teilbereichen nicht so sind, wie Eltern sich das wünschen. Eine wirkliche Individuation und damit ein „So-sein-Lassen" geht in der Regel mit der Notwendigkeit einher, sich noch einmal mit der eigenen Individuation und damit der eigenen Lebensgeschichte auseinanderzusetzen. Hierbei werden auch für die Eltern manchmal schmerzhafte oder sehnsüchtige Gefühle evoziert, die ausgehalten werden müssen.

Eine *vierte Familienphase* ist durch die Pubertät und Adoleszenz der heranwachsenden Kinder geprägt. Genauer wurde darauf in Kapitel 11 (Emotionen in der Pubertät) eingegangen. Hier soll noch einmal daran erinnert werden, dass sich die anbahnende Trennung von Eltern und Kindern im Spannungsfeld von Bindung und Ausstoßung manifestiert. Generell ist dieses Spannungsfeld kennzeichnend für den gesamten Familienzyklus. Das „System Familie" ist nicht statisch, sondern von Anfang an dynamisch und auf Wachstum angelegt. Familie ist immer in Veränderung, und es ist ihre Bestimmung, sich letztlich aufzulösen. Weil jedes einzelne Familienmitglied auf Wachstum und Entfaltung drängt, kann nichts in der Familie auf Dauer angelegt sein. Dies gilt für die Regeln und Bilder einer Familie, aber auch für die Emotionen und Stimmungen. Versuche, den Augenblick, der so schön ist, für immer zu halten, führen paradoxerweise regelmäßig zu Verfestigungen, Verkrustungen und Pseudoharmonien, die mehr Leid mit sich bringen als das Loslassen. Manchmal führen Übergänge von einer Entwicklungsphase in die nächste bei den Familienmitgliedern, aber auch beim Familiensystem insgesamt zu einer Krise. Einschulung, Arbeitslosigkeit, Krankheit, aber auch die typischen Konflikte der Pubertät oder die allfälligen Trennungen der erwachsenen Kinder von ihren Eltern können als krisenhaft erlebt werden. Krisen gehen mit unangenehmen Gefühlen einher – in der Regel mit Angst, Verzweiflung, Ärger, Wut oder Trauer. Dennoch können sie, so bedrohlich sie erscheinen mögen, als Entwicklungschance, ja als Voraussetzung für Entwicklung verstanden werden.

So wichtig Krisen im familiären Kontext sind, so sehr versucht man sie aus verständlichen Gründen zu vermeiden. Auf der Suche nach einem familiären Fließgleichgewicht (Homöostase) schwanken Familien zwischen den Polen morphogenetischer, also gestaltneuschaffender und damit verändernder, und morphostatischer, also gestalterhaltender, bewahrender und be-

Abb. 12.2:
Die versöhnliche und die anklagende Haltung (aus Satir 1975, 87)

schützender Kräfte. In Zeiten des Übergangs und der Krise neigen sie in der Regel eher dazu, auf die morphostatische Seite zu gehen und sich vor Veränderungen zu fürchten. Begleiter und Therapeuten sind gut beraten, dies zu akzeptieren und ihrerseits eher zu bremsen („Vielleicht ist es besser, in der nächsten Zeit noch nicht an einen Auszug und das Erlernen eines Berufes der Tochter zu denken – noch brauchen Sie einander sehr"). Erst in der Erfahrung, in ihren morphostatischen Wünschen verstanden und akzeptiert zu sein, gelingt es Familien, den dann notwendigen verändernden Schritt zu gehen.

Wie stark morphostatische Kräfte insbesondere im Übergang zur letzten Phase der Familienentwicklung, der beruflichen und familiären Eigenständigkeit der Kinder mit eigener Familiengründung und der Kontraktionsphase der Eltern, in der diese wieder als Paar (oder auch nicht) zusammenleben, sind, zeigt sich vor allem dann, wenn es zu krisenhaften Zuspitzungen kommt. Mitunter schaffen StudentInnen die letzte und entscheidende Prüfung nicht, obwohl sie alle vorherigen Prüfungen mit Bravour gemeistert haben. Weiterführende Gespräche ergeben manchmal, dass nicht nur die Angst vor der Eigenständigkeit und mangelndes Zutrauen in die eigene Kraft, sondern auch familiäre Bindungen und Loyalitätskonflikte nach dem Motto „Ich kann meine Eltern nicht allein lassen!" entwicklungshemmend und krisenverstärkend sind. Manchmal sind die jungen Erwachsenen ehrlich erstaunt, wie gut ihre Eltern – bei allen Ängsten, Trauer und Sehnsucht – letztlich doch mit ihrer neuen Lebensphase zurechtkommen.

Im Lebenslauf einer Familie kommt es zu zahlreichen Begegnungen, in denen Konflikte ausgehalten, Sehnsüchte erfüllt, Bilder angeglichen und Meinungen ausgetauscht werden. Dabei ist es wichtig, dass je nach Entwicklungsphase der Kinder und damit der Gesamtfamilie die Eltern zunächst in besonderer Weise Verantwortung (und damit auch zwangsläufig Macht) haben – sie sind die Architekten der Familie, sie haben in besonderer Weise Verantwortung.

In familientherapeutischen Sitzungen kommt oft das Thema „Schulausbildung" zur Sprache: Eltern versuchen verzweifelt, an die Vernunft und den guten Willen ihrer Kinder zu appellieren, sie möchten doch bitte nicht die Schule schwänzen, möglichst unaufgefordert und gerne die Hausaufgaben machen und was dergleichen mehr an Erwartung geäußert wird. Es fällt oft schwer, die „Power" und Verantwortung zu übernehmen, bspw. sich einen Monat Urlaub zu nehmen und das Kind so lange persönlich zur Schule zu bringen, bis dem Kind die Ernsthaftigkeit dieser Erwartungen klar geworden ist. Manchmal geraten Experten (Lehrer, Psychologen, Sozialarbeiter) in die Versuchung, an Eltern statt die Verantwortung zu übernehmen. Sinnvoller ist es, eindeutig die Eltern in ihre Möglichkeiten von „Power" und Verantwortung einzuweisen. Natürlich kann Macht missbraucht werden. Eltern müssen immer auch reflektieren, wo sie Kinder überfordern, überbehüten oder zuviel Verantwortung übernommen haben. Trotz dieser relativierenden Einschränkung ist es manchmal wichtig, sich diese Aufgaben der Elternrolle von Zeit zu Zeit bewusst zu machen.

Von besonderer emotionaler Bedeutung sind Kommunikationsformen innerhalb einer Familie. Die amerikanische Familientherapeutin Virginia Satir stellt vier solcher „idealtypischen" Kommunikationsformen vor: Das Beschwichtigen, das Anklagen, das Rationalisieren und das Ablenken. Vier Kommunikationsformen nach V. Satir

Eine als beschwichtigend und versöhnlich (placating) bezeichnete Kommunikationsform äußert sich in einer leisen, eher weinerlich vorsichtigen oder gedrückten Stimme, zaghaftem und rücksichtsvollem Auftreten, einer eher zustimmenden Wortwahl („Entscheide du!") und einer sich zurücknehmenden, kleinmachenden und im Extremfall bittenden Haltung. Die beschwichtigende Person ist in ihrer Kommunikation von einem Gefühl der Hilflosigkeit und Wertlosigkeit geprägt. Manchmal fühlt sie sich ausgeliefert und versucht, sich nützlich zu machen, indem sie anderen hilft oder für andere etwas tut. Wer sich allein als „nichts fühlt", ist zwingend auf die Anerkennung anderer angewiesen und in einer Extremform der hier geschilderten Kommunikation auch anderen ausgeliefert. Einerseits haben besänftigend-versöhnliche Kommunikationsformen den Vorteil, Bindung zu schaffen und „verbindlich zu sein", und insofern kann, wenn kongruent, stimmig und vorübergehend, Besänftigen ein wichtiger kommunikativer Prozess sein. Als permanente Krisen-Lösungsstrategie birgt diese Kommunikationsform Gefahren, vor allem, wenn sie inkongruent ist. Letztlich verstärkt sie das Gefühl der Hilflosigkeit, des Angewiesenseins, der Trauer und der Verzweiflung und kann im Extremfall zu Depressionen beitragen, auf der anderen Seite ein durch Aggression, Schuldgefühle oder Angewidertsein der Gegenseite geprägtes Klima schaffen, das man gerade verhindern wollte. Placating

Zwei Gesprächspartner mögen sich in die anklagende bzw. beschwichtigende Haltung versetzen und fünf Minuten über ein kontroverses Thema sprechen, indem jeder der Rollenspieler in seiner Rolle aufgeht. Der „Beschwichtigende" möge im Hinterkopf haben: Hauptsache, dem anderen geht es gut. Der „Ankläger" möge im Hinterkopf haben: Wenn ich mich jetzt nicht durchsetze, ist alles aus! Was spüren sie körperlich? Welche Gefühle werden in ihnen wach? Welche Gefühle werden bei Zuschauern evoziert? Übung

Der „Empfänger" solch beschwichtigender Kommunikationsformen kann Gefühle von Mitleid, aber auch Schuld, Ärger oder Verachtung entwickeln.

Blaming Eine zweite Form verzerrter Kommunikation wird von Satir als anklagend und fordernd *(Blaming)* beschrieben (vgl. auch S. 163). Im Vordergrund steht der ungeduldige Wunsch, zu siegen und anerkannt zu werden. Ein sich oft hilflos fühlender Mensch, der sich ungerecht behandelt und wert- und erfolglos fühlt, in seinem Ärger einsam ist und das subjektive Erleben von Minderwertigkeit hat, denkt, alles hinge von dem Sieg im jetzigen Konflikt ab. Die Reaktion des Empfängers ist oft durch Angst oder Rückzug geprägt, manchmal mit Schuldgefühlen behaftet, geht oft aber auch mit Ärger und Wut einher. Klare Regeln in der Kommunikation können ebenso weiterhelfen wie ein behutsames Umdeuten.

🅱 Anklagende Partner fühlen sich oft so verletzt, dass sie ihre Sehnsüchte und Wünsche nicht anders als durch Anklagen hervorbringen können. Auf die Frage des Therapeuten „Was wünschen Sie sich von Ihrem Mann?" mag die Frau antworten: „Er hat ja nie für mich Zeit!" worauf der Mann energisch und anklagend widerspricht. Eine wiederholte Frage des Therapeuten führt schließlich zu der Möglichkeit, in dem Wunsch nach Zärtlichkeit und mehr Zeit etwas mehr Positives zu sehen. Für Bruchteile einer Sekunde huscht ein Lächeln über das Gesicht des Mannes, das vom Therapeuten sofort aufgegriffen wird: „Sie haben gerade gelächelt, als Ihre Frau sagte, sie freue sich über Zärtlichkeit von Ihnen!" Oft wird dies dann durch eine Anklage („Und er hat nie Zeit") unterbrochen, das positive Gefühl von Sympathie und Zuneigung ist ungewohnt und macht Angst, der alte Weg von Ärger und Blaming noch vertraut.

Computing Die intellektualisierend-rationalisierende Kommunikationsform *(Computing)* beinhaltet, dass es „doch für alles eine vernünftige Lösung geben muss". Dementsprechend fällt die Wortwahl „vernünftig" aus. Äußerungen wie „dies könnte man als störend empfinden" anstatt „es stört mich", allgemein gehaltene Redewendungen und ein distanzierter abgeklärter Tonfall korrelieren mit einer möglichst distanzierten Körperhaltung und dem Vermeiden von Blickkontakt. Hinter dem Bemühen, möglichst alles rational zu lösen, verbirgt sich die Angst vor Gefühlen, die zunächst nicht gezeigt, im Extremfall nicht einmal mehr wahrgenommen werden dürfen. Erregung und Gefühle gehen mit der Angst einher, die Kontrolle zu verlieren und ihnen ausgeliefert zu sein. Der Gesprächspartner kann sich gelangweilt und desinteressiert fühlen, er kann aber auch ärgerlich werden und die ihm angebotene Distanz als Arroganz werten, oder er fühlt sich „klein" und den rationalen Argumenten unterlegen. So richtig es ist, dass sich eine Reihe von Problemen – z. B. im Geschäftsleben – am sinnvollsten auf einer rationalen Ebene lösen lassen, so richtig ist aber auch, dass beispielsweise familiäre Schwierigkeiten im Rahmen einer Pubertätsmagersucht mit Gefühlen von Angst, Sorge und Aggressivität einhergehen und diese Gefühle Beachtung finden müssen.

Ein vierter, ablenkender, ausweichender, irrelevanter Kommunikationsstil *(Distracting)* dient dem Ablenken von „heißen" (also emotionsbesetzten) Themen. Solche Gesprächspartner sind ständig in Bewegung, immer in Aktion und können sich nicht festlegen. Ein rascher Wechsel der Gesprächsthemen, das Verlieren des Gesprächsfadens und die Anstrengung, solchen Menschen zuzuhören, sind kennzeichnend für dieses ausweichende Verhalten. Im Selbsterleben dominiert eine Sehnsucht nach Kontakt, der aber gleichzeitig große Angst macht. Ein solches ausweichendes und irrelevantes Verhalten kann zunächst interessant auf den Gesprächspartner wirken, bevor dieser sich nicht ernst genommen fühlt und sich womöglich ärgerlich abwendet.

Distracting

Typisch sind in Therapiesitzungen beispielsweise Wünsche, man möge sich um das Symptom des Sohnes, z. B. das Einnässen, kümmern. Wird bei der Bearbeitung dieses Themas die emotional beladene Schwierigkeit der Eltern deutlich, sich auf einen gemeinsamen Erziehungsstil zu einigen, so wird abgelenkt: Plötzlich ist der Konflikt mit der Schwiegermutter zum Thema geworden. Fokussiert man nun diesen Schwerpunkt, bis es zu einer brisanten Thematik kommt, so wird wieder abgelenkt – jetzt ist die Sexualstörung des Paares im Vordergrund. Kennzeichnend ist also das „Sich-nicht-festlegen-Wollen".

B

Auch störendes Verhalten des „Symptomträgers", bspw. eines hyperaktiven Kindes, kann dazu dienen, von anderen „heißen" Themen abzulenken.

Alle hier kurz skizzierten Kommunikationsformen sind nicht etwa „pathologisch". Zur rechten Zeit und vorübergehend, vor allem kongruent, können aggressive, versöhnliche, rationale oder belustigend-ausweichende Kommunikationsformen durchaus sinnvoll sein. Wachstumsverhindernd und damit letztlich dysfunktional wirken sie, wenn sie als vorherrschende oder sogar alleinige Lösungsstrategie bei niedrigem Selbstwertgefühl angewandt werden und die Kommunikation dann unecht, inkongruent wird. So kann ein dem eigenen Gefühl und der Situation unangemessenes Beschwichtigen einer offenen und fairen Auseinandersetzung im Wege stehen. Der „immer Faxen machende Klassenclown" bringt möglicherweise sich und seine Freunde um das Erlebnis einer tragfähigen Freundschaft – mit allen damit verbundenen Gefühlen.

Mimik und Gestik kommen bei der Beachtung familiärer Kommunikationsstrukturen eine große Bedeutung zu – wie schon betont, wird hier eine mögliche Inkongruenz am ehesten sichtbar, weil wir (biologisch bedingt) uns nur teilweise mimisch verstellen können.

Oft werden Emotionen nicht gezeigt, weil man sich selbst und vor allem die anderen Familienmitglieder vor vermeintlichen oder tatsächlichen Gefahren emotionaler Reaktionen schützen will. Dies ist gut gemeint, mitunter aber problematisch. Manchmal gelingt es in einem therapeutischen Prozess, Zugang zu den Emotionen zu schaffen.

In einer familientherapeutischen Sitzung verabschiedeten sich die Eheleute, die sich zur Scheidung entschlossen hatten, voneinander, wobei der Vater auch von seinen Töchtern Abschied nahm. Betont lässig, rational und distanziert wurde verhandelt, wer wann wen zu welchem Zeitpunkt besuchen kann, wann der Umzug stattfinde, wer den Kühlschrank und wer die Stereoanlage erhalten solle. Das Gespräch wurde mit großer emotionaler Distanz, Vorsicht und gespielter Lässigkeit geführt und wurde zusehends unwirklich. Der Therapeut verspürte zwar ein erhebliches Unbehagen, konnte den Grund dieser Emotion allerdings noch nicht richtig einordnen. Ein Supervisor, der im gleichen Raum saß, sagte mit großem Ernst und großer Empathie zum Therapeuten (so laut, dass es die Familie bewusst mithören konnte): „Ich bewundere, wie Eltern und Kinder miteinander umgehen und sich vor dem Schmerz der Trennung schützen, indem sie bewusst nur über solche materiellen Nebensächlichkeiten sprechen. Wenn ich mir allerdings die Gesichter anschaue, sehe ich viel Schmerz, und das ist ja auch nach einer so langen gemeinsamen Geschichte und den damit verbundenen Sehnsüchten nicht verwunderlich." Sprach's, setzte sich wieder in den Hintergrund und ermöglichte der Familie, ihrer Trauer freien Lauf zu lassen. Natürlich muss der Therapeut die nun zu erwartenden Gefühle nicht nur selbst aushalten, sondern mit ihnen umgehen können.

Bisher wurde die Familie als ein sich stets veränderndes System beschrieben, das in einem Fließgleichgewicht (Homöostase) zwischen morphostatischen und morphogenetischen Kräften angesiedelt ist. In den allfälligen Übergangskrisen kommt es zu Verunsicherungen, doch sind diese zu Entwicklung und Wachstum der einzelnen Familienmitglieder und des Gesamtsystems unerlässlich. Objektive Ereignisse (Life-events) und die in der Familie erlebten Emotionen prägen ebenso die „emotionale Grundausstattung" der heranwachsenden Kinder wie implizite und explizite Regeln mit dem Umgang von Gefühlen. In Loyalität mit Eltern und Kindern, in Ausübung von bewussten und unbewussten Vermächtnissen kommt es immer wieder zu emotional bedeutsamen

12. Emotionen und Familiensystem

Beziehungen und Erlebnissen. Bei extrem niedrigem Selbstwertgefühl können Emotionen verleugnet oder gespielt werden, sodass die Kommunikation verzerrt wird. Eine Steigerung des Selbstwertgefühls aller beteiligten Familienmitglieder, das Einüben kongruenter und fairer Kommunikationsformen, die Erlaubnis, alle Gefühle als berechtigt anzunehmen und zu äußern und die Änderung verzerrter Kommunikationsformen sind das Ziel einer Familientherapie, die letztlich auf Wachstum und Entfaltungsmöglichkeiten der Individuen und Sicherheit gebende und zugleich flexibel reagierende Strukturen in der Familie abhebt. In diesem therapeutischen Prozess kommt der Akzeptanz von Gefühlen (den eigenen und denen anderer) eine große Bedeutung zu.

Im Folgenden soll noch kurz auf einige Haltungen, Methoden und Interventionen systemisch orientierter Familientherapie eingegangen werden, die in besonderer Weise geeignet sind, einen Zugang zu eigenen und anderen Gefühlen zu schaffen.

Das *Reframing* (engl: frame, der Rahmen, einen neuen Rahmen setzen, positiv umdeuten) geht von der kognitionspsychologischen These aus, dass wir nicht die Wirklichkeit an sich, sondern Bilder der Wirklichkeit sehen.

Bereits am Beispiel der Abbildung 1.5 (S. 27) wurde am „blinden Fleck" demonstriert, dass unser Wahrnehmungsapparat die Welt nicht objektiv, sondern nur im Lichte unserer biologischen Erkenntnisstrukturen und unserer Vorerfahrungen zu sehen vermag. Auch emotional legen wir die Welt nach unseren Stimmungen aus: Ob wir ein Glas für halb voll oder halb leer halten, hängt von unserer emotionalen Empfindlichkeit ab.

So kann auch ein Symptom, ein (auffälliges oder unerwünschtes) Verhalten oder eine emotionale Befindlichkeit aus verschiedenen Blickwinkeln gesehen werden. Ein hyperkinetisches (überaktives, unruhiges) Kind kann als krank, als verhaltensgestört, schlecht erzogen, aber auch als besonders vital angesehen werden. Es kann durch sein „irrelevantes Verhalten" im Familiensystem von anderen, vermeintlich oder tatsächlich schwierigeren Problemen ablenken.

Familientherapeuten bieten weitere Rahmen und Deutungsmuster an. Es geht nicht darum, ein neues und jetzt richtiges Erklärungsmuster zu finden und die Familie hiervon zu überzeugen – im Gegenteil: Es sollte klar werden, dass es im Bereich sozialen Verhaltens und emotionaler Befindlichkeit keine allgemein gültige Wahrheit gibt, sondern jeder seine subjektive und vorläufig richtige, weil passende Erklärung gefunden hat. Das Aufzeigen neuer Deutungsmuster und das Herstellen neuer Rahmen kann insbesondere für den identifizierten Patienten, letztlich aber für das gesamte Familiensystem hilfreich und befreiend sein. Die Grundhaltung des Therapeuten geht davon aus, dass ein Symptom offensichtlich eine wichtige Bedeutung hat, die aber vorerst vom Therapeuten noch nicht verstanden wird. Insofern entspricht das Reframing (positives Umdeuten) der Suche nach dem Sinn bzw. der Bedeutung eines Symptoms, das erst aufgegeben werden kann, wenn diese Funktion anderweitig erfüllt wird. Wichtige Schritte zum Verstehen der Bedeutung eines Symptoms sind Fragen wie: Was wäre, wenn Ihr Kind keine Schulprobleme hätte? Wie ginge es dem Kind? Wie dem Vater, der Mutter? Wozu hätten Sie dann Freiheiten? etc.

Ein klassisches Beispiel für das Reframing ist das Märchen vom „Hans im Glück", der nach den Kriterien des Spätkapitalismus ein Dummkopf und Pechvogel ist, weil er sein hart erarbeitetes Vermögen durch unglückliche Tauschaktionen minimiert. Andere Zeitgenossen (z. B. buddhistische Mönche, aber nicht nur sie) könnten zur Erkenntnis kommen, dass Reichtum wichtige Energien bindet und ein Ballast ist – hier wäre in der Tat Freiheit von Konsumgütern mit Glücksempfindungen verbunden. Keine dieser Sichtweisen ist „richtig" – es kommt beim Reframing auf den Kontext, den „Rahmen" an.

Bilder und Metaphern sind in besonderer Weise geeignet, Gefühle anzusprechen. Wir können Sachverhalte und insbesondere Stimmungen rational analysieren, möglichst differenziert beschreiben und unsere Mitmenschen detailliert informieren – ein Vorgehen, das wesentlich mit der linken Großhirnrinde verbunden ist und etwas plakativ als „linkshemisphärisches Denken" bezeichnet wird (vgl. Hülshoff 2000). Demgegenüber bedient sich das „rechtshemisphärische" Denken ganzheitlicher Bilder, Metaphern, Parabeln, Beispiele und Symbole, die schlagartig eine Situation erhellen und in der Regel Gefühle hervorrufen. Der Vorteil des Arbeitens mit Bildern und Metaphern ist die Plastizität des Erlebens und die Möglichkeit, Gefühle zu evozieren. Der Nachteil eines solchen Vorgehens besteht darin, dass Bilder ungenau sind. Es kann zu Vorurteilen und Missverständnissen kommen. Dabei ist es immer notwendig, nach einem solchen „rechtshemisphärischen" Vorgehen miteinander zu sprechen und die Dinge detailliert zu erörtern.

Eine Theologin litt darunter, einem Freund in seinem schweren Leid und seiner Krankheit nicht wirklich helfen zu können. Als alle Erklärungen und Analysen nicht fruchteten, wurde sie aufgefordert, die Geschichte des alttestamentarischen Hiob, die ihr wohl bekannt war, zu erzählen. Als sie zu der Stelle kam, an der Hiobs Freunde sich vor Schmerz und Verzweiflung die Kleider zerrissen und wehklagten, wodurch sie ihr Mitleid bekundeten, fing sie an zu weinen. Nun erst konnte sie sich klarmachen, dass das Zuhören und Mitleiden ein emotionaler Beistand für den Leidenden ist, auch wenn das Problem nicht gelöst werden kann.

Der deutsch-persische Psychiater Peseschkian bietet in seinem Buch „Der Kaufmann und der Papagei" eine Fülle von therapeutisch nutzbaren Parabeln an. Aber auch Symbole, Bilder, Tänze, Witze und andere „nichtanalytische" Zugehensweisen können genutzt werden, um Sachverhalte zu verdeutlichen und Gefühle bewusst werden zu lassen.

So bekam ein 13-jähriger Junge nach langer, mühsamer und erfolgreicher Behandlung seiner Adipositas seinen Erfolg „zu spüren": Mit der Aufforderung, zwei 10-l-Eimer Wasser dreimal in den ersten Stock und wieder herunter zu tragen, und mit der Erfahrung, welche Erleichterung es dann ist, dieses Wasser auszukippen, war ein intensives Glücksgefühl und Erfolgserlebnis verbunden, das rein sprachlich nicht zu erreichen gewesen wäre.

Phantasiereisen eignen sich ebenfalls, Gefühle bewusst zu machen.

So können in Selbsterfahrungs- und Berufsüberleitungsseminaren am Ende eines Studiums solche Phantasiereisen den eigenen bisherigen Lebenslauf und Werdegang aufgreifen: Angefangen von der imaginierten Familiensituation zum Zeitpunkt der eigenen Geburt (wer hat mir meinen Namen gegeben, warum diesen Namen?) über wichtige Erlebnisse in der Kindheit und Pubertät (welche Vorbilder hatte ich, welche Freunde, was war mir wichtig?) wird ein Kontinuum geschaffen zur ersten Auseinandersetzung mit dem zukünftigen Berufsbild, der Wahl des Studiums, den Erfahrungen in Praktika, Bildern und Desillusionen. Die Frage nach dem „Wie geht es weiter?" kann auch als Metapher (Reise in ein unbekanntes Land) imaginiert werden. In einem anschließenden ausführlichen Gruppengespräch werden sehr schnell die wesentlichen Ängste, Befürchtungen und Hoffnungen deutlich.

Im „*Blitzlicht*" (der Aufforderung an die Runde, Gruppe oder Familie, kurz zu sagen, wo man gerade steht oder wie man sich fühlt) und im „*Wetterbericht*" (der Aufforderung, ausführlich von sich zu berichten) kommen Körpergefühle, Emotionen und Stimmungen, aber auch Gedanken, mit denen man sich gerade beschäftigt und Ereignisse, die zur Zeit subjektiv von Bedeutung sind, zur Sprache. Das Aufgreifen geäußerter oder angedeuteter Gefühle, die Akzeptanz auch unangenehmer Gefühle und ihre Aufnahme durch Gruppenleitung und Gruppe kann zu einem intensiven Erlebnis werden:

So wurde einem Mann, der sich schämte, weil er in einer solchen Situation wegen großer Schwierigkeiten im Beruf weinte, Bewunderung zuteil, weil er hierzu den Mut gehabt habe. Da dieses „Reframing" eben nicht nur eine Technik, sondern Zeichen wirklicher Hochachtung und Sympathie war, konnte er neue und für ihn sehr wichtige Erfahrungen machen.

Die *Skulpturarbeit* eignet sich wie kaum eine andere Methode dazu, Beziehungen und Gefühle zu verdeutlichen.

So können in Supervisionsgruppen, Visiten, Begleitseminaren etc. Schwierigkeiten eines Arbeitsteams, aber auch Probleme mit Klienten in besonderer Weise dargestellt werden. Der Teilnehmer, der ein Ereignis geschildert hat und beleuchten will, stellt andere Gruppenmitglieder, die die Menschen des „Problemteams" nicht kennen, auf. Wie „Wachspuppen" kann er Körperhaltung, Blickrichtung, Nähe und Distanz der Skulpturen modellieren. Größe oder Unterlegenheit können durch Tische und Stühle bzw. liegende Haltung akzentuiert werden, Beziehungen finden durch Umarmung oder die geballte Faust ihren symbolischen Ausdruck, Blicke können zugewandt oder weggerichtet sein, und Nähe und Distanz symbolisieren sich in der Entfernung der Probanden. Nachdem die Skulptur vom „Entdeckungsreisenden" selbst und den restlichen, nichtbeteiligten Mitgliedern gebührend angeschaut wurde, berichten die Skulpturanden von ihren Körpergefühlen (Verspannungen, Blickkontakten usw.), von ihren Emotionen innerhalb der Skulptur und ihren subjektiven Eindrücken. In der anschließenden Diskussion gewinnt der „Entdeckungsreisende" neue Einsichten, die freilich Hypothesen sind und sich in der Wirklichkeit bewähren müssen – entscheidend ist nicht die Plausibilität solcher Hypothesen, sondern die Frage, wie nützlich sie für die Klienten sind.

Auch mit Familien selbst können solche Skulpturen erstellt werden. Zum einen fällt es manchen Familienmitgliedern leichter, sich spielerisch im Rahmen einer Skulptur als verbal zu äußern. Zum anderen können gerade auch Menschen, die sich mit dem Erleben von Gefühlen schwer tun (rationalisierender Kommunikationsstil, s. o.), durch Skulpturarbeit einen näheren Zugang zu ihren Gefühlen bekommen. Andererseits ist die Skulpturarbeit eine mächtige Intervention, da sie eben Gefühle verdeutlicht und evoziert. So kommt es darauf an, dass jedes Familienmitglied „seine Skulptur" (und damit seine Sicht der Dinge) aufstellen kann – auch hier gibt es keine allgemein gültige Wahrheit, sondern nur das momentane Empfinden jedes Einzelnen. Auch muss deutlich werden, dass der Wunsch nach Entfernung oder nach Nähe kein absoluter und konstanter Zustand ist, sondern nur ein momentanes und vorübergehendes Stimmungsbild widerspiegelt. Schließlich wird es sinnvoll sein, in einer Art „Familientanz" bspw. Nähe und Entfernung von den Familienmitgliedern variieren und ausprobieren zu lassen. Ein gemeinsames Gespräch im Anschluss an ein solches Vorgehen greift dann auf, ob und wie die hier gewonnenen Einsichten in den Familienalltag transferiert werden können. Letztlich entscheidend für die Frage, ob die Familie zu einer Skulptur aufgefordert wird, ist neben der Akzeptanz der Familie vor allem die Fähigkeit des Therapeuten, die dabei evozierten Gefühle auszuhalten und mit ihnen empathisch umzugehen.

In einer supervisorisch durchgeführten Skulptur wurde ein trinkender, als unsympathisch erlebter und als Indexpatient ausgewiesener Klient so postiert, dass er im Mittelpunkt seiner Herkunftsfamilie (Eltern und Bruder), seiner Frau und seiner beiden Kinder stand. Jetzt stützten sie sich eher auf ihn, als sie versuchten, ihn von einer direkt vor ihm aufgebauten Flasche zu zerren. Neben der Not und Anspannung der „Co-Alkoholiker" wurde schlagartig klar, welche wichtige und zentrale Rolle dieser Mann im gesamten Familiengeschehen hatte und wie sehr er zu dessen Stabilität beitrug.

Auch das *therapeutische Rollenspiel* bedient sich der Möglichkeit, problematische und emotionsgeladene Ereignisse zu rekonstruieren. So können im Rahmen einer Supervision oder eines Ausbildungsseminars schwierige Klientengespräche oder Teamkonflikte dargestellt werden. Es können aber auch Gefühle versinnbildlicht und in Szene gesetzt werden („friedlich wie Mahatma Ghandi", eine Eheszene wie bei Virgina Woolfe etc.). Auch für die Klienten selbst kann es eine Möglichkeit sein, Erlebnisse aus der eigenen Biografie oder Szenen des aktuellen Familienalltags „zu spielen" und sich den damit verbundenen Emotionen einmal auf eine andere Weise zu nähern.

Symptomverschreibungen gehen davon aus, dass Symptome eine positiv zu wertende Bedeutung haben, auch wenn wir sie momentan noch nicht verstehen. Gerade wenn Familien in Krisensituationen die morphostatische Seite des Fließgleichgewichtes bevorzugen, also vor Veränderungen Angst haben, kann es hilfreich sein, sie darin zunächst zu bestärken („Es ist sinnvoll, dass Sie sich zunächst noch nicht für das Examen anmelden, sondern weiter zu Hause mithelfen; vielleicht sieht dies in drei Monaten anders aus...").

In einem Seminar wurden zwei sich erbittert streitende Studenten aufgefordert, dies non-verbal (pantomimisch) weiter zu tun. Sehr schnell wurde ihnen deutlich, wie sehr sie rivalisieren, sich aber auch bewunderten und sich gegenseitig als Herausforderung sahen. Der eigentliche Anlass des Streits war damit nicht aus der Welt geschafft, wohl aber war der Emotinalität des Streits ihre Schärfe genommen. Sie konnten voneinander lernen und eine Art sportlichen Ehrgeiz entwickeln. Im weiteren Verlauf, spielerisch und humorvoll, kamen sie schließlich zu der Einsicht, dass es letztlich um die Aufmerksamkeit von Studentinnen ging.

In der *Familienrekonstruktion* können alle bisher genannten und viele weiterer Methoden integrativ eingesetzt werden, um prägende Familienkonstellationen und emotionale Erlebnisse noch einmal deutlich werden zu lassen.

Ein etwa 35-jähriger Vater hat große Schwierigkeiten, seinem 10-jährigen Sohn Grenzen zu setzen und damit Halt und Struktur zu geben. Rational ist er sich darüber im Klaren, dass es darauf ankommt, dem zeitweilig die Schule schwänzenden und provozierenden Sohn Halt zu geben. Der Vater formuliert, dass es auch eine Art des „Nichternstnehmens" ist, wenn er seinen Sohn machen lasse, was er wolle. In der Realität gelingt es ihm aber nicht, die Konflikte auszuhalten, die dann entstehen, wenn er väterliche Verantwortung übernimmt und bspw. auf den Schulbesuch besteht. Erst die Auseinandersetzung mit der eigenen Herkunftsfamilie führt zu größerer Klarheit. Sein eigener Vater hatte erhebliche Alkoholprobleme und geriet unter Alkoholeinfluss regelmäßig mit ihm in konflikthafte Auseinandersetzung. Auch das Eheleben der Eltern war durch ständige Konflikte gekennzeichnet. Die Mutter versuchte, „wenigstens mit den Kindern in Harmonie zu leben", während die Beziehung zum Vater stets durch Streit geprägt war. Konfrontation wurde also im Wesentlichen als destruktive Aggressivität erlebt. In dem Bemühen, anders als der eigene Vater zu sein und Verständnis und Empathie für die eigenen Kinder aufzubringen, in dem Bemühen aber auch, die mütterliche Delegation von Harmonie und Konfliktvermeidung zu erfüllen, wurde übersehen, dass Konflikte nicht in jedem Falle destruktiv sind. Gerade die Übernahme von Verantwortung für die Kinder erfordert die Bereitschaft, auch Konflikte auszuhalten. Die rationale Erkenntnis allein reicht allerdings nicht aus. Erst die Auseinandersetzung mit dem Vater- bzw. Mutterbild in der eigenen Herkunftsfamilie und das Erleben der damit verbundenen Emotionen machte eine Änderung möglich.

In einem Familienstammbaum, dem sogenannten *Genogramm*, das bis zu den Urgroßeltern reicht, werden alle Verwandten mit Geburts- und Sterbedaten, Hochzeiten, Wohnort und Wohnortwechsel, Beruf und möglichen zugeschriebenen oder selbsterlebten Lebensregeln (Verhaltensmaximen) aufgeführt. Fotos oder deren Kopien illustrieren die eigenen familiären Wurzeln. Epochale Ereignisse (Wirtschaftskrisen, Krieg, gesellschaftliche Veränderungen) können auf einer Zeitachse aufgetragen werden und leiten zur Erkenntnis über, dass Überlebensmaximen zu ihrer Zeit sinnvoll, heute aber dysfunktional geworden sein können. Ergänzt werden kann das Genogramm durch Lebensläufe von Vater und Mutter, die in der „Ich-Form" geschrieben werden.

Der „Entdeckungsreisende" hat nun die Gelegenheit, seinem „Reisebegleiter" (Therapeut, Trainer, Satir spricht vom „Guide") von der Familie, seinen Wurzeln und ihn besonders beeindruckenden Erlebnissen zu berichten. Gemeinsam kann man danach schauen, welche Ereignisse – sowohl in der eigenen Biografie als auch in der der Eltern, Großeltern oder anderer Verwandten – von besonderer Bedeutung waren.

In einem nächsten Schritt können bestimmte Ereignisse rekonstruiert werden: im Rollenspiel, durch Skulpturarbeit etc. können Schlüsselszenen dargestellt und aufgearbeitet werden. Zum ersten Mal hat der „Entdeckungsreisende" die Gelegenheit, seine Kindheitserlebnisse aus der Distanz und mit den Augen eines Erwachsenen zu erleben. Dadurch, dass Rollenspieler oder Skulpturanden ihre Eindrücke und Gefühle wiedergeben, aber auch dadurch, dass nicht nur darüber gesprochen wird, sondern Erfahrungen rechtshemisphärisch versinnbildlicht werden, werden nicht nur Beziehungen, sondern Gefühle rekonstruiert und durchlebt. Eine solche Familienrekonstruktion kann ein emotional sehr beeindruckendes Ereignis sein, das es dem „Entdeckungsreisenden" anschließend ermöglicht, sich von bestimmten Regeln und Delegationen zu verabschieden, andere anzunehmen oder zu modifizieren und sich schlussendlich mit den eigenen Wurzeln zu versöhnen. Hierzu trägt auch die Erkenntnis bei, dass solche (möglicherweise jetzt belastenden) Regeln oder Vermächtnisse seinerzeit ganz offensichtlich funktional waren und es lediglich jetzt nicht mehr sind. Gefühle von Ehrfurcht und Dankbarkeit, Liebe und Zuneigung, aber auch Ärger, Angst, Trauer und Enttäuschung können ins Erleben integriert werden.

Die Familie, so sollte in diesem Kapitel gezeigt werden, trägt wesentlich zum emotionalen Erleben bei. Auch die Beziehungen der Familienmitglieder untereinander sind stets emotional gefärbt, selbst wenn dies zunächst nicht bewusst wahrgenommen werden kann oder darf. Das Erleben solcher Emotionen im familiären Kontext, die Akzeptanz aller auftretenden Emotionen und der Umgang mit ihnen kann zu neuen Beziehungsmustern, einer fairen Auseinandersetzung miteinander und letztlich zu einer auf Individuation aufbauenden Versöhnung führen. Diese Prozesse können durch eine systemisch-familientherapeutische Arbeit unterstützt und begleitet werden.

Überprüfen Sie Ihr Wissen!

12.1 Fragetyp B
Eine Antwort falsch

Eine der Aussagen zum Bindungsverhalten von Säuglingen stimmt nicht. Welche?

☒

a) Bereits direkt nach der Geburt ist dem Säugling die mütterliche Stimme vertrauter als andere Stimmen. ☐

b) Der mütterliche Herzschlag kann einen Säugling beruhigen. ☐

c) Ein Säugling ist bereits nach einer Woche in der Lage, die Milch seiner Mutter von anderer Milch zu unterscheiden. ☐

d) Etwa ab der 2. Lebenswoche können Säuglinge sicher das Gesicht der Mutter von den Gesichtern fremder Personen unterscheiden. ☐

e) Im zweiten oder dritten Lebensmonat wird vom Säugling ein Lächeln durch Gegenlächeln erwidert. ☐

12.2 Fragetyp E
Kausalverknüpfung

1. Das Fehlen der leiblichen Mutter in den ersten Monaten eines Säuglings führt praktisch immer zu schweren seelischen Störungen

   denn

2. Biologisch angebahnte, in der ersten Lebensphase besonders wichtige reziproke Interaktionen sind ausschlaggebend für die Entstehung von Urvertrauen.

☒

a) Nur die Aussage 1 trifft zu. ☐
b) Nur die Aussage 2 trifft zu. ☐
c) Die Aussagen 1 und 2 treffen zu. ☐
d) Die Aussagen 1, 2 und die Kausalverknüpfung treffen zu. ☐
e) Keine Aussage trifft zu. ☐

Vertiefungsfragen

12.3 Nehmen Sie bitte Stellung zu der These, dass Kinder verbindliche und flexible Grenzen brauchen.

12.4 Was verstehen Sie unter „bezogener Individuation"?

13. Zur emotionalen Dimension von Gesundheit und Krankheit

> „Wer hat Sie das alles gelehrt, Doktor?"
> Die Antwort kam umgehend: „Das Leiden."
> (Albert Camus, Die Pest)

Der 14-jährige Heiko (Name und Rahmendaten verändert) kommt wiederholt mit einem schweren diabetischen Koma in die Kinderklinik. Vor drei Jahren ist bei ihm ein „früher Diabetes" (Diabetes Typ I) festgestellt worden, der, optimal eingestellt, eigentlich wenig Probleme machen dürfte. Dazu würde gehören, dass Heiko täglich seinen Blutzuckerspiegel überprüft, sich an ein diätetisches Reglement hält und etwa zweimal am Tag Insulin spritzt. Dies gelingt ihm aber oft nicht. Die üblichen Schulungen und ernste Gespräche mit seinem diabetologischen Kinderarzt haben zwar dazu geführt, dass Heiko ein ausgezeichnetes und detailliertes Wissen über den Diabetes mellitus hat, das zum Teil über das Wissen eines Hausarztes hinausgeht, aber Wissen ist noch nicht Handeln. Angesichts der lebensbedrohlichen Situation geht der Diabetologe so weit, dem Jungen Befunde der Pathologie (Organschädigungen aufgrund schwerer diabetischer Fehleinstellung) zu demonstrieren, was zwar Furcht, aber keine Verhaltensänderung zur Folge hat. Mittelfristige, intensive psychotherapeutische Gespräche ergeben zahlreiche Begleitumstände, die Heikos Schwierigkeiten im Umgang mit „seinem Diabetes" verständlicher machen. So stellt sich beispielsweise heraus, dass er die notwendigen Blutzuckeruntersuchungen während der Schulzeit unter schlechten Lichtbedingungen, nämlich auf der Schultoilette, durchführt und die Farbskala häufig fehlinterpretiert. Darauf angesprochen, gibt er zu, dass in der weiterführenden Schule, die er seit kurzem besucht, niemand von seinem Diabetes weiß und wissen soll. Weitere Gespräche ergeben, dass er mit Diabetes „Behinderung" verbindet, und behinderte Menschen sind in seiner Wahrnehmung schwer belastete, lebensuntüchtige und stets auf fremde Hilfe angewiesene Menschen. Dieses Bild vom Diabetes kollidiert mit seinen natürlichen pubertären Strebungen nach Kraft, Vitalität und Männlichkeit. Eine der altersspezifischen Aufgaben der Pubertät, die Entdeckung und Akzeptanz des eigenen Körpers, der Geschlechterrolle und des Interesses am anderen Geschlecht, verläuft für Heiko also unter erschwerten Bedingungen. Ein zweites, phasentypisches Phänomen der Pubertät ist die Auflehnung gegen Autoritäten sowie der Wunsch nach selbstbestimmtem, spontanem Handeln. Dies kollidiert aber erheblich mit dem relativ strengen Behandlungsschema, das ein juveniler Diabetes mit sich bringt.

Hinzu kommen noch eine Reihe familiärer Schwierigkeiten, auf die hier nicht näher eingegangen werden soll. Eine Aufgabe der begleitenden Psychotherapie ist es, Heiko zu helfen, sich mit dem Diabetes auseinander zu setzen und ihn als „bedingte Gesundheit" (ein häufig benutztes Paradigma von Diabetes-Selbsthilfegruppen) zu verstehen. Auch gilt es zu lernen, dass sein oft berechtigter Autoritätsprotest sich nicht auf dem „diabetischen Feld" ausagieren lässt.

Der Weltgesundheitsorganisation zufolge ist Gesundheit das „körperliche, psychische und soziale Wohlbefinden und nicht nur die Abwesenheit von Krankheit". Unter diesem (zugegeben hohen) Anspruch erscheinen die Schwierigkeiten des oben beschriebenen „Patienten" (wörtlich: Leidenden) nicht nur in einer körperlichen und durch diabetische Komata zugespitzten Situation, sondern auch in einer Störung seines emotionalen Gleichgewichtes sowie daraus resultierender psychosozialer Krisen.

Je nach Herangehensweise kann man Krankheit unterschiedlich definieren und klassifizieren. Im Folgenden sollen (kurz, kursorisch und zugegeben fragmentarisch) einige Paradigmen vorgestellt werden.

Ein klassisch-medizinisches, vorwiegend naturwissenschaftlich orientiertes Krankheitsmodell definiert Krankheit als einen regelwidrigen Funktionszustand körperlicher Organe, der eine spezifische Ursache, bestimmte Grundstörungen, typische Symptome und eine beschreibbare Prognose aufweist. So wäre der Diabetes mellitus zu definieren als ein Mangel des blutzuckersteuernden Hormons Insulin, der auf einen Zelluntergang in der Bauchspeicheldrüse zurückzuführen ist, durch Durst, Benommenheit, vermehrtes Wasserlassen und andere spezifische Symptome vom geschulten Therapeuten zu erkennen ist und unter bestimmten therapeutischen Prämissen eine normale Lebenserwartung ermöglicht.

Psychosomatische Krankheitsmodelle gehen weiter. Sie formulieren Wechselwirkungen zwischen körperlichen Phänomenen und seelischem Erleben, auf die weiter unten noch detaillierter eingegangen wird.

Das von Cannon und Lazarus (vgl. Hülshoff 1987) vorgestellte Stress- und Stress-Coping-Modell fokussiert vor allem Zusammenhänge zwischen Krankheit, Stress und Stressbewältigung. Auch dies wird weiter unten noch näher erläutert werden.

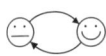

Soziologische Krankheitsmodelle untersuchen dagegen die soziale Bedeutung von Krankheit. Von Parsons (zitiert in Schwarzer 2000, 18) stammt eine heute noch aktuelle Beschreibung der Rolle des Kranken. Demzufolge beinhaltet die Krankenrolle zum einen eine temporäre Befreiung von sozialen Pflichten: Der kranke Rekrut wird vom Wehrdienst freigestellt, im oben genannten Beispiel kann eine temporäre Schulbefreiung erfolgen. Zum anderen wird der Betroffene nicht für die Krankheit verantwortlich gemacht: Wurde bis in die 60er Jahre Alkoholismus als Charakterschwäche angesehen, so wird Abhängigkeit von Alkohol seit 1968 als Krankheit anerkannt, was eine erhebliche Entlastung der Patienten mit sich brachte. Allerdings hat, so Parsons, der Patient die Verpflichtung, gesund werden zu wollen, wozu er entsprechend der Erwartung seiner Umgebung fachkundige Hilfe aufsuchen muss – eine Anforderung, der nicht alle alkoholkranken Menschen nachgehen.

Ein anderer Zweig der Medizinsoziologie befasst sich mit der Frage, ob die Zugehörigkeit zu sozialen Randgruppen die Auftretenswahrscheinlichkeit von Krankheiten erhöht. Nach einschlägigen Studien, auf die hier nicht eingegangen werden kann, tut sie das: Die Häufigkeit und Schwere von Herz-Kreislauferkrankungen, chronischen Erkrankungen, psychischen und Suchterkrankungen korreliert eindeutig mit der Zugehörigkeit zur sozialen Schicht. Auch die Lebenserwartung armer Menschen ist – selbst in Wohlstandsgesellschaften – signifikant niedriger als die von gut situierten Bürgern. Eine dritte Fragestellung medizinisch-soziologischer Forschung befasst sich damit, inwiefern insbesondere chronische und psychische Erkrankungen einschneidende Folgen für den Sozialkontakt und die gesellschaftliche Partizipation haben. Der sogenannte „Labeling-approach" geht davon aus, dass eine Vielzahl von Krankheiten auf Seiten der Umgebung zu mehr oder weniger starren Rollenerwartungen führt, unter denen der Patient mitunter mehr leidet als unter der Krankheit selbst. So wird fälschlicherweise Epilepsie mitunter mit intellektueller Behinderung verbunden (über 90% aller Menschen mit hirnorganischen Krampfanfällen leben und arbeiten jedoch völlig unauffällig in oft sehr verantwortlichen Positionen, siehe dazu Hülshoff 2000, 213ff.), und das oben angeführte Beispiel zeigt, wie lähmend internalisierte Bilder einer „Behinderung" wirken können.

Es zeigt sich also, dass ein rein biologisch orientiertes Krankheitsmodell, das ohne Frage Grundlage einer oft heilenden neuzeitlichen Medizin ist, komplexen Situationen insbesondere chronischer Erkrankungen nicht ganz gerecht werden kann. Selbst die lebensbedrohlichen und ohne Frage klassisch-medizinisch, nämlich mit Insulin zu behandelnden komatösen Zustände des bereits beschriebenen Patienten erfordern eine differenziertere, auch psychische und soziale Aspekte beachtende Sichtweise, wenn es um eine nachhaltige Gesundung geht.

Angesichts der enormen Fortschritte der naturwissenschaftlich orientierten Medizin zu Beginn des 20. Jahrhunderts und des seinerzeit vorherrschenden Paradigmas einer Industriegesellschaft stellte man sich den Körper häufig als eine Art Fabrik vor, bei der

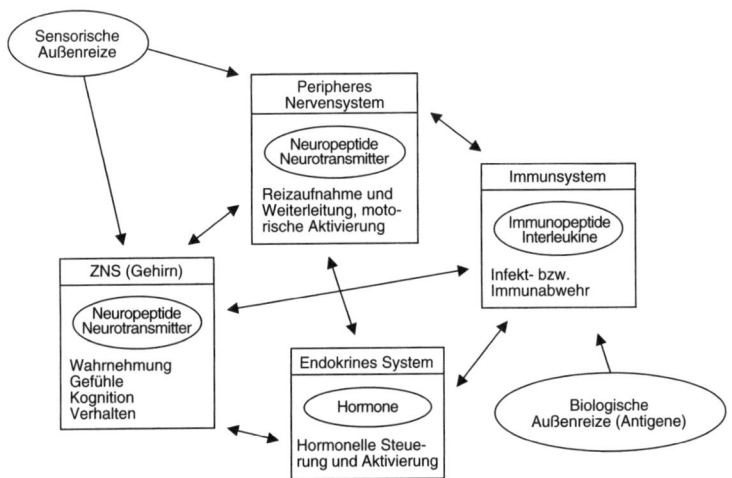

Abb. 13.1:
Psychoneuro-
endokrinoimmuno-
logische Vernetzung
(Erläuterung im Text)

die Leber entgiftet, das Herz pumpt, der Darm Nahrung transportiert und das Gehirn steuert. Dies war ebenso richtig wie kurzgegriffen. Am Ende des 20. Jahrhunderts entstanden, gesellschaftlich bedingt, neue Paradigmen, die auch in der Medizin Einzug hielten. Momentan wird der Mensch eher mit einem Netzwerk verglichen, bei dem vor allem die Interaktionen unterschiedlicher Funktionseinheiten im Vordergrund des Interesses stehen.

Abbildung 13.1 veranschaulicht vereinfacht Wechselwirkungen verschiedener Systeme, wie sie eine neue und sehr erfolgreiche Fachrichtung, die Psychoneuroendokrinoimmunologie postuliert. Demzufolge gibt es enge Wechselwirkungen zwischen psychischen Phänomenen (also Gefühlen, Vorstellungen und kognitiven Prozessen, die in unserem Gehirn repräsentiert werden), neurologischen Phänomenen, die sich als Aktivität unseres Nervensystems beschreiben lassen, endokrinen Prozessen, die durch Hormonausschüttungen charakterisiert sind, und immunologischen Prozessen, die maßgeblich von den Zellen unseres Abwehrsystems abhängen und dafür sorgen, dass wir uns vor pathogenen Keimen schützen können. Nach neueren Erkenntnissen gibt es zwischen diesen Systemen zahlreiche Verbindungen und Zusammenhänge. Nicht nur das Gehirn lernt, sondern auch das Immunsystem, und über die Koppelung von Transmittern und Hormonen sind beide Systeme miteinander verbunden.

13. Zur emotionalen Dimension von Gesundheit und Krankheit

So entdeckte R. Ader (zitiert in Goleman 1996, 212 f.) in einem Experiment mit Ratten, dass die Zahl der krankheitsbekämpfenden T-Zellen erwartungsgemäß durch ein immunsuppressives (abwehrsenkendes) Medikament herabgesetzt wurde, das er den Tieren gleichzeitig mit einer Zuckerlösung zu trinken gab. In einem späteren Versuch wurde lediglich die Zuckerlösung appliziert, und entgegen allen Erwartungen sank auch jetzt die Zahl der T-Zellen. Das Immunsystem hatte die Koppelung von Geschmacksintensität und pharmakologischer Wirkung „gelernt", ein Vorgang, den man zuvor ausschließlich dem Nervensystem zuordnete.

Inzwischen sind zahlreiche Verbindungsstellen zwischen Nervenzellen und immunologischen Zentren unseres Körpers, die die Immunzellen regulieren, festgestellt worden. Auch viele Neurotransmitter, die unter anderem bei der Wahrnehmung von Gefühlen durch Strukturen des Limbischen Systems von Bedeutung sind, fungieren als Informationsvermittler zum Immunsystem.

So ist zu erklären, dass Antihistaminika, die, wie jeder an Heuschnupfen leidende Mensch weiß, die allergisch bedingte Überreaktion des Immunsystems herabsetzen, häufig auch müde machen.

Schließlich sind Hormone, auf deren generelle Wirkung bereits im Kapitel 3 eingegangen wurde, wichtige Bindeglieder zwischen psychischem Erleben, neuronalen Aktivitäten und Organfunktionen. Dazu gehören die Katecholamine Adrenalin und Noradrenalin sowie Cortisol und die Opiate ß-Endorphin und Enkephalin, die sich alle stark auf das Immunsystem auswirken (vgl. Kapitel 4). Die Zusammenhänge zwischen psychischem Erleben, neuronaler Aktivität, endokriner Hormonausschüttung und Veränderung des Immunsystems sollen kurz noch einmal an der bereits in Kapitel 3 dargestellten Stress- und Panikreaktion erläutert werden.

Abbildung 13.2 verdeutlicht, dass physikalische, chemische, biologische oder psychosoziale Faktoren (Stressoren) das Individuum belasten und eine Stressreaktion auslösen können. Der Stressor wird von unserem Sensorium oder anderen Außenposten des Körpers (z. B. der Haut) aufgenommen, vom Zentralnervensystem als Stressor erkannt und führt zu einer Reaktion des Limbischen Systems, wodurch das Gefühl der Bedrohung, bei Hilflosigkeit das der Angst, bei möglichem Ausweg das der Energie, des Ärgers und der Wut entsteht. In einer „Flight-and-fight-reaction" wird nun die Ausschüttung von Stresshormonen ausgelöst, zu denen vor allem die Katecholamine Adrenalin und Noradrenalin gehören. Sind dem Individuum Flucht oder Angriff möglich, führt die hormonbedingte Aktivität von Herz-Kreislauffunktionen, Lungenfunktion, motorischen Systemen etc. zu einer körperlichen Reaktion, die Energie verbraucht. In aussichtslosen Situationen hingegen

268 13. Zur emotionalen Dimension von Gesundheit und Krankheit

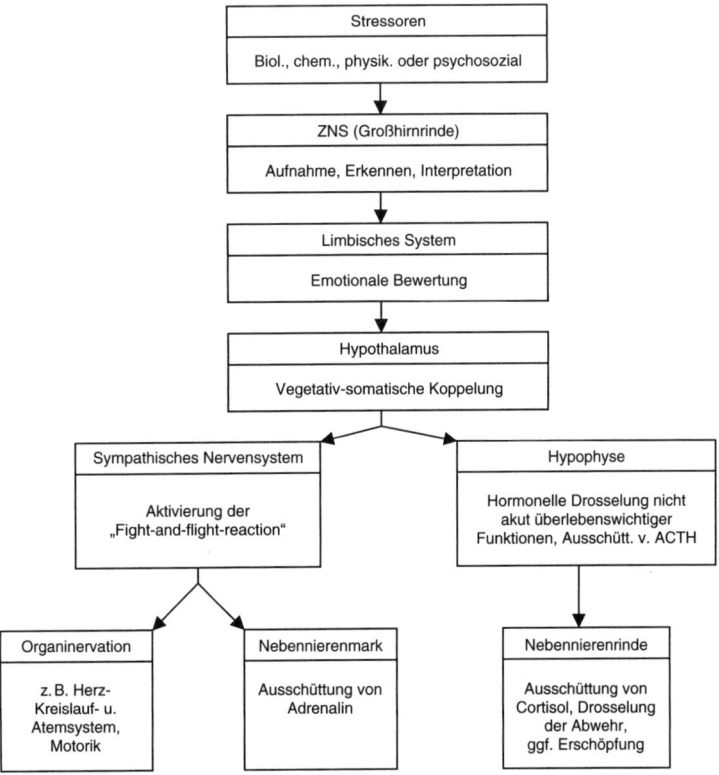

Abb. 13.2:
Die Stressreaktion

kommt es zu einer lähmenden Erstarrung, die wir als panische Angst wahrnehmen und auf deren körperliche Korrelate in Kapitel 4 eingehend eingegangen wurde. In jedem Fall aber führt diese Stressreaktion dazu, dass andere Körperfunktionen (Fortpflanzungsfunktion, Reparaturvorgänge, aber auch die Funktion unseres Immunsystems) sekundär sind und folglich gedrosselt werden. Geht der Stress rasch vorüber oder kommt es zu häufigen Erholungspausen, so wechselt die sympathotone Erregungslage mit vagotonen Ruhephasen ab. Wir sprechen von Eustress, der dem Körper angemessen ist und gut verarbeitet werden kann. Ein zu starker, pausenloser Stress, der nicht adäquat abgearbeitet werden kann, führt hingegen zu Erschöpfungssyndromen, die psychisch oft mit dem Erleben einer Depression einhergehen und auf der körperlichen Ebene, vor allen Dingen durch eine vermehrte Cortisolausschüttung, zu einer schweren Schädigung des Immunsystems führen können. Wir werden nun krankheitsanfälliger und sind unter Umständen ernsthaft gesundheitlich gefährdet.

13. Zur emotionalen Dimension von Gesundheit und Krankheit 269

Jeder kennt das Phänomen, dass er in Zeiten schweren körperlichen oder seelischen Stresses eine erhöhte Infektanfälligkeit aufweist, während er in Zeiten emotionaler Hochstimmung unbeschadet einen feuchten Novembertag inmitten verschnupfter U-Bahnmitfahrer übersteht.

In Tierversuchen mit affenähnlichen Tupajas konnte gezeigt werden, dass nicht nur physischer Stress, z. B. körperliche Gewalt durch überlegene Artgenossen, sondern schon das Wissen um die Anwesenheit eines solchen Rivalen zu Erschöpfungssyndromen führen kann: So wurde ein unterlegenes Tupajamännchen von einem überlegenen, aggressiven Artgenossen lediglich durch eine Glaswand getrennt. Der Sichtkontakt reichte aus, um ein Erschöpfungssyndrom, ja sogar im Extremfall den Tod des unterlegenen Tieres hervorzurufen (Näheres hierzu siehe Hülshoff 1987).

Damit stellt sich die Frage nach den emotionalen Aspekten körperlich manifester Krankheiten. Es dürfte inzwischen klar geworden sein, dass nicht nur körperliche Störungen und Fehlfunktionen psychische Auswirkungen haben, sondern dass sich auch das psychische Erleben auf die Körperfunktionen auswirkt. Wie aber hat man sich diese emotionale Dimension von Krankheit vorzustellen?

Dem renommierten Neurobiologen Antonio Damasio (1994) zufolge sind Emotionen die Zwischenglieder bzw. Mittler zwischen körperlichen und kognitiven Funktionen. In subcorticalen neuronalen Assemblies, vor allem im Limbischen System, verortet, reagieren sie in Korrespondenz mit Wahrnehmung und Gedanken: Jedes Denken ist emotional gefärbt, jede Wahrnehmung hat eine emotionale Bedeutung. Ein völlig emotionsloses, rein corticales Denken existiert demnach nicht. Gleichzeitig sorgen die Strukturen unseres Limbischen Systems dafür, dass untergeordnete, im Zwischenhirn und Stammhirn verortete neuronale Schaltkreise und Hormondrüsen entsprechend der emotionalen Stimmung aktiviert werden. Angst ist ohne das körperliche Phänomen von Schweißausbruch, Pulsanstieg, Bewegungsstarre oder Engegefühl nicht denkbar. Ähnliches gilt für alle Emotionen. In einer retrograden Schleife werden aber diese (emotionsbedingten) körperlichen Empfindungen dem Gehirn zurückgemeldet und als solche bewusst wahrgenommen: Ich erlebe nicht nur das mich ängstigende Ereignis eines vermutlich bissigen Hundes, sondern auch mein Herzklopfen, den Angstschweiß und die anderen psychisch-physischen Parameter meiner Angst. Mitunter schlägt deshalb der Versuch, meine Angst gegenüber dem Hund zu verbergen, vegetativ fehl.

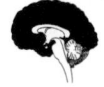

Die Wahrnehmung meiner Gefühle wird von Damasio als „Empfindung" bezeichnet. Gegenüber meinen Gedanken, meinem Selbstbewusstsein und der Vorstellung von mir gegenüber der Welt nehmen wir ihm zufolge gleichzeitig noch Hintergrundempfindungen unserer gesamten körperlichen und emotionalen

Befindlichkeit wahr. Noch einmal: Ich nehme ein Objekt der Welt, z. B. einen mich freundlich anlächelnden Menschen, wahr. Gleichzeitig bin ich mir meiner Selbst als denkendem und sozial reagierendem Menschen bewusst – das ist die subjektive Seite der Interaktion. Und gleichzeitig findet dieses Geschehen vor dem Hintergrund emotionaler und somatischer Empfindungen statt, die sich aus meinem psychischen und körperlichen Empfinden speisen. So können starke Zahnschmerzen einen Flirt verhindern.

Evolutionsbiologisch gesehen ist dies sinnvoll: Das Beachten emotionaler und körperlicher Hintergrundempfindungen warnt uns vor Gefahren. Die emotionale Komponente einer solchen Erfahrung ist in unserem eigenen Interesse sehr stark. Andererseits klingen Emotionen normalerweise relativ schnell wieder ab, um uns flexibel und handlungsfähig zu erhalten. Aus evolutionärer Sicht schreibt William Allman (1999, 130) hierzu: „Diejenigen Frühmenschen, die eine sich anpirschende Raubkatze nicht bemerkten, weil sie gerade von ihrem oder ihrer Liebsten träumten, hinterließen vermutlich nicht viele Nachkommen. Selbstverständlich werden auch solche Hominiden, die danach das Raubtier nicht vergessen und sich nicht wieder der Liebe zuwenden konnten, nur wenige Kinder gehabt haben."

Es dürfte deutlich geworden sein, dass auch auf der Ebene des psychischen Erlebens (wenngleich bedingt durch die physiologische Koppelung, die bereits beschrieben wurde) körperliche Empfindungen und Missempfindungen (Krankheiten) und emotionales Erleben eng miteinander verbunden sind. Dies ist, es kann nicht oft genug betont werden, sehr sinnvoll. Ein neuer Zweig der Medizin, die evolutionsbiologische Medizin, findet mehr und mehr Hinweise darauf, dass als negativ empfundene Emotionen ebenso wie körperliche Krankheitssymptome keineswegs nur lästige, möglichst schnell zu beseitigende Phänomene sein müssen, sondern durchaus reparative Funktionen haben können: So schädlich hohes Fieber über 40°C sein kann (weil es beispielsweise zu Hirnschädigungen oder Krämpfen führen kann), so sinnvoll sind erhöhte Temperatur und leichtes bis mittleres Fieber bei der Abtötung von Krankheitserregern. Es ist durchaus sinnvoll, sich beim Anzug einer Erkältung ein heißes Bad zu gönnen, um die Körpertemperatur künstlich zu erhöhen, weil hierdurch Krankheitserreger abgetötet werden. Ähnliches gilt für die Schleimaussonderung der Nase, die Krankheitskeime entfernt, den Husten, dessen Auswurf eine vergleichbare Funktion hat, den Durchfall, der pathogene Keime beseitigt, oder den Schmerz, der uns zum Zahnarzt treibt. Möglicherweise können sogar als Krankheit definierte und eindeutig Leiden verursachende Phänomene wie Asthma oder Depression Extremformen ursprünglich schützender Körperfunktionen sein: Asthmatiker erkranken signifikant seltener an

13. Zur emotionalen Dimension von Gesundheit und Krankheit

Lungenkrebs, Depression kann, wie in Kapitel 5 erörtert, die Extremform einer zur Erholung dienenden Trauerreaktion sein.

Aber nicht nur körperliche Symptome, sondern auch Emotionen sind sinnvolle, unserem seelischen Gleichgewicht und unserer Gesundheit dienliche Phänomene, die erst in Extrembereichen mehr Leiden als salutogene Wirkung hervorrufen. Hierauf wurde im 1. Kapitel ausführlich eingegangen.

Es ist also sehr bedenklich, Angst, Trauer, Wut oder Schuldgefühle als lästige, krankmachende Symptome zu begreifen, die es möglichst schnell, vielleicht sogar medikamentös zu beseitigen gilt. Wenn wir traurig oder wütend sind, haben wir in der Regel einen Grund dafür. Und dieser Grund verschwindet nicht durch die Beseitigung des Gefühls.

Oft wird man gefragt, ob Emotionen denn nun Ursache oder Folge einer Krankheit seien. Dem menschlichen Denken kommt es sehr nahe, solche monokausalen Zusammenhänge zu vermuten. Sie werden der komplexen Wirklichkeit aber auch bei der Erörterung von Krankheitsprozessen nicht gerecht.

Abbildung 13.3 verdeutlicht, dass eine zirkuläre Sichtweise die Zusammenhänge zwischen emotionalem Erleben und körperlichem Zustand als Regelkreis versteht. Emotionales Erleben wirkt sich auf körperliche Zustände aus und umgekehrt. Eine solche zirkuläre und interaktionale Sichtweise verlässt also die herkömmliche und oft unfruchtbare Fragestellung nach „Henne und Ei".

Abb. 13.3: Multifaktorielle Zusammenhänge von Krankheit und emotionalem Erleben

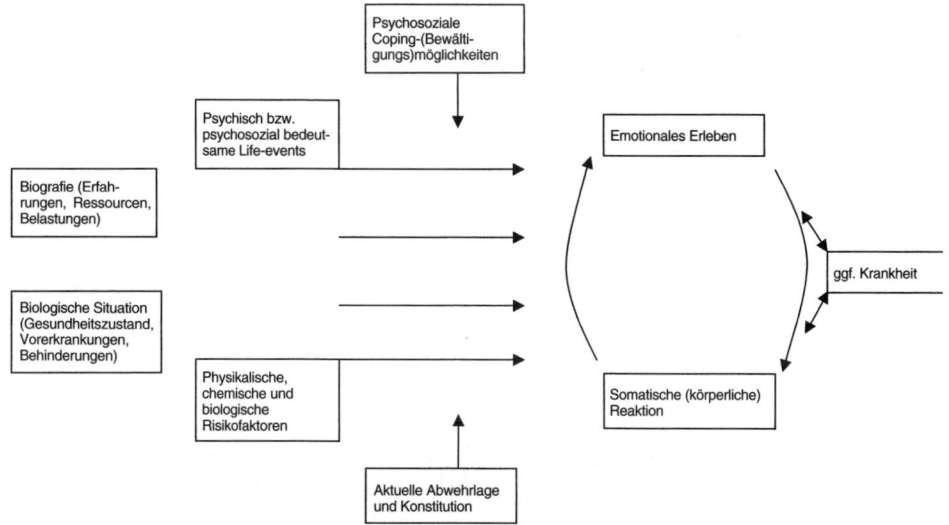

Wie dysfunktional und gefährlich eine monokausale Sichtweise sein kann, möge folgendes Beispiel verdeutlichen: Der 9-jährige Jens leidet unter schweren, rezidivierenden Asthmaanfällen. Eine erhebliche atopische Belastung (Allergie u. a. gegen sehr viele tierische Eiweiße), konstitutionelle Bedingungen seiner Atemwegsorgane, wiederholt durchgemachte Infekte der oberen Luftwege und andere somatische Faktoren sind Grundlage dieser schweren und mitunter bedrohlichen Atemstörungen. Gleichzeitig fällt auf, dass vor allem in Zeiten emotionaler Erregung, z. B. bei Hänseleien durch Schulkameraden, bei schulischer Überforderung und der als einengend erlebten elterlichen Fürsorge, die Asthmaanfälle an Häufigkeit und Stärke zunehmen. Die Eltern können diesen Teil der Erkrankung zunächst nur schwer annehmen, und erst als sie eine gewisse Gelassenheit im Umgang mit der Krankheit erlernen, gelingt es dem Jungen, selbst gelassener zu leben – was sich positiv auf Immunsystem, Erregungszustand und Bronchospasmus auswirkt. Sein Bemühen um Normalität führt im weiteren Verlauf aber dazu, dass er die hyperallergische Komponente seines Asthmas unterbewertet. Während einer Zirkusvorstellung, bei der er in der ersten Reihe sitzt, wird von Pferden viel Arena-Sand aufgewirbelt. Der gegen Pferdehaare hoch allergische Junge erleidet einen schweren allergischen (anaphylaktischen) Schock, der, wäre nicht zufällig ein Arzt in der Nähe gewesen, auch tödlich hätte enden können.

Dieses Beispiel verdeutlicht, dass beim asthmatischen Geschehen mehr oder weniger psychische, biologische und soziale Faktoren in individuell unterschiedlicher Gewichtung zusammenkommen können, die letztlich ein und dasselbe Geschehen, nämlich den Asthmaanfall, auslösen können. Unter anderem sind zu nennen: Infektanfälligkeit, Konstitution der Atemwege, allergische Bereitschaft, subjektiv erlebte psychische Einengung, Lernverhalten, primärer und sekundärer Krankheitsgewinn. Die psychosomatische Medizin, verbunden unter anderem mit Namen wie Bräutigam, Beck oder Dührssen, postuliert schon seit vielen Jahrzehnten solche interaktionalen Zusammenhänge somatischer und psychischer Faktoren.

Eine Sonderrolle spielen hierbei die Somatisierungs- und Konversionssyndrome, bei denen primär seelische bzw. emotionale Probleme nicht als solche bewusst werden (dürfen). Psychoanalytisch orientierten Erklärungsmodellen zufolge werden primär seelische Konflikte, da sie für das Bewusstsein unerträglich sind, durch Verdrängung abgewehrt. Das (prinzipiell bewusstseinsfähige) Ich regrediert in einen frühen, eher Kindern angemessenen Zustand magisch-animistischen Denkens mit eingeschränktem Realitätsbezug: Man nimmt das Problem gar nicht, die eigenen Fähigkeiten und Schwierigkeiten unrealistisch wahr und zieht sich in eine Wunschwelt zurück, was für Fünfjährige typisch ist, für Erwachsene aber nicht. Verschiebung und Verdichtung führen dazu, dass der Konflikt, der nun nicht

13. Zur emotionalen Dimension von Gesundheit und Krankheit 273

mehr bewusst ist, in assoziierten, leicht veränderten Gedanken repräsentiert und mitunter symbolisiert wird. Die dem Konflikt innewohnende emotionale Kraft wird somatisch empfunden und äußert sich schließlich in körperlichen Dysfunktionen. Sie werden im Ausdruck der Körpersprache symbolisiert. Dies soll an einigen Beispielen erläutert werden:

Ein 15-jähriges Mädchen litt unter wiederholten „epileptischen", tatsächlich jedoch psychogenen Anfällen, die sehr den Krampfanfällen seines hirnorganisch geschädigten Bruders ähnelten. Die in diesen psychogenen Anfällen demonstrierte Ohnmacht korrespondierte mit dem lange unbewussten Unwillen des Mädchens, im Gastronomiebetrieb der Eltern zu arbeiten.

Ein ähnliches Phänomen lag bei der 18-jährigen Arzthelferin in einer Kinderarztpraxis vor, die unter psychogenen Hörstörungen litt und sagte, dass sie „das Kindergeschrei nicht mehr hören" könne. Auch sie konnte zunächst nicht mit der nötigen Aggressivität gegen die inadäquaten Berufswünsche ihrer Eltern, von denen sie sich abhängig fühlte, vorgehen.

Eine Pädagogin litt plötzlich und unerwartet nach bestandenem Prädikatsexamen unter psychogenen Gehstörungen, die nach längeren Gesprächen mit ihrer Angst vor der Selbstständigkeit in Verbindung gebracht wurden.

Auch die „Schmuckbeschwerden" (ein Freud'scher Versprecher, der sofort zu „Schluckbeschwerden" korrigiert wurde, nichtsdestotrotz mit Engegefühl im Halsbereich assoziiert war) einer jungen Frau, die vor der Heirat mit einem wohlhabenden, zugleich sehr viel älteren Mann ängstliche Ambivalenzen empfand, sind ein Beispiel für Somatisierungstendenzen.

Die hier aufgezeigte seelische Entlastung, die darin besteht, dass ein emotional behafteter, mit dem Selbsterleben inkompatibler Konflikt ins Unbewusste abgedrängt wird, bezeichnet man als primären Krankheitsgewinn. Demgegenüber besteht der sekundäre Krankheitsgewinn in Aufmerksamkeit, sozialer Unterstützung, Schonung oder sozialer Rollenentpflichtung, wie bereits im Krankheitsmodell von Parsons beschrieben wurde.

Kurz soll noch auf Zusammenhänge einzelner Emotionen mit dem Erleben und der Bewältigung von Krankheit eingegangen werden.

Trauer tritt nicht selten als Folge von Verlusterlebnissen auf. Solche Verluste können auch krankheitsbedingt sein: Man denke nur an Organverluste nach Operationen, Verluste im sexuellen Erleben, z. B. bei Genitalkrebs-Behandlungen, Rollenverluste bei Invalidität usw. Solche Trauer ist ein wichtiges emotionales Regulativ, das die Adaptation an den neuen Status ermöglicht und die körperliche wie seelische Heilung vorantreiben kann. Lifeevent-Forschung (die Erforschung belastender Lebensereignisse) hat in prospektiven Studien gezeigt, dass fehlende Trauerarbeit zu erhöhter Krankheitsanfälligkeit führt. Auch ist bekannt, dass querschnittsgelähmte Menschen, die zum ersten Mal tatsächlich mit dem Rollstuhl konfrontiert sind, bei mangelnder Fähigkeit zu trauern akut krankheitsgefährdet sein können. Solche Beispiele verdeutlichen die intuitiv und kulturell fest verankerte Weisheit von Trauerritualen: Beim Tod eines nahen Angehörigen wird, zumindest in archaischen Gesellschaften, lautes Wehklagen ermöglicht, und festgesetzte Trauerzeiten (die sich auch in Seelenämtern und Gedenktagen unserer Kultur wiederfinden) sollen dem Menschen diese Trauerarbeit ermöglichen. Dass die Unfähigkeit zu Trauern mit einer Depression einhergehen kann, wurde in Kapitel 5 bereits erörtert.

Angst ist ein mit Krankheit häufig assoziiertes Phänomen. Vor allem die Ungewissheit über den Verlauf und den Ausgang einer Krankheit ängstigt. Aber auch die Ungewissheit bezüglich sozialer Veränderungen kann zur Angst beitragen. Dass umgekehrt das lähmende Gefühl der Ohnmacht und die Panik, die im Angstanfall den Menschen psychisch wie körperlich überfluten, zu psychisch wie körperlich erlebtem Stress und eventuell erhöhter Krankheitsanfälligkeit führen können, wurde bereits erläutert.

So sinnvoll Aggressionen bei bestimmten Auseinandersetzungen und der Inangriffnahme aktueller Probleme sein können, so gefährlich kann andererseits eine chronisch feindselig-argwöhnisch getönte Grundstimmung gegenüber der Umwelt sein. Vieles deutet darauf hin, dass der damit verbundene Dauerstress mit symphatotoner Stoffwechsellage und chronisch erhöhtem Blutdruck ein wesentlicher Faktor einer koronaren Herzkrankheit sein kann. Nach Williams (zitiert in Goleman 1999, 217) war bei herzinfarktgefährdeten Menschen eine zornige Veranlagung ein besserer Vorhersagemaßstab für einen frühen Tod als andere Risikofaktoren wie Rauchen, Bluthochdruck und hoher Cholesterinspiegel.

Scham begleitet uns vor allem auch in Krankheitssituationen, wenn Körperschranken, z. B. bei pflegerischen oder therapeutischen Eingriffen, überwunden werden müssen, wenn wir uns hilflos fühlen oder unter unserer Insuffizienz leiden. Hierauf wurde in Kapitel 9 bereits eingegangen.

Die in Kapitel 10 detailliert beschriebenen Reaktionen bei Schuldgefühlen spielen auch im Krankheitserleben eine mitunter nicht zu unterschätzende Rolle. Vor allem Kinder fragen sich häufig, wie es wohl zu ihrer Krankheit gekommen sein könne. Bei der Suche nach einem Grund werden oft in magischer Hybris und Verkennung der eigenen Bedeutung vermeintliche Verfehlungen für die Erkrankung verantwortlich gemacht: Die Auseinandersetzung mit den Eltern, das heimliche Naschen oder andere „Sünden" führen dann im Erleben der Kinder zur Krankheit, die als Strafe einer höheren Instanz (der Ärzte, eines Gottes) erlebt wird. Es gehört viel menschliche Reife und Selbsterkenntnis dazu, Krankheit als ein evolutionsbedingtes Phänomen zu er-

13. Zur emotionalen Dimension von Gesundheit und Krankheit 275

kennen, das schicksalsbedingt uns Menschen zu gegebener Zeit und in unterschiedlichem Ausmaß überkommt. Oft genug regredieren wir in der Krankheit aber wieder und suchen, ähnlich wie in unserer Kindheit, nach Krankheitsgründen, die mitunter mit quälenden Schuldgefühlen korrespondieren. Das Wissen um diese Vorgänge ermöglicht eine befreiende, kathartische Aussprache und die Überwindung dieser Schuldgefühle.

Schießlich soll auf die heilende, salutogenetische Wirkung positiver Gefühle wie Liebe und Freude hingewiesen werden. Es ist nicht nur so, dass wir in Zeiten körperlicher Unbeschwertheit optimistischer durch die Welt gehen. Umgekehrt sind Optimismus, Lebensfreude, Gelassenheit und Selbstbewusstsein unserem Immunsystem zuträglich. Zwar können positive Emotionen kein Heilmittel schwerer Erkrankungen sein, doch sind andererseits selbst bei schweren Krebserkrankungen Zusammenhänge zwischen optimistischer Grundeinstellung und signifikant höherer Lebenserwartung und besserer Lebensqualität belegt (Goleman 1999, 225 f.).

Kurz soll noch darauf eingegangen werden, dass das Krankheitserleben Auswirkungen auf unser Selbstbewusstsein hat. Aus der Kinderheilkunde (sowie mütterlichen und großmütterlichen Erfahrungen) ist seit langem bekannt, dass Kinder nach schwereren Kinderkrankheiten (z. B. Masern) nicht nur immunologisch, sondern auch seelisch, körperlich und geistig einen Wachstumsschub durchmachen können. Dass das Immunsystem an durchgemachten Erkrankungen lernt und vor anderen Krankheiten gefeit ist, leuchtet ein. Aber die Erfahrung der Hilflosigkeit und die Überwindung derselben, die Möglichkeit zu regredieren, verwöhnt und versorgt zu werden sowie das körperlich wie emotional beglückende Erlebnis, wieder zu Kräften zu kommen, verändert Selbstwahrnehmung und Selbstbewusstsein erheblich, selbst wenn dies nicht immer ausgedrückt werden kann. Insofern sollten wir uns Zeit nehmen, krank zu sein. In einer eindrucksvollen Fallanalyse beschreibt Beck (1981, 18 ff.), dass körperliche Krankheit zu emotionaler Ich-Erweiterung führen kann:

Er beschreibt einen 40-jährigen Schauspieler, der schwere Arbeits- und Beziehungsstörungen sowie Depressionen durch Alkoholkonsum und hektische berufliche Betriebsamkeit zu kompensieren versuchte. Trotz großen Erfolgs und Applauses litt er nach Theatervorstellungen an unsäglicher Leere und Depression. Die diesem Erleben zugrunde liegenden Konflikte konnten zwar analysiert, zunächst aber nicht emotional überwunden werden. Erst ein heftiger Magen-Darm-Infekt mit der damit verbundenen Hilflosigkeit erlaubte dem Patienten die Erfahrung des Angewiesenseins auf andere und die Möglichkeit, ohne agierende Kontrollversuche die Dinge geschehen zu lassen, anstatt sie stets in den Griff bekommen zu wollen.

Zusammenfassend ist also zu sagen: Krankheiten können als ein komplexes Geschehen verstanden werden, das Geist, Gefühl und Körper betrifft. Eine im wohlverstandenen Sinne ganzheitliche Medizin wird dies berücksichtigen und neben den primär körperlichen Symptomen und Funktionsstörungen das emotionale Erleben und die psychosozialen Interaktionen berücksichtigen. Krankheitsbegleitende Emotionen sind nicht einseitig als Ursache oder Folge des somatischen Geschehens anzusehen. Vielmehr finden auf allen Ebenen reziproke Wechselwirkungen statt. Insofern können körperlich-therapeutische Maßnahmen das psychische Erleben genauso beeinflussen, wie Psychotherapie auf den Körper wirken kann. Natürlich sind von psychotherapeutischen Maßnahmen bei Krankheiten mit starken körperlichen Störungen bzw. fortgeschrittenen Verläufen keine Wunder zu erwarten – aber dies gilt auch für viele somatische Therapien.

Viele emotionale Begleiterscheinungen (u. a. Angst, Zorn, Trauer oder Schmerz) können der Wiederherstellung eines körperlich-seelischen Gleichgewichtes oder sogar der Heilung dienlich sein, und erst bei einem Übermaß solcher Emotionen (im Sinne emotionaler Entgleisungen) überwiegt das Leid, das von solchen Emotionen verursacht wird. Insofern ist die Koppelung körperlicher und emotionaler Empfindungen, die gerade auch im Krankheitsfall erlebt wird, wichtig für die Regeneration und sollte in der Medizin die ihr gebührende Beachtung finden.

13. Zur emotionalen Dimension von Gesundheit und Krankheit

Überprüfen Sie Ihr Wissen!

Wenn ein 16-jähriger Diabetiker weniger an den organischen Aspekten seines Diabetes (Insulingabe, Diät, Blutzuckerkontrollen) leidet, vielmehr jedoch unter dem schonend-mitleidsvoll-herablassenden Verhalten seiner Klassenkameraden dem „Behinderten" gegenüber, so ist *ein* Krankheitsmodell für dieses Beispiel von besonderer Bedeutung. Welches?

13.1 Fragetyp A
Eine Antwort richtig

a) das Stress-Coping-Krankheitsmodell ☐   ☒
b) der Etikettierungsansatz (Labeling-approach) ☐
c) das naturwissenschaftlich-medizinische Krankheitsmodell ☐
d) psychoanalytische Krankheitstheorien ☐
e) das Risikofaktoren-Modell ☐

Welche Aussage(n) ist/sind zutreffend?

1. Bei chronischem Dauerstress kann es unter anderem zu einer Verschlechterung der Immunitätslage und damit zu einer vermehrten Krankheitsanfälligkeit kommen,

    denn

2. bei Stress kann vermehrt Cortisol ausgeschüttet werden, welches die Abwehrreaktion senken kann.

13.2 Fragetyp E
Kausalverknüpfung

a) Nur die Aussage 1 ist richtig. ☐   ☒
b) Nur die Aussage 2 ist richtig. ☐
c) Die Aussagen 1 und 2 sind richtig, die Kausalverknüpfung stimmt nicht. ☐
d) Die Aussagen 1 und 2 sowie die Kausalverknüpfung sind richtig. ☐
e) Alle Aussagen sind falsch. ☐

13.3 Erörtern Sie bitte, warum das „Netzwerkmodell" die Vorstellung des menschlichen Körpers als „Fabrik" abgelöst hat.

13.4 Welche Rolle kann das Trauern bei der Verarbeitung von Verlusten und der Vorbeugung erschöpfungsbedingter Krankheiten spielen?

Vertiefungsfragen

14. Selbstwertgefühl, Selbstbewusstsein und Identität

> „Jede Sache unter dem Himmel hat ihre Zeit,
> und alles hat seine Stunde.
> Es gibt eine Zeit zu leben und zu sterben,
> eine Zeit zu töten und eine Zeit zu heilen.
> … Eine Zeit zu weinen, eine Zeit zu lachen,
> eine Zeit zu trauern, eine Zeit zu tanzen.
> … Eine Zeit der Umarmung, eine Zeit der Enthaltung,
> eine Zeit des Suchens, eine Zeit des Verlierens.
> Eine Zeit zu bewahren, eine Zeit zu verwerfen,
> eine Zeit zu schweigen, eine Zeit zu reden,
> eine Zeit der Liebe, eine Zeit des Hasses,
> eine Zeit des Krieges, eine Zeit des Friedens."
>
> (Kohelet 3)

Bisher wurde eine Übersicht über die Bandbreite unterschiedlicher menschlicher Emotionen gegeben. Dabei wurden, dem Konzept der differenziellen Emotionspsychologie folgend, einzelne Gefühle isoliert dargestellt. Es wurde dargelegt, dass Emotionen auf unterschiedlichen Ebenen betrachtet werden können und somatische, intrapsychische sowie soziokulturelle Komponenten aufweisen, sodass erst eine ganzheitliche Betrachtung dem Phänomen „Trauer" bspw. gerecht wird. Schaut man sich nun die Emotionsfelder und Komplexe an, die in den einzelnen Kapiteln beschrieben wurden, so sieht man, dass sich emotionale Zustände im Alltag keineswegs so ohne weiteres und scharf voneinander trennen lassen, wie dies in diesem Buch aus didaktischen Gründen geschehen ist. Depression, so wurde gezeigt, hat keineswegs nur oder auch nur vorrangig mit Trauer zu tun, sondern kann durchaus von Schuldgefühlen, Aggressionen oder Angst „durchmischt" oder wesentlich bestimmt sein.

Im Erleben unserer Wirklichkeit und im Alltagshandeln sowie im sozialen Kontakt sind wir immer einer Vielzahl facettenreicher, unterschiedlicher und schnell wechselnder Stimmungen ausgesetzt. Teilweise sind wir uns unserer Gefühle bewusst, teilweise haben wir nur ein „dumpfes Gefühl im Bauch", nehmen also emotionale Komponenten nur auf vegetativer und vorbewusster Ebene (Limbisches System) wahr. Die verschiedenen Gefühlsqualitäten, denen wir in wechselndem Ausmaße ausgesetzt sind, interagieren also miteinander und führen im Resultat zu unserer momentanen Stimmungslage, die uns mehr oder weniger bewusst sein kann. Sol-

14. Selbstwertgefühl, Selbstbewusstsein und Identität

che Stimmungen motivieren uns zu Handlungen, die situationsangemessen oder auch unangemessen sein können. Aus den bisherigen Ausführungen dürfte klar geworden sein, dass das gesamte Spektrum menschlicher Gefühle sowohl aus evolutionsbiologischer Sicht für das Überleben der Spezies Mensch sinnvoll war, als auch je nach Situation individuell für die Problemlösung unseres alltäglichen Lebens Sinn haben kann – wenn die handlungsleitenden Emotionen situationsangemessen sind. Es gibt, wie bereits im Alten Testament zu lesen ist, eben „eine Zeit zu hassen und eine Zeit zu lieben, eine Zeit zu trauern und eine Zeit zu hoffen".

Am Ende dieses Buches soll nun darauf eingegangen werden, dass nicht nur die Akzeptanz, sondern vor allem die Integration der unterschiedlichen uns möglichen Emotionen eine wichtige Aufgabe darstellt, die zur Bildung der eigenen Identität führt. Zunächst soll gezeigt werden, dass unser reflexives Bewusstsein, das Bewusstsein unserer Selbst keine rein kognitive Angelegenheit ist, sondern starke emotionale Komponenten aufweist. Zwischen Selbstbewusstsein (einem doppeldeutigen Begriff) und Selbstwertgefühl bestehen enge Zusammenhänge. Danach wird der Begriff des „Selbstwertgefühls", der wissenschaftlich unscharf gefasst ist, psychotherapeutisch und in unserem Alltagserleben allerdings eine eminent wichtige Rolle spielt, näher fokussiert. Faktoren, die dem Selbstwertgefühl förderlich oder abträglich sind, sollen kurz zur Sprache kommen. Insbesondere wird zu zeigen sein, dass die Integration des gesamten Spektrums der in uns schlummernden Gefühle, die Erkenntnis unserer Selbst (einschließlich unserer „Schattenseiten"), die Akzeptanz dieser Phänomene und ein bewussterer Umgang mit unseren Gefühlen wesentlich zum Aufbau eines tragfähigen Selbstwertgefühls und Selbstbewusstseins beiträgt.

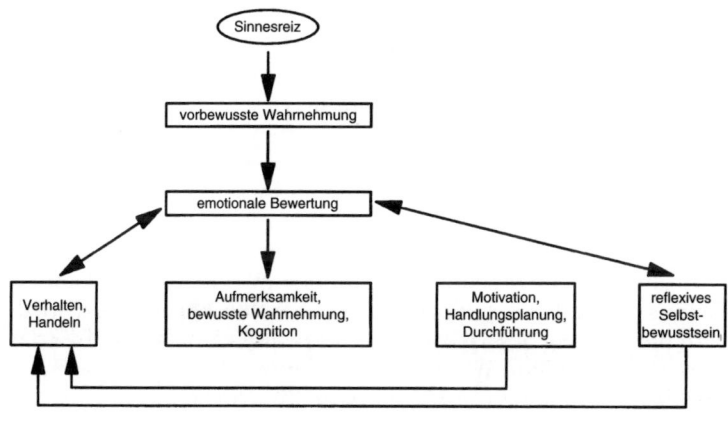

Abb. 14.1: Zusammenhänge von Emotionalität, Bewusstsein und Selbstbewusstsein

In Abbildung 14.1 wird gezeigt, dass zunächst vorbewusst Sinneseindrücke wahrgenommen werden, die dann durch Gedächtnis und Limbisches System bewertet und ggf. als interessant eingestuft werden. Dies führt zur bewussten Aufmerksamkeit im Sinne einer attentiven Wahrnehmung sowie zur Handlungsplanung, Handlungssteuerung und entsprechendem Verhalten, wobei das Ergebnis unserer Handlung im Sinne einer Rückkopplung wieder bewertet wird. Für unser bewusstes Erleben und unsere Aufmerksamkeit ist also die Zusammenschaltung von Wahrnehmung, Gedächtnisinhalten und Gefühlen von entscheidender Bedeutung. Dabei umfassen bewusste Prozesse aber immer nur einen kleinen Teil unseres Gehirns, nämlich den, der in besonderer Weise mit dem Gegenstand unserer Aufmerksamkeit befasst ist.

Beim Lesen dieser Zeilen stellen Sie Ihr Bewusstsein ganz darauf ab, und andere prinzipiell jederzeit bewusstseinsfähige Phänomene sind Ihnen zur Zeit nicht bewusst – es sei denn, Sie fragen sich, ob Sie im Moment eigentlich bequem sitzen.

Vor allem ungewohnte und neue Eindrücke sowie Fertigkeiten, die wir noch nicht sicher beherrschen, erfordern unsere bewusste Aufmerksamkeit. Je vertrauter eine Situation ist und je sicherer eine Funktion beherrscht wird, desto mehr können Wahrnehmung und Handlung automatisiert werden.

Am Anfang des Tanzkurses mögen Sie damit beschäftigt sein, die Schritte und Drehungen im Takt der Musik in die richtige Reihenfolge zu bringen, was Ihre ganze Aufmerksamkeit beansprucht. Sobald Sie diese Fertigkeit beherrschen, können Sie Ihr Bewusstsein Wichtigerem, z. B. dem Tanzpartner, zuwenden.

Bewusstsein ist also ein Phänomen, das temporär und selektiv auftritt und für das Wahrnehmen von Welt sowie das Lernen von großer Bedeutung ist – es ist keineswegs ein reines „Epiphänomen" oder eine unnötige „Beigabe" neuronaler Prozesse. Erkenntnis ist eine aktive Leistung unseres Gehirns (vgl. auch Hülshoff 2000, 345). Die Selektion aufgenommener Sinnenreize in „unwichtig oder wichtig" findet bereits vorbewusst auf der Ebene des Thalamus, der auch als „Vorzimmer unseres Bewusstseins" charakterisiert wird, statt. Wer in dunklem Wald mit knackenden Geräuschen oder augenähnlichen Gestalten konfrontiert wird, wird die Klärung des Sachverhalts für dringlich halten – ob er das nun will oder nicht. Wir können uns zunächst nicht aussuchen, ob wir unheimliche Geräusche oder Eindrücke interessant fin-

14. Selbstwertgefühl, Selbstbewusstsein und Identität

den oder nicht – das erledigen die Strukturen unseres Thalamus und des Limbischen Systems für uns. Zwar können wir eine aufkommende Panik durch unser im Großhirn lokalisiertes Bewusstsein möglicherweise in Grenzen halten bzw. ihr entgegensteuern. Aber das Gefühl von Angst bei potentiell gefährlichen und noch nicht genau einzuordnenden Phänomenen ist uns als Menschen mitgegeben. Was wir also für interessant halten, wird wesentlich emotional mitbestimmt.

Andererseits können auch rationale, bewusste Entscheidungen und die Einsicht ins Notwendige unsere Bewusstseinsschwelle verändern. Das Klingeln eines Telefons mitten in der Nacht mag für mich unterschiedliche Relevanz haben, wach zu werden, je nachdem, ob ich mich zu Hause oder im Nachtdienst einer Klinik befinde. Bereits Freud hat in einer Abhandlung über das „Ammenschlafphänomen" diesen Sachverhalt beschrieben, wenn er aufzeigt, dass eine Amme durch das relativ leise Weinen eines Säuglings wach wird, während sie das viel lautere Gepolter eines Fuhrwerks weiterschlafen lässt.

Unter Bewusstsein wurde bisher unsere Fähigkeit verstanden, Sinneseindrücke zu einem für uns sinnvollen Ganzen zu ordnen und die uns umgebende Welt in unserem Gehirn zu rekonstruieren.

Um eine neue Facette, ja eine Dimension von Bewusstsein geht es, wenn wir den Begriff des „Selbstbewusstseins" einführen. Hierunter verstehen wir die reflexive Fähigkeit des Menschen, sich seiner selbst bewusst zu werden. Bereits im griechischen Altertum fand sich über dem Orakel von Delphi die Aufforderung „Erkenne dich selbst!". Introspektion, das Nachdenken über sich selbst, aber eben auch das Wahrnehmen der eigenen Emotionalität, eigener Stimmungen und Gefühle führen zu einer Vorstellung von uns selbst.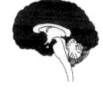

Bereits alltagssprachlich wird deutlich, dass das Wort „Selbstbewusstsein" zwei unterschiedliche Nuancen aufweist. Zum einen meinen wir die eher kognitive Fähigkeit, im philosophischen Sinne uns unserer selbst bewusst zu sein, also über uns nachzudenken – etwa im Sinne des „cogito ergo sum" des Descartes. – Ich denke, also bin ich. So verstanden ist Selbst-bewusstsein (Self-conciousness) der kognitive Prozess, der zu unserer Identität führt („Ich war, ich bin, ich werde sein."). Ein Verlust dieser integrativ-kognitiven Fähigkeit, über sich selbst nachzudenken, wird äußerst schmerzhaft erlebt, bspw. bei schizophrenen Erkrankungen oder bei der Alzheimerschen Erkrankung. Bei Letzterer führt ein Verlust des Gedächtnisses zu einem Verlust des inneren Zeitgitters, die Kontinuität des Selbsterlebens geht verloren, und die zunehmende Schwierigkeit, sich klarzumachen, wer man eigentlich ist, kann zu schwerer Angst und Verzweiflung führen.

Ansätze von Selbstbewusstsein im hier genannten Sinne finden sich im Tierreich bereits bei Schimpansen (und nur bei ihnen): Ein im Schlaf an der Stirn rot geschminkter Schimpanse wird nach dem Erwachen, wenn er sich im Spiegel betrachtet, an seine Stirn fassen – Gorillas fassen noch an den Spiegel. Der Schimpanse hat also etwas über seine eigene Identität begriffen.

Reflektives Bewusstsein und Selbstbewusstsein ermöglichen auch, um das subjektive Selbstbewusstsein anderer zu wissen und sich partiell einzufühlen:

Empathie (Einfühlungsvermögen, Mitfühlen mit anderen) ist nicht nur eine Sache des logischen Verstehens ihrer Situation, sondern auch ein „emotionales Mitschwingen". Wir nehmen die Situation des anderen auch gefühlsmäßig wahr. Dies gilt nun auch für das Bewusstsein unserer Selbst.

Selbstbewusstsein bedeutet bereits umgangssprachlich unter diesem Aspekt, ein Gefühl für sich selbst zu haben, sich mehr oder weniger vital zu fühlen. Ein solches Gefühl ist nicht zwangsläufig mit Freude gleichzusetzen – weiter unten wird gezeigt, dass Selbstbewusstsein und Selbstwertgefühl Resultat sehr unterschiedlicher, miteinander agierender Stimmungen ist.

Hier soll aufgezeigt werden, dass Selbstbewusstsein und Selbstwertgefühl eng miteinander zusammenhängen.

Auf einer ganz basalen Ebene sind wir uns mehr oder weniger unseres körperlichen Zustandes bewusst. Ob wir Schmerzen haben oder schmerzfrei sind, ob wir uns zu dick oder zu dünn oder „gerade richtig" fühlen, ob wir uns frei bewegen oder in unserer Motorik eingeschränkt sind, ob wir unserer Mimik freien Lauf lassen können oder uns dies versagen – all dies trägt dazu bei, wie wir uns fühlen. Wenn wir darüber nachdenken, können wir in einem reflexiven Prozess uns unseres Körperbildes (Körperimagos) mehr oder weniger bewusst werden, wir können uns darüber hinaus aber auch unser Körpergefühl verdeutlichen. Wie wir uns körperlich fühlen, wie es uns körperlich geht, ist die eine Seite, welches Bild wir von uns haben, wie wir dies bewusst wahrnehmen, die andere. Dazwischen steht, quasi als Vermittler, „unser Gefühl" – das gesamte Spektrum der von uns erfahrbaren Emotionen, die, wie wir wissen, jeweils eine vegetativ-körperliche und eine emotional-kognitive Komponente haben.

So ist es kein Wunder, dass wir, wenn wir Gefühle verstandesmäßig auszudrücken versuchen, immer wieder auf Bilder der Körpersprache zurückgreifen:

Wir fühlen uns niedergeschmettert, stehen für etwas gerade, zeigen Rückgrat, fühlen uns am Boden zerstört, das Herz rutscht uns in die Hose und was dergleichen Redewendungen mehr sind.

Vegetative Prozesse und körperliche Empfindungen, die damit korrelierenden emotionalen Stimmungen und das Bewusstsein unserer selbst korrelieren also eng miteinander. Der Ausdruck „Selbstbewusstsein" fokussiert etwas mehr die kognitive Seite dieses Phänomens, der Ausdruck des „Selbstwertgefühls" stärker die emotionale Seite. Letztlich aber sind, so hoffe ich gezeigt zu haben, die Phänomene in unserem Erleben nicht voneinander zu trennen.

Damit sind wir beim Begriff des „Selbstwertgefühls" angelangt, einem Begriff, der wissenschaftlich umstritten ist. Kruse (1991) hält das Selbstwertgefühl für eine elementare Emotion, die mit eigener Gestik und Mimik sowie beschreibbaren Gefühlsqualitäten einhergehe. Diese Emotion beschreibt er allerdings als „bipolar". Selbstwertgefühl kann, worauf auch andere Autoren wie bspw. Satir eingehen, hoch oder niedrig, positiv oder negativ sein. Es wäre dann allerdings die einzige der bisher beschriebenen Emotionen, die zwei unterschiedliche quantitative Pole zeigt. Freude, um ein anderes Beispiel zu nennen, kann zwar mehr oder weniger stark sein, ihren entgegengesetzten Pol aber bezeichnen wir als Trauer und meinen damit eine andere Emotion.

Selbstwertgefühl

Beim Selbstwertgefühl besteht eine weitere Schwierigkeit darin, dass sich in ihm eine ganze Reihe miteinander agierender (oder widerstreitender) Gefühle widerspiegeln. Und schließlich hängt unser Selbstwertgefühl wie bereits gezeigt nicht nur sehr stark mit unserem Körpergefühl, sondern vor allem auch mit dem Bewusstsein unserer selbst, unserem Selbstbewusstsein zusammen. Folgerichtig verzichten andere Autoren (wie z. B. Izard) ganz auf das Konzept eines genuinen Selbstwertgefühls.

Wie immer man in der wissenschaftlichen Diskussion Stellung nimmt – für unsere Alltagserfahrung und unser praktisches psychotherapeutisches Handeln ist der Begriff des „Selbstwertgefühls" von großer Bedeutung. Unsere Gestik und unsere Mimik weisen darauf hin, welches Bild wir gerade von uns selbst haben und wie wir uns dabei fühlen:

„Nach Erfolg wird der Blick vom eigenen Werk gelöst und triumphierend auf den Verlierer gerichtet, die Hände nach oben geworfen. Das eigene Selbst wird gleichsam größer gemacht und das psychologische Feld ausgeweitet. Nach Misserfolg dagegen sinkt der Körper nach vorn zusammen, die Haltung ist ‚geknickt', der Kopf schief zur Seite gelegt. Das Lächeln ist verlegen, Blick und Hände lösen sich nicht vom eigenen Werk, das psychologische Feld engt sich ein" (Heckhausen, zit. in Kruse 1991, 138).

Selbstwertgefühl wird im Alltagsleben als Überlegenheitsgefühl oder Gefühl der Anerkennung, als Zufriedenheit mit sich selbst oder mit der eigenen Leistung beschrieben. Im Extrem kann es als Triumphgefühl oder Machtrausch erlebt werden. Ein niedriges und gestörtes Selbstwertgefühl kann nach Demütigung und Verletzung auftreten und von Scham, Zweifel, Hemmung und Depressivität begleitet sein.

Nach Piaget finden wir bereits im Säuglingsalter Vorstufen eines Gefühlserlebens, das zur Anbahnung von Selbstwertgefühl beitragen kann: Wenn ein Säugling einen bestimmten Effekt erzielt (z. B. erfolgreich einen Gegenstand wegwirft oder holt), ist dies mit einem angenehmen Gefühl verbunden. Mit 1,5 Jahren befassen sich Kinder mit ihren Werken und Produkten und bestaunen das von ihnen Hervorgebrachte mit großer Aufmerksamkeit. Erfolg und Misserfolg finden nun Beachtung. Zweijährige Kinder legen großen Wert darauf, vieles selbst zu machen und reagieren mit Wut oder Trotz, wenn ihnen dies versagt wird oder misslingt. In dieser Lebensphase geht es nach Erikson um die Entwicklung von Autonomie und Eigenständigkeit, die immer wieder von Scham und Zweifel bei Nichtgelingen von Projekten oder bei Demütigungen begleitet werden. Das Erkennen der eigenen Grenzen mag zu Scham führen, das Überwinden eigener Grenzen trotz der Scham führt zu Stolz, Fremd- und Eigenanerkennung oft zu einem gefestigten Selbstwertgefühl. Nach Erikson ist das Vorschulalter durch die Polarität von Initiative einerseits und Schuldgefühlen andererseits gekennzeichnet. Wer die Initiative ergreift, wird Fehler machen. Einengende Erziehung, Missbrauch kindlicher Schuldgefühle und die Entwicklung eines zu starren, rigiden Gewissens können zu einem dauerhaft verminderten Selbstwertgefühl führen.

Eine neue Facette zeigt sich in der Schulzeit, die unter anderem durch die Polarität von Fleiß auf der einen und Minderwertigkeitsgefühlen auf der anderen Seite gekennzeichnet ist. Bekanntlich geht es in der Schulzeit um eine soziale und leistungsmäßige Einordnung. Dabei müssen nicht nur die Kinder, sondern auch die Lehrer und vor allem die Eltern lernen, die Kinder und ihre Fähigkeiten und Schwierigkeiten so zu akzeptieren, wie sie sind.

Einen vorläufigen Höhepunkt findet die Auseinandersetzung mit dem eigenen Selbstbild und die Integration divergierender Gefühle in der Pubertät, der Phase der Neuorientierung und der Identitätsfindung. Hierauf wurde im Kapitel 11 bereits ausführlich eingegangen.

Insbesondere wurde gezeigt, dass die Integration neuer Dimensionen von Gefühlen Probleme aufwirft. Aber auch der kognitive Anteil solcher Krisen ist nicht zu unterschätzen: Jugendliche haben oft an sich und die Welt idealistische Ansprüche, die nicht immer mit der Realität in Übereinstimmung sind. Versagen

14. Selbstwertgefühl, Selbstbewusstsein und Identität

sie in ihren eigenen Augen „vor sich selbst", kann dies ebenfalls zu erheblichen Selbstwertkrisen führen. In kaum einer Phase ist unser Selbstwertgefühl durch die Wertschätzung bzw. Nichtwertschätzung anderer so leicht zu erschüttern.

Gefühle überhaupt wahrnehmen zu dürfen und sich ihrer nicht schämen zu müssen kann der erste Schritt zur Akzeptanz der eigenen Persönlichkeit sein. Weitere Schritte bestehen dann darin, mit den erlebten Gefühlen sinnvoll und in angemessener Weise umzugehen, was Goleman in Anlehnung an Salovey in fünf Bereiche gliedert (Goleman 1996, 65 f.): Erstens geht es darum, die eigenen Emotionen zu erkennen und wahrzunehmen, eine Voraussetzung dafür, ihnen nicht hilflos ausgeliefert zu sein. Zweitens sollten wir lernen, Gefühle so zu handhaben, dass sie angemessen sind, also eine Aufgabe trotz Angst zu lösen, sich nicht der Schwermut nur hinzugeben, Aggressionen einzudämmen etc. Emotionen in den Dienst eines Ziels zu stellen, ist eine dritte wichtige Fähigkeit, die zu Selbstmotivation und Kreativität führen kann. Ein vierter Bereich wird von Goleman als „Empathie" umschrieben, also die Fähigkeit, sich in andere Menschen einzufühlen und emotional mitzuschwingen. Und schließlich geht es ihm um das Erlernen des sozialen Umgangs miteinander, die Pflege von Beziehungen, die immer auch emotional gefärbt ist.

Emotionen wahrnehmen und zulassen, sie akzeptieren und sie nicht zu verbieten ist also nicht gleichbedeutend mit einem hemmungslosen Ausleben der gerade vorherrschenden Emotion. Im Gegenteil: Wer mit der eigenen Aggressivität und Wut sinnvoll umgehen und die darin enthaltende Kraft nutzen will, tut gut daran, sich seiner Aggression bewusst zu werden. Gefühle und Stimmungen kommen und gehen, sie gehören zu uns. Es ist wenig hilfreich, sich ganze Gefühlsbereiche als „nicht erlaubt" verbieten zu wollen oder sich vorzunehmen, „glücklich zu sein". Ein solches Vorhaben führt immer zu Paradoxien. Sinngemäß gilt dies, wie in diesem Buch aufgezeigt, für alle anderen Gefühlsqualitäten analog. Wir müssen unsere Angst akzeptieren, um sie zu überwinden. Wir müssen auch akzeptieren, dass Freude nicht ewig währt und unsere Gefühle ständig wechseln.

Selbstwertgefühl interagiert mit anderen Emotionen (Kruse 1991, 142 f.). So entstehen Ärger und Wut, wenn wir in unserem Selbstwertgefühl verletzt werden. Sie haben also die Funktion, unsere Selbstwertbalance aufrechtzuerhalten. Entsprechend verletzlich ist das Selbstwertgefühl aggressionsgehemmter Menschen. Andererseits kann ein niedriges Selbstwertgefühl zu vermehrter und inadäquater Aggression Anlass geben (s. o.). Auch Ängste können eine Bedeutung für das Selbstwertgefühl haben, wenn man

z. B. aus Angst vor Scham oder Versagen gar nicht erst versucht, die Initiative zu ergreifen. Interaktion von Schamgefühlen einerseits und Ängsten andererseits führen nun aber dazu, dass das ohnehin schon geringe Selbstwertgefühl niedrig bleibt, eventuell sogar durch Schuldgefühle überlagert wird, weil man Lebensaufgaben gar nicht erst in Angriff genommen hat – ein Teufelskreis.

Auch depressive Zustände korrelieren oft mit negativen Selbstwertgefühlen, wobei Selbstvorwürfe und Selbstkritik die kognitive Seite, Angst, Trauer und Autoaggression die emotionale Seite der Medaille sein können.

Freude, Interesse, Lust und Liebe sind die Emotionen, die sich positiv auf das Selbstwertgefühl auswirken, wie auch umgekehrt ein gefestigtes Selbstwertgefühl diese Emotionen am ehesten erleben lässt.

In den entsprechenden Kapiteln dieses Buches wurde gezeigt, wie sehr solche Emotionen gelungene Beziehungen ermöglichen, aber auch Kreativität und Leistung zu steigern vermögen. Insofern geht ein gefestigtes und hohes Selbstwertgefühl mit einer Steigerung von Gefühlen, innerer Harmonie und Integration, dem Gefühl von Wachheit, Lebendigkeit und Spontaneität sowie einer Offenheit gegenüber neuen Erfahrungen einher.

Wenn aber ein wesentlicher Aspekt von Selbstwertgefühl die Integration der gesamten emotionalen Palette in das Bild unserer eigenen Persönlichkeit ist, so kommt es schließlich darauf an, sich so zu akzeptieren, wie man ist: mit der eigenen bisherigen Biografie, mit den familiären Wurzeln, mit den Fähigkeiten und den Schattenseiten, deren man sich bewusst wird. Noch einmal: Dies bedeutet nicht, alles beim Alten zu lassen. Doch es bedeutet, liebevoll mit sich selbst umzugehen und die eigene „Fehlerhaftigkeit" zu akzeptieren. Es bedeutet schließlich zu erkennen, dass manche „Schattenseiten" der eigenen Persönlichkeit nicht nur erklärbar sind, sondern durchaus Sinn haben. Dies gilt insbesondere für Emotionen, deren wir uns schämen oder die wir uns nicht zugestehen. Es sollte deutlich geworden sein, dass es weder in der Evolution der Menschheit noch in der konkreten Situation einzelner Menschen per se „verbotene Emotionen" gibt. Alle menschenmöglichen Emotionen haben in der Regel Sinn. Wenn wir sie im Kontext zu Lebenssituation und zur Biografie sehen, werden wir oft genug erkennen, welchen Sinn unsere Angst, unsere Wut oder unsere Trauer hat. Dann erst mag es gelingen, die diesen Emotionen innewohnenden Kräfte umzulenken, sinnvoller zu gebrauchen und die Situation adäquat zu meistern.

So soll am Ende dieses Buches noch einmal festgehalten werden: in einem evolutionären Prozess haben sich eine ganze Reihe von Emotionen herausgebildet, die uns Menschen grundsätzlich und biologisch angelegt zur Verfügung stehen. Die Fähigkeiten, Lust zu empfinden und Unlust zu meiden, ängstlich zu sein, zu lieben, zu trauern oder Wut zu empfinden, dienen dem Leben und haben evolutionär Sinn. Auch für das Leben des Einzelnen stehen diese Emotionen zur Verfügung. Wir verstehen ihre Bedeutung, indem wir nicht nur nach ihrem Zustandekommen, sondern auch nach ihrem Nutzen und ihrer Funktion fragen. Eine proximate Fragestellung fragt also nach dem „Wie" unserer Emotionen, eine ultimate nach dem „Warum". Fragen wir uns im ersten Falle, wie Emotionen zustande kommen, so fragen wir im zweiten Fall, welchen Sinn sie haben. Ultimate wie proximate Fragestellungen können auf sehr unterschiedlichen Ebenen erfolgen. Alle Emotionen haben vegetativ-körperliche, psychische und soziale Dimensionen. Das Zustandekommen und die Bedeutung von Emotionen können je nach Ebene, die wir betrachten, recht unterschiedlich sein. Insofern hat eine Emotion, erst recht das Zusammenspiel unterschiedlicher, miteinander interagierender Emotionen keine allgemein gültige Bedeutung, sondern muss von Situation zu Situation neu geklärt werden. Emotionen können, auch wenn sie einen Sinn haben, dennoch inadäquat, d. h. störend sein. Auch wenn Ärger und Wut verständlich sind und eine wichtige Funktion für meinen Seelenhaushalt oder eine konkrete Auseinandersetzung haben, so können sie sich unter Umständen doch, wenn hemmungslos ausgelebt, selbstzerstörerisch oder zerstörerisch für eine Beziehung auswirken. Ein erster Schritt zum sinnvollen, und das heißt in diesem Falle situationsangemessenen, adäquaten Umgang mit Emotionen besteht darin, die eigenen Gefühle und die der anderen wahrzunehmen und in ihrer Bedeutung und Funktion zu respektieren. Ein solcher Respekt vor den eigenen Emotionen und denen anderer kommt nach meinem Empfinden auch in den Betrachtungen Virginia Satirs zum Ausdruck, die an das Ende dieses Buches gestellt seien:

To see and hear what is there
instead of what should be, was or will be.
To say, what one feels and thinks
instead of what one should.
To feel what one feels
instead of what one ought.
To ask for what one wants
instead of always waiting for permission.
To take risks in one's own behalf,
instead of chosing to be only „secure"
and not rocking the boat.

Überprüfen Sie Ihr Wissen!

14.1 Fragetyp E
Kausalverknüpfung

1. Ansätze von Selbstbewusstsein finden sich im Tierreich nicht
   denn
2. Ansätze von Selbstbewusstsein gehen mit dem Begreifen von Identität einher.

☒
a) Nur die Aussage 1 trifft zu. ☐
b) Nur die Aussage 2 trifft zu. ☐
c) Keine der Aussagen 1 und 2 treffen zu. ☐
d) Die Aussagen 1, 2 treffen zu, die Kausalverknüpfung nicht. ☐
e) Die Aussagen 1, 2 und die Kausalverknüpfung treffen zu. ☐

14.2 Fragetyp C
Antwortkombination

Welche der folgenden Aussagen treffen zu?

1. Bewusstsein kann verstanden werden als die Fähigkeit, Sinneseindrücke zu einem für uns sinnvollen Ganzen zu ordnen und die uns umgebende Welt in unserem Gehirn zu rekonstruieren.
2. Selbstbewusstsein tritt grundsätzlich nur beim Menschen, nicht aber beim Tier auf.
3. Zu den wesentlichen Aufgaben der Pubertät gehören u. a. die Auseinandersetzung mit dem eigenen Selbstbild und die Integration divergierender Gefühle.
4. Das „Versagen" Pubertierender vor den eigenen, idealistischen Ansprüchen kann mit schweren Selbstwertkrisen einhergehen.
5. Ein niedriges Selbstwertgefühl kann die Ursache einer verzerrten Selbstdarstellung und inkongruenter (unechter), verzerrter Kommunikation sein.

☒
a) Nur die Aussagen 1, 2 und 4 treffen zu. ☐
b) Nur die Aussagen 2, 3 und 5 treffen zu. ☐
c) Nur die Aussagen 1, 3, 4 und 5 treffen zu. ☐
d) Nur die Aussagen 1, 2, 4 und 5 treffen zu. ☐
e) Alle Aussagen treffen zu. ☐

Vertiefungsfragen

14.3 Äußern Sie sich bitte zu Zusammenhängen von Selbstbewusstsein und Selbstwertgefühl.

14.4 Inwiefern ist die Integration verschiedenster Gefühlsqualitäten für unser Selbstbewusstsein von Bedeutung?

Glossar

Abstraktion, abstrahieren: Ablösung (ablösen) vom Anschaulichen, das Allgemeine hinter den wahrnehmbaren Merkmalen erkennen.
ACTH: Adrenocorticotropes Hormon, Hormon aus der Hypophyse, das die Nebennierenrinde beeinflusst.
Acetylcholin: Neurotransmitter, der vor allem bei der Muskelsteuerung von Wichtigkeit ist. Außerdem an Gedächtnisprozessen beteiligt.
Adaptation: Anpassung.
Adipositas: Fettleibigkeit, Übergewichtigkeit.
Adoleszenz: Jugendzeit. Im Gegensatz zur „Pubertät" werden hiermit eher die psychosozialen als die biologischen Reifungsaspekte beschrieben.
Adrenalin: Hormon aus dem Nebennierenmark, das das sympathische Nervensystem unterstützt und die Leistungsbereitschaft des Körpers erhöht.
ätiologisch: im Hinblick auf die Ursache einer Erkrankung.
Afferente Bahnen: Bahnen, die von der Peripherie in Richtung Gehirn ziehen.
affiliativ: freundlich-zugewandt.
Aggression, Aggressivität: Bestreben, ein eigenes Bedürfnis gegen Widerstand mit Macht durchzusetzen. Angriffsverhalten.
Agoraphobie: (gr.: agora, Marktplatz; phobos, Furcht) Furcht vor freien bzw. weiten Räumen (vgl. auch Klaustrophobie).
agonal: auf Aktion, Wettstreit oder Kampf ausgerichtet.
Ahedonie: Unlust, Unfähigkeit, Lust oder Interesse zu empfinden, z. B. im Rahmen einer Depression.
Akinesie: Bewegungsarmut, Fehlen von Bewegungen.
Akrophobie: Furcht vor Höhe, z. B. vor dem Besteigen eines Turmes.
Aktionspotential: Spannungsänderung an der Nervenzellmembran, die durch das Einströmen von Natrium in die Zelle entsteht.
akut: plötzlich auftretend (Gegensatz von chronisch).
Alkoholembryopathie: Schädigung des ungeborenen Kindes durch Alkoholkonsum der Mutter während der Schwangerschaft. Kann mit unterschiedlichen Retardierungen einhergehen.
Alkoholtoleranz: körperliche Gewöhnung an größere Mengen von Alkohol infolge einer veränderten Stoffwechsellage und vermehrter Leberaktivität.
Altruismus: sich für andere einsetzendes bzw. aufopferndes Verhalten.
Alzheimer-Krankheit: organisch begründete Erkrankung des Gehirns mit fortschreitendem Gedächtnisverlust und zunehmender Verwirrtheit.

Ambivalenz: Zwiespältigkeit.
Amenorrhoe: Ausbleiben der Monatsblutung.
Aminosäuren: chemische Verbindungen, aus denen sich die Proteine (Eiweiße) zusammensetzen.
Amphetamine: Weckamine, stimulierende Psychopharmaka mit Suchtgefahr.
Amygdala: Mandelkern. Ein Teil des Limbischen Systems, der u. a. an der affektiven Tönung der Wahrnehmung beteiligt ist.
Analgetika: schmerzlindernde Pharmaka.
Anaphylaktischer Schock: allergisch bedingter Schock.
Anatomie: medizinisches Lehrfach, das sich mit dem Bau und der Struktur des Körpers, seiner Organe und Gewebe befasst.
Angstneurose: seelische Störung im Sinne einer unteroptimalen, intrapsychischen Konfliktverarbeitung mit Angst als vorherrschendem Symptom.
Anion: negativ geladenes chemisches Teilchen (z. B. Cl^-).
Anorexia nervosa: Pubertätsmagersucht, s. dort.
Antagonist, antagonistisch: Gegenspieler, entgegenwirkend.
Anthropologie: die Wissenschaft vom Menschen.
Antidepressivum (pl.: Antidepressiva): Arzneimittel mit stimmungshebender Wirkung, z. T. zusätzlich erregend oder dämpfend. Indikation: schwere Depression.
Antikonvulsivum (pl.: Antikonvulsiva): Medikament zur Verhinderung eines hirnorganischen Krampfanfalls.
Antikonzeption, Antikonzeptiva: Empfängnisverhütung, empfängnisverhütende Mittel.
antizipieren: gedanklich vorwegnehmen.
Anxiolytikum (pl.: Anxiolytika): angstlösendes, zumeist beruhigend-entspannendes, in höheren Dosen auch oft schlafanstoßendes Arzneimittel, oft mit Suchtgefahr.
Apathie, apathisch: erschöpfungsbedingte Teilnahmslosigkeit, erschöpft, teilnahmslos.
Appetenz: Verlangen.
a priori: von Anbeginn.
archaisch: in einer Frühphase entstanden.
Assembly: Gruppierung. In der Neurophysiologie ein Zusammenschluss funktional miteinander in Verbindung stehender Nervenzellen.
Assimilation: Angleichung (z. B. an eine Umgebung).
Assoziation: Verknüpfung, Verbindung.
Assoziationsbahnen: Nervenfasern, die Hirnbezirke miteinander verbinden.
Assoziationscortex: Gesamtheit der Hirnrinde mit Ausnahme der motorischen und sensorischen Areale.
Assoziationsfelder: die Großhirnrindenfelder (sekundäre und tertiäre), die nicht direkt der sensorischen Reizverarbeitung oder der Motorik zugeordnet werden.
Asthma bronchiale: multifaktoriell, oft allergisch mitbedingte Atemnot mit Verkrampfung der Bronchien (Bronchospasmus), Anschwellung der Bronchialschleimhaut und Absonderung eines zähen Schleimes.

Ataxie: Störung der Koordination und des sinnvollen Zusammenwirkens von Muskeln.
Atrophie: Abnahme bzw. Schwund von Gewebe.
auditiv: das Hören betreffend.
Autonomie, autonom: Eigenständigkeit, eigenständig.
Axon: Fortsatz der Nervenzelle, über den bioelektrische Information weitergeleitet wird. Wird auch als Neurit bezeichnet.
Basalganglien: unterhalb der Großhirnrinde gelegene Kerngruppe, zu der das Striatum (mit Putament und Nucleus caudatus), Pallidum und Substantia nigra gehören. Motorischer „Unterausschuss" im Dienste der extrapyramidalen Bewegung.
bilateral: beidseitig.
Biogene Amine: Abkömmlinge bestimmter Aminosäuren (s. d.), die als Hormone oder Neurotransmitter fungieren können oder Bestandteile von ihnen sind.
Blinder Fleck: Austrittsstelle der Sehnerven aus der Netzhaut. Da sich an dieser Stelle keine Zapfen oder Stäbchen befinden, kann dort nicht gesehen werden.
Bulbus olfactorius: Riechkolben. Beginn der Riechbahn, die den Riechnerv aufnimmt.
Bulimie: vorwiegend psychogene Ess-Störung, deren hervorragendstes Merkmal Heißhunger- und Essattacken mit anschließend induziertem Erbrechen ist.

Cerebellum, cerebelär: Kleinhirn (siehe dort), das Kleinhirn betreffend.
Cerebrum, cerebral: Gehirn, das Gehirn betreffend.
Chromosom, chromosomal: Träger der Erbinformation (der Gene). Der Mensch besitzt 22 Autosomenpaare sowie einen XX- oder XY-Gonosomensatz.
chronisch: anhaltend, langsam verlaufend. Gegenteil von „akut".
Compliance: Bereitschaft eines Patienten, therapeutische Maßnahmen zu akzeptieren bzw. zu befolgen.
Coping: problemlösendes Verhalten.
cortical: die Hirnrinde betreffend.
Corticosteroide: eine Gruppe von Hormonen besonderer chemischer Struktur (Steroide, die nicht verdaut werden), die in der Nebennierenrinde (Cortex) entstehen und deren wichtigster Vertreter das Cortison (s. d.) ist.
Cortison: Nebennierenrindenhormon (auch als Medikament verfügbar) mit entzündungshemmender, abschwellender und antiallergischer Wirkung sowie zahlreichen Nebenwirkungen.

Dehydratation: Austrocknung, meist durch Wasserverlust infolge zuwenigen Trinkens, anhaltenden Erbrechens, erheblicher Durchfälle und vermehrten Schwitzens.
Delegation: Beauftragung. In der Familientherapie auch ausgesprochene und unausgesprochene Erwartungen an Söhne und Töchter.
Deliberation: praktisches Abwägen.
Decodieren: entschlüsseln.
Dendriten: feinverästelte Fortsätze der Nervenzelle, über die Informationen aufgenommen werden.

Depression: emotionale Störung mit niedergedrückter Stimmung und vermindertem Antrieb, die reaktiv, neurotisch oder im Rahmen eines endogenen Krankheitsbildes auftreten kann.
Deprivation: Vernachlässigung, die mit Depression, emotionaler und sozialer Fehlentwicklung einhergehen kann.
Derivat: (chemischer) Abkömmling.
descriptiv: beschreibend.
Desensibilisierung: im psychologischen Sinn ein verhaltenstherapeutisches Verfahren zur Reduktion von Ängsten, bei dem Angstsituationen in kleinen Schritten durchgearbeitet werden.
destruktiv, Destruktivität: zerstörend, zersetzend; zerstörerische Kraft.
determinieren: festlegen.
Diabetes mellitus: Stoffwechselstörung, bei der aufgrund relativen oder absoluten Insulinmangels der Blutzucker nicht adäquat reguliert werden kann. Man unterscheidet den (insulinpflichtigen) jugendlichen Diabetes (Typ I) von dem erst im mittleren Lebensalter auftretenden und nicht immer insulinpflichtigen Typ-II-Diabetes.
Diagnose, Diagnostik: das Erkennen einer Krankheit an typischen Krankheitszeichen (Symptomen), das eine Vorhersage (Prognose) und ggf. eine Behandlung (Therapie) ermöglicht.
Differenzialdiagnose: Unterscheidung und Abgrenzung zweier Krankheitsbilder, die einander ähnlich sind.
differenzielle Emotionstheorie: Forschungsrichtung, die die Differenzierung von in Mimik, Physiologie, Ausdruck und Erleben unterscheidbaren Emotionen betont.
Disability: Beeinträchtigung. Vgl. auch Impairment (Schädigung) und Handicap (Benachteiligung). Nach der WHO ein Teilspekt einer Behinderung.
Diskrimination, diskriminieren: Unterscheidung, unterscheiden.
Diskriminationsfähigkeit, Deskriminationsverlust: Fähigkeit bzw. Unfähigkeit, ähnliche sensorische Informationen voneinander zu unterscheiden.
Disposition: Veranlagung.
dominante Hirnhälfte: die Großhirnhälfte, in der sich das sensorische und motorische Sprachzentrum und in der Regel auch die führende (geschicktere) Steuerung der Handmotorik befindet. Meist linksseitig angelegt.
Dominanz, dominant: Vorherrschaft; beherrschend.
Dopamin: Neutrotransmitter (s. d.) mit Wirkung auf unterschiedliche zentralnervöse Strukturen. Eine Störung im Dopaminhaushalt kann zu schweren Krankheiten wie z. B. Parkinson-Syndrom (s. d.) oder Schizophrenie (s. d.) führen bzw. beitragen.
dualistisch: von zwei verschiedenen Ebenen her, zwei Gesichtspunkte.
Dysfunktion: Fehlfunktion, Funktionsstörung.
dysphorisch, Dysphorie: bedrückt, bedrückte Stimmung (Gegenteil zu Euphorie).
dysthym: verstimmt.

efferente Bahnen: Bahnen, die bioelektrische Impulse (z. B. motorische Steuerungssignale) von zentralnervösen Instanzen zur Peripherie leiten.

Effizienz: Wirksamkeit.
Ejakulation: Samenerguss.
Ekstase, ekstatisch: rauschähnliches „Außer-sich-Sein" als Erlebnis individueller Entpersönlichung.
elaboriert: ausgearbeitet.
Elektroenzephalogramm: siehe EEG.
Embryo: der werdende Mensch im 1. Drittel der Schwangerschaft, in dem die Organe angelegt werden.
Emotion: (affektiver) Gefühlszustand, der unsere Wahrnehmung und kognitive Prozesse begleitet und Grundlage motivationalen Handelns ist.
Empathie, empathisch: Mitgefühl, mitfühlend.
endogen: von innen heraus.
endokrin: die Drüsen- und Hormonfunktion betreffend.
Endorphine: körpereigene, morphinähnliche Substanzen mit betäubender, schmerzlindernder und euphorisierender Wirkung.
Enkephaline: s. Endorphine.
Epilepsie: zerebrale Funktionsstörung mit hirnorganischen Krampfanfällen unterschiedlicher Genese und verschiedener Anfallsformen.
Epiphänomen: Begleitphänomen.
Epiphyse: Wachstumszone an den Röhrenknochen.
Erotik, erotisch: Liebeskunst, i. w. S. Liebe allgemein, im e. S. Sexualität; sexuell ansprechend.
Erythrophobie: Furcht zu Erröten.
Ethnologie: Völkerkunde.
Ethologie: Verhaltensforschung.
Etikettierung: Zuschreibung.
Euphorie: gehobene Stimmungslage.
evasiv: ausweichend, herausgehend.
Evolution: (Weiter-)Entwicklung. In der Biologie genetische Änderung an Organismen, die sich in der Generationsfolge abspielt.
evozieren: hervorrufen.
exogen: von außen verursacht.
Expansion: Ausbreitung.
explizit: ausdrücklich, klar geäußert.
explorativ: erkundend.
expressiv: ausdrückend.

Familientherapie: systemisch orientiertes psychotherapeutisches Konzept, das die Beziehungs- und Interaktionsmuster der Familienmitglieder im Blickpunkt hat und die familienimmanenten Kräfte zur Änderung und Konfliktlösung zu nutzen versucht.
Familienrekonstruktion: von V. Satir entwickelte Technik im Rahmen der Familientherapie (s. d.), bei der biografische Erlebnisse oder auch lang zurückliegende Familienereignisse therapeutisch in Szene gesetzt werden.
Feedback: Rückkopplung.
Filiale Rollenumkehr: (lat. filia: Tochter) Umkehr der Rollen und Aufgaben im Generationsverhältnis.

Flight-and-fight-reaction: Alarmreaktion in Stress-Situationen, bei der der sympathische Teil des vegetativen Nervensystems in den Vordergrund rückt, Adrenalin ausgeschüttet wird und der Körper in Flucht- oder Kampfbereitschaft versetzt wird.
Fokus, fokussieren: Brennpunkt, in den Brennpunkt nehmen.
Formatio reticularis: im Stamm- und Zwischenhirn anzutreffendes Nervenzell- und Fasersystem, das eng mit dem Erregungs-, Wachheits- und Bewusstseinszustand verbunden ist.
frontal: vorne, stirnwärts.
Frontallappen: Stirnregion der Großhirnrinde.
FSH: Follikel stimulierendes Hormon aus dem Hypophysenvorderlappen, das die Reifung einer Eizelle im Eierstock steuert.

Gamma-Amino-Buttersäure (GABA): Neurotransmitter (chemischer Botenstoff), überwiegend an hemmenden Synapsen.
Ganglion: Nervenzellanhäufung.
Gelbkörperhormon: s. LH.
Gestik: Gesamtheit der Ausdrucksbewegungen.
Glutamat: Salz der Glutaminsäure, Substanz mit Wirkung auf das Zentralnervensystem. Auch als Geschmacksverstärker verwandt.
Gonatdotropine, gonatdotrope Hormone: Sammelbegriff für Hormone aus dem Hypophysenvorderlappen, die Bildung und Ausschüttung von Hormonen von Keimdrüsen fördern, z. B. LH und FSH (s. d.).
graue Substanz: alle Hirnareale und Strukturen des Rückenmarks, die aus Nervenzellkörpern bestehen und nicht myelinisiert sind (im Gegensatz zur weißen Substanz, deren Leitungsbahnen meist von Mark umgeben sind).
Großhirn: entwicklungsgeschichtlich jüngster und übergeordneter Teil des hierarchisch aufgebauten Gehirns, in dem sensorische, motorische und kognitive Funktionen ihr biologisches Substrat finden.
Gyrus: Gehirnwindung.

Habituation: Gewöhnung.
Halluzination: Sinneswahrnehmung, der kein physikalisch objektiver Reiz zugrunde liegt (im Gegensatz zur Illusion, einer Täuschung bzw. Fehlwahrnehmung eines an sich aber vorhandenen Reizes). Man unterscheidet u. a. optische, akkustische, geruchliche oder taktile Halluzinationen.
Handicap: Benachteilung. Nach der WHO ebenso wie das Impairment (Schädigung) und die Disability (Beeinträchtigung) ein Teilaspekt der Behinderung.
hedonistisch: lustbetont.
Heilpädagogik: spezielle Form der Pädagogik, die die Förderung, Begleitung und therapeutisch-rehabilitative Maßnahmen für Behinderte beinhaltet. Sie versteht sich als „Pädagogik unter erschwerten Bedingungen".
Hemiplegie: Halbseitenlähmung.
Hemisphäre: Gehirnhälfte.
Heroin: halbsynthetischer Morphinabkömmling. Rauschgift mit euphorisierender, schmerzaufhebender und berauschender Wirkung. Extreme Suchtgefahr.

heterogen: verschieden(artig).
Hirnnerven: 12 paarig angelegte Nerven, die größtenteils dem Stammhirn entspringen. Einige dienen der Augenmotorik, andere der Weiterleitung spezieller sensorischer Sinne (Hörnerv, Sehnerv, Geruchsnerv etc.). Auch der Nervus vagus, der z. T. die Eingeweide versorgt, gehört zu den Hirnnerven.
Hirnstamm: entwicklungsgeschichtlich archaischer, basaler Teil des Gehirns, der sich an das Rückenmark anschließt und überlebenswichtige Funktionen steuert.
Hippocampus: Sehpferdchen. Archaische, subcorticale Hirnstruktur, die dem Limbischen System zugeordnet wird und ohne die Gedächtnisinhalte nicht dauerhaft gespeichert werden können.
HKS: siehe hyperkinetisches Syndrom.
holistisch: ganzheitlich.
Homo, hominid: Mensch, menschlich (i. biol. S.)
Homöostase: Fließgleichgewicht, Balance.
Hormone: körpereigene Wirkstoffe, die bereits in kleinsten Mengen über das Blut abgegeben an bestimmten Organen oder Strukturen eine spezifische Wirkung entfalten. Chemische Botenstoffe, die wichtige Körperfunktionen und Verhaltensweisen regulieren. Sie stehen z. T. unter der Kontrolle des Gehirns (z. B. der Hypophyse/Hirnanhangsdrüse).
Hospitalismus: ursprünglich Bezeichnung für alle infolge eines Krankenhausaufenthaltes entstandenen Schäden. Unter psychischem Hospitalismus wird eine Schädigung infolge emotionaler Vernachlässigung verstanden. Vgl. auch Deprivation.
Humanethologie: Lehre vom menschlichen Verhalten.
humoral: die Körperflüssigkeiten betreffend.
Hypaesthesie: Schmerzunterempfindlichkeit.
Hyperaesthesie: Schmerzüberempfindlichkeit.
Hyperaktivität: motorische Unruhe.
Hyperkinesie: vermehrte Bewegungen in unterschiedlichen Körperregionen.
Hyperkinetisches Syndrom (HKS): Syndrom, das u. a. mit motorischer Unruhe, Konzentrationsstörungen und vermehrter Impulsivität einhergeht. Vgl. auch MCD, minimale cerebrale Dysfunktion.
Hypertonus, Hypertonie: erhöhter Druck, erhöhte Anspannung. In der Inneren Medizin meist für den Bluthochdruck gebraucht, in der Neurologie wird auch von Muskelhypertonus gesprochen.
Hyperventilation: vermehrtes Atmen.
Hypochondrie: übertriebene Neigung, ständig den eigenen Gesundheitszustand zu beobachten. Oft verbunden mit der zwanghaften Angst, krank zu sein oder der Überbewertung vorhandener Beschwerden.
Hypnotikum (pl. Hypnotika): Betäubungsmittel.
Hypophyse: Hirnanhangsdrüse. „Oberste Hormondrüse", deren Hormone ihrerseits andere hormonausschüttende Drüsen beeinflussen können.
Hypothalamus: subcorticale zentralnervöse Struktur, die bei vielen Verhaltensweisen von Bedeutung ist.

Hypothese: Vermutung, deren Richtigkeit überprüft werden muss.
Hypotonus, Hypotonie: Unterdruck, verminderte Spannung. In der Inneren Medizin meist im Sinne von „niedrigem Blutdruck" gebraucht. In der Neurologie spricht man u. a. auch von einem muskulären Hypotonus.
Identität: psychische, innere Einheit der Person, das erlebte „Selbst".
identifizierter Patient: in familientherapeutischer Sichtweise die Person einer Familie, wegen deren Symptom oder Verhalten der Therapeut aufgesucht wird (Symptomträger, Indexpatient).
Imagination: Vorstellung.
imitieren, Imitation: nachahmen, Nachahmung.
Immunologie: Lehre von den Abwehrkräften des Körpers.
Immunsystem: körpereigenes Abwehrsystem.
Impairment: Schädigung. Wie die Disability (Beeinträchtigung) und das Handicap (Benachteiligung) ein Teilaspekt einer Behinderung.
implizit: unausgesprochen (vgl. auch: explizit).
inadäquat: unangemessen.
Indexpatient: s. identifizierter Patient.
Individuation: psychischer Differenzierungs- und Ablösungsprozess mit dem Ziel der Selbstständigkeit und Eigenverantwortlichkeit für das Gelingen des eigenen Lebens.
indiziert: angezeigt.
Inervieren, Inervation: beeinflussen, versorgen, bzw. die Beeinflussung oder Versorgung einer peripheren Struktur (Muskel, Drüse) durch einen Nerv.
Infantile Regression: (psychischer) Rückschritt auf kindliche Erlebens- und Verhaltensstufen.
Inhibition: Hemmung.
Instinkt: (lat.: Anreiz, Antrieb) in der Verhaltensforschung ein verhaltensregulierendes System mit endogener Handlungsbereitschaft (Motivation), sensorischer Komponente, Reizfilter und motorischer Aktion.
Insuffizienz: Ungenügen.
Insulin: Hormon der Bauchspeicheldrüse, das den Blutzucker reguliert.
Integration, Integrationsstörung: die ganzheitliche Verarbeitung und Einordnung sehr unterschiedlicher sinnlicher Reize und Wahrnehmungen bzw. die Störung dieses Prozesses.
Integrität: Unbescholtenheit, Unversehrtheit.
Intention: Absicht, Vorhaben.
Interaktion: aufeinander bezogenes Handeln zweier oder mehrerer Personen.
intermodale Verknüpfung: Verknüpfung zweier oder mehrerer Sinnesreize (z. B. Sehen und Tasten).
Internalisierung: Verinnerlichung (z. B. elterlicher Normen) in das eigene Gewissen.
Intoxikation: Vergiftung.
intrauterin: im Mutterleib, vorgeburtlich.
Introspektion: (wtl.: Inneneinsicht) das Nachdenken über sich selbst.
Inversion: Umkehrung.

Inzest: sexuelle Beziehung zwischen Eltern und Kindern oder zwischen Geschwistern (vgl. auch sexueller Missbrauch).
Ionenkanäle: Zwischenräume in der halbdurchlässigen Nervenzellmembran, durch die elektrisch geladene Teilchen austreten können, was eine Ladungsänderung an der Zelle zur Folge hat.
ipsilateral: auf der gleichen Seite gelegen.
Isolierung: als Abwehrmaßnahme zu sehendes psychisches Phänomen, bei dem (unangenehme) Gefühle abgespalten und nicht mehr wahrgenommen werden.

Jaktation: Schleuder- oder Schüttelbewegung, insbesondere das Hin- oder Herwälzen des Kopfes oder Körpers in stereotyper Weise. Kann u. U. sowohl bei Deprivation als auch bei Autismus auftreten.

Katecholamine: eine bestimmte Gruppe von biogenen Aminen (Abkömmlinge von Aminosäuren, s. d.), v. a. Adrenalin, Noradrenalin und Dopamin (s. d.).
Katharsis: (gr.: Reinigung) geistig-seelische Läuterung, Erleichterung oder Abreaktion, auch im psychotherapeutischen Bereich.
Kation: positiv geladenes chemisches Teilchen (z. B. Na^+).
kausal: ursächlich.
kinästhetisch: Lage- und Bewegungsempfindlichkeit sowie Empfindungen der Tiefensensibilität betreffend.
kinetisch: bewegend.
Kindchenschemata: bestimmte optische Schlüsselreize wie z. B. große Augen, volle Wangen, runde Kopfformen etc., die freundlich-zugewandtes bzw. „Brutpflegeverhalten" auszulösen oder zu fördern imstande sind.
Kindesmisshandlung: eine nicht zufällige, psychische oder physische Schädigung eines Kindes, die zu Verletzungen, Entwicklungshemmungen oder zum Tod führen kann und das Wohl und die Rechte des Kindes beeinträchtigt bzw. bedroht.
Klaustrophobie: Furcht vor räumlicher Enge (z. B. im Fahrstuhl), s. a. Agoraphobie.
Kleinhirn: Cerebellum. In der hinteren Schädelgrube gelegener Teil des Gehirns, der bei der Aufrechterhaltung des normalen Muskeltonus, der Gleichgewichtsreaktion und der motorischen Koordination mitwirkt.
Klonus: Zuckung.
Körperimago: Körperbild, Körpervorstellung.
Kognition: Erkennen, Wahrnehmen, Denken.
kognitiv: das Erkennen/Denken betreffend.
Kohäsion: Zusammenhalt.
Koma: Zustand tiefer Bewusstlosigkeit.
Kommunikation: Informationsaustausch.
Kompensation: Ausgleich, bspw. einer Unter- oder Fehlfunktion durch eine Ersatzfunktion.
Kompetenz: Fähigkeit.
kongruent: stimmig, echt.
Konstruktivismus: philosophisch-erkenntnistheoretische, neuerdings auch psychologische Richtung, der zufolge die erkannte Wirklichkeit das Ergebnis reizverarbeitender Prozesse ist.

Kontemplation: Betrachtung.
Kontext: Zusammenhang.
Kontraktur: das Zusammenziehen. In Orthopädie und Pflegewissenschaften wird auch die Gelenkversteifung als Kontraktur bezeichnet.
Konversionssyndrom: (lat.: conversio/Wendung) Psychosomatische Störung, bei der psychische Energie eines unerträglichen, unbewussten, nur unteroptimal lösbaren Konflikts durch Verschiebung auf ein körperliches Symptom umgeleitet wird.
Koordination: zur Zusammenarbeit notwendige Abstimmung.
Krankheitsgewinn, primärer: Nach tiefpsychologischer Lehrmeinung eine durch die Krankheit bedingte seelische Entlastung, bei der mit dem Selbsterleben nicht zu vereinbarende Konflikte ins Unbewusste abgeschoben werden und die somatischen Reaktionen im Vordergrund bewusster Aufmerksamkeit stehen.
Krankheitsgewinn, sekundärer: Vorteil, den ein Kranker aufgrund vermehrter Aufmerksamkeit, sozialer Unterstützung, Schonung oder der Befreiung von sozialen Rollen erfährt.

Labeling-Approach: Etikettierungsansatz, demzufolge Rollenzuschreibungen und -erwartungen eine psychisch wie sozial bedeutsame Rolle spielen.
larvierte Depression: „verdeckte" Depression, deren Symptome zunächst nur körperliche sind.
Läsion: Verletzung, Schädigung.
latent: unterschwellig.
lateral: seitlich.
Lateralisierung: zunehmende Lokalisation bestimmter Hirnfunktionen auf einer Gehirnseite.
Laxantien: Abführmittel.
LH: luteinisierendes Hormon (Gelbkörperhormon): Hormon aus dem Hypophysenvorderlappen, das die Bildung und Ausschüttung von Hormonen der Keimdrüsen beeinflusst (beim Mann bestimmte Hodenzellen, bei der Frau den Gelbkörper, Gestagenbildung).
Libido: Begierde, Geschlechtstrieb. Im weiteren Sinne auch allg. lustvolle Zuwendung.
Life-events: Lebensereignisse, oft belastender Art, die als herausragend und z. T. krisenhaft bewertet werden.
Limbisches System: Strukturen an der Grenze von Zwischenhirn und Großhirn, die die Wahrnehmungen affektiv tönen und für die Speicherung im Gedächtnis von Bedeutung sind („Mischpult der Gefühle, Pforte des Gedächtnisses"); u. a. gehören Amygdala, Hippocampus und Riechhirn zum Limbischen System.
LSD: (Lysergsäurediaethylamid) halluzinogene Rauschdroge.

Mainstream: (engl. Hauptstrom) Bezeichnung für eine vorherrschende, gesellschaftspolitische oder kulturelle Richtung.
Major depression: schwere Form einer Depression.
maligne: bösartig.
maligner Clinch: destruktive Verstrickung in einer sozialen Beziehung.
Mandelkern: Amygdala, s. d.

MCD: siehe minimale cerebrale Dysfunktion.
medial: in der Mitte gelegen.
Medulla oblongata: verlängertes Rückenmark.
Melancholie: Schwermütigkeit. Klinisch ältere Bezeichnung für schwere (endogene) Depression bzw. Major depression (s. d.).
Menstruation: Monatsblutung der Frau, bei der unter Hormoneinfluss ein Teil der Gebärmutterschleimhaut abgestoßen wird.
Mesokosmos: Lebenswelt (auch im übertragenen Sinne), Umgebung, in der sich ein Individuum zurechtfindet.
Milieutherapie: therapeutische bzw. soziale und pädagogische Maßnahmen, bei denen durch eine Gestaltung (Strukturierung oder Veränderung) des Umfeldes ein Heilungs- oder Rehabilitationseffekt erzielt wird.
Mimik: Gesichtsausdruck.
Minimale cerebrale Dysfunktion (MCD): ätiologisch umstrittenes Störungsbild, bei dem bei normaler intellektueller Begabung verschiedene Teilleistungen gestört sind, bspw. die motorische Kontrolle, Koordination oder Konzentrationsfähigkeit. Manchmal liegt außerdem eine Hyperkinesie vor (vgl. Hyperkinetisches Syndrom).
Mobbing: (engl.: Mob, Pöbel) enthemmtes und destruktives Verhalten einer (u. U. aufgewiegelten) Gruppe gegen einen Außenseiter (i. e. S.: am Arbeitsplatz).
modifizieren, Modifikation: verändern, Veränderung.
Modus: (lat.: Art, Weise) Herangehensweise.
monokausal: auf eine Ursache zurückzuführen.
Morphium: Abkömmling des Opiums mit berauschender, betäubender und schmerzstillender Wirkung. Hohes Suchtpotential).
morphogenetisch: gestalt(neu-)schaffend, verändernd.
morphostatisch: gestalterhaltend, verharrend, bewahrend.
Motivation: Beweggrund für ein Verhalten.
Motoneuron: Nervenzelle im Dienst motorischer Erregung.
motorisches Rindenfeld: beidseitig angelegtes Areal in der Großhirnrinde, von dem aus die präzise Willkürmotorik gesteuert wird.
Motorik: Sammelbezeichnung für aktive Bewegungsvorgänge.
Mutation: Veränderung des genetischen Materials (z.B. durch Röntgenstrahlen oder Umwelteinflüsse), die weiter vererbt wird.

Narzissmus, narzisstisch: übersteigerte Ich-Bezogenheit infolge eines nicht tragfähigen Selbstbewusstseins, mitunter auf dem Boden frühkindlicher seelischer Störungen.
Neocortex: jüngster Teil der Großhirnrinde.
Nepotismus: Vetternwirtschaft, Verwandten(-Neffen-)begünstigung.
Nervus sympathicus: siehe sympathisches Nervensystem.
Nervus vagus: zehnter Hirnnerv, der Eingeweide versorgt und zum parasympathischen Nervensystem gezählt wird.
Neurit: Axon. Der Nervenzellfortsatz, über den die elektrische Erregung weitergeleitet wird.
Neuroendokrinologie: Wissenschaft, die sich mit den Zusammenhängen und Interaktionen des Nervensystems mit dem hormonellen System befasst.

Neurokinine: chemische Stoffe, die bei der Schmerzempfindung und -übertragung von Bedeutung sind.
Neuroleptikum (pl.: Neuroleptika): erregungsdämpfendes und vom Wahnerleben distanzierendes Psychopharmakon.
Neurologie: Nervenheilkunde. Medizinische Fachrichtung.
Neuron: Nervenzelle einschließlich ihrer Fortsätze.
neurotische Depression: unzureichende, intrapsychische und größtenteils unbewusste Konfliktlösung mit depressiven Zeichen als den führenden körperlichen, seelischen und sozialen Symptomen.
Neurose: unzureichende, intrapsychische und größtenteils unbewusste Konfliktlösung mit seelischem Leidensdruck und körperlichen, seelischen und sozialen Symptomen.
Neurotransmitter: chemische Boten- und Übertragungsstoffe.
Nidation: Einnistung des befruchteten Eis in der Gebärmutter.
Noradrenalin: Hormon aus dem Nebennierenmark, das das sympathische Nervensystem unterstützt und die Leistungsbereitschaft des Körpers erhöht.
Nucleus: Kern. In der Biologie oft Zellkern, in der Neurologie werden Ansammlungen von Gehirnzellen als Nucleus bezeichnet.

Okzipitallappen: Hinterhauptslappen.
olfaktorisch: geruchlich.
Opium, Opiate: Produkt des Schlafmohns (bzw. Abkömmlinge des Opiums) mit berauschender, betäubender und schmerzlindernder Wirkung.
Optik, optisch: Lehre von den Sehvorgängen, das Sehen betreffend.
oral: auf den Mund bezogen.
Orgasmus: lustvoll erlebter Höhepunkt sexueller Erregung.
Östradiol: ein zur Gruppe der Östrogene (s. d.) gehörendes Hormon aus dem Eierstock.
Östrogene: Sammelbegriff für Hormone aus dem Eierstock, die die Ausbildung der weiblichen Geschlechtsmerkmale beeinflussen.
Ovar: Eierstock.
Overprotection: Überbehütung. Oft reaktiv infolge unbewusster ambivalenter (auch ablehnender) Gefühle.
Ovulation: Eisprung.
Oxitozin: Hormon des Hypophysenhinterlappens, das unter anderem die Uteruskontraktion anregt.

Panikattacke: schwerste, oft plötzlich einbrechende Angststörung mit imperativem Drang zur Flucht und dem Gefühl völliger Hilflosigkeit.
Paradigma: Einordnungs-, Deutungs- und Bezugsmuster.
Paradoxie: (gr.: das Unerwartete) scheinbar unsinnige, weil widersprüchliche Behauptung mit Bezug auf eine Wahrheit auf einer höheren Ebene.
Parameter: Messgröße oder Merkmal zur praktischen Beurteilung eines komplexen Sachverhalts.
Paranoia, paranoid: Verfolgungswahn, sich verfolgt fühlend.
Parasympathicus: der Teil des vegetativen (unwillkürlichen) Nervensystems, der im Dienste von Erholungs-, Reparatur- und Regenerations-

vorgängen steht. Gegenspieler des sympathischen Nervensystems (siehe dort).
Parese: im Gegensatz zur Paralyse eine leichte, unvollständige Lähmung.
Parietallappen: Scheitellappen.
Parkinsonsche Erkrankung: Erkrankung der extrapyramidalen-motorischen Zentren, insbesondere der Substantia nigra, mit den Hauptsymptomen Rigor (wächserner Steife), Tremor (Zittern) und Akinesie (Bewegungsarmut).
partiell: teilweise.
Partizipation, partizipieren: Teilnahme, Anteil nehmen an, teilhaben an.
Pathogenese: Krankheitsentstehung.
Peer-group: Gruppe Gleichaltriger.
perinatal: um den Geburtszeitpunkt (Geburtsvorgang) herum.
peripheres Nervensystem: Im Gegensatz zum ZNS (siehe dort) versteht man unter dem peripheren Nervensystem die Nerven, die außerhalb von Rückenmark und Gehirn liegen und Muskulatur, Hautareale, Eingeweide und Sinneszellen versorgen.
persistieren: anhalten, fortdauern.
Perzeption: Wahrnehmung.
Pharmakon (pl.: Pharmaka): Arzneimittel.
Phenylethylamin: Neurotransmitter (s. d.) mit erregender und euphorisierender Wirkung.
Pheromone: chemische Stoffe aus der Gruppe der Hormone, sog. Erkennungs- bzw. Sexuallockstoffe.
Phobie: Furcht, zielgerichtete Angst vor bestimmten Objekten oder Situationen.
Physiologie, physiologisch: Wissenschaft von den normalen Lebensvorgängen, normal und funktional ablaufend.
Plastizität: Fähigkeit des Gehirns, sich in gewissem Maße umzustrukturieren und Ausfälle zu kompensieren.
plausibel: einsichtig, überzeugend.
polivalent: mehrwertig, mehrere Funktionen habend.
postsynaptische Membran: die Membran einer nachgeschalteten Nervenzelle jenseits des synaptischen Spaltes (siehe dort).
Prädisposition: Zustand, der eine Krankheit begünstigt.
pränatal: vorgeburtlich.
präsynaptische Membran: Membran einer vorgeschalteten Nervenzelle, von der aus Vesikel (siehe dort) zwecks Signalübertragung den synaptischen Spalt (siehe dort) überwinden.
Primäraffekte: Gruppe grundlegender, z. T. noch vorbewusster Emotionen (z. B. Wut, Angst), die ihr biologisches Korrelat im Limbischen System haben (s. a. Sekundäraffekte).
Primaten: (wtl.: Herrentiere) Gattung, der neben dem Menschen (und seinen ausgestorbenen Vorläufern) auch die Gorillas, Orang-Utans und Schimpansen angehören.
Progesteron: Hormon aus der Gruppe der im Gelbkörper hergestellten Gestagene, steuert Ovarialzyklus und Schwangerschaft.
Prognose: zu erwartende Entwicklung einer Krankheit.
Progredienz, progredient: fortschreitender Verlauf, fortschreitend.

Prolaktin: Hormon aus dem Hypophysenvorderlappen. Stimuliert u. a. die Milchproduktion.
Prophylaxe: Vorbeugung.
Proxemik: Körperausdruck.
proximat: auf die Wirkursachen, die Mechanismen und Auslöser eines Merkmals oder Verhaltens bezogen (vgl. a. ultimat).
Psychoneuroendokrinoimmunologie: neuere medizinische Fachrichtung, die die Wechselwirkung von psychischem Erleben, neuronaler Aktivität, Hormonausschüttung und immunologischer Abwehrlage untersucht.
Psychose: schwere psychische Erkrankung (z. B. Schizophrenie, s. d.), deren hervorstechendstes Merkmal der gestörte Realitätsbezug ist.
Psychosomatik: (gr.: Psyche/Seele, Soma/Körper) Ansatz in Medizin und Psychotherapie, der Störungen und Krankheiten als Ausdruck eines gestörten körperlich-seelischen Gleichgewichts sieht.
Psychotherapie: Behandlung seelischer oder psychosomatischer Störungen mit Hilfe psychologischer Verfahren.
Pubertät: Jugend- und Reifungszeit. Im Gegensatz zur „Adoleszenz" werden hiermit eher die biologischen als die psychosozialen Reifungsaspekte beschrieben.
Pubertätsmagersucht: (s. a. Anorexia) vorwiegend psychogene Störung, oft im Rahmen einer Pubertätskrise, bei der die Merkmale der Nahrungsverweigerung und des Hungerns, der drastischen Abmagerung, eines verzerrten Körperbildes, Schwierigkeiten im emotionalen Erleben und Sozialverhalten sowie mitunter im familiären Bereich und – bei Frauen – eine sekundäre Amenorrhoe (s. d.) im Vordergrund stehen.
Pyramidenbahn: Gesamtheit der Nervenfasern, die von der motorischen Großhirnrinde zum Rückenmark ziehen und im Dienste der Willkürmotorik stehen.

Rebound-Phänomen: (engl. Rückstoß) Ausschlagen in die entgegengesetzte Richtung; nach Absetzen eines symptomlindernden Medikamentes z. B. ein verstärktes Auftreten des Symptoms.
Reflexe: automatische, unwillkürliche und stereotyp verlaufende motorische Antwort auf spezifische sensible Reize.
Reflexion: Spiegelung.
Reframing: (engl.: frame/Rahmen) positives Umdeuten. Systemisch-psychotherapeutische Einstellung, bei der ein Symptom, im Kontext gesehen, Sinn macht und eine positive Bedeutung bekommt.
Regression: Rückschritt. Im Gegensatz zur Retardierung (siehe dort) ein „sich Zurückentwickeln" auf einen bereits überwundenen, früheren Entwicklungsstand.
Rehabilitation: Gesamtheit der Maßnahmen zur weitestgehenden Wiederherstellung von Fähigkeiten und Fertigkeiten sowie der Wiedereingliederung in das soziale Umfeld.
Rekonstruktion: Wiederherstellung, u. a. Bezeichnung für ein psychotherapeutisches Verfahren zur Verdeutlichung von und Konfrontation mit biografischen Ereignissen.
Remission: Rückgang, Rückbildung von Symptomen oder Krankheitserscheinungen.
Reproduktion, reproduktiv: (biolog.) Fortpflanzung, sich fortpflanzend.

resignieren: aufgeben, sich von einer Aufgabe/einem Ziel abwenden.
Retardierung: im Gegensatz zur Regression (siehe dort) eine Entwicklungsverzögerung.
Reversion: Umkehrung.
revidieren: etwas rückgängig machen.
Rezeptoren: Sinneszellen oder Nervenendorgane, die durch spezifische Sinnesreize erregt werden.
rezidivierend: wiederholt auftretend.
reziprok: rückbezüglich.
RH: Releasing-Hormone, im Hypothalamus gebildete Hormone mit Einfluss auf den Hormonhaushalt des Hypophysenvorderlappens.
Rhinenzephalon: Riechhirn, Teil des Limbischen Systems.
Riechkolben: siehe Bulbus olfactorius.
rigide: starr, festgelegt.
Rigor: wächserne Steifheit; u. a. Teilsymptom der Parkinsonschen Erkrankung, s. d.

Salutogenese: Entstehung bzw. Förderung von Gesundheit.
Sanktion: Maßnahme zur Reaktion auf bzw. zur Steuerung von sozialem Verhalten, bspw. Strafe, Lob etc.
Schizophrenie: schwere psychotische Erkrankung mit Störung des Realitätsbezugs, spezifischen Denkstörungen, affektiven Symptomen, autistischen Verhaltensweisen und Ich- bzw. Persönlichkeitsstörungen.
Schulphobie: Im Gegensatz zur Schulangst (soziale oder Leistungsangst) liegt die Ursache der Schulphobie in unbewussten und auf das Objekt Schule verschobenen Konflikten, z. B. familienbezogenen Trennungsängsten.
Sedativum (pl.: Sedativa): Schlaf anstoßendes oder zum Schlaf führendes Arzneimittel. Oft Suchtgefahr.
Sekundäraffekte: Gruppe von bewusst gewordenen, affektiv-kognitiv bearbeiteten Emotionen, an deren Entstehen neben dem Limbischen System auch die Großhirnrinde beteiligt ist (vgl. a. Primäraffekte).
Selektion, selektiv: Auswahl, auswählend.
selffulfilling prophecy: sich selbst erfüllende Vorerwartung.
sensibel: empfindlich, empfindend.
Sensibilität: Empfindung, Fähigkeit zur Reizwahrnehmung.
sensitiv: empfindlich, überempfindlich.
Sensomotorik: beschreibt die Zusammenhänge zwischen Reizverarbeitung und Wahrnehmung sowie motorischer Aktion.
sensorisch: der Empfindung dienend.
Separation: Trennung.
Serotonin: Neurotransmitter (s. d.) mit Wirkungen auf das zentrale und periphere Nervensystem.
Sexueller Missbrauch: Verhalten eines Älteren (meist Erwachsenen), der hieraus eine sexuelle Befriedigung erzielt, gegenüber einem Kind oder Jugendlichen, bei dem es zu sexuellen Aktivitäten kommt oder sogar sexuelles Verhalten erzwungen wird, wobei eine eventuelle Abhängigkeit und die relative seelische Unreife eines Kindes ausgenutzt wird, das noch nicht zu einer abgewogenen Zustimmung zu diesen sexuellen Verhaltensweisen in der Lage ist.

simplifizieren: vereinfachen.
Simulation: bewusstes Vortäuschen nicht vorhandener Krankheitszeichen.
Skotom: Gesichtsfeldausfall. Im psychologischen Sprachgebrauch versteht man unter Skotomisierung das Ausblenden psychischer oder sozialer Teilbereiche („Scheuklappeneffekt").
somatisch: körperlich, auf den Körper bezogen.
somato-sensorisch: auf die Sinnesempfindungen/Reize des Körpers bezogen.
Somatotropin: somatotropes Hormon, STH: Wachstumshormon aus dem Hypophysenvorderlappen, das das Wachstum fördert.
Soziobiologie: Wissenschaft, die sich mit dem Sozialverhalten von Menschen und Tieren unter evolutionsbiologischen Gesichtspunkten befasst und davon ausgeht, dass Individuen selektionsbedingt ihr Verhalten so organisieren, dass ihr Fortpflanzungserfolg maximiert wird.
Spezies: biologische Art.
Stammhirn: basaler, archaischer Teil des Gehirns, der mit lebenswichtigen Steuerungsfunktionen (z. B. der Atmung) befasst ist.
stereotyp, Stereotypie: gleichförmig wiederholt ablaufend. Handlung, Bewegung oder Äußerung, die gleichbleibend wiederholt wird.
Steroidhormone: Hormone besonderer chemischer Struktur (Steroide), die nicht verdaut werden und daher auch oral eingenommen werden können (vgl. auch Corticosteroide).
Stigma, Stigmatisierung: Kennzeichen. Zuschreibung, oft als soziale Stigmatisierung mit negativer Bewertung.
Stressor: Stress erzeugendes, belastendes Ereignis (physikalisch, chemisch, biologisch oder psycho-sozial), das zu typischen körperlichen und seelischen Stressreaktionen führt.
Stress: Abwehr- und Anpassungsreaktion des Körpers auf belastende Umwelteinflüsse (sog. Stressoren).
Sucht: ähnlich wie Abhängigkeit unbändiges Verlangen nach einem chemischen Stoff (bei stoffgebundenen Süchten) oder nach einem Verhalten (z. B. Spielsucht) mit Kontrollverlust, Entzugserscheinungen und der Tendenz zur Dosissteigerung.
subcortical: unterhalb der Großhirnrinde gelegen.
Substantia nigra: unterhalb der Hirnrinde gelegene Struktur im Dienste der Extrapyramidalmotorik, die zu den Basalganglien (siehe dort) gehört und deren Schädigung zur Parkinsonschen Erkrankung (siehe dort) führt.
Suizid, suizidale Gefährdung: Selbstmord, Freitod. Selbstmordgefährdung.
suportiv: unterstützend.
Symbiose, symbiotisch: in der Biologie das Zusammenleben artverschiedener, aneinander angepasster Organismen. I. w. S. das enge Zusammenleben zweier Individuen zu gegenseitigem Nutzen: eng miteinander verflochten.
Sympathicus: der Teil des vegetativen (unwillkürlichen) Nervensystems, der im Dienste von Aktion, insbesondere Angriffs- oder Fluchtaktionen steht und somit vielfältige Organ-, Sinnes- und Hormonsysteme erregt. Gegenspieler des parasympathischen Nervensystems (siehe dort).

Symptom: Krankheitszeichen.
symptomatisch: typisch oder bezeichnend für eine Krankheit oder Störung.
Synapse: Verbindungsstelle zwischen den Fortsätzen zweier Nervenzellen oder einer Nervenzelle und einem Muskel.
synaptischer Spalt: kleiner Raum zwischen den Fortsätzen zweier Nervenzellen, durch den mittels kleiner Bläschen (Vesikel) chemische Botenstoffe zwecks Erregungsweiterleitung zur nachgeschalteten Nervenzelle gelangen können.
synchron: gleichzeitig.
Syndrom: Komplex von (meist typischen) Symptomen, die auf eine bestimmte Störung oder Krankheit hinweisen.
synergistisch: zusammenwirkend (Gegensatz von antagonistisch, siehe dort).
Synthese: Zusammenfügung, Verknüpfung.

Tabu: allgemein respektiertes Vermeidungsgebot.
taktil: das Tasten, die Berührung betreffend.
temporär: vorübergehend, zeitlich begrenzt.
Temporallappen: Schläfenlappen.
Testosteron: (vorwiegend) männliches Sexualhormon mit Einfluss auf die primären und sekundären Geschlechtsorgane, die Spermatogenese und die sexuelle Tonisierung.
Thalamus: im Zwischenhirn gelegene, subcorticale, zentrale Umschaltstelle für sensorische Informationen („Vorzimmer des Bewusstseins"). Außerdem hat der Thalamus Verbindungen zum Limbischen System sowie zum hormonregulierenden System und ist darüber hinaus auch an bestimmten motorischen „Reaktionsprogrammen" beteiligt.
Thermorezeptoren: Sinneszellen, die auf Wärme- oder Kältereize reagieren.
tonisch: auf die Spannung bezogen.
Tonus: Spannung.
Transmitter: s. Neurotransmitter.
Tranquilizer: Beruhigungsmittel mit entspannender, beruhigender und angstlösender, in höherer Dosis auch schlafanstoßender Wirkung. Suchtgefahr.
T-Zellen: T-Lymphozyten. Abwehrzellen, die durch körperfremde Antigene aktiviert werden und im Dienste der immunologischen Abwehr stehen.

ubiquitär: überall vorkommend.
ultimat: (lat.: ultimus/der Letzte) auf die Funktion, die Zweck-Ursachen oder den Selektionsvorteil eines Merkmals oder Verhaltens bezogen. (vgl. a. proximat).
Uterus: Gebärmutter.

Vagotonie: Erregungszustand mit Überwiegen des parasympathischen Nervensystems, bei dem es u. a. zu einer Verlangsamung des Herzschlages, einer Senkung des Blutdrucks und muskulärer Entspannung kommt.

Vasopressin: Hormon des Hypophysenhinterlappens, das den Wasserhaushalt reguliert und den Blutdruck steigert.
vegetatives Nervensystem: unwillkürliches Nervensystem, das im Wesentlichen aus den beiden Gegenspielern „Sympathikus" und „Parasympathikus" (s. d.) besteht.
Verdrängung: psychische Abwehrmaßnahme, bei der Unerträgliches oder mit dem Gewissen Unvereinbares ins Unbewusste verdrängt wird.
Verleugnung: psychische Abwehrmaßnahme, bei der Unerträgliches nicht wahrgehabt bzw. in seiner Existenz geleugnet wird.
Vermächtnis: in der Familientherapie Bezeichnung für einen die Generationen übergreifenden Auftrag.
Vesikel, synaptische: Bläschen innerhalb einer Nervenendigung, die chemische Botenstoffe (sog. Neurotransmitter, siehe dort) enthalten und sie über den synaptischen Spalt hinweg zwecks Informationsweitergabe zur anliegenden Nervenzelle transportieren können.
Vestibulärsystem: Gleichgewichtsorgan im Innenohr.
visuell, visuelles System: das Sehen betreffend, das Sehsystem.
vital: lebendig, das Leben betreffend, lebend, lebenstüchtig.
Vulnerabilität: Verletzlichkeit, Anfälligkeit (bspw. gegenüber einer bestimmten Krankheit).

Wahn: unkorrigierbare, mit der Wirklichkeit nicht vereinbare Überzeugung, deren Ursprung in einer seelischen Störung liegt.
WHO: World Health Organisation, Weltgesundheitsorganisation.
Willkürmotorik: willentlich gesteuerte Motorik, die präzise von der motorischen Großhirnrinde gesteuert und über das Pyramidenbahnsystem (siehe dort) weitergeleitet wird.

Xenophobie: Fremdenfurcht.

zentrifugal: vom Zentrum aus wegstrebend.
zentripetal: zum Zentrum hinstrebend.
zirkadiane Rhythmen: (in etwa) im Tagesrhythmus ablaufende körperliche Prozesse oder Konzentrationsschwankungen im Körper zirkulierender Substanzen (z. B. Hormone).
zirkulär: kreisförmig.
ZNS, zentrales Nervensystem: die Gesamtheit aller Nervenzellen und Bahnen, die nicht zum peripheren Nervensystem (siehe dort) gehören (also Rückenmark und Gehirn).

Literatur

Allman, W. F.: Mammutjäger in der Metro: Wie das Erbe der Emotion unser Denken und Verhalten prägt. Heidelberg, Berlin 1999. *Der Wissenschaftsjournalist legt eine ebenso unterhaltsame wie informative Übersicht der Evolutionspsychologie vor und geht im 4. Kapitel auch auf die Funktion emotionaler Prozesse ein.*
Andreasen, N. C.: Das funktionsgestörte Gehirn. Einführung in die biologische Psychiatrie. Weinheim 1991. *Populärwissenschaftlich geschriebenes Einführungsbuch einer Psychiaterin, das hauptsächlich die biologisch-medizinischen Aspekte psychiatrischer Erkrankungen plastisch und mit vielen gelungenen Fallbeispielen darstellt.*
Bandler, R., Grinder, J., Satir, V.: Mit Familien reden. Gesprächsmuster und therapeutische Veränderung. 6. Aufl. München 2002. *Sprache schafft Wirklichkeit und definiert Beziehungen. Sie kann ein Schlüssel zur Entwirrung seelischer Probleme und zur Veränderung unerträglicher familiärer Verhältnisse sein.*
Bandura, A.: Aggression. Eine sozial-lerntheoretische Analyse. Stuttgart 1979
Beck, D.: Krankheit als Selbstheilung. Frankfurt/M. 1985. *Nach Beck stellen körperliche Krankheiten oft einen Versuch dar, eine seelische Verletzung auszugleichen, einen inneren Verlust zu kompensieren oder einen unbewußten Konflikt zu lösen. Körperliches Leiden ist oft ein seelischer Selbstheilungsversuch.*
Beine, K.: Neuroleptika. Einnehmen oder Wegnehmen? In: Bock, Th. u. a. (Hrsg.): Hand-Werks-Buch Psychiatrie. Bonn 1990, 370 ff. *Die wesentlichen Aspekte der aktuellen Diskussion werden hier gut verständlich dargestellt.*
Berker, P., Hülshoff, Th.: Familienbilder. Familienrekonstruktion und professionelle Familienarbeit. In: Kath. FHNW, Abt. Münster (Hrsg.): Theorie und Praxis sozialer und pädagogischer Lehre im Blickpunkt. Münster 1992
Betzig, L., Burgerhoff-Mulder, M., Thurke, E. (Hrsg.): Human Reproductive Behaviour. A Darwinan Perspective. Cambridge 1988. *Führende Anthropologen erklären unterschiedliche Muster im Bindungs- bzw. Heiratsverhalten der Völker evolutionsbiologisch.*
Bischof, N.: Das Rätsel Ödipus. Die biologischen Wurzeln des Urkonflikts von Intimität und Autonomie. 5. Aufl. München, Zürich 2001. *Spritzig geschriebenes Buch eines evolutionsbiologisch orientierten Psychologen, der sich mit den Grundlagen psychischer Verhaltensweisen des Menschen befasst. Ein Buch, in dem man immer wieder schmökern kann.*
Bräutigam, W., Christian, P., v. Rad, M.: Psychosomatische Medizin. 6. Aufl. Stuttgart 1997. *Nach wie vor relevantes, gut zu lesendes Standardwerk der psychosomatischen Medizin.*

–, Zettl, St.: Wie Angst entsteht. In: Schultz, H.J. (Hrsg.): Angst. (a. a. O. 1995), 21 ff. *Aus medizinischer und anthropologischer Sicht geben die Autoren interessante Einblicke zur Entstehung von Angst.*
Bruhn, H., Oerter, R., Rösing, H. (Hrsg.): Musik-Psychologie. Ein Handbuch. 3. Aufl. Reinbek 1997. *Ausgezeichnetes Handbuch mit zahlreichen Beiträgen kompetenter WissenschaftlerInnen zu vielfältigen soziokulturellen, psychischen und physiologischen Aspekten musikalischer und musikpsychologischer Phänomene.*
Buchheim, P.: Angstkrankheiten. In: Schultz, H.J. (Hrsg.): Angst. (a. a. O. 1995), 172 ff. *Eine lesenswerte, kurze und auf das Wesentliche beschränkte Übersicht über unterschiedliche Manifestationen von Angstkrankheiten.*

Carnegie, D.: Sorge dich nicht – lebe! Rev. Neuausgabe, München 2002
Christner, J.: Abiturwissen Biologie. Nerven, Sinne und Hormone. Stuttgart 2000. *Skriptähnliche Zusammenfassung der wichtigsten Grundlagen zur Neurophysiologie. Gut verständlich.*
Churchland, P. M.: Die Seelenmaschine. Eine Philosophische Reise ins Gehirn. 2. Aufl. Berlin, 2001. *Eine ebenso originelle wie unterhaltsame, dabei sachlich fundierte Übersicht über neuere Ergebnisse der Hirnforschung.*
Ciompi, L.: Affektlogik. Über die Struktur der Psyche und ihre Entwicklung. Ein Beitrag zur Schizophrenieforschung. 5. Aufl. Stuttgart 1998. *Der bekannte, sozialpsychiatrisch orientierte Schweizer Psychiater legt in seinem grundlegenden Werk einen integrativen Ansatz zu einem neuen Verständnis der Schizophrenie vor.*
–: Die emotionalen Grundlagen des Denkens. Entwurf einer fraktalen Affektlogik. Göttingen 1997
Cohen, S.: Psychological Stress and Susceptibility to the Common Cold. New Journal of Medicine, 325, 1991. *Der Autor geht in seiner Abhandlung auf Zusammenhänge von chronischem Stress, Schwächung der Abwehrkräfte und erhöhter Anfälligkeit für Erkältungen ein.*

Daly, M., Wilson, M.: Sex, Evolution and Behaviour. Belmont (Cal) 2. Aufl. 1983. *Die renommierten Autoren erklären in diesem gut lesbaren und sachlich fundierten Lehrbuch anhand eindrucksvoller Beispiele wesentliche Konzepte der Verhaltensbiologie.*
Damasio, A. R.: Der Spinoza-Effekt. Wie Gefühle unser Leben bestimmen. Berlin 2005
–: Descartes' Error. Emotion, Reason and the Human Brain. New York 1994. Dt.: Descartes' Irrtum. Fühlen, Denken und das menschliche Gehirn. München 2004. *In seinem sehr fundierten, mitunter nicht einfach zu lesenden Buch informiert der Autor über den neuesten Erkenntnisstand der Hirnforschung. Insbesondere seine Ausführungen zur Bedeutung der Emotionen bei der rekonstruierten Wirklichkeit sowie zu dem Entstehen von Bewusstsein in den neuronalen Netzen unseres Gehirns sind sehr lesenswert.*
–: Ich fühle, also bin ich. Die Entschlüsselung des Bewusstseins. München 2001
Davies-Osterkamp, S., Pöppel, E. (Hrsg.): Emotionsforschung. Göttingen 1980, Med. Psychologie, Themenheft Emotionsforschung, Verl. f. med. Psychol. im Verlag Vandenhoeck u. Ruprecht, Bd. 6/1980, Heft 1/2
Deutsche Bibelgesellschaft. (Hrsg.): Die Bibel in heutigem Deutsch. Die Gute Nachricht des Alten und Neuen Testaments. Stuttgart 1984

DIFF: Dt. Inst. f. Fernstudien an der Univ. Tübingen (Hrsg.): Funkkolleg „Der Mensch". Anthropologie heute. Weinheim, Basel 1992/1993. *In dreißig ausführlichen Studienbegleitbriefen stellen führende Wissenschaftler die gesamte Bandbreite des heutigen anthropologischen Wissens dar. Die Studienbriefe sind didaktisch ausgezeichnet aufgebaut, gut verständlich und wissenschaftlich fundiert. Ich verdanke ihnen zahlreiche neue Erkenntnisse, die zum Teil in dieses Buch eingeflossen sind.*

Ditfurth, H. v.: Innenansichten eines Artgenossen. Meine Bilanz. Düsseldorf. 4. Aufl. 1993. *Der bekannte Psychiater und Wissenschaftsjournalist verknüpft seine eigene Biographie mit evolutionsbiologischen Erkenntnissen. Im Kapitel „Der Neandertaler und der Demagoge" geht er auf die Anfälligkeit des Menschen für Hass und Demagogie ein, im Kapitel „Leben und Zeit" gibt er eine interessante Deutung der Melancholie, als deren Grundursache er eine Störung der inneren Werdenszeit vermutet.*

–: Der Geist fiel nicht vom Himmel. Die Evolution unseres Bewußtseins. 2. Aufl. München 1992. *Das meines Erachtens gelungenste Buch des bekannten Psychiaters und Wissenschaftsautors, indem er sich mit der Entwicklungsgeschichte und den evolutionsbiologischen Vorgängen bei dem Entstehen höher entwickelter Gehirnsysteme befasst. Sehr verständlich und einleuchtend geschrieben. Unter der Überschrift „Stimmungen legen die Welt aus" (S. 288 ff.) beschreibt der Autor eindrücklich, dass unsere Weltkenntnis nicht wertneutral, sondern affektiv getönt ist.*

–: Wir sind nicht nur von dieser Welt. Naturwissenschaft, Religion und die Zukunft des Menschen. Hamburg 1981. *In diesem Buch werden Zusammenhänge zwischen Neurophysiologie und Evolutionsbiologie einerseits und Erkenntnistheorie sowie der Frage nach Transzendenz andererseits aufgezeigt. Der Autor vertritt einen dualistischen Standpunkt in der Leib-Seele-Diskussion.*

Dörner, K., Plog, U.: Irren ist menschlich. Lehrbuch der Psychiatrie/Psychotherapie. 4. Aufl. Bonn 2004. *Unkonventionelles, sozialpsychiatrisch orientiertes Standardlehrbuch der renommierten Autoren, die emphatisch u. a. auch auf Depression, Sexualschwierigkeiten, Sucht etc. eingehen.*

Dollard, J., Doob, L. W., Miller, N. E., Mowrer O. H., Sears, R. R.: Frustration and Aggression. New Haven 1939

Dostojewski, F.: Schuld und Sühne. Frankfurt 2003

Dührssen, A.: Psychogene Erkrankungen bei Kindern und Jugendlichen. 15. Aufl. Göttingen 1992. *„Klassiker", in dem vor allem auf psychoanalytische Theorien bei kindlichen Störungen eingegangen wird.*

Eccles, J. C.: Die Evolution des Gehirns – die Erschaffung des Selbst. 2. Aufl. München 2002. *Sehr ausführliches und detailliertes, aber mitunter schwer zu lesendes Buch des renommierten Nobelpreisträgers und Hirnphysiologen, der hier alle wesentlichen neueren Forschungsergebnisse zur Hirnevolution und zum Bewusstsein zusammenträgt.*

Eggers, C., Strunk, P., Lempp, R.: Lehrbuch der speziellen Kinder- und Jugendpsychiatrie. 7. Aufl. Stuttgart 1996.

–, Esch, A.: Krisen und Neurosen in der Adoleszenz. In: Kisker, K. P., u. a. (Hrsg.): Psychiatrie der Gegenwart 7, Kinder- und Jugendpsychiatrie. (a. a. O. 1989), 317 ff. *Kurze Darstellung wichtiger Pubertätskrisen, u. a. der Anorexie, der Konversionssyndrome, Angstsyndrome und der Suizidalität in der Pubertät.*

–, Lempp, R., Nissen, G., Strunk, P.: Kinder und Jugendpsychiatrie. 7. Aufl. Berlin u. a. 1994. *„Klassiker" der Kinder- und Jugendpsychiatrie. Ein Lehrbuch, in dem alle relevanten Störungen des Kindes- und Jugendalters unter psychiatrischer Sicht abgehandelt werden.*
Eibl–Eibesfeldt, I.: Liebe und Haß. Zur Naturgeschichte elementarer Verhaltensweisen. 8. Aufl. München 1998. *Ein frühes Buch des bekannten Humanethologen und Lorenz-Schülers, in dem er biologische Dispositionen agonalen und affiliativen Verhaltens beim Menschen vorstellt.*
–: Der Mensch – das riskierte Wesen. Zur Naturgeschichte menschlicher Unvernunft. 4. Aufl. München/Zürich 1991. *Spritzig geschriebene Abhandlung zu unterschiedlichen Themen der Humanethologie. Einige Abhandlungen fordern zu Kontroversen heraus. Von besonderem Interesse: Kapitel 8, Angst und Gruppenverhalten (S. 114–119).*
–: Krieg und Frieden. Zur Naturgeschichte der Aggression. In DIFF (Hrsg.): Funkkolleg „Der Mensch" (a. a. O. 1993). *Die zwischenmenschliche Aggressivität stellt eine der größten Gefahren für den Fortbestand der Menschen dar. In dieser Abhandlung stellt der Autor kurz und übersichtlich Erscheinungsformen von Aggressivität bei Tier und Mensch, mögliche Ursachen (Reizsituationen, motivierende Faktoren, Verhaltensdispositionen und Verhaltensabläufe) sowie Funktionen aggressiven Verhaltens dar.*
–: Die Biologie des menschlichen Verhaltens. Grundriß der Humanethologie. 5. Aufl. München/Zürich 2004. *Standardwerk und grundlegendes Lehrbuch der Verhaltensforschung, in dem sich u. a. Kapitel über die anthropologischen Grundlagen des Ausdrucksverhaltens, des Feindverhaltens sowie von Aggression und Krieg finden. Dem Autoren ist dabei an einer biologische und kulturelle Phänomene integrierenden Sichtweise gelegen.*
Ekman, P.: Weshalb Lügen kurze Beine haben. Berlin 1989. *Paul Ekman zeigt u. a., dass emotionale Hinweise so wichtig für das menschliche Überleben sind, dass im Laufe der Evolution eine Art „Universalgrammatik" der menschlichen Mimik entstand.*
Eliot, L.: Was geht da drinnen vor? Die Gehirnentwicklung in den ersten fünf Lebensjahren. Berlin 2001. *Die renommierte Neurobiologin und Mutter zweier Kinder geht in ihrem umfangreichen und verständlich geschriebenen Grundlagenwerk auf biologische Grundlagen der kindlichen Entwicklung ein.*
Erskine, R. G.: Shame and Self-Righteousness: Transactional Analysis Perspectives and Clinical Interventions. In: Transactional Analysis Journal 1994, 24 (2). *Der Autor beschreibt Scham und Selbstgerechtigkeit aus der Sichtweise der Transaktionsanalyse.*

Fisher, H. E.: The Anatomy of Love. The Natural History of Monogamie, Adultery and Divorce. London, New York 1992. *Der Autor befasst sich u. a. mit den anthropologischen Wurzeln von Liebe, Bindung und Partnerschaftsmodellen.*
Frank, R.: Passions Within Reason: The Strategic Role of Emotions. London, New York Neuauflage 1991. *Der Autor geht u. a. auf die Zusammenhänge von emotionsgesteuerter Körpersprache und Sozialverhalten ein.*
Fromm, E.: Die Kunst des Liebens. Frankfurt/M., 61. Aufl. Berlin 2000. *In diesem vielbeachteten Klassiker geht der Psychoanalytiker ein auf die menschliche Fähigkeit, eine Liebe zu entwickeln, die Reife, Selbsterkenntnis und Mut umfasst.*

Giordano, R.: Die zweite Schuld – oder von der Last Deutscher zu sein. München 1990 Geo-Redaktion (Hrsg.): Geo-Wissen. Intelligenz und Bewußtsein. Nr. 3/92. Hamburg. *Reich bebildertes, populärwissenschaftlich gehaltenes Sonderheft, in dem unterschiedliche Aspekte von Intelligenz, Bewusstsein und neuronalen Grundlagen thematisiert werden.*
Görres, S.: Leben mit einem behinderten Kind. München 1987. *Die Psychologin und Mutter zweier behinderter Kinder gibt in ihrem gut zu lesenden und empathisch geschriebenen Buch wichtige Eindrücke aus dem Alltag betroffener Familien. Ein Buch, das Betroffenen und professionellen Helfern wärmstens empfohlen werden kann.*
Golemann, D.: Emotionale Intelligenz. 13. Aufl. München/Wien 1996. *Populärwissenschaftlich geschriebener Bestseller, der aktuelles Wissen über Entstehung, Ausprägung und Interaktionen menschlicher Gefühle zusammenträgt.*
Goodall, J.: Ein Herz für Schimpansen. Meine 30 Jahre am Gombe-Strom. Reinbek 1991. *Dass auch andere Primaten als der Mensch emotionale Empfindungen zeigen, wird u. a. in diesem vielbeachteten Buch der engagierten Forscherin und Tierschützerin deutlich.*
Greenfield, S. A.: Reiseführer Gehirn. Heidelberg/Berlin 2000. *Eine ebenso originelle wie unterhaltsame, dabei sachlich fundierte Übersicht über neuere Ergebnisse der Hirnforschung.*

Häfner, H.: Schulderleben und Gewissen. Beitrag zu einer personalen Tiefenpsychologie. Stuttgart 1956 Haley, J.: Ablösungsprobleme Jugendlicher. Familientherapie – Beispiele – Lösungen. München 1981. *Der „Klassiker der strukturellen Familientherapie" schrieb ein grundlegendes Buch zu Ablösungsproblemen in der Pubertät und geht insbesondere auf Familiensysteme ein, denen es an Halt und Struktur fehlt.*
Harris, M.: Menschen. Wie wir wurden, was wir sind. 2. Aufl. Stuttgart 1994. *Bestseller eines führenden amerikanischen Kulturanthropologen, in dem er auf außerordentlich viele anthropologische Themenkreise und Details, u. a. auch aggressives menschliches Verhalten, eingeht.*
Hartmann, K.: Theoretische und empirische Beiträge zur Verwahrlosungsforschung. Berlin, Heidelberg, NY 1970. *Wissenschaftliche, grundlegende Studie zur Verwahrlosung und Delinquenz.*
Hatt, H.: Physiologie des Riechens und Schmeckens. In: Maelicke, A. (Hrsg.): Vom Reiz der Sinne. Weinheim 1990, 93–128. *Ausgezeichnete und allgemeinverständliche Darstellung des Riech- und des Schmeckvorgangs. Der Autor versteht es, gut verständlich auch neuere Forschungsergebnisse darzustellen.*
Heimannsberg, B., Schmidt, C. J. (Hrsg.): Das kollektive Schweigen. Nazivergangenheit und gebrochene Identität in der Psychotherapie. 2. Aufl. Heidelberg 1992. *Mit lesenswerten Beiträgen u. a. von Gunnar v. Schlippe, Helm Stierlin, Heidi Salm und Irene Wielpütz.*
Hell, D.: Welchen Sinn macht Depression? Ein integrativer Ansatz. 10. Aufl. Reinbek 1994. *Meines Erachtens die zur Zeit beste und umfassendste Darstellung des Phänomens „Depression". Dem Psychiater ist es gelungen, Trauer und Depression auf biologischen, psychischen und sozialen Ebenen zu untersuchen, diese Ebenen zu verknüpfen und nach dem Sinn der Depression im jeweiligen Kontext zu fragen.*
Hilgers, M.: Scham. Gesichter eines Affekts. Göttingen 2. Aufl. 1997. *Ein außerordentlich lesenswertes Buch zum Thema Scham, in dem der Autor an-*

hand zahlreicher Fallbeispiele die Dynamik von Scham und Schamkonflikten darstellt und auch auf vielfältige spezielle Schamreaktionen (z. B. Scham bei bestimmten Krankheiten, Scham und Dissozialität etc.) eingeht.
Hjortsjö, C. H.: Man's Face and Mimic Language. Lund 1970
Hrdy, S. B.: Mutter Natur. Die weibliche Seite der Evolution. Berlin 2002
Hülshoff, Th.: Streß und Streßbewältigung. In: HeimatstattBewegung e.V. (Hrsg.): Die Heimstatt. Werkheft für Jugendsozialarbeit. Köln 1989, Heft 1/2, 53–62. *Nach der Erläuterung der physiologischen Vorgänge beim Stressgeschehen kommen psychologische Bewältigungsstrategien und soziale Hilfen zur Sprache.*
–: Schwere Wirklichkeiten. In: Köhn, W. (Hrsg.): Auf der Suche nach dem Verbindenden in der Heilpädagogik. Köln 1992, 79 ff. *Übersicht über unterschiedliche intrapsychische Coping-Strategien und mögliche Aufgaben professioneller Helfer.*
–: Das Gehirn. Funktion und Funktionseinbußen. 2. Aufl. Huber, Bern, Göttingen 2000. *Im 5. Kapitel (S. 53 – 64) wird eine kurze Übersicht über die neuronale Organisation menschlicher Gefühle gegeben.*
–: Gewalt gegen Kinder und Jugendliche: Deprivation, Kindesmißhandlung und sexueller Mißbrauch. In: Schwarzer, W. (Hrsg.): Lehrbuch der Sozialmedizin für Sozialarbeit, Sozial und Heilpädagogik. Dortmund 2000 3a, 180–190. *Kurze Übersicht über Ursachen und Erscheinungsformen familiärer Gewalt gegen Kinder.*
–: Kinder und Jugendpsychiatrie. In: Schwarzer, W. (Hrsg.): Lehrbuch der Sozialmedizin, 3. Aufl. Dortmund 2000 b, 348 ff. *Kurze Übersicht über die Phasen in der Entwicklung von Kindern und Jugendlichen, mögliche Störungen sowie therapeutische, pädagogische und soziale Ansätze in der Kinder- und Jugendpsychiatrie.*
–: Sozialanamnese. In: Schwarzer, W. (Hrsg.): Lehrbuch der Sozialmedizin für Sozialarbeit, Sozial- und Heilpädagogik. 3. Aufl. Dortmund 2000 a , 28 ff. *Übersichtsaufsatz über Bedeutung, Konzeption und Methodik der Sozialanamnese, in dem unter anderem auch auf emotionale Prozesse in der Klient-Berater-Beziehung eingegangen wird.*
–: Sinneswelten. Die Förderung sensorischer Wahrnehmung im Wohn- und Freizeitbereich von Menschen mit Sinnes- und geistiger Behinderung. Freiburg i. Br. 2001
– Pöhler, S. (Hrsg.): Der Weg entsteht im Gehen. Praktische Projektarbeit in der Behindertenpädagogik. Freiburg 2002
– (Hrsg.): Neue Erfahrungen. Bildungs- und Freizeitangebote für Menschen mit Behinderung. Freiburg 2004
– Neurobiologische Grundlagen der Psychiatrie. In: Trost A., Schwarzer, W. (Hrsg.): Psychiatrie, Psychosomatik und Psychotherapie für psychosoziale und pädagogische Berufe. 2. Aufl. Dortmund 2005: 37–68
–: Emotionen. In: Greving, H.: Kompendium der Heilpädagogik. Troisdorf 2006
–: Medizinische Grundlagen der Heilpädagogik. München, Basel 2005. *Lehrbuch für Studenten der Sonder- und Heilpädagogik, in dem medizinische Grundlagen von Sinnes-, Körper- und kognitiven Behinderungen sowie Entwicklungsstörungen und Verhaltensauffälligkeiten vorgestellt und Rehabilitationsmaßnahmen sowie heilpädagogische Herausforderungen erörtert werden.*

Hüther, G.: Biologie der Angst. Wie aus Stress Gefühle werden. 5. Aufl. Göttingen 2002. *Der Neurobiologe Hüther vertritt die These, dass die Strukturierung des menschlichen Gehirns ganz wesentlich von den biografisch erworbenen Erfahrungen abhängig ist und durch lebenslanges Lernen modifiziert wird.*
–: Bedienungsanleitung für ein menschliches Gehirn. 2. Aufl. Göttingen 2002.

Izard, C. E.: Die Emotionen des Menschen. Beltz, Weinheim und Basel 1994 (2. Aufl.), 1999 (4.. Aufl.). *Grundlegendes Lehrbuch der Emotionspsychologie, das fundiert und wissenschaftlich gehalten ist. Izard gehört zu einer der Hauptvertreterinnen der differentiellen Emotionstheorie. Für die Themen des vorliegenden Buches sind von besonderer Bedeutung die Kapitel 6 (Emotionen und Bewusstsein), 10 (Freude), 12 (Kummer, Schmerz, Depression), 13 (Zorn, Aggression etc.), 14 (Furcht und Angst), 15 (Scham und Schüchternheit) sowie 16 (Schuldgefühl, Gewissen und Moral).*

Jacoby, M.: Scham, Angst und Selbstwertgefühl. Ihre Bedeutung in der Psychotherapie. 2. Aufl. Freiburg/Br. 2004. Schämen wir uns, weil wir dazu erzogen wurden, oder ist die Scham dem Menschen angeboren? *Wie beeinflusst Scham unser Selbstwertgefühl, in welcher Beziehung stehen Angst und Scham? Der Psychotherapeut und Lehranalytiker (C. G. Jung) legt ein gut zu lesendes und engagiertes Buch zu diesem Themenkreis vor.*

Jänig, W.: Vegetatives Nervensystem. In: Schmidt, R. E. (Hrsg.): Grundriß der Neurophysiologie. Berlin, Heidelberg, NY 1987. *Medizinisch gehaltenes Standardwerk, in dem auf S. 205 ff. integrative Funktionen des Hypothalamus und des Limbischen Systems beschrieben werden.*

Kagan, J.: Unstable Ideas. Temperament, Cognition and Self. Cambridge 1989

Kahle, W.: Taschenatlas der Anatomie. Bd. 3: Nervensystem und Sinnesorgane. 7. Aufl. Stuttgart 2001. *Schritt für Schritt werden auf jeweils zwei aufeinanderfolgenden Seiten Anatomie und Physiologie/Funktion zerebraler Subsysteme erläutert. Die Zeichnungen sind übersichtlich, die Kommentare knapp und skriptartig. Zum Nachschlagen und zur Vertiefung geeignet.*

Kast, V.: Trauern. Phasen und Chancen des psychischen Prozesses. 3. Aufl. Stuttgart/Berlin 2002. Die bekannte Dozentin und Psychotherapeutin geht in diesem Buch auf die notwendige Trauer bei der Verarbeitung von Verlusterlebnissen ein: „Die Trauer ist die Emotion, durch die wir Abschied nehmen ... so daß wir mit einem neuen Selbst- und Weltverständnis weiterzuleben vermögen."

–: Freude, Inspiration, Hoffnung. Olten, Freiburg i. Br. 1991/1997 (3. Aufl.). „*Wir müssen uns bewusst darüber werden, wie wichtig die gehobenen Emotionen für unser persönliches Leben, nicht weniger aber auch für das gemeinsame und das Leben der Gesellschaft sind.*" (Verena Kast). *Das Emotionsfeld der Freude wird, auch anhand von Beispielen aus der Praxis, eindrucksvoll beschrieben.*

Kiecolt-Glaser, J. K., Glaser, R.: Immunological Consequences of Acute and Chronic Stressors: Mediating Role of Interpersonal Relationships. British Journal of Medical Psychology, 61, 1988, 77–85

Kentler, H. (Hrsg.): Sexualwesen Mensch. Texte zur Erforschung der Sexualität. München, Zürich 1988. „*Jeder, der sich nicht von einem wider-*

spruchsfreien Sexualatlas in die Probleme der Sexualforschung einführen lassen möchte, sollte Kentlers ebenso um Verständlichkeit bemühte wie wissenschaftlich anspruchsvolle Textsammlung zur Hand nehmen." (V. Sigusch in „Sexualmedizin").

Kiepenheuer, K.: Angst in der Pubertät. In: Schultz, H.J. (Hrsg.): Angst (a.a.O. 1995), 75 ff. *Eine einfühlsame Abhandlung über (nachvollziehbare) Ängste in der Pubertät.*

Kisker, K.P. u.a. (Hrsg.): Psychiatrie in der Gegenwart. Bd. 7: Kinder- und Jugendpsychiatrie. 2. Aufl. Berlin, Heidelberg, NY 1990. *Umfassendes, sehr detailliertes und wissenschaftlich orientiertes Standardwerk der Kinder- und Jugendpsychiatrie.*

Klein, A., Meyendorf, R.: ... und plötzlich überfiel mich Todesangst. Stuttgart 1991. *Erfahrungsbericht über eine endogene Depression und ihre Heilung.*

Kolb, B., Whishaw, I.Q.: Neuropsychologie, 2. Aufl. Heidelberg, Berlin Oxford 1996. *Sehr ausführliches Grundlagenwerk, das wissenschaftlich fundiert und sehr detailliert auf die Grundlagen neurophysiologischer Prozesse und vielfältigste Störungsformen eingeht. Kapitel 17 befasst sich mit emotionalen Vorgängen.*

Krähenbühl, V., Jellonschek, H., Kohaus-Jellonschek, M., Weber, R.: Stieffamilien. Struktur – Entwicklung – Therapie. 5. Aufl. Freiburg i. Br. 2001. *Es werden typische Problembereiche sowie häufige Konflikt- und Anpassungsstrategien von Stieffamilien analysiert und anhand zahlreicher Fallbeispiele belegt.*

Kruse, O.: Emotionsentwicklung und Neurosenentstehung. Stuttgart 1991. *Aus der Perspektive klinischer Entwicklungspsychologie geht der Autor auf Grundlagen der Emotionsentwicklung sowie auf Zusammenhänge von Emotion und Neurosenentstehung ein. Das 4. Kapitel gibt gelungene, kurze und prägnante Darstellungen der Entwicklung und Pathologie einzelner Emotionen: u.a. Angst, Trauer, Freude, Ärger, Ekel, Scham-, Schuld- und Selbstwertgefühl.*

Kübler-Ross, E.: Interviews mit Sterbenden. Gütersloh 2001, 23

Kummer, H.: Aggression bei Affen. In: Hilke, R., Kempf, W. (Hrsg.): Aggression. Naturwissenschaftliche und kulturwissenschaftliche Perspektiven der Aggressionsforschung. Huber, Bern, Stuttgart, Wien 1982, 44–64. *Grundlegende Ausführungen des renommierten Primatenforschers, in denen er auf Aktionsverhalten von Menschenaffen eingeht, ohne voreilige anthropologische Schlüsse zu ziehen.*

Kutter, P.: Aggression als Trieb und Objektschicksal. In: Finger-Träscher, U., Träscher, H.-G. (Hrsg.): Aggression und Wachstum. Mainz 1993, 2, 11–22. *Der Autor fühlt sich der psychoanalytischen Pädagogik verpflichtet und legt hier einen interessanten Übersichtsaufsatz zur Bedeutung von Aggression vor.*

Leakey, R.E., Lewin, R.: Wie der Mensch zum Menschen wurde. 2. Aufl. Hamburg 1980, insbes. Kap. 9, 204 ff. *Einer der führenden Paläonto-Anthropologen (Funde von Vor- und Frühmenschen in Kenia) vertritt u.a. die These, dass der Mensch im Grunde seines Wesens nicht aggressiv, sondern überaus kooperativ ist.*

LeDoux, J.E.: Emotion and the Amygdala. In: Aggleton, J.P. (Hrsg.): The Amygdala: Neurobiological Aspects of Emotion, Memory and Mental

Dysfunction. New York 1992, 339–351. *Einer der führenden Forscher auf diesem Gebiet beschreibt die neurobiologischen Funktionen des Mandelkerns bei der Entstehung primärer Gefühle.*

Lempp, R.: Jugendliche Mörder. Bern, Stuttgart, Wien 1977. *Eine Darstellung an 80 vollendeten und versuchten Tötungsdelikten. Der renommierte Kinder- und Jugendpsychiater geht einfühlsam auf die psychodynamischen Hintergründe des extrem aggressiven Geschehens ein.*

Lethmate, J.: Vom Affen zum Halbgott. Die Besonderheit des Menschen. In: DIFF (a. a. O. 1992), Studieneinheit 2, insbesondere S. 40–41. *Biologe, der Gemeinsamkeiten vom Menschenaffen und Menschen herausstellt und der Frage nach der Conditio humana nachgeht. Pessimistische Ansichten zur Aggressivität des Menschen.*

Lewis, M.: Scham. Annäherung an ein Tabu. Hamburg 1995. *Der SPIEGEL schrieb: „Michael Lewis hat die Scham analysiert und ist dabei zu dem Ergebnis gekommen, daß die Bedeutung dieser ‚fundamentalen menschlichen Emotion' von Psychologen lange Zeit unterschätzt worden sei. Die moderne Leistungsgesellschaft habe alle Schamgefühle mit einem Tabu belegt… Doch inzwischen machen Soziologen und Psychologen verdrängte Schamgefühle nicht nur für viele Suizide, sondern auch für Alkoholismus, für Magersucht und Bulimie, für Depressionen und gescheiterte Psychoanalysen verantwortlich."*

Logue, A. W.: Die Psychologie des Essens und Trinkens. Heidelberg 1998. *Eine Entdeckungsreise in einen vermeintlich alltäglichen Bereich, bei der die Phänomene des Essens und Trinkens unter physiologischen, evolutionsbiologischen, psychologischen und soziokulturellen Gesichtspunkten betrachtet werden und beim Leser einen Prozess der Selbsterkenntnis auslösen können.*

Lorenz, K.: Die acht Todsünden der zivilisierten Menschheit. 32. Aufl. München 2004. *Der Nobelpreisträger und Verhaltensforscher untersucht in seinem bekannten Buch „Vorgänge der Dehumanisierung, die… die Menschheit als Ganzes mit dem Untergang bedrohen". In Kapitel 5 geht der Autor auf den „Wärmetod des Gefühls" ein.*

–: Das sog. Böse. Zur Naturgeschichte der Aggression. 22. Aufl. München 1998. *„Klassiker" des „Vaters der Verhaltensforschung", in dem er nicht unumstritten gebliebene Thesen zur Bedeutung tierischer und menschlicher Aggressivität in einer sehr gut zu lesenden Form präsentiert.*

Luhmann, N.: Liebe als Passion zur Codierung von Intimität. Frankfurt/M. Sonderausgabe 2003. *Einer der führenden Soziologen unserer Zeit untersucht hier das Phänomen Liebe unter soziologischen Gesichtspunkten.*

Lukesch, H., Scheungrab, N.: Beiträge der Massenmedien zur Delinquenzgenese Jugendlicher. In: Gruppendynamik 26, H. 1, 1995, 63–87. *Die Autoren meinen, trotz unterschiedlicher wissenschaftlicher Untersuchungsergebnisse delinquenzbegünstigende Effekte der Massenmedien aufzeigen zu können. Präventions- und Interventionsmaßnahmen werden angesprochen.*

Manteler, G.: Mind and Body: Psychology of Emotion and Stress. New York 1984

Maturana, H. R., Varela, F. J.: Der Baum der Erkenntnis. Die biologischen Wurzeln des menschlichen Erkennens. 11. Aufl. Bern, München 1990. *Die renommierten Neurobiologen stellen in ihrem bahnbrechenden Werk in allgemeinverständlicher Form Lebensvorgänge und Erkenntnisprozesse dar. Ein sowohl für die Natur-, wie auch die Geistes- und Sozialwissenschaften grundlegendes systemorientiertes Buch.*

Mechsner, F.: Highnoon im Hirn. In: Geo Wissen „Sucht und Rausch". Hamburg 3/1990, 42 ff. *Populärwissenschaftlich gehaltener, illustrierter Beitrag zu physiologischen und biochemischen Grundlagen menschlicher Emotionen.*
Mentzos, S.: Depression und Manie. Psychodynamik und Therapie affektiver Störungen. 3. Aufl. Göttingen, Zürich 2001. *In einem integrativen psychosomatischen Modell beschreibt der Autor Zusammenhänge von Verlusten, Kränkungen und Enttäuschungen und manischen bzw. depressiven Krankheitsmanifestationen.*
Merkens, L.: Aggressivität im Kindes- und Jugendalter. 2. Aufl. München, Basel 1993. *Neben einigen interessanten Fallbeispielen bietet die Autorin vor allem eine gut zu lesende, fundierte und komprimierte Übersicht der wichtigsten Aggressionstheorien an.*
Michod, R. E., Lewin, B. R. (Hrsg.): The Evolution of Sex. An Examination of Current Ideas. Sunderland (Mass) 1988. *Genetiker und Ökologen befassen sich mit dem Ursprung der Sexualität.*
Miketta, G.: Netzwerk Mensch. Psycho-, Neuro-, Immunologie: Den Verbindungen von Körper und Seele auf der Spur. Stuttgart 1992. *Sachlich fundiertes, sehr informatives und gut zu lesendes Buch, in dem neuere Denkansätze über das Funktionieren unseres Körpers in Gesundheit und Krankheit dargestellt werden. Dabei wird der Körper als vernetztes System verstanden.*
–, Tebel-Nagy, C.: Liebe und Sex. Über die Biochemie leidenschaftlicher Gefühle. Stuttgart 1996. *Evolutionsstrategien, Hormone und Botenstoffe bestimmen mit, wen und wie wir lieben. Partnerwahlverhalten, Mimik und Gestik, die Bedeutung von Düften und Signalen werden von den Wissenschaftsjournalistinnen fachlich kompetent, humorvoll und außerordentlich gut zu lesen dargestellt.*
Minuchin, S.: Familie und Familientherapie. Theorie und Praxis. 10. Aufl. Freiburg i. Br. 1997. *Der bekannte Kinderpsychiater legt hier eine umfassende und eindrucksvolle Einführung in die strukturelle Familientherapie vor.*
Mitscherlich, A., Mitscherlich, M.: Die Unfähigkeit zu trauern. Grundlagen kollektiven Verhaltens. München, Zürich Neuauflage 2004
Moskau, G., Müller, G. F. (Hrsg.): Virginia Satir. Wege zum Wachstum. Ein Handbuch für die therapeutische Arbeit mit Einzelnen, Paaren, Familien und Gruppen. 3. Aufl. Paderborn 2002. *Dieses praxisnah und lebendig geschriebene Handbuch präsentiert die wesentlichen Werkzeuge und Techniken der entwicklungs- und wachstumsorientierten Familientherapie von Virginia Satir.*

Nerin, W. F.: Familienrekonstruktion in Aktion. Virginia Satirs Methode in der Praxis. Paderborn 1989. *Klar und ausgesprochen gut zu lesen beschreibt der Autor und Familientherapeut anhand von Fallbeispielen und konkreten Vorgehensweisen die von Virginia Satir entwickelte Methode der Familienrekonstruktion, einer zentralen Methode in der Familientherapie.*
Nissen, G.: Emotionale Störungen mit vorwiegend psychischer Symptomatik. In: Eggers, C. u. a.: Kinder- und Jugendpsychiatrie (a. a. O. 1989). *Eine m. E. gelungene, praxisnahe und übersichtliche Darstellung verschiedener emotionaler Störungen im Kindes- und Jugendalter, insbesondere des Angstsyndroms (S. 156 ff.) und des Depressionssyndroms (S. 164 ff.).*
–: Psychische Störungen in der Pubertät und Adoleszenz. In: Eggers, C. u. a.: Kinder- und Jugendpsychiatrie (a a. O. 1989), 263 ff. *In einem über-*

sichtlichen, prägnant und interessant geschriebenen Kapitel geht der Kinder- und Jugendpsychiater auf alle wesentlichen Aspekte der Pubertät und insbesondere auf „normale" wie bedenkliche Krisen dieser Entwicklungsphase ein.
–: Suizidversuche und Suizide. In: Eggers, C., u. a. Kinder- und Jugendpsychiatrie (a. a. O. 1989), 301 ff. *Kurze und prägnante Abhandlung aus kinder- und jugendpsychiatrischer Sicht.*
Nolting, H.-P.: Lernfall Aggression. 22. Aufl. Reinbek 2004. *Der Diplompsychologe geht in einem populärwissenschaftlich gehaltenen und gut zu lesenden Buch auf verschiedenste Aspekte menschlicher Aggression ein. Vor allem der praxisrelevante Umgang mit Aggression sowie Möglichkeiten zur „Verminderung aggressiven Verhaltens" sind neben dem Vorstellen verschiedener Aggressionstheorien Gegenstand dieses Buches.*

Oswald, G.: Systemansatz und soziale Familienarbeit. Freiburg i. Br. 1988. *Der Autor stellt methodische Grundlagen und Arbeitsformen systemisch orientierter sozialer Familienarbeit vor.*
Ownstein, P. H., Ownstein, A.: Assertivness, Anger, Rage and Destructive Aggression: A Perspective from the Treatment Process. In: Glick, R. A., Roose, S. P. (Hrsg.): Rage, Power and Aggression. New Haven 1990. *In der insbesondere mit H. Kohut verbundenen Selbstpsychologie wird normale, gesunde Aggression als Mittel der Selbstbehauptung von zerstörerischer Aggression bzw. narzisstischer Wut abgegrenzt.*

Peseschkian, N.: Der Kaufmann und der Papagei. 27. Aufl. Frankfurt 2003
Pflüger, M.-P. (Hrsg.): Das Paar. Mythos und Wirklichkeit. Neue Werte in Liebe und Sexualität. Freiburg i. Br. 1988. *Veröffentlichung der Internationalen Gesellschaft für Tiefenpsychologie, die u. a. auf Partnerschaft, Paarbeziehung und Liebe eingeht.*
Pöppel, E.: Lust und Schmerz. Über den Ursprung der Welt im Gehirn. 2. Aufl. München 1995. *Der renommierte Hirnforscher geht in seinem unkompliziert geschriebenen Buch auf die enge Verflechtung zwischen organischen Vorgängen und psychischen Wirkungen ein, aus denen im Gehirn des Menschen ein Bild der Welt entsteht. Besonders interessant Kap. 19 (Hypothalamus: Ein Vergnügungsviertel im Gehirn).*

Raphaelsen, O. J., Helmchen, H.: Depression, Melancholie, Manie. 2. Aufl. Stuttgart 1992. *Klinisch orientierter, gut verständlicher und einfühlsamer Ratgeber für Kranke und Angehörige. Recht umfassend.*
Redlich, F. C.: Anmerkungen zur Aggressionstheorie von Konrad Lorenz. In: Mitscherlich, A. (Hrsg.): Bis hierher und nicht weiter. Ist die menschliche Aggression unbefriedbar? München 1969, 135–139. *Kurzer, aber lesenswerter Beitrag zu Bedeutung und Grenzen des lorenzschen Ansatzes.*
Redl, F., Wineman, D.: Kinder, die hassen. 2. Aufl. München, Zürich 1984. *Das Anfang der 50er Jahre geschriebene Buch ist m. E. immer noch ein „Muss" für Pädagogen, die in der Begleitung aggressiver Kinder und Jugendlicher ihre Aufgabe sehen.*
Remschmidt, H. (Hrsg.): Kinder- und Jugendpsychiatrie. Eine praktische Einführung. 3. Aufl. Stuttgart, NY 2000. *Eine kurzgefasste, an der klinischen Praxis orientierte Einführung in das breitgefächerte Gebiet der Kinder- und Jugendpsychiatrie.*

–: Die Entwicklung und ihre Varianten in der Adoleszenz. In: Kisker, K. P., u. a.: Psychiatrie der Gegenwart 7, Kinder- und Jugendpsychiatrie (a. a. O. 1988/1990 2. Aufl.), 291 ff. *Trotz der relativen Kürze des Beitrages eine recht umfassende und detaillierte Darstellung der wichtigsten biologischen und psychologischen Aspekte der Adoleszenz, ihrer Entwicklungsaufgaben, Krisen und Bewältigungsstrategien.*
–: Adoleszenz. Entwicklung und Entwicklungskrise bei Jugendlichen. Berlin 1992. *Aktuelles Standardwerk.*
Riedl, R.: Evolution und Erkenntnis. Antworten auf Fragen unserer Zeit. 4. Aufl. München, Zürich 1990. *Buch des Lorenz-Schülers und bekannten Biologen zur Evolution von Erkenntnisprozessen. Seine Ausführungen sind wegweisend und gut verständlich geschrieben.*
Riemann, F.: Grundformen der Angst. Eine tiefenpsychologische Studie. 36. Aufl. München, Basel 2004. *Mittlerweile ein „Klassiker", der auf die psychodynamischen und tiefenpsychologischen Zusammenhänge von Angst, Persönlichkeit und Störungen eingeht.*
–: Angst vor dem Loslassen. In: Schultz, H. J. (Hrsg.): Angst. (a. a. O. 1995), 196 ff. *Jeder Entwicklungsschritt, jeder Reifungsprozess erfordert Trennung vom Althergebrachten. Die Angst hiervor kann und sollte überwunden werden.*
Richter, H. E.: Umgang mit Angst. 3. Aufl. Düsseldorf, Wien 1995. *Der bekannte Autor und Psychoanalytiker beschreibt anhand verschiedener Formen der Angst deren Entstehungsbedingungen und konstruktive Möglichkeiten der Verarbeitung.*
Roth, G.: 100 Milliarden Zellen. Gehirn und Geist. In: DIFF (Hrsg.): Funkkolleg „Der Mensch" (a. a. O. 1992), Studieneinheit 5. *M. E. zur Zeit beste und übersichtlichste Darstellung des menschlichen Gehirns nach heutigem Wissensstand. Allgemein verständlich geschrieben, fasst diese Abhandlung die neueren hirnphysiologischen Erkenntnisse zusammen. Gelungener Abschnitt über Bewusstseinsvorgänge.*
Rudnitzki, G.: Scham – Abwehrbedürftigkeit und Grenzüberschreitung in Gruppen. Gruppenanalyse 4/1994, H 1, 93–109

Sacks, O.: Der Mann, der seine Frau mit einem Hut verwechselte. 24. Aufl. Reinbek 1998. *Außergewöhnliches Buch, in dem der Neurologe und Psychiater Sacks hirnorganisch bedingte Krankheiten aus einem etwas anderen Blickwinkel darstellt und empathisch auch auf die emotionale Krankheitsbewältigung eingeht.*
–: Eine Anthropologin auf dem Mars. Reinbek 2000. *Sieben spannende und gut zu lesende Fallgeschichten, in denen auch empathisch auf emotionale und soziale Bewältigungsstrategien von Krankheit und Behinderung eingegangen wird.*
de Saint–Exupéry, A.: Der kleine Prinz. Düsseldorf 1956
Satir, V.: Familienbehandlung. Kommunikation in Theorie, Erleben und Therapie. 5. Aufl. Freiburg i. Br. 1997. *Eine übersichtliche Zusammenfassung des methodischen Konzepts und der therapeutischen Techniken der Autorin.*
–: Selbstwert und Kommunikation. 15. Aufl. München 2002. *Die bekannte Familientherapeutin versteht es auf unnachahmlich lebendige Art, auch auf aggressiv getönte Kommunikationsstile, die sie als „Blaming" bezeichnet, einzugehen.*

–, Baldwin, M.: Familientherapie in Aktion. Die Konzepte von Virginia Satir in Theorie und Praxis. 5. Aufl. Paderborn 2004
Schacter, D. L.: Wir sind Erinnerung. Gedächtnis und Persönlichkeit. Reinbek 2001. *Gut zu lesendes Buch, das sensibel und verständlich Einblicke in die Zusammenhänge von Gedächtnis und Persönlichkeit gibt. Mit vielen Beispielen versehen.*
Schievenhövel, W., Vogel, C., Vollmer, G.: Von der Wiege bis zur Bahre. Was uns am Menschen interessiert. In: DIFF (Hrsg.): Funkkolleg „Der Mensch" (a. a. O. 1992), Studieneinheit 1. *Einführung in das Funkkolleg „Der Mensch" (a. a. O.), in der auch kurz und übersichtlich die Grundlagen der Soziobiologie erläutert werden.*
–: Signale zwischen Menschen. Formen nichtsprachlicher Kommunikation. In: DIFF (Hrsg.): Funkkolleg „Der Mensch" (a. a. O. 1993a), Studieneinheit 11. *Der bekannte Arzt und Anthropologe gibt eine Übersicht über nonverbale (mimische, gestische, olfaktorische und proxemische) Kommunikationsformen und zeigt ihre evolutionsbiologischen Wurzeln auf; u. a. beschreibt er anschaulich die mimischen und gestischen Ausdrucksformen aggressiven und freundlichen Verhaltens.*
–: Leid ohne Sinn? Krankheit, Sterben und Tod. In: DIFF (Hrsg.): Funkkolleg „Der Mensch" (a. a. O. 1993 b), Studieneinheit 24. *Der Arzt und Anthropologe beschäftigt sich in dieser Abhandlung mit Krankheit, Sterben und menschlichem Leid und stellt (S. 35 ff.) auf beeindruckende Weise die Notwendigkeit von Trauer und Trauerritualen für die Aufrechterhaltung unserer Gesundheit dar.*
Schleidt, M.: Halt mich fest, laß mich los! Kind und Eltern. In: DIFF (Hrsg.): Funkkolleg „Der Mensch" (a. a. O. 1992), Studieneinheit 9. *Ethologisch gesehen sind Menschen „Traglinge", die auf lange Zeit der Kindheit auf die Fürsorge durch Erwachsene unabdingbar angewiesen sind. Biologisch angelegte Anteile im Bindungsverhalten von Eltern und Kindern werden in diesem Beitrag spannend und gut verständlich dargestellt.*
v. Schlippe, A.: Familientherapie im Überblick. Basiskonzepte, Formen, Anwendungsmöglichkeiten. 11. Aufl. Paderborn 1995. *Eine ausgezeichnete, kurz gefasste Einführung in die systemischen Grundlagen, unterschiedlichen Konzepte und bewährte Methoden der Familientherapie.*
–, Schweitzer, J.: Lehrbuch der systemischen Therapie und Beratung. 9. Aufl. Göttingen/Zürich 2003. *Neben praxisbezogener Erläuterung systemischer Konzepte bietet dieses Lehrbuch zahlreiche Fallbeispiele, Techniken und Anwendungsmöglichkeiten.*
Schmidt-Atzert, L.: Lehrbuch der Emotionspsychologie. Stuttgart, Berlin, Köln 1996. *Eine grundlegende und verständliche Darstellung der Emotionspsychologie, in der der Autor u. a. auch auf biologische Grundlagen (S. 163 ff.) und Zusammenhänge von Emotionen, Ausdruck und Verhalten (S. 85 ff.) eingeht.*
Schmoll, H. J., Tewes, U., Plotnikoff, N. P.: Psychoneuroimmunology. Interactions between Brain, Nervous System, Behaviour, Endocrine and Immune System. New York 1992
Schnabel, U., Sentker, A.: Wie kommt die Welt in den Kopf? Reise durch die Werkstätten der Bewusstseinsforscher. 2. Aufl. Reinbek 1998.
Schneider, K., Scherer, K. R.: Motivation und Emotion. In: DIFF (Hrsg.): Funkkolleg „Psycho-Biologie". Verhalten bei Mensch und Tier. Weinheim/Basel 1987, Studieneinheit 14, 57–94. *Didaktisch geschickt und*

wissenschaftlich fundiert werden motivationale und emotionale Prozesse bei Tier und Mensch erläutert.
- (Hrsg.): Familientherapie in der Sicht psychotherapeutischer Schulen. 3. Aufl. Paderborn 1988. *In einem vergleichenden Überblick werden Konzepte und Erfahrungen der bedeutendsten familientherapeutischen Schulen dargestellt.*
Schuchardt, E.: Warum gerade ich...? Leben lernen in Krisen – Leiden und Glaube. Schritte mit Betroffenen und Begleitenden. 12. Aufl. Göttingen 2004
Schultz, H.J. (Hrsg.): Angst. Facetten eines Urgefühls. München 2. Aufl. 1995. *Lesenswerter Sammelband, in dem in breitgefächerten Beiträgen namhafter AutorInnen unterschiedliche Dimensionen des „Phänomens Angst" zur Sprache kommen.*
Schwarzer, W. (Hrsg.): Lehrbuch der Sozialmedizin für Sozialarbeit, Sozial- und Heilpädagogik. 4. Aufl. Dortmund 2002. *Knappe, aber breitgefächerte Einführung in die Sozialmedizin, in der insbesondere auch psychogene und neurogene Störungen sowie Behinderungen und chronische Erkrankungen erläutert werden.*
Seligman, M.E.P.: Erlernte Hilflosigkeit. 3. Aufl. Weinheim 2004. *Umfassend geht der Autor auf die Theorie der Erlernten Hilflosigkeit ein, wobei er insbesondere experimentelle Grundlagen, die Bedeutung dieses Ansatzes für die Interpretation von Depression und Angst sowie therapeutische und pädagogische Hilfen erläutert.*
Selvini Palazzoli, M., Boscolo, L., Ceccin, G., Prata, G.: Paradoxon und Gegenparadoxon. Ein neues Therapiemodell für die Familie mit schizophrenen Störungen. 11. Aufl. Stuttgart 2003. *Die Methoden der positiven Symptomdeutung, Symptomverschreibung und des Arbeitens mit Paradoxien sind grundlegende Bestandteile des „Mailänder Konzeptes" in der Familientherapie, die hier vorgestellt werden.*
Snyder, S.H.: Chemie der Psyche. Drogenwirkungen im Gehirn. Heidelberg 1989/1994 (2. Aufl.). *Reich bebildertes und gut verständliches Buch eines Neurowissenschaftlers, der sich mit der Chemie der Reizübertragung und Verarbeitung befasst. Die biochemischen Aspekte von Sucht und einigen anderen neurogenen Erkrankungen werden hier spannend und gut zu lesen beschrieben.*
Sommer, V.: Lob der Lüge, Täuschung und Selbstbetrug bei Tier und Mensch. München 1994. *Interessant geschriebenes Buch, in dem sich der Anthropologe und Primatologe mit den evolutionären Vorteilen täuschenden Verhaltens befasst.*
Spitzer, M.: Lernen. Gehirnforschung und die Schule des Lebens. Heidelberg, Berlin 2002. *Der Psychiater und Neurobiologie führt auf unterhaltsame und allgemein verständliche Weise in Grundlagen neurobiologisch orientierter Lernforschung ein.*
–: Geist im Netz. Modelle für Lernen, Denken und Handeln. Heidelberg, Berlin 2000
Sporken, P.: Hast du denn bejaht, dass ich sterben muss? Eine Handreichung für den Umgang mit Sterbenden. 4. Aufl. Düsseldorf 1996
Springer, S.P., Deutsch, G.: Linkes, rechtes Gehirn. Funktionelle Asymmetrien. 4. Aufl. Heidelberg 1998. *Relativ kritisch werden die Ergebnisse von 10 Jahren Split-Brain-Forschung zusammengetragen und anschaulich auf populärwissenschaftlichem Niveau präsentiert.*

Steinhausen, H. C.: Psychische Störungen bei Kindern und Jugendlichen. 5. Aufl. München 2002. *Standardlehrbuch der Kinder- und Jugendpsychiatrie, zum Teil etwas medizinisch gehalten, insgesamt aber klar strukturiert und übersichtlich.*
Stern, C.: Angst und Zivilcourage. In: Schultz, H. J. (Hrsg.): Angst (a. a. O. 1995), 233 ff. *Nicht nur der Mut vor dem Gegner, sondern auch der Mut vor dem Freund (der anderer Meinung ist), erfordert Zivilcourage und die Überwindung der Angst davor, nicht mehr dem „Main Stream" anzugehören.*
Stierlin, H.: Eltern und Kinder im Prozeß der Ablösung. Frankfurt/M. 1974. *Dem Prozess familiärer Ablösung in der Phase der Pubertät widmet der bekannte Familientherapeut einen Großteil seiner wissenschaftlichen und therapeutischen Arbeit.*
–: Delegation und Familie. Frankfurt/M. 1982. *Beiträge des renommierten Familientherapeuten und Psychoanalytikers, in denen er auf theoretische Perspektiven seines Konzepts, Zusammenhänge von Schizophrenie und Familie sowie Verbindungen von Kreativität und Destruktivität eingeht.*
– (Hrsg.): Das erste Familiengespräch: Theorie, Praxis, Beispiel. 8. Aufl. Stuttgart 2001. *Das Buch gibt einen Überblick über die von Stierlin und der Heidelberger Autorengruppe entwickelten Konzepte der Familientherapie, insbesondere die bezogene Individuation, die Interaktion von Bindung und Ausstoßung, die Delegation und die Mehrgenerationsperspektive von Vermächtnis und Verdienst.*
–: Individuation und Familie. Studien zur Theorie und therapeutischen Praxis. Frankfurt/M. 1994. *„Bezogene Individuation" ist einer der Schlüsselbegriffe in Stierlins systemisch-familientherapeutischem Ansatz. Familie kann einen wichtigen Beitrag zur bezogener Individuation leisten, diesen Prozess andererseits aber auch hemmen. Ein erster Teil des Buches befasst sich mit dem Scheitern bezogener Individuation in gestörten Beziehungssystemen, ein zweiter Teil zeigt therapeutische Perspektiven auf. Ein dritter Teil stellt einen Exkurs über gesellschaftliche und politische Aspekte vor.*
–: Angst in und durch Familien. In: Schultz, H. J. (Hrsg.): Angst (a. a. O. 1995), 90 ff. *Familien können, Schutz gebend und Komplexität reduzierend, Angst verarbeiten helfen. Andererseits können dysfunktionale familiäre Beziehungsgefüge ihrerseits zur Angst beitragen, u. a. auch im Prozess der Ablösung.*
–: Hitler. Frankfurt 1995. *M. E. die bisher gelungenste Darstellung der Kindheit und Jugend Hitlers, bei der der psychoanalytisch orientierte Familientherapeut insbesondere auf Delegationsprozesse eingeht.*
Strauch, B.: Warum sie so seltsam sind. Gehirnentwicklung bei Teenagern. Berlin 2003
Strehlow, B.: Scham in der Supervision. Wege zum Menschen. 47 Jg. 1995, H. 5, 294 ff.
Strunk, P.: Emotionale Störungen mit vorwiegend somatischer Symptomatik. In: Eggers, C. u. a.: Lehrbuch der speziellen Kinder- und Jugendpsychiatrie (a. a. O. 1996, 7. Aufl.). *Der renommierte Kinder- und Jugendpsychiater geht in einem Übersichtskapitel auf Klinik und Psychodynamik u. a. von Anorexie, Bulimie und Adipositas ein.*
Sütterlin, Ch.: Warum es uns gefällt. Kunst und Ästhetik. In: DIFF (Hrsg.): Funkkolleg „Der Mensch" (a. a. O. 1993), Studieneinheit 18. *Originelle und fesselnde Abhandlung über die evolutionsbiologischen Wurzeln unseres ästhetischen Empfindens mit zahlreichen Beispielen.*

Textor, M. (Hrsg.): Hilfen für Familien. Ein Handbuch für psychosoziale Berufe. 2. Aufl. Frankfurt/M. 1994. *Ein breit angelegtes Handbuch, das sich umfassend mit pädagogischen, psychischen, sozialen, strukturellen, finanziellen und juristischen Hilfen für Familien befasst.*
Thompson, R. F.: Das Gehirn. Von der Nervenzelle zur Verhaltenssteuerung. 3. Aufl. Heidelberg 2001. *Fundiertes Grundlagenbuch, das in den USA zur Basis-Lektüre von Psychologiestudenten gehört. Teilweise schwierig zu lesen, bietet es andererseits einen fundierten Überblick über die neueren neurophysiologischen Forschungsergebnisse und ist auch für „Nicht-Physiologen" geeignet.*
Tölle, R.: Psychiatrie. 13. Aufl. Berlin, Heidelberg, NY u. a. 2003. *Grundlegendes, klinisch orientiertes und doch auch für Nichtmediziner verständliches Lehrbuch der Psychiatrie.*
Trivers, R.: Social Evolution. Manlow Park (Cal.) 1985. *Ein Pionier der modernen Evolutionsbiologie präsentiert ein Fazit seiner nicht unumstritten gebliebenen Gedanken zur Evolution von Sexualität und Sozialverhalten.*
Trost, A., Schwarzer, W. (Hrsg.): Psychiatrie, Psychosomatik und Psychotherapie für psychosoziale und pädagogische Berufe. 2. Aufl. Dortmund 2005

Ulich, D.: Das Gefühl: eine Einführung in die Emotionspsychologie. 2. Aufl. München 1989

Vogel, C.: Gibt es eine natürliche Moral? oder wie widernatürlich ist unsere Ethik? In: Meyer H. (Hrsg.): Die Herausforderung der Evolutionsbiologie. 3. Aufl. München 1992, 193–220. *Einer der bekanntesten Anthropologen Deutschlands erläutert sein soziobiologisch orientiertes Bild von der Aggressivität des Menschen, das relativ pessimistisch ist und inzwischen Widerspruch erfahren hat.*
–, Sommer, V.: Drum prüfe wer sich ewig bindet... Mann und Frau. In: DIFF (Hrsg.): Funkkolleg „Der Mensch" (a. a. O. 1992), Studieneinheit 8. *Die Welt der Männer, die Welt der Frauen – zwei unterschiedliche und getrennte Welten? Die Autoren untersuchen diese Frage aus evolutions- und soziobiologischer Sichtweise. Sie vertreten die z. T. nicht unumstrittene These, dass Männer und Frauen in ihrem Verhalten, ihren Motivationen und Emotionen sehr verschieden sind, so dass es zu Konflikten und auch zu unterschiedlichen moralischen Regeln bei beiden Geschlechtern kommt.*
–: Evolutionsbiologie und Moral. In: DIFF (Hrsg.): Funkkolleg „Der Mensch" (a. a. O. 1993), Studieneinheit 30. *Der renommierte Anthropologe beschäftigt sich in dieser Abhandlung aus evolutionsbiologischer und soziobiologischer Sicht mit dem biologischen Fundament menschlicher Moral. Dabei kommt er mitunter zu eher pessimistisch stimmenden (und nicht unwidersprochen gebliebenen) Schlussfolgerungen.*
Vollmer, G.: Was können wir wissen? Denken und Erkennen. In: DIFF (Hrsg.): Funkkolleg „Der Mensch" (a. a. O. 1993), Studieneinheit 19. *Ein führender Wissenschaftler auf diesem Gebiet widmet sich in dieser Abhandlung der Frage, welche Erkenntnisse dem menschlichen Gehirn prinzipiell zugänglich sind und welche nicht. Ein außerordentlich lesenswerter Aufsatz.*
Vowinckel, O.: Die Natur der Kultur. Egoistische Gene und die List der Kultur. In: DIFF (Hrsg.): Funkkolleg „Der Mensch" (a. a. O. 1992), Studieneinheit 7. *Ausgezeichnete, weil sehr verständlich geschriebene und dennoch fundierte Einführung in die Soziobiologie.*

Watzlawick, P.: Die Möglichkeit des Andersseins. Zur Technik der therapeutischen Kommunikation. 5. Aufl. Stuttgart u. a. 2002. *Ein Bestseller des Autors, in dem besonders auf rechtshemisphärische Kommunikationsformen eingegangen wird. Zum Teil sehr plastische und instruktive Beispiele.*
–: Anleitung zum Unglücklichsein. 15. Aufl. München, Zürich 2003. *Eine humorvoll-ironische „Anleitung zum Unglücklichsein", die nicht nur mit Genuss zu lesen ist, sondern sich bei näherer Betrachtung als Symptomverschreibung entpuppt.*
–, Beavin, J. H., Jackson, D. D.: Menschliche Kommunikation. Formen, Störungen, Paradoxien. 10. Aufl. Bern, Stuttgart, Toronto 2000. *Inzwischen ein „Klassiker" der Kommunikationstheorie, in dem auf die Wirkungen menschlicher Kommunikation auf das Verhalten eingegangen wird und Verhaltensstörungen unter kommunikativen Aspekten analysiert werden.*
–: Wie wirklich ist die Wirklichkeit? Wahn, Täuschung, Verstehen. 28. Aufl. München, Zürich 2005. *Bestseller des bekannten amerikanischen Psychologen, der sich dem Konstruktivismus verpflichtet fühlt.*
Weakland, J. H., Herr, J. J.: Beratung älterer Menschen und ihrer Familien. 2. Aufl. Bern 1992. *Familientherapeutisch-systemisches Lehrbuch mit vielen Praxisbeispielen.*
Wegscheider, S. B.: Es gibt doch eine Chance. Hoffnung und Heilung für die Alkoholikerfamilie. Wildberg 1988. *Ein sehr einfühlsames Buch der Familien- und Suchttherapeutin, das auf Co-Alkoholismus, Rollen und Funktionsübernahmen der Mitglieder einer „Alkoholikerfamilie" eingeht.*
Weiss, Th., Haertel-Weiss, G.: Familientherapie ohne Familie. Kurztherapie mit Einzelpatienten. 7. Aufl. München 2003. *Systemische und familienorientierte Sichtweisen, Konzepte und Techniken können auch in der Einzeltherapie fruchtbar sein. Die Autoren stellen dies in lockerer, sehr verständlicher Weise dar und belegen es mit vielen Beispielen.*
Wilson, E. O.: Die Einheit des Wissens. München 2000. *Der renommierte Soziobiologe versucht, die neuesten Erkenntnisse von Naturwissenschaften, Sozial- und Geisteswissenschaften miteinander zu verknüpfen. Das 8. Kapitel beschäftigt sich mit interessanten Aspekten der emotionalen Grundausstattung des Menschen.*
Wirsching, M., Stierlin, H.: Krankheit und Familie. Konzepte – Forschungsergebnisse – Therapie. 2. Aufl. Stuttgart 1994. *Vielfältige und rückbezügliche Wirkungen von Krankheiten und Familiensystemen werden anhand von Fallbeispielen dargestellt und leiten zu Fragen der Diagnostik und Behandlung „psychosomatischer" Familien über.*
Wurmser, L.: Die Maske der Scham. Die Psychoanalyse von Schamaffekten und Schamkonflikten. Berlin 1990. *Psychoanalytische Darstellung der Bedeutung von Schamaffekten im Alltagsleben, in der Psychopathologie, Politik und Literatur.*

Zimmer, D. E.: Die Vernunft der Gefühle. 3. Aufl. München 1988

Lösungen zu den Multiple-Choice-Fragen

1.1	c		9.1	b
1.2	d		9.2	b
1.3	e			
1.4	b		10.1	c
1.5	d		10.2	d
			10.3	b
2.1	e		10.4	e
2.2	d			
2.3	e		11.1	e
			11.2	c
3.1	d		11.3	a
3.2	e			
3.3	a		12.1	d
			12.2	b
4.1	e			
4.2	c		13.1	b
4.3	b		13.2	d
4.4	e			
4.5	a		14.1	b
			14.2	c
5.1	c			
5.2	b			
5.3	d			
6.1	a			
6.2	d			
6.3	d			
6.4	d			
7.1	b			
7.2	c			
8.1	a			
8.2	b			
8.3	b			

Sachregister

Abhängigkeit 25, 54, 61, 84, 121, 161, 183, 189, 198f, 207, 215, 219, 225f, 232, 236, 265, 303f, 325
Ablehnung 141, 156, 208, 226
Ablenkung 23, 145
Ablösung 70, 80, 163, 204ff, 219ff, 247ff, 289, 296, 311, 321
Abwehrmechanismen 77, 91, 174, 188, 234
Acetylcholin 46f, 50, 57, 289
Adagio-Typus 94
Adoleszenz 10, 216, 219, 221, 224ff, 235, 243, 249, 289, 302, 309, 316, 318
Adrenalin 34, 46f, 50, 52ff, 60, 88f, 102, 109, 132, 134f, 153, 168, 267f, 289, 294, 297, 325
Affektstörungen 51
Aggression 5, 8, 15ff, 50ff, 69ff, 80ff, 92ff, 101, 109, 116ff, 132, 141ff, 150ff, 177ff, 201ff, 230, 246, 274ff, 285ff, 307ff
–, biologische Grundlagen 151
–, explorative 162
– in der Gesellschaft 167
– in der Pubertät 164
–, instrumentelle 162
Aggressionsabblockung 158f
Aggressionsabwehr 23, 74, 80
Aggressionsbereitschaft 151, 153, 167
Aggressionshemmung 74, 85, 94, 153, 195, 201, 214
Aggressionspotential 150
Aggressionsverhalten 132
Aggressivität 16, 73, 127, 150ff, 167, 175, 179, 237, 253, 260, 273, 285, 289, 310, 315f, 322
Agonales Verhalten 151f
Agoraphobie 80, 289, 297

Ahedonie 122, 289
Akinesie 289, 301
Akne 180, 218
Akrophobie 79, 289
Aktionspotential 44, 289
Aktivität 56, 78, 87, 96, 101, 105ff, 111f, 145, 170, 177, 224, 266f, 289, 302f, 325
Akzeptanz 91, 140, 222, 224, 230, 249, 255, 257, 259, 261ff, 279, 285
Alarmreaktion 152, 168, 294
Alkohol 24, 60f, 84, 113, 165, 178, 199ff, 224f, 232, 259ff, 275, 289, 315, 323, 325
Alkoholabhängigkeit 24
Alkoholkrankheit 166, 208
Alkoholtoleranz 24
Allergie 48, 93, 272
Altruismus 119, 192, 289
–, reziproker 192
Alzheimersche Erkrankung 50, 281, 289
Ambivalenz 63, 71, 82, 141, 146, 223, 226f, 232, 273
Amenorrhoe 231, 290, 302
Amine, biogene 47, 88f, 108
Ammenschlafphänomen 281
Amphetamine 53, 113, 231, 290
Amygdala 33, 35f, 39ff, 49, 54, 107, 155, 290, 298, 314
Analgetika 55, 290
Androstenon 56, 136f
Angina 60, 125
Angst 5, 8, 13ff, 25, 28ff, 41ff, 52ff, 58ff, 90, 98, 102, 105, 114ff, 120, 127, 142ff, 151ff, 160ff, 170ff, 182, 184ff, 200f, 212, 214, 220, 222, 226, 229ff, 242ff, 250ff, 261, 267ff, 271ff, 281ff, 290, 300ff

–, altersabhängige 65
–, generalisierte 78
–, gerichtete 79
– im Erwachsenenalter 72
– in der Pubertät 68
– und Tranquilizer 60
Angstanfall 13, 72, 78, 82, 84, 274
Angstentwicklung 65
Angstgefühl 66, 75, 197
–, Missbrauch von 75
Angstkrankheit 69, 81, 82, 84, 308
Angstneurose 23, 78, 85, 86, 290
Angstreaktion 198, 214
Angststörung 77, 300
Anklagen 164, 194, 203, 250ff
Anorexia nervosa 68, 166, 230, 290
Anpassung 15f, 28, 53, 67, 81, 99ff,
  153, 229, 243, 289, 304, 314
Anpassungsstörung 67, 99, 100, 102
Antidepressiva 24, 55, 88, 100,
  103f, 109, 290
Antikonvulsiva 55, 290
Antrieb 25, 31ff, 55, 87, 98, 100,
  234, 292, 296
Anxiolytika 60
Apathie 98, 290
Appetenz, sexuelle 132f
Appetitlosigkeit 98
Appetitstörung 99
Ärger 5, 14, 17ff, 28, 39, 41, 43,
  111, 118ff, 126, 150ff, 193ff,
  201, 220, 227, 232, 245ff, 261,
  267, 285, 287, 314
Assimilation 82, 290
Asthma 243f, 270, 272, 290
Asthmaanfall 243f, 272
Atemdepression 84
Atemstillstand 61
Atropin 134
Attraktivität 110, 112
Auflehnung 91, 263
Aufputschmittel 48, 53
Augengruß 110, 114, 139, 149
Ausbeutung, sexuelle 195, 214
Ausbruchsangst 70
Ausstoßung 70, 166, 205, 227,
  249, 321
Ausstoßungsmodus 70, 166
Autonomie 179f, 183f, 197f, 219,
  247, 284, 291, 307

Autoritätskrisen 230
Autoritätsprotest 220, 226, 264
Axon 44, 291, 299

Balzverhalten 127
Basalganglien 50f, 291, 304
Bauchschmerzen 59, 98
Bedrückung 89, 99, 103, 177
Befruchtung 129, 133
Behinderung 141, 188, 244,
  263ff, 292ff, 312, 318ff
–, geistige 188, 312
Benzodiazepin 54, 61
Benzodiazepinrezeptor 61
Beschämung 74, 173ff, 181,
  183ff, 189
Bescheidenheit 182
Beschwichtigen 39, 153, 251ff
Bestätigung 140, 179
Bewusstsein 10, 13ff, 31ff, 40, 63,
  76f, 90, 97, 118, 172ff, 186, 190,
  201f, 211ff, 246, 272, 278ff
Beziehungsfalle 207
Beziehungsmuster, familiäre 51,
  245ff
Beziehungsstörung 69, 102, 108,
  231, 275
Beziehungswahn, sensitiver 187,
  211
Bindung 11, 15f, 20, 22, 71, 76,
  91f, 96, 106f, 108ff, 126ff,
  131ff, 135f, 140f, 148, 154,
  163ff, 166f, 198, 204f, 212,
  215f, 227f, 238ff, 249f, 262,
  266f, 273, 310, 321
Bindungsemotion 8, 16, 22, 96,
  104, 122
Bindungsfunktion 93, 96
Bindungskräfte 227
Bindungsmodus 70, 93, 96, 102,
  115, 205
Bindungsphase 91
Bindungsverhalten 48, 130, 135f,
  158, 239, 243, 262, 319
Biochemie 28, 60, 108, 316
Blaming 164, 252
Blinder Fleck 291
Blitzlicht 257
Brunstverhalten 127
Brutpflege 127, 155, 185, 297

Bulbus olfactorius 56, 291, 303
Bulimie 113, 119, 291, 315, 321

Captagon® 53
Co-Evolution 144f
Compliance 25, 291
Computing 252
Coping-Strategien 183, 312
Corticosteroide 60, 291, 304
Cortisol 89, 95, 102, 267f, 277
Cortison 55, 244, 291

Delegation 11, 20, 22, 165, 199, 205ff, 212, 234, 246, 249, 260, 291, 321
Delinquenz 230, 237, 311, 315
Demut 95ff, 117
Demütigung 66f, 74, 175ff
Demutsgebärde 95, 153
Demutshaltung 107
Dendriten 44, 291
Depersonalisationserscheinungen 51
Depression 5, 18, 23ff, 38, 52ff, 87ff, 122, 160, 175ff, 198, 202, 214ff, 220, 229, 233, 251, 268ff, 298ff, 309ff, 320
–, anaklitische 99
–, endogene 100
–, Klassifikationsschema 100
–, lavierte 98
–, neurotische 99, 101
–, psychotische 99
–, Therapie 103
–, Ursachen 101
Deprivation 99, 122, 163, 208, 292, 295, 297, 312
Desensibilisierung 83, 292
Destruktivität 118, 229, 292
Diabetes mellitus 93, 263f, 277, 292
Dissozialität 163, 312
Distanz 11, 19ff, 34, 76, 101, 142, 165ff, 219, 226, 232, 245, 252ff, 261
Distanzlosigkeit 172
Distanzwaffe 159, 168
Distracting 253
Divergenz 46f, 225
Dominanz 107, 129, 142, 192

Dominanzstreben 107, 129
Dopamin 47ff, 57, 108, 153, 168, 292, 297
Dopaminsystem 51
Drogen 46, 55, 60, 112f, 134, 225ff, 320
Drogenabhängigkeit 232
Drohgebärden 59, 62, 153, 155
Drohstarren 157
Duftdrüsen 137
Duftstoffe 136
Dyade 248

Ecstasy 225
Eifersucht 34, 37
Einkoten 99
Einnässen 99
Eireifung 132, 217
Eisprung 130, 132f, 137, 217, 300
Ekel 33f, 43, 74, 133, 151, 157ff, 314
Ekstase 112, 139, 293
Elternliebe 127
Embryo 129, 133, 289, 293
Embryonalentwicklung 129
Emotionstheorie, differenzielle 27, 292, 313
Empathie 11, 20f, 29, 92, 96, 161f, 165, 198, 208, 214, 254, 260, 282, 285, 293
Endorphine 46, 48f, 108, 113, 124, 132, 135, 154, 293
Entlastungsdepression 99
Enttäuschung 43, 91f, 96, 101, 114, 117, 141, 147, 149, 261, 316
Entwicklungshemmung 69, 77, 173, 297
Entwicklungsstörung 91, 312
Entwicklungsverzögerung 91
Enzyminduktion 24
Epilepsie 13f, 265, 293
Epiphysenschluss 217
ergotrop 60
Erkenntnis 28, 59, 73, 90, 113, 143ff, 169ff, 183, 189, 199ff, 255ff, 279ff, 309ff, 315ff, 322f
Erkenntnistheorie, evolutionäre 28, 309
erogene Zonen 135

Erregung 15, 43ff, 61ff, 99, 109,
  132ff, 170, 252, 272, 294ff, 305
Erregungslage, vagotone 96, 268
Erregungsniveau 17, 74, 88
Erregungszustand 17, 59f, 73f,
  81, 244, 272, 305
Erröten 79, 170, 176, 194, 201, 293
Erschöpfung 87, 93, 95f, 99f,
  188, 242, 268f, 277, 290
Erschöpfungsdepression 99
Erschöpfungsgefühl 95
Erschöpfungssyndrom 93, 96,
  100, 268f
Erythrophobie 79, 170f, 293
Etikettierungsansatz 265, 277, 298
Euphorie 132, 135, 292f
Euphorisierung 49
Evolutionsbiologie 309, 322
Evolutionstheorie 28
Exhibition 185
Existenzangst 58f, 65, 68f, 72, 85f
Exploration 49, 115, 172, 327
Explorationsbedürfnis 172
Explorationsverhalten 49
exzessiv 199

Familie 5, 8ff, 70ff, 93ff, 165ff,
  183ff, 202ff, 238ff, 293ff, 311ff
Familiendynamik 226
Familienkonstellationen 243ff, 260
Familienregeln 71, 242
Familienrekonstruktion 260f,
  293, 307, 316
Familientherapie 17, 22, 26, 84,
  103, 113, 151, 209, 255, 298ff,
  306, 311, 316, 319ff
–, systemische 17ff, 26, 255ff
Familientraditionen 165, 207
Felt-smile 120, 132
Flight-and-fight-reaction 40, 47,
  59f, 73, 267f, 294
Flirt 21, 110, 134, 139f, 149
Flucht 40f, 47, 58, 71, 73, 95, 108,
  151ff, 160, 168, 267, 294, 300,
  304
Fluchtreaktion 155
Formatio reticularis 294
Formkonstanz 27
Fortpflanzung 109, 128f, 132,
  136, 192, 268, 302, 304

Fragestellung, proximate 16, 30, 287
–, ultimate 16, 30, 111, 287
Freiheit 58, 69, 71, 85, 119, 144,
  146ff, 256
Fremdeln 65, 110
Fremdenfeindlichkeit 74
Freude 8, 15ff, 22, 28, 32ff, 52,
  59, 66, 92, 105ff, 155, 169, 176,
  183ff, 201, 215, 220, 222, 243ff,
  275, 282ff, 313f
–, Erlaubnis zur 115
–, Motorischer Ausdruck von 111
–, Verhinderung von 116
Freundschaft 73, 114, 119, 158,
  176, 231, 253
Frontalhirn 35, 37f, 41, 159
Frontalhirnläsion 159
Frontallappen 18, 29, 51, 294
Frozen watchfulness 69, 243
Frustration 163, 309
FSH 131ff, 294
Furcht 82ff, 107, 114, 142, 158,
  160, 173, 194ff, 200, 207, 234,
  250, 257, 263, 289, 293, 301,
  306, 313
Furchtgrinsen 107, 158
Fürsorge 142, 192, 205, 248, 272,
  319

Gammaaminobuttersäure 46, 54,
  61, 294
Gattenliebe 127
Geborgenheit 58, 115, 129, 135f,
  141, 146, 224, 241
Gebote, soziale 94, 169, 171, 175,
  191, 197ff
Geburt 18, 38, 48, 111, 124, 129,
  131ff, 147, 239f, 247f, 257ff, 301
Gedächtnis 35ff, 50, 98, 159, 193,
  209, 280f, 289, 295, 298, 319
Gefahr 40
Gefolgsgehorsam 161, 209
Gehirn 27ff, 31ff, 44ff, 263ff
Gelbkörperhormon 133, 294, 298
Genitalregion 137
Genogramm 260
Genuss 106, 112, 119, 141, 323
Geringschätzung 158, 160
Geruch 56ff, 64, 114, 124, 131ff,
  149, 239ff, 294ff

Sachregister 329

Geruchssystem 56ff, 136ff, 149
Geschlechtsmerkmale, sekundäre 133, 216f
Gestagene 217, 301
Gestalttherapie 27, 103
Gestik 18ff, 31, 89, 94, 101, 121f, 139ff, 158, 164, 185, 193, 229, 245ff, 254, 283, 315
Gesundheit 5, 7, 20, 101, 138, 195, 238, 263ff, 303ff
Gewalt 149ff, 177ff, 207ff, 243, 269, 312
Gewichtsverlust 98
Gewissen 5, 175, 191ff, 234, 284, 296, 306, 311ff
Gewissensbildung 198, 214
Gewissenskonflikt 205
Glück 15, 22, 49, 71, 76, 105, 110, 112ff, 122ff, 131ff, 135ff, 247, 256
Glücksgefühl 49, 76, 110, 126ff, 134f, 141, 145, 148, 154, 257
Glutamat 48, 50, 294
Gonadotropin 217
Grooming 139
Größenwahn 122
Großhirn 10, 18ff, 29ff, 35, 39ff, 50ff, 61ff, 89, 112, 159, 256, 268, 281, 291ff, 302ff
Großhirnrinde 29, 35, 40, 43, 50ff, 256, 268, 290ff, 302ff
Großhirnstrukturen 39, 61, 63, 328
Grübeln 99, 221
Gruppenaggression 164, 230
Gruppenkonformität 181
Gruppennormen 181

Habitus 21, 34, 94, 229
Halluzinationen 51, 54, 294
Harmonie 119, 145, 166, 191200, 232, 247, 260, 286
Hass 74, 142, 146, 278f, 309
Hautkontakt 139
hedonistisch 15, 28, 294
Heilpädagogik 4, 8, 232, 294
Heilung 195, 273, 276, 299
Heroin 49, 113, 124, 225, 227, 230, 294
Herzinfarkt 55, 84, 274
Hilflosigkeit 72, 128, 188f, 234, 251, 267, 275, 300, 320

Hippocampus 33, 35f, 39f, 43, 49f, 54, 155, 295, 298
Hirnfunktionen 31ff, 298
Hirnstamm 35f, 53, 295
Hirnstrukturen 18, 29, 31ff, 41, 49, 128, 136, 140, 148
Histamin 47f, 267
Hoffnung 39, 87, 90, 112, 257, 313, 323
Hoffnungslosigkeit 13, 73, 87, 98, 100, 223
Hohn 175
Homöostase 26, 32f, 249, 254, 295
Hormone 46ff, 54ff, 88ff, 108, 131ff, 153ff, 217ff, 266ff, 291ff, 300ff
Humanethologie 28, 126, 295
Hybris 66, 162, 198, 274
–, magische 66, 274
Hyperkinesie 49, 295, 299
hyperkinetisch 53, 255, 295, 299
Hyperkinetisches Syndrom 295, 299
Hyperventilationssyndrom 78
Hypnotika 55, 295
Hypophyse 29, 33, 48, 50, 131f, 217, 268, 289, 294f, 300, 302ff
Hypophysenhinterlappen 48, 300, 306
Hypothalamus 33, 35f, 43, 50, 54, 107f, 131f, 136, 268, 295, 303, 313, 317

Identifikation 163, 205
Identität 5, 19f, 144, 173ff, 190, 202, 216ff, 228f, 235, 247, 278ff, 296, 311
Identitätskrise 224, 229
Identitätssuche, sexuelle 224
Imitation 83, 163, 194, 197, 296
–, soziale 83
Immunologie 47, 266, 296, 302, 316
Immunsystem 47, 112, 137, 266ff, 272, 275, 296
Imponiergehabe 127, 152, 161, 164
Impulsivität 295
Indexpatient 17, 204, 244f, 259, 296
Individualität 71, 144, 201

Individuation 71, 116, 144ff, 204, 213ff, 247ff, 261f, 296, 321
–, bezogene 148f, 204, 213, 262, 321
–, emotionale 116
Indoktrinierbarkeit 160
Infektanfälligkeit 98, 269, 272
Informationsübertragung 44, 46f, 57
Initiative 122, 183, 195f, 201, 210, 212f, 215, 247, 284, 286
Inkongruenz 254
Insuffizienz 68, 169, 173, 180, 187, 190, 206, 211, 229, 233, 274, 296
Insuffizienzgefühl 229, 233
Insulin 236ff, 277, 292, 296
Integration 8, 19f, 25, 52, 144, 146, 179f, 221, 228, 235, 247, 279, 284, 286, 288, 296
–, motorische 179
Integrität, körperliche 90
Intelligenz, emotionale 20
Intention 199, 296
Interaktion, soziale 122, 172, 180ff, 190, 242f
Interesse 15, 17, 35, 40, 63, 73f, 87, 98, 109, 111, 115, 118, 126, 134, 139, 141, 148ff, 161f, 170, 172, 175ff, 183, 220, 226, 243, 248, 263, 266, 270, 286, 289, 310
Interessenlosigkeit 87, 98
Internalisierung 194, 198, 296
Intimität 126f, 130, 143, 148, 169, 174ff, 183ff, 190, 222
Intimitätsgrenzen 169, 175f
Intimitätsschranken 130, 185
Intimsphäre 184
Inzest 138, 171, 195, 214, 239, 297
Inzestbarriere 138
Ionenkanäle 45f, 61, 297
Isolierung 91, 297

Jaktationen 99
Jogging 49
Jugend 216ff
Jugendkultur 229, 232

Kampf 47ff, 95, 151ff
Kampfreaktion 156
Kastration 132, 149, 154

Katecholamine 47, 50, 267, 297
Kausalität 193
Keimzellen 128f
Kindchenschema 96, 110, 127, 158, 243, 297
Kindesmisshandlung 69, 312
Klaustrophobie 79f, 289, 297
Kleinhirn 53f, 291, 297
Klimakterium 133
Kognitionspsychologie 27
Kohäsion, soziale 172
Kokain 53, 109, 113, 134
Kommunikation 11, 19ff, 48, 102, 107, 155, 164ff, 180ff, 209f, 242, 251ff, 288, 297, 318ff
Kommunikationsformen 251ff, 319, 323
Kommunikationsstil 22, 25f, 165, 253, 258, 318
Kommunikationsstörung 210
Kommunikationsstrukturen 21, 254
Kompetenz 10, 18, 20, 68, 105, 112, 117, 119, 161, 173ff, 297
Konfliktumleitung 204
Konstitution 81, 102, 173, 241, 271f
Konstruktivismus 27, 30, 297, 323
Kontaktschwierigkeiten 99
Kontext 15ff
Kontrollverlust 13, 121f, 304
Kontrollzwang 212
Konvergenz 46f
Konversionen 234
Konversionsneurose 234f
Konversionssyndrom 234, 272, 298, 309
Kopfschmerzen 48, 99f, 133, 198
Kopuline 137
Körperbild 218, 231, 282, 297, 302
Körperhaltung 10, 14, 18, 21ff, 87, 89, 93, 95, 121, 164, 252, 258
Körperimago 218, 282, 297
Krampfanfall 13, 55, 265, 273, 290, 293
Krankheit 4ff, 51ff, 98, 194, 265ff
Krankheitsgewinn, primärer 234, 273, 298
–, sekundärer 234, 272f, 298
Krankheitsmodell 264f, 273, 277
Kreativität 66, 69, 112, 121, 183, 185f, 321

Sachregister

Krise 11, 19ff, 64ff, 101ff, 177ff, 219ff, 234, 247ff
–, narzisstische 233
Krisenintervention 84
Kummer 5, 28, 43, 70ff, 87ff, 130, 177, 183ff, 219, 253, 313f
Kummergefühl 91
Kummerreaktion 87f, 92, 95f

Labeling approach 265, 277, 298
Lächeln 34, 63, 105ff, 120ff, 147, 156ff, 187, 240ff, 252, 262, 270, 283
Lampenfieber 176
Längenwachstum 216f
Latenzzeit 198, 247
Laxantien 231, 298
Leid 87, 93, 185, 249, 271ff
Leidenschaft 38, 48, 51, 126, 128, 143f, 148, 316
Leistungsangst 66f, 303
Lernen 162ff
Lernhemmung 99
LH (Luteinisierendes Hormon) 131ff
Lichttherapie 103
Liebe 8, 15, 28, 35, 48, 52, 90ff, 107ff, 120, 123ff, 131ff, 140ff, 160, 198, 248, 261, 270ff, 286, 293
–, Begriffsbestimmung 125
–, Erleben und Ausdruck 126
Liebesbeziehung 135, 138, 140ff
Liebesentzug 69, 126, 197f, 201f
Liebeskummer 92, 94, 130, 187, 219, 223
Liebesverlust 71, 126
Life-event 10, 14, 19f, 245, 254, 271, 298
Limbisches System 10, 20, 40f, 136, 268, 278, 280, 298
Locus coeruleus 52
Loyalität 74, 199f, 204f, 208, 215, 235, 250, 254
Loyalitätskonflikt 200, 204, 206, 215, 250
LSD 54, 113, 298
Lust 5, 14ff, 28, 32, 75, 105ff, 110ff, 117ff, 120ff, 139ff, 154, 175ff, 185, 192, 195, 201, 219ff, 228, 286ff
Lysosomen 96

Macht 94, 112, 162ff, 202
Machtgefühl 118, 64
Machtstreben 80
Magersucht 112, 166, 221, 230ff, 253, 290, 302, 315
Major depression 99f, 103, 298f
Mandelkern 29, 33, 39f, 49, 107f, 155, 290, 298, 315
Manie 55, 111, 122, 316f
Melancholie 99f, 104, 299, 309, 317
Menstruationszyklus 133
Metaphern 245, 256
Milgram-Experiment 161
Milieutherapie 121, 299
Mimik 10, 18ff, 31ff, 51, 72, 87ff, 122, 139ff, 155ff, 193, 245ff, 282f, 292, 299, 310, 316
Minderwertigkeitsgefühl 66, 82, 99, 101, 218, 233, 284
Missbrauch 75ff, 163ff, 198, 207ff, 303
–, emotionaler 198
–, sexueller 92, 171, 184ff, 207ff
Misserfolgserlebnisse 65f, 92, 179, 219f
Misshandlung 92, 163, 208, 232, 297, 329
Mitgefühl 21, 29, 82, 92, 94, 161f, 232, 293
Mitleid 21, 51, 70, 92ff, 115f, 159ff, 252, 257, 277
Mobbing 118, 299
Monatsblutung 133, 217, 231, 290, 299
Moral 195ff
Morphine, körpereigene 135
Morphium 49, 113, 299
Motorik 32ff, 95, 111, 159, 179, 268, 282, 290ff, 331
Müdigkeit 47, 60, 87, 95
Muskelkontraktion 50
Mut 73
Mutterbindung 240
Mutterliebe 125
Muttermilch 114, 137, 240f

Nächstenliebe 125
Nachtangst 65, 99
Nähe 19ff, 38, 101, 128, 140ff, 165ff, 219ff, 232, 258

–, soziale 165
Nahrungsverweigerung 231, 302
Nasenrümpfen 156
Neid 39, 105, 112, 116, 118, 120
Nepotismus 238, 299
Nervensystem, parasympathisches 60, 152
–, sympathisches 57ff, 171
Nervenzelle 44ff, 267, 290ff
Nervus sympathicus 152, 299
– vagus 157, 197, 299
Netzhaut 27, 37, 291
Neugeborenenreflexe 240
Neugier 33, 40, 62ff, 73f, 115, 118, 146, 148, 170, 183, 185, 220
Neurodermitis 243
Neuroleptika 51f, 55, 57, 300, 307
Neuropeptide 46, 48, 266
Neurophysiologie 28, 290, 308f, 313
Neurotransmitter 10, 20, 44ff, 88, 102, 108ff, 153, 266ff, 289ff
Nidation 133, 300
Niedergeschlagenheit 87, 90ff, 177, 202
Noradrenalin 46ff, 88ff, 136, 153, 168, 2067, 297ff
Noradrenalinsystem 52
Normalität 220, 272
Normen 25, 163, 167, 178ff, 201f, 214, 225, 230, 296, 328

Ohnmacht 60, 76, 78f, 81, 87, 94, 273f
Onanieskrupel 199
Operation, formale 219
Opiate 46, 49, 55, 267, 300
Optimismus 120, 275
Orgasmus 108, 128, 131f, 135f, 139, 300
Östradiol 48, 300
Östrogene 55, 131, 133, 217, 300
Ovar 133, 300
Ovulation 56, 300
Oxitozin 132ff

Panik 5, 13, 40ff, 58ff, 65ff, 77ff, 82ff, 156, 226, 267, 274, 281, 300
Panikattacke 13, 65, 67f, 81, 83f, 86, 300

Panikzustände 226
Paradoxie 116, 135, 141f, 149, 285, 300
Parallelverarbeitung 41
Parentifizierung 235
Parietallappen 159, 301
Parkinson-Syndrom 51, 57, 292
Passung 28
Patient, identifizierter 204, 244ff, 256ff, 296ff
Peer-group 164, 224, 301
Phantasiereisen 257
Phenylethylamin 113, 132, 134, 145, 301
Pheromone 56, 136f, 149, 239, 301
Phobie 77ff
–, soziale 79
Placating 251
Prädisposition 193, 239, 301
Primäraffekte 18, 28f, 33f, 43, 301
Primaten 16, 34, 47, 59, 87, 109, 139, 144, 151ff, 161, 191, 195, 214, 240, 301, 311
Progesteron 131ff, 301
Projektion 188, 211, 215
Prolaktin 131, 302
Promiskuität 130
Pseudoharmonie 249
Psychoanalyse 39, 84, 103f, 315, 323
Psychopharmaka 50, 55, 290
Psychose 23, 55, 104, 207, 215, 302
Psychosomatik 302, 312
Psychotherapeut 188, 313
Psychotherapie 103, 188, 263, 276, 302, 309, 311ff
Pubertät 5, 8, 10, 19f, 59, 64f, 68ff, 81f, 92, 131ff, 144, 147, 163ff, 172f, 180, 199f, 202, 204f, 215ff, 230ff, 242ff, 253ff, 257, 263, 284, 288ff, 302, 309, 311, 314, 316f, 321, 325, 332
–, Definition 216
–, Hormone in der 217
Pubertätsentwicklung 216
Pubertätskrise 65, 68, 92, 220, 230, 232, 302, 309

Sachregister

Pubertätsmagersucht 166, 221, 230ff, 253, 290, 302
Pupillen 13, 34, 38, 43, 47, 59f, 134, 138f, 168
Pupillenerweiterung 34, 38
Pupillenreaktion 139
Pyromanie 113

Rangposition 152
Rangstreben 152, 160
Raphe-Kern 53
Rationalisieren 251f, 258
Rauschdrogen 55
Rauschgift 55
Reaktion, depressive 99
Realangst 58, 65, 72, 75, 84ff
Rebellion 95, 222, 235
Rebound-phenomenon 53
Redeangst 182
Reframing 252ff
Regeln 241ff
–, explizite 245
–, implizite 245
Regression 68, 80, 96, 127, 158, 181, 194, 220, 226, 230f, 234, 296, 302f
Reifung 65ff, 194, 216ff
Reifungsangst 65ff
Reifungskrise 71
Reifungsprozess 63, 144, 225, 318
Releasing-Hormone 131, 303
Reproduktion 126, 136, 138, 302
Reptiliengehirn 33
Resignation 92, 198, 214, 219, 222, 243
Respekt 140, 148, 187
Ressentiments 178, 181, 183
Reue 208, 210
Rezeptor 44ff, 54ff, 61, 303
Rhythmen, zirkadiane 95, 306
Riechhirn 51, 56, 136, 298, 303
Riechkolben 49, 56, 291, 303
Rigor 51, 301, 303
Rivalität 67, 152, 248, 328
Rollenerwartungen 218, 246, 265
Rollenspiel 73, 83, 248, 251, 259, 261
–, soziales 83
–, therapeutisches 259
Ruhetremor 51

Sadismus 118, 122
Säuglingsalter 63, 284
Schadenfreude 118
Scham 5, 8, 28, 34, 72ff, 97, 117ff, 146, 160, 164, 169ff, 180ff, 191ff, 201, 207, 214, 219, 222, 233ff
– und Wissen 169
Schamabwehr 175, 178
Schamangst 170f, 175ff
Schambewältigung 182, 185
–, aktive 182
–, passive 182
Schamgefühle 5, 74, 142, 169ff, 180ff, 222, 286, 315f
Schamgrenze 184f
Schamkonflikte 178, 312, 323
Schamschwelle 185
Scheidung 90f, 100, 198, 254
Schizophrenie 51f, 55, 57, 292, 302f, 308, 321
Schlaf, gestörter 78, 87ff
Schlafentzugsbehandlung 103
Schlafmittel 55, 61
Schlafrhythmus 54, 88
Schlafstörung 95, 98
Schmerz 8, 15, 28, 32, 37, 49, 59, 90f, 96, 108, 111, 187, 203, 219, 254, 256, 270, 282, 313, 317
Schmerzmittel 55, 84
Schneewittchenkomplex 206
Schonung 93, 95f, 234, 273, 298
Schonverhalten 102
Schreck 28, 33, 41, 43, 60, 63, 74, 139
Schreikrämpfe 98f
Schüchternheit 28, 182, 313
Schulangst 65ff, 303
Schuld 72, 94ff, 146, 164ff, 175, 178, 184ff, 191ff, 208ff, 213ff, 222, 252
–, und Angst 201
Schuldgefühl 5, 8, 28, 34, 39, 66, 70, 75, 80, 94, 116ff, 120, 127, 141, 160, 164, 169, 175ff, 184ff, 192ff, 210ff, 222ff, 233, 244ff, 271, 274ff, 286, 313
–, kognitive Voraussetzung 191
– und Aggression 201
– und Depression 202
– und Lust 201

– und Scham 201
– und Wahn 211
– und Zwänge 212
Schulphobie 65, 67f, 248, 303
Schulverweigern 230
Schwangerschaft 115, 129, 133, 138, 217, 240, 247, 289, 293, 301
Schwindel 13, 58, 60, 78, 81, 85, 226, 231
Schwindelattacken 226
Sedativa 54, 61, 303
Seepferdchen 33, 35, 155
Sehnerv 27, 29, 295
Sehnsucht 16, 67, 72, 94, 101, 112, 120, 125, 130, 143, 148, 166, 227, 244ff, 250, 252ff
Seitensprung 130
Sekundäraffekt(e) 301, 303
Selbstbefriedigung 222
Selbstbehauptung 142, 195, 201, 210, 317
Selbstbewusstsein 5ff, 28, 63, 72ff, 112ff, 140, 202ff, 269ff, 281ff
Selbstbild 11, 72, 92, 146, 173ff, 211, 218ff, 284, 288
Selbstkonzept 73, 140, 228, 237
Selbstmord 196, 304
Selbstunsicherheit 102
Selbstvertrauen 66, 106, 112, 119, 123
Selbstverwirklichung 94, 220, 236f
Selbstvorwürfe 202, 210f, 286
Selbstwert 202
Selbstwertgefühl 5, 8ff, 28, 63ff, 105, 112ff, 141, 164ff, 184, 202ff, 213ff, 226ff, 255, 278ff, 313ff
–, niedriges 101
–, vermindert 177
Selbstwertkrise 66, 177, 180, 202, 219, 222, 225, 235, 285f
Sensationslust 185
Separation 65, 67, 145ff, 247, 303
Septum 107ff, 155
Serotonin 47, 49, 52ff, 88f, 1025, 109, 136, 303
Serotoninsystem 109
Sex 134
Sex-Appeal 138
Sexualhormone 48, 55f, 131, 133f, 217

Sexualität 5, 33, 48, 69, 87, 108ff, 118ff, 127ff, 140ff, 171ff, 212, 218ff, 228ff, 293, 313, 316ff
Sexualverhalten 50, 127, 132, 149
Signale 31, 34, 110, 127, 129f, 141, 186, 234, 238, 292, 316, 319
–, optische 127
Simulation 234, 304
Skotomisierung 60, 72, 304
Skrupel 75, 199ff, 210, 212, 331
Skrupellosigkeit 212
Skulptur 62, 157, 245, 250, 258f
Skulpturarbeit 245, 258, 261
Somatotropin 131f, 217, 304
Sozialangst 75
Sozialhilfe 188
Sozialisation 66, 71, 76, 183, 196, 198, 209
Sozialisationsangst 65ff
Sozialkompetenz 10, 18, 20, 29
Sozialpädagogik 8
Sozialverhalten 8, 34, 192, 302, 304, 310, 322
Soziobiologie 17, 109, 129, 192f, 238, 304, 319, 322
Soziotherapie 103
Spermien 129, 131, 217
Spielhemmung 99
Spielsucht 113, 304
Spott 15, 44, 46, 56, 66, 75, 103, 132, 154, 206, 218, 223, 248, 260
Stammhirn 10, 17, 20, 29, 40, 43, 52f, 87, 111, 269, 295, 304
Status, sozialer 172
Stereotypien 99, 138
Stigmatisierung 102, 304
Stillen 48, 128, 135, 154, 240f, 299
Stillperiode 129
Stimme 131, 139
Stimmklang 33ff, 114, 136ff
Stimmung 8ff, 14ff, 19ff, 30ff, 81ff, 93ff
Stirnlappen 51
Stolz 173, 183, 202, 206, 209, 284
Stottern 174, 181f
Strafe 172, 193ff, 201f, 210, 210, 214, 274, 303
Straßenangst 80

Stress 16ff, 34, 47ff, 78, 89, 135, 153ff, 242ff, 264ff, 294, 304, 308, 312ff
Stresshormone 34, 55, 267
Stressor 47, 244, 267f, 304, 313
Submission 151, 158, 168
Substantia nigra 50f, 291, 301, 304
Sucht 5, 15, 113, 121f, 265f
Suchtgefährdung 55
Suchtpotential 109, 230, 299
Suchtstoffe 109, 113, 124
Sühne 197, 210, 309
Suizid 98, 177, 229ff
Suizidalität 65, 69, 221, 233, 309
–, latente 233
Suizidgedanken 101
Suizidversuch 187, 230, 233, 317
Sündenbock 194, 203f
Sündenbockreaktion 203
sympathisch 57ff, 106, 136ff, 171, 268, 289, 294ff
Symptom 12, 17
Synapse 44ff, 57, 294, 305
synaptischer Spalt 44, 305
Systemtheorie 26

Tabu 136, 165ff, 171, 209, 246, 305, 315
Tag-Nacht-Rhythmik 54
Tastsinn 131
Temporallappen 305
Testosteron 55, 131ff, 149, 153f, 168, 217, 305
Thalamus 35, 40ff, 54, 107, 280f, 305
Tiefenfurcht 63
Tierphobie 79
Tit for tat 193
Tod 210ff
Totstellreflex 95, 152
Training, autogenes 83
Tränen 89, 96, 254
Tranquilizer 55, 60f, 84, 305, 325
Transmitter 46, 53, 266
Transzendenz 112, 309
Trauer 5, 8, 15ff, 31ff, 52ff, 87ff, 141ff, 160ff, 197, 210, 219ff, 261, 272ff, 311ff
Trauerarbeit 91, 273f
Trauergefühl 94

Trauerreaktion 25, 89ff, 226, 271
Trauerrituale 97, 274, 319
Trennung 90, 120, 176, 198
Trennungsangst 65, 68, 303
Trennungsschmerz 117
Treue 75, 126, 144, 161
Triade 248
Triumphgeschrei 111, 158
trophotrop 60
Trotzphase 197
Tyrosin 50

Überbehütung 235, 243ff, 300
Überforderungsdepression 100
Übergangskrise 64, 230, 254
Übergangsphase 68, 83, 220
Überraschung 60, 74, 154
Übertragung 64
Umdeuten 174, 252, 255f, 302
–, positives 255f, 302
Umkehr 195
Unlust 14f, 37, 93, 116, 241, 287, 289
Unterwerfung 107, 151ff, 158, 168
Urticaria 48
Urvertrauen 70, 91, 114f, 240f, 247, 262
Uteruskontraktionen 135

Valium® 54, 60f, 84, 113
Verachtung 34, 39, 158, 252
Verantwortung 213ff
Verbundenheit 140, 143f, 147f
Verdrängung 77, 91, 174, 203, 209, 213, 215, 272, 306
Verfolgungswahn 211, 300
Vergangenheitsbewältigung 209
Verhaltenstherapie 83
Verkümmerung 92, 95, 98f
Verlässlichkeit 116, 126, 144, 148
Verleugnung 76f, 174, 203, 207ff, 215, 306
Verleugnungsstrategien 207f, 324
Verlieben 132, 134, 247
Verliebtsein 48, 110f, 125f, 134ff, 140f
Verlust 87ff, 90ff, 102ff, 143, 172, 273ff, 281ff

Verlustangst 65, 75f, 102
Verlusterlebnis 35, 98, 100, 273, 313
Vermächtnis 11, 20, 22, 207, 213, 223f, 246, 249, 254, 261, 306
Vermeidungsverhalten 79, 86, 102
Vernachlässigung 68, 92, 102, 108, 163, 166, 192, 195
Verpflichtungen 194f, 203ff, 207, 212ff, 248
Verschiebung 68, 90, 104, 212, 234, 272, 298
Verschwendung 195, 212, 214
Verteidigung 58, 73, 151f, 155, 160, 196
Vertrauen 111ff
Verwandtenehe 138, 171
Verzeihung 203, 210
Verzweiflung 95, 89, 125, 185, 222f, 245, 249, 251, 256, 281
Vesikel 44, 301, 305f
Vigilanz 335
Vitalität 87, 93, 95, 105, 112, 119, 121f, 129, 138, 220, 238, 244f, 268
Vitalitätsverlust 95
Vorfreude 59, 114, 116
Vorschulalter 65, 284
Vorurteile 181, 183, 256
Vorwurf 76, 114, 117, 120, 176, 193, 196, 202, 205, 207, 210f, 286
Voyeurismus 185
Vulnerabilität 10, 18, 20, 24, 29, 306
Vulnerabilitätskonzepte 24

Wachheitsgrad 136
Wachheitszustand 53
Wachsamkeit 52
Wachstumshormon 131, 217, 304

Wahn 51ff, 187ff
Waschzwang 212
Wehmut 96
Weinen 87, 96, 158, 166, 241, 257, 278, 281
Werdenszeit, innere 90, 98, 104, 309
Werte 198ff
Widerstände 188f
Wiedergutmachung 165, 191f, 195, 199, 201, 210, 213, 246
Willkürbewegung 51
Willkürmotorik 159, 299, 302, 305
Wochenbettdepression 100, 104
Würgereflex 157
Wut 8, 15, 18f, 22, 33ff, 39ff, 52, 74, 91, 109, 118, 134, 151ff, 271, 284ff, 317

Xenophobie 160, 306

Zärtlichkeit 105, 114, 125, 128, 131, 134, 139, 245, 248, 252
Zivilcourage 76, 321
ZNS 266, 268, 301, 306
Zorn 28ff, 37, 91, 150ff, 274ff
Zuneigung 15, 120, 142, 148, 204, 252, 261
Zusammengehörigkeitsgefühl 119, 163
Zwangsgedanken 212
Zwangsimpulse 212
Zwangsneurosen 68
Zwangsstörungen 212
Zwangsverhalten 212
Zweifel 164ff, 179, 197, 247, 284
Zwischenhirn 10, 16ff, 41ff, 49ff, 110ff, 131f, 154, 169, 294, 298, 305
Zygomatikus-Muskel 106f, 120, 158
Zyklus 133